Marc Raal

INCISION

Traduit de l'allemand par Georges Sturm

ÉDITIONS DU MASQUE
17, rue Jacob 75006 Paris

Titre original
Schnitt
publié par Ullstein Taschenbuch

COUVERTURE :
Maquette : We-We
Photographie : © SMETEK / Getty images

ISBN : 978-2-7024-3936-4

Pour Meike

Nous sommes tous chacun notre propre démon,
Et nous faisons de ce monde notre enfer.

Oscar Wilde

1979

Prologue

Berlin-Ouest – 13 octobre, 23 h 09

Gabriel était debout sur le seuil de la porte et scrutait les ténèbres. La lumière qui venait du vestibule tombait dans l'escalier de la cave, vite avalée par les murs de brique.

Il haïssait la cave, et plus particulièrement la nuit. Non qu'il y eût une différence : qu'il fît jour ou nuit dehors, dans la cave, il faisait toujours nuit. Mais le jour, on pouvait s'échapper, fuir dans le jardin, sortir à la lumière. La nuit, en revanche, il faisait noir *partout*, même dehors, et il y avait des fantômes aux aguets, accroupis dans tous les coins. Des fantômes qu'aucun adulte ne pouvait voir. Des fantômes qui n'attendaient qu'une chose, enfoncer leurs serres dans la nuque d'un garçon de onze ans.

Et pourtant, il ne pouvait s'empêcher d'écarquiller les yeux en direction des profondeurs, vers le coin le plus éloigné de la cave, là où la lumière se diluait dans l'ombre.

La porte !

Elle était ouverte !

Une fente noire bâillait entre le mur gris foncé et le panneau de la porte. Derrière cette porte, il y avait le laboratoire, noir comme l'Étoile de la mort de Dark Vador.

Son cœur battait à tout rompre. Gabriel essuya nerveusement ses mains moites sur son pyjama, son pyjama préféré, celui avec le portrait de Luke Skywalker de *Star Wars* sur la poitrine.

La longue fente noire de la porte entrouverte le fascinait. Lentement, il posa son pied nu sur la première marche. Il sentit la rugosité du bois de l'escalier de la cave qui grinçait traîtreusement. Mais il savait qu'ils ne l'entendraient pas. Pas aussi longtemps qu'ils se disputeraient derrière la porte fermée de la cuisine. C'était une dispute terrible. Plus terrible que d'habitude. Et cela l'épouvantait. Heureusement, David n'est pas là, se dit-il. Heureusement qu'il l'avait mis à l'abri du danger. Son petit frère aurait pleuré.

Et pourtant, il serait bon à présent de ne pas être seul dans cette cave, avec les fantômes. Gabriel hésita, retint son souffle. La fente le fixait comme la gueule d'un gouffre infernal.

Va voir ! C'est ce que Luke ferait.

Son père serait dans une rage folle s'il le voyait. Le laboratoire était son secret et il était défendu comme une forteresse, avec sa porte métallique et son judas optique noir luisant. Jamais personne d'autre que son père n'avait mis les pieds dans le laboratoire. Pas même sa mère.

Les pieds de Gabriel explorèrent le sol en béton brut de la cave et il frissonna. Après la tiède chaleur des marches en bois, ce ciment froid.

Maintenant ou jamais !

Soudain, il entendit distinctement un grondement qui se frayait un passage à travers le plafond de la cave. Gabriel tressaillit. Le vacarme venait de la cuisine située au-dessus de lui. Comme si on avait traîné la table sur le sol carrelé. Il se demanda un instant s'il ne devrait pas plutôt remonter. Sa mère était là-haut, toute seule avec lui, et Gabriel connaissait la violence des colères paternelles.

Il dirigea de nouveau le regard vers la porte qui miroitait dans l'obscurité. Pareille occasion ne se rencontrerait peut-être plus jamais.

Une fois déjà, il s'était tenu au même endroit. Environ deux ans auparavant. Son père avait oublié de pousser le verrou de la porte de la cave. Gabriel avait neuf ans. Il était resté debout quelque temps dans l'entrée pour épier. La curiosité avait fini par l'emporter. Et ce soir-là déjà, il s'était glissé furtivement dans le sous-sol, la peur au ventre à cause des fantômes, dans la nuit de l'escalier parce qu'il n'avait pas osé allumer la lumière.

L'oculaire du judas était embrasé, point rouge vif de l'œil d'un monstre.

Il s'était enfui, les jambes à son cou, pour remonter chez David, dans la chambre d'enfants, et se réfugier dans son lit.

Il avait onze ans à présent. Et il était de nouveau en bas, et l'œil de braise du monstre était éteint. N'empêche que la lentille du judas, froide et noire, le fixait comme un œil mort. Seuls s'y reflétaient la faible trace de lumière de l'escalier et Gabriel lui-même. Plus il s'approchait et plus son visage grandissait.

Mais pourquoi est-ce que ça sentait si mauvais ici, à donner la nausée ?

Ses pieds nus avançaient à tâtons, et il marcha dans quelque chose d'humide, de la consistance d'une bouillie. *Du vomi. C'était du vomi !* Voilà pourquoi ça puait tellement ici. Mais pourquoi du vomi, et précisément *à cet endroit* ?

Il surmonta son dégoût et s'essuya la plante du pied en la raclant sur un endroit sec du sol cimenté. Quelque chose resta tout de même collé entre ses orteils. Il aurait bien aimé avoir une serviette ou un chiffon humide, mais le laboratoire était plus important. Il avança la main, la posa sur la poignée, tira un peu vers lui la lourde porte de métal et se glissa dans l'obscurité. Un silence irréel l'enveloppa.

Un silence de mort.

Une forte odeur de préparations chimiques envahit ses narines, comme dans le laboratoire de développement de films où son père l'avait emmené une fois après une de ses journées de tournage.

Son cœur battait la chamade. Bien trop vite, bien trop bruyamment. Il aurait aimé être ailleurs, auprès de David peut-être, sous la couverture du lit.

Luke Skywalker ne se terrerait jamais sous la couverture.

Les doigts de sa main gauche tâtonnèrent en tremblant à la recherche de l'interrupteur, s'attendant à tout instant à rencontrer tout autre chose. Que se passerait-il s'ils étaient là, les fantômes ? S'ils lui attrapaient le bras ? Si par mégarde il leur mettait la main dans la gueule et que leurs mâchoires se refermaient ?

Là ! Une sensation de fraîcheur. Du plastique.

Il bascula l'interrupteur. Trois lampes rouges s'allumèrent et plongèrent le local dans une lumière de braise caractéristique, rouge foncé.

Rouge, comme dans le ventre d'un monstre.

Un frisson lui parcourut l'échine, jusqu'à la racine des cheveux. Il resta debout sur le seuil du laboratoire, comme devant une sorte de frontière invisible qu'il n'osait pas franchir. Il plissa les paupières et essaya de discerner des détails.

Le laboratoire était plus grand qu'il ne l'avait imaginé, un boyau d'environ trois mètres de large sur sept de profondeur. Immédiatement à côté de lui, il y avait un lourd rideau en molleton noir qu'on avait repoussé précipitamment sur sa tringle.

Sous le plafond en béton, on avait tendu des cordes à linge où étaient accrochées des photos. Quelques-unes avaient été arrachées et jonchaient le sol.

À gauche, il y avait un agrandisseur. À droite, une étagère courait sur toute la longueur du mur, chargée de caméras. Gabriel écarquilla les yeux. Il en identifia aussitôt la plupart : Arri, Beaulieu, Leicina, d'autres encore, plus petites. Les revues professionnelles qui s'empilaient en haut dans le bureau de son père en étaient pleines. Chaque fois qu'un de ces magazines avait atterri dans la corbeille à papier, Gabriel l'avait repêché, fourré sous son oreiller pour le lire le soir sous la couverture à la lueur d'une lampe de poche, jusqu'à ce que ses paupières se ferment.

À côté des caméras, une douzaine d'objectifs, quelques-uns aussi longs que des canons de fusil ; puis de petits appareils photo encore, des housses pour absorber le bruit des moteurs de caméras, des chargeurs de 8 et 16 mm, un empilement de trois caméscopes VHS avec quatre moniteurs et enfin deux caméscopes flambant neufs. Son père traitait toujours ces appareils de *bombes en plastique*[1]. Il avait lu dans l'une de ces revues qu'avec la nouvelle technique vidéo on pouvait filmer pendant presque deux heures sans changer de cassette – vraiment incroyable ! De plus, ces bombes

1. Terme employé à l'origine pour désigner familièrement les petites automobiles Goggomobil et Trabant. *(Toutes les notes sont du traducteur.)*

en plastique, loin de faire autant de bruit que les caméras, enregistraient en silence.

L'œil brillant, Gabriel laissa errer son regard sur ces trésors. Il aurait aimé pouvoir montrer tout cela à David. Et soudain, il eut mauvaise conscience. Après tout, l'endroit était dangereux. Il n'avait pas le droit d'y attirer David. De plus, son frère s'était déjà endormi, et il avait bien fait de fermer la porte de la chambre d'enfants à clef derrière lui.

Soudain, il entendit un grand bruit. Effrayé, il se retourna. Mais il n'y avait personne. Ni parents, ni fantômes. Sans doute continuaient-ils leur querelle, là-haut, dans la cuisine.

Il dirigea de nouveau son regard sur tous les trésors du laboratoire. *Approche*, semblaient-ils lui murmurer. Mais il était encore debout sur le seuil, figé près du rideau. La peur le terrassait. Il n'était pas trop tard pour reculer. Il avait vu le laboratoire à présent, inutile d'y entrer.

Onze ans ! Tu as onze ans ! Allez, avance, ne sois pas lâche.

Et Luke, quel âge avait-il donc ?

Gabriel fit deux pas hésitants dans le local.

Qu'est-ce que c'étaient que ces photos ? Il se baissa, en ramassa une et regarda fixement l'image à gros grains, délavée. Une brusque sensation de dégoût se mêla à un étrange émoi qui se propagea dans son bas-ventre. Il leva les yeux sur les photos suspendues à la corde à linge. Celle qui était juste au-dessus de sa tête attira son regard comme un aimant. Une subite chaleur l'envahit et ses joues s'enflammèrent, chaudes et rouges à l'image de tout ce qui l'entourait. Il se sentit un peu mal. Cela avait l'air si réel, si…, ou étaient-ce des acteurs ? C'était comme dans un film ! Ces colonnes, ces murs, comme au Moyen Âge, et ces robes noires…

Il s'arracha brutalement à ce spectacle, et son regard franchit le désordre de l'étagère pour rester accroché aux magnétoscopes dernier cri, sur lesquels scintillaient les petits logos JVC. Celui du bas était allumé. Des chiffres et des signes étincelaient sur l'afficheur électronique brillant comme un miroir. Comme dans *Star Wars*, dans le cockpit d'un vaisseau spatial, pensa-t-il.

L'index de Gabriel s'approcha machinalement des touches et en enfonça une. Il tressaillit quand il entendit un claquement sec dans les entrailles de l'appareil. Deux fois, trois fois, puis le ronronnement d'un moteur. *Une cassette !* Il y avait une cassette engagée dans la fente ! Il avait le front brûlant. Il poussa fébrilement un autre bouton. Le JVC répondit par une succession rapide de bruits secs. Des traits parallèles blancs, horizontaux et sautillants, troublèrent la surface de l'écran du moniteur placé près des magnétoscopes. L'image vacilla encore un moment, puis se stabilisa. Diffusément, avec des couleurs scintillantes, irréelles, comme une fenêtre ouverte sur un autre monde.

Gabriel s'était involontairement penché en avant, et se rejeta soudain brusquement en arrière. Il eut la bouche complètement asséchée. La même image que sur la photo ! Le même lieu, les mêmes colonnes, les mêmes personnes, sauf qu'elles bougeaient. Il voulut détourner le regard mais n'y parvint pas. Bouche bée, il happa l'air étouffant et retint son souffle sans même s'en rendre compte.

Les images lui martelaient le crâne comme le crépitement de flashs et il ne put faire autrement que regarder, médusé.

L'incision franche à travers l'étoffe noire de la robe.

Le triangle clair sur la peau plus claire encore.

Les longs cheveux blonds en désordre.

Le chaos.

Et puis cette autre incision encore – geste furieux et tranchant, qui se transmit quasiment aux entrailles de Gabriel. Il fut pris d'un soudain haut-le-cœur, et la tête lui tourna. Le moniteur le regardait d'un air mauvais. Il trouva la touche en tremblant.

Arrêt ! Terminé !

L'image fut avalée avec un bruit sourd, comme s'il y avait dans le moniteur un de ces trous noirs tel qu'il y en a dans l'espace. Le son était terrible et rassurant à la fois. Il regarda fixement le verre dépoli ainsi que le reflet de son propre visage empourpré. Un fantôme le fixait intensément avec des yeux que la terreur écarquillait.

Ne pas y penser ! Surtout ne pas y penser... Il examinait les photos, tout le fouillis du laboratoire, mais évitait par-dessus tout l'écran du moniteur.

Ce que tu ne vois pas n'existe pas !

Mais cela existait. Quelque part dans le moniteur, loin dans les profondeurs du trou noir. De l'appareil sourdait un léger couinement. Il voulut plisser les paupières et aurait aimé se réveiller ailleurs. Peu importait où. Pourvu que ce ne soit pas dans le laboratoire. Il était toujours penché face aux moniteurs, devant son reflet fantomatique.

Gabriel eut soudain une envie désespérée de voir quelque chose de beau, ou tout simplement autre chose. Comme mus par une volonté propre, ses doigts se dirigèrent vers les autres moniteurs.

Fump. Fump. Les deux écrans du haut s'allumèrent. Deux images vidéo de faible intensité se cristallisèrent et jetèrent un éclat bleu acier dans la lumière rouge du laboratoire. Sur la première image, on voyait l'entrée et la porte ouverte de la cave ; l'escalier était avalé par l'obscurité. La seconde montrait la cuisine. La cuisine et ses parents. La voix de son père nasillait dans le haut-parleur.

Gabriel ouvrit tout grands les yeux.

Non ! Je t'en prie, non !

Son père heurta la table de la cuisine. Les pieds de la table raclèrent violemment le sol. Le bruit se transmit à travers le plafond et Gabriel sursauta. Son père ouvrit brutalement un tiroir, y plongea la main, la retira.

Horrifié, Gabriel dévisagea le moniteur. Ses paupières battaient et il souhaita être aveugle ! Aveugle et sourd.

Mais il n'était ni l'un ni l'autre.

Des larmes jaillirent dans ses yeux. L'odeur chimique du laboratoire mêlée à celle du vomi du seuil de la porte lui révulsa l'estomac. Il souhaita que quelqu'un vienne, le prenne dans ses bras, lui parle jusqu'à ce qu'il oublie.

Mais personne ne viendrait. Il était seul.

L'évidence le frappa comme un coup de massue. *Il fallait que quelqu'un entreprenne quelque chose.* Et à présent, *il* était le seul à pouvoir encore le faire.

Que ferait Luke ?

Ses pieds nus étaient engourdis par le froid du sol, mais il parvint à se glisser en haut de l'escalier de la cave. Dans son dos, le local rouge brasillait comme l'enfer.

Si seulement il avait un sabre laser ! Et puis, tout à coup, il eut une meilleure idée, quelque chose de bien mieux qu'un sabre.

Vingt-neuf ans plus tard

1

Berlin – 1er septembre, 23 h 04

La photo s'agite comme une promesse maudite dans la cave sans fenêtres. Dehors la pluie fait rage. Le vieux toit de la villa bruisse sous les masses d'eau, et la façade à colombages s'empourpre seconde après seconde au rythme alternatif des feux d'un gyrophare rouge foncé fixé directement au-dessus de la porte d'entrée.

La lampe de poche zigzague dans l'obscurité du couloir de la cave, comme un doigt lumineux qui frôle la robe noire lamée suspendue à un cintre telle une poupée éventrée. De loin, la photo épinglée sur la robe ressemble à un morceau de tapisserie. Elle est pâle, et l'encre de l'imprimante a été absorbée par le papier bon marché, si bien que les couleurs sont mates, comme passées.

Le vêtement oscille encore, le cintre vient tout juste d'être accroché, et ce mouvement l'apparente à un mobile. Vivant et pourtant mort.

La photo représente une femme jeune, très mince, belle à fendre le cœur. La silhouette est élancée, presque celle d'une adolescente ; elle a de petits seins plats, et le visage est figé, inexpressif.

Ses cheveux très longs et très blonds ressemblent à un drap jaune froissé sous sa tête. La robe qu'elle porte est identique à celle sur laquelle la photo est épinglée. C'est comme si elle avait été coupée directement sur la jeune femme, à son image : ondoyante, extravagante, frivole et chère. Et elle est fendue sur le devant, d'une incision verticale continue, comme si c'était une fermeture Éclair ouverte.

Sous la robe, sa peau est fendue elle aussi, d'une incision franche, du pubis à la poitrine en passant par le ventre. Les rebords de la paroi abdominale tranchée bâillent, le rouge charnu des entrailles est enveloppé d'une obscurité bienveillante. La robe noire emprisonne le corps comme la mort. Un symbole parfait, comme cet endroit où est dorénavant suspendue cette robe noire qui attend qu'*il* la découvre, *lui* : Kadettenweg 107.

Le faisceau de la lampe de poche s'arrête une fois encore sur l'imposante armoire grise fixée au mur et sur sa serrure encroûtée de rouille. La clef était la bonne, mais la serrure avait eu du mal à jouer, comme s'il lui avait d'abord fallu se rappeler sa mission. Une rangée irrégulière de petites ampoules rouges y brille, dont trois cassées. Des filaments de Wolfram corrodés au fil des ans. Mais cela n'a aucune importance. L'ampoule rouge dont tout dépend est allumée.

La lumière de la lampe de poche tâtonne brusquement en arrière, vers l'escalier de la cave, puis grimpe les marches. Le cône de lumière laisse voir des empreintes de pieds, et c'est bien ainsi. Elles le guideront quand il viendra ici, elles le mèneront en bas de l'escalier de la cave, jusqu'à la robe noire. Et jusqu'à la photo.

Il se souviendra sur-le-champ. Ses cheveux se hérisseront dans sa nuque, et il pensera : c'est impossible.

Et pourtant, c'est ainsi. Il le saura. Ne serait-ce qu'à cause de la cave, et même si ce n'était pas *cette* cave. Il ne s'agissait pas non plus de *cette* femme. Et naturellement, ce sera aussi une autre femme. *Sa* femme.

Et tout cela le jour de son anniversaire à elle. Élégance du détail !

Mais ce qu'il y a de mieux, c'est la manière dont la boucle est bouclée. Car c'est dans une cave que tout a commencé et c'est dans une cave que tout finira.

Les caves sont les antichambres de l'enfer. Et qui le saurait mieux que quelqu'un qui brûle en enfer depuis une éternité ?

2

Berlin – 1er septembre, 23 h 11

Entre-temps, l'alarme clignote depuis neuf minutes déjà. N'importe qui d'autre que lui aurait déjà porté la main à son arme tout en se hâtant vers la voiture, ne serait-ce que d'un geste bref, simplement pour sentir qu'elle est là où elle doit être en cas de besoin : dans son étui, directement contre sa hanche.

Gabriel ne le fait pas ; il ne porte pas d'arme. Aussi loin que remonte sa mémoire, les pistolets lui procurent un profond malaise. Sans compter qu'aucune administration allemande ne lui délivrerait jamais un permis de port d'armes.

La pluie lui coule déjà dans la nuque lorsqu'il atteint la voiture. Gabriel a appuyé sur le bouton de déverrouillage central, et les feux orange clignotent dans l'obscurité. Il se jette sur le siège conducteur et claque la porte. Des gouttelettes d'eau du caoutchouc humide de la portière lui éclaboussent le visage. Il pleut à torrents, comme si le ciel avait un gigantesque incendie à éteindre. Gabriel fixe le rétroviseur, où ses yeux sont accrochés devant le pare-brise, comme découpés au pochoir.

Il sait qu'il devrait mettre le moteur en marche aussitôt, mais une résistance intérieure l'en empêche ; un frisson lui court sous la peau tel un courant électrique, une sorte de mise en garde. Quelque chose ne colle pas dans cette histoire. Et qui plus est, aujourd'hui. À cette heure-ci, comme un fait exprès.

Une voix intérieure lui souffle avec insistance : *Laisse pisser, Luke. Qu'est-ce que tu attends encore ? Pas à cause d'elle, tout de même ?*

Je lui ai promis que je serais là peu après minuit, se dit Gabriel.

Tu ne lui as pas promis ça. Elle a compris ça comme ça, c'est tout. Ce n'est pas ton problème, si elle réagit comme une peste.

Merde, grommelle-t-il.

Merde ? Pourquoi ? Tu ne vois pas ce qu'elle fait de toi ? À peine tu vis avec quelqu'un que tu deviens une mauviette. Comme si tu ne savais pas à quel point c'est dangereux ! Occupe-toi plutôt de l'alarme.

Gabriel serre les mâchoires. Saloperie d'alarme. Cela fait vingt ans qu'il est chez Python. Il a passé la plus grande partie de son temps, et de loin, avec des systèmes d'alarme ou comme garde du corps. Quelques mois auparavant, il habitait même sur le terrain clôturé de la société de sécurité, dans deux pièces à l'installation spartiate, juste devant le portail grillagé qui donne sur la rue. Youri, son chef, l'avait pris sous son aile et soutenu. Le matin, entraînement aux sports de combat ; à partir de dix-huit heures, cours du soir au lycée pour passer le baccalauréat et, entre-temps, à chaque moment libre, Python. Le problème, c'étaient les fins de semaine. Quand il n'y avait pas assez à faire, le souvenir l'oppressait. Jusqu'à ce qu'il découvre la voiture accidentée dans le garage de Youri, une vieille Mercedes SL. Youri lui laissa le cabriolet en très mauvais état, et Gabriel, qui n'avait jamais eu affaire à des voitures, se jeta dans les réparations comme s'il y allait du salut de son âme.

La Mercedes terminée, Youri lui procura une Jaguar Type E, puis d'autres classiques encore des années soixante-dix, si bien que le garage ne désemplissait jamais.

La seule chose que Youri demandait en échange, c'était qu'il fasse son travail. Et pour cela Gabriel n'avait absolument pas besoin d'encouragements, car s'il a quelque chose comme un chez-soi, c'est son boulot.

Impassible, Gabriel fixe le rétroviseur. Dans la lumière de l'éclairage de la cour, la pluie tempête sur le capot. Ses yeux pâles brillent dans l'obscurité, et les trois courtes rides qui creusent leurs sillons entre ses sourcils ressemblent à de profondes crevasses.

Gabriel tourne la clef de contact. Le bruit du démarrage du moteur est couvert par le crépitement de la pluie sur le toit de la voiture. Il actionne les essuie-glaces, accélère, et la Golf couleur anthracite, avec son inscription *Python Security* peinte en jaune sur les flancs, traverse la cour à toute allure, passe devant les autres véhicules du parc automobile de la société, puis franchit le portail grillagé et tourne dans la rue où la voiture gris foncé s'estompe dans la nuit gris foncé.

Kadettenweg 107.

Quelques minutes auparavant, ils ne savaient même pas que cette adresse était connectée à la Python. L'alarme avait surgi quasiment du néant. Bert Cogan avait concentré ses yeux obstinément rougis sur le moniteur du centre de surveillance, comme si une maison hantée venait de se matérialiser là-bas. Cogan travaillait depuis plus de neuf ans chez Python, les moniteurs étaient son univers parallèle quotidien. Il connaissait chaque pixel aussi bien que l'emplacement de toutes les villas dont l'entreprise assurait la sécurité dans le quartier résidentiel de Lichterfelde.

« Hé, vise-moi ça, avait-il marmonné, dérouté.

— Quoi ? questionna Gabriel.

— Ben ça, là ! » grogna Cogan. De son énorme index pâle et gercé, il désignait un point rouge lumineux qui clignotait sur l'écran de contrôle. « Tu peux m'expliquer ce que c'est que cette maison ? »

Gabriel haussa les épaules.

« Aucune idée. Si toi, tu ne le sais pas, comment veux-tu que je le sache ?

— C'était juste une idée comme ça, répliqua Cogan en tripotant les touffes de poils qui couvraient son menton fuyant.

— Et c'est *quoi*, cette idée ?

— Eh bien, comme tu fais partie de la boîte depuis une éternité..., bougonna-t-il.

— Que je travaille depuis longtemps pour Youri, c'est une chose. » Gabriel désigna les moniteurs. « *Ça*, c'est une tout autre histoire. Tu as déjà consulté les registres ? »

Cogan grogna.

« Pas la peine. Je connais la liste de Lichterfelde. Il n'y a rien à cet endroit. Absolument rien. »

Gabriel fronça les sourcils et examina le point rouge marqué 107 qui pulsait en silence juste à côté de la mince ligne blanche avec la mention Kadettenweg. Un étrange frémissement prit naissance dans sa nuque et courut le long de son échine.

Que se passe-t-il, Luke ? lui susurra la voix intérieure. *Ce n'est qu'un point rouge, comme tous les autres. C'est déjà arrivé mille fois. Alors, n'en fais pas une montagne !*

« C'est bon, c'est bon, murmura-t-il sans s'en rendre compte.

— Qu'est-ce que tu dis ? demanda Cogan.

— Hmm ? Mais rien », fit rapidement Gabriel. Sans un mot, il pêcha son téléphone portable dans la poche intérieure de sa veste en cuir noir et tapota le numéro de Youri Sarkov.

La sonnerie retentit un moment, et Youri prit l'appel.

« Salut Gabriel », nasilla-t-il. La voix semblait bien réveillée, et pourtant il était déjà une heure du matin bien passée à Moscou. « Qu'est-ce qu'il y a ?

— Salut, marmonna Gabriel, en se demandant une fois encore s'il arrivait à Youri de dormir ou de débrancher son téléphone. On a là un drôle de truc. Une alarme silencieuse à Lichterfelde-ouest, en plein quartier résidentiel. Mais la maison ne fait pas partie de nos clients.

— Hmm. Quelle adresse ?

— Kadettenweg 107 », répondit Gabriel en dirigeant le portable de manière que Cogan puisse entendre.

Silence. Juste un léger grésillement sur la ligne.

« Youri ? Tu es encore là ?

— 107 ? Kadettenweg ? Tu en es sûr ? questionna Youri.

— C'est écrit là, sur l'écran ; ça te dit quelque chose ?

— *Bliat !* » ronchonna Youri d'une voix si feutrée que Gabriel comprit à peine. Youri était à moitié russe et, chaque fois qu'il avait motif à jurer, il passait automatiquement à sa langue maternelle.

« C'est un de nos clients ?

— En quelque sorte, oui. »

En quelque sorte ? Gabriel fronça les sourcils. Ou quelqu'un était client, ou il ne l'était pas.

« Mais comment s'appelle le propriétaire ? Si tu as un numéro de téléphone, je m'en occupe.

— La maison est inhabitée », répliqua Youri.

Gabriel se tut longuement.

« Bon, alors, qu'est-ce qu'on fait ? »

Long silence sur la ligne. Gabriel voyait Youri Sarkov comme s'il l'avait en face de lui, quelque part dans Moscou, en train de faire une visite pénible à sa famille. Il le voyait en train de réfléchir, portable à l'oreille, les lèvres minces inexpressives et toujours un peu bleuies, le cheveu rare, les yeux gris derrière des lunettes de comptable à monture invisible, avec si peu de rides pour un homme dans la soixantaine qu'on aurait pu croire qu'il ne riait jamais, ne se mettait jamais en colère et que la peau de son visage ne savait même pas dans quelle direction elle pourrait creuser des rides.

Youri finit par soupirer.

« Envoie quelqu'un. Qui est encore là ?

— Cogan et moi, c'est tout. Tu veux qu'on signale ça à la police ?

— Non, non. C'est nous que ça regarde. Ça n'a pas l'air bien important. Envoie Cogan, ça suffira. »

Cogan secoua la tête avec force et désigna ses jambes. Gabriel lui signifia de se taire.

« Pourquoi Cogan ? Il ne se déplace pourtant jamais à l'extérieur. »

Youri grogna :

« J'ai dit : envoie Cogan. Sinon il finira par coller à son moniteur. Il ne sait déjà même plus comment c'est, dehors.

— Okay, Cogan y va. Et qui est le propriétaire ? Tu ne veux pas que je l'appelle avant que quelqu'un de chez nous débarque ?

— Laisse tomber, je m'en occupe. Pendant que Cogan sera absent, tu prends la centrale. »

Cogan roula les yeux, écarta démonstrativement les bras de désespoir et montra de nouveau ses jambes.

« Et les clefs ? demanda Gabriel.

— Passe-moi Cogan, tout simplement. »

Sans un mot, Gabriel tendit le portable à son collègue. Cogan le pressa à l'oreille d'un air tourmenté.

« Chef ? »

La voix nasillarde de Sarkov lui parvenait sourdement.

« Écoute-moi, je veux que ce soit *toi* qui ailles jeter un coup d'œil là-bas. Mais tu ne prends aucune initiative, tu entends ? Que la routine habituelle, rien de plus ! Je veux d'abord savoir ce qui se passe réellement.

— Chef, est-ce que je pourrais... Je veux dire... En fait, je ne suis pas de service extérieur et... »

La voix de Sarkov aboya :

« Tu la boucles, c'est comme ça, tu fais ce que je te dis !

— Compris, chef, répondit vivement Cogan, et ses joues s'enflammèrent de plaques rouges.

— Les clefs sont dans le petit coffre-fort de mon bureau. C'est écrit K107 dessus. La combinaison : 3722. Et tu fais signe dès que tu sais ce qui se passe là-bas, compris ?

— Compris », répondit Cogan, angoissé, mais Sarkov avait déjà coupé la communication. La main qui tenait le portable s'affaissa et Cogan regarda Gabriel.

« Merde, mec, il se doute de quelque chose », gémit-il à voix basse en se frottant le front.

Gabriel grimaça. Cogan était diabétique et son taux de sucre était déplorable depuis des années. Il souffrait régulièrement de crampes aux mollets, avait des douleurs dans les jambes et de plus en plus de difficultés à se déplacer. Et il se donnait énormément de mal pour cacher son état à Sarkov. Il savait qu'avec un handicap ses chances de travailler pour Python étaient égales à zéro. Son regard vide était fixé sur le point rouge clignotant du moniteur.

« Je n'y arriverai pas. Pas avec ces douleurs. »

Gabriel se mordit les lèvres. Il savait que Cogan n'était pas en état d'aller à Lichterfelde. Mais par ailleurs Liz l'attendait, et, s'il remplaçait Cogan aux moniteurs, à minuit il pourrait passer la main à Jegorow et quitterait ainsi les lieux à temps.

Cogan gémit :

« Nom de Dieu, et qu'est-ce que je fais s'il y a vraiment quelqu'un ? Je ne peux même pas me sauver en courant.

— Tu n'es pas obligé de te sauver, non plus. Tu as une arme, après tout. »

Cogan fit une grimace. Il voulait paraître furieux, mais elle ne trahissait que son profond désespoir.

« C'est bon, j'y vais. Au fond, c'est bien moi qui suis de service », annonça Gabriel.

Cogan soupira, soulagé.

« Sûr ? »

Gabriel opina, mi-figue, mi-raisin. Il pensait qu'il serait rentré au plus tôt dans deux heures et se demanda comment il expliquerait la chose à Liz sans qu'elle soit amèrement déçue.

« Et Sarkov ? questionna Cogan, qu'est-ce qu'on va lui dire, à celui-là ?

— Youri n'est pas obligé de le savoir. Je t'appellerai, je te dirai ce qui se passe, et tu pourras lui téléphoner. »

Le regard inquiet de Cogan s'éclaircit un peu.

« Merci, mec. Ça me sort de la merde. »

Gabriel se fendit d'un sourire forcé.

« Et tu es certain que dans les registres il n'y a rien sur ce client ? »

Cogan haussa les épaules.

« J'ai beau avoir des jambes paralysées, là-haut ça baigne encore », rétorqua-t-il en se tapotant le front de l'index.

Gabriel approuva d'un signe de tête et jeta un bref coup d'œil à l'horloge.

« Merde ! » grogna-t-il.

Encore une demi-heure, et il aurait fini. Il se leva, tapota le numéro de Liz et monta rapidement dans le bureau de Youri pour chercher la clef.

Quand elle prit la communication, il eut du mal à saisir sa voix dans le brouhaha ambiant.

« Liz ? C'est moi.

— Hey ! Sa voix semblait exaltée. Je suis encore au Linus, j'ai bavardé avec Vanessa jusqu'à maintenant, mais elle vient de rentrer. Tu me rejoins ici ? On trinquera encore un coup et on fera une promenade de minuit dans le parc. »

Le Linus. Manquait plus que ça. Il fut tout à coup heureux d'avoir une excuse. Un attelage de dix chevaux ne le traînerait pas au Linus. Tout en entrant dans le bureau de Sarkov, il marmonna :

« Pour être tout à fait sincère, j'ai encore un problème à régler. Il faut que je ressorte.

— Oh, non ! S'il te plaît, non ! Pas aujourd'hui », implora Liz.

Gabriel pianota la combinaison du petit coffre, et la porte s'ouvrit. Devant lui étaient accrochées trois douzaines de clefs de clients VIP de Python.

« C'est le bar qui te gêne ? dit Liz. Si tu n'as pas envie de rencontrer la mafia des médias, tu n'es pas obligé de rentrer. Viens juste me chercher.

— Ce n'est pas le problème.

— Il s'agit de David ? Allez, viens, tu ne peux pas le fuir éternellement. Et de toute façon, il n'est pas là.

— Liz, ce n'est vraiment pas le problème. Comme je te l'ai dit, il faut que je ressorte. »

Elle se tut un moment.

« Personne d'autre ne peut y aller à ta place ?

— Aucune chance, répondit Gabriel, hélas ! » Il préféra taire l'arrangement avec Cogan. De toute façon, elle l'aurait mal pris.

« Tu as vraiment un boulot de merde, affirma Liz.

— Toi aussi, non ? » riposta-t-il du tac au tac. Du bout des doigts, il décrocha un anneau avec deux clefs de sûreté oxydées, d'où pendouillait une étiquette en plastique rose pâle marquée K107. « Et jusqu'à maintenant, ça ne t'a pas gênée. »

Elle soupira, mais ne dit rien. Elle semblait attendre quelque chose. Le brouhaha du bar ressemblait au vacarme d'une halle de marché tout entier comprimé au fond d'un silo en tôle.

Elle soupira de nouveau :

« OK. Ben, comme d'habitude, alors.

— Liz, écoute, je…

— Épargne-moi, tu veux ? En plus, il faut que j'aille aux toilettes. » Elle coupa la communication, et les bruits confus du bar s'éteignirent brusquement.

Gabriel jura entre ses dents, referma le coffre aux clefs et dévala l'escalier. *Comme d'habitude, alors.* À un moment ou un autre de cette nuit, il la rejoindrait dans son lit, Liz se retournerait nerveusement une ou deux fois, et il se passerait exactement ce qu'il n'arrivait toujours pas à comprendre.

Il s'endormirait, tout bêtement.

Il ne collerait pas les yeux au plafond, il ne lui viendrait aucun de ces lambeaux de souvenirs qui auparavant le tenaient éveillé comme des éclats de lumière. Seuls ses rêves n'avaient pas disparu, même s'ils restaient désormais le plus souvent tapis dans les ténèbres de leur tanière, comme aux aguets, pour l'agresser de temps à autre avec leurs yeux morts, avec des électrochocs ou la sensation de brûler vif. Mais à la différence de ce qui lui arrivait dans le passé, il y avait à présent quelque chose qui le rassurait quand, le cœur en débandade, il se réveillait en sursaut d'un rêve confus si réel que, par contraste, la réalité lui paraissait une illusion des sens.

À peine deux minutes plus tard, Gabriel traversait la cour de la Python au volant de la Golf, passait devant son ancien appartement et le garage avec ses deux motos, sortait par le portail grillagé ouvert, tournait à gauche dans la rue en suivant les indications de son GPS direction Kadettenweg.

Son ancien appartement ne lui manquait pas, bien au contraire. Il lui semblait s'être débarrassé de quelque chose de pénible, comme d'un vieux recoin ossifié de son âme. Un an auparavant, quand il était allé voir Youri, un sentiment de culpabilité l'oppressait. Youri lui avait procuré une nouvelle existence. Pourtant, Gabriel savait qu'il ne pouvait pas vivre plus longtemps sur le terrain de la Python. Il y était demeuré vingt ans, et c'est seulement avec Liz qu'il avait pris conscience que quelque chose devait changer dans sa vie s'il ne voulait pas se métamorphoser définitivement en un pavé de la cour de la Python Security.

Youri avait froncé ses fins sourcils et l'avait observé longuement. Ses yeux gris cherchaient à deviner la vraie raison de sa décision.

« Qu'est-ce qu'il se passe ? L'appartement n'est plus assez grand pour toi ? »

Gabriel avait hoché la tête.

« Mon nouvel appartement n'est pas plus grand non plus. C'est pas ça. Mais... il faut que je sorte d'ici. L'autre appartement est sous les toits et il y a une petite terrasse.

— Terrasse, avait râlé Youri, ici tu as toute la cour pour terrasse. Et qu'est-ce que tu vas faire de ton atelier ?

— Je serais heureux si dans un premier temps je pouvais continuer à utiliser le garage. »

Youri avait approuvé posément de la tête, mais on voyait bien que ça ne lui plaisait pas.

« Youri, j'ai quarante ans. Moi aussi, je veux sortir de temps en temps, aller dans un bistrot quelconque ou un café. Rien de bien méchant, rien qu'un petit troquet devant la porte, où la serveuse me connaît et m'apporte un café correct sans que j'aie grand-chose à dire – ou bien que je puisse acheter quelques petits pains frais chez le boulanger. »

Il avait ajouté, en faisant un grand cercle de la main : « Ici, c'est une zone industrielle.

— Une zone industrielle avec un chouette bordel au coin, compléta Sarkov. Ou bien aurais-tu rencontré quelqu'un ? »

Gabriel avait secoué la tête en signe de dénégation.

« Là où je vais déménager, il y en a un aussi, et les filles sont mignonnes », avait menti Gabriel en regardant Sarkov droit dans les yeux.

En fait, Youri n'avait pas tort. Il avait effectivement rencontré quelqu'un. Et Liz était la vraie raison de son déménagement, mais il était absolument hors de question que Youri l'apprenne.

« On peut baiser autant qu'on veut. Mais pas toujours la même, ça ramollit et ça rend dépendant », avait-il toujours martelé.

Gabriel avait traduit cette sentence dans les faits en ne baisant quasiment jamais, et, si toutefois cela lui arrivait, c'était uniquement dans d'autres villes, lorsqu'il y allait avec une équipe de la Python pour une protection rapprochée. Dans l'entourage de personnalités, il y avait toujours des femmes qui voulaient à peu près la même chose. Du sexe, oui. Surtout pas s'attacher.

Jusqu'à ce coup de fil de Liz, environ deux mois après leur rencontre inopinée au Festival international du film de Berlin.

Depuis ce jour-là, tout a changé.

Le regard de Gabriel se dirige sur le GPS. La petite flèche désigne la droite, direction Kadettenweg.

Gabriel tourne le volant. Les balais d'essuie-glaces raclent le pare-brise en bégayant. La pluie a cessé, comme coupée au couteau. Il arrête les essuie-glaces et se penche un peu en avant pour mieux lire dans l'obscurité les numéros des maisons qui sortent lentement de l'ombre. À gauche et à droite de la rue étroite, à intervalles irréguliers, des arbres se dressent, beaucoup d'entre eux plus vieux même que les villas qui s'élèvent derrière. Lichterfelde est plein de maisons respectables et souvent curieuses : des petits palazzi, des chalets suisses, des villas Jugendstil et des bâtisses en brique qui ressemblent à des châteaux flanqués de tourelles. Au-dessus d'une entrée en arceau trône un 31 en fer forgé.

Il sursaute à la sonnerie aigrelette de son portable, et la voiture fait un petit écart.

Liz, pense-t-il aussitôt.

Nom d'un chien, est-ce qu'il t'arrive encore de penser à autre chose, Luke ?

Au même moment, il sait déjà que ce ne peut pas être elle. Pas après leur récente conversation. Si elle n'a pas éteint son téléphone, elle l'a au moins coupé et glissé dans une poche de son manteau.

Il lève le pied de l'accélérateur et appuie sur la touche verte.

« Allô ?

— C'est moi, Cogan. J'ai vérifié.

— Vérifié ? Vérifié quoi ?

— Ben, l'adresse, Kadettenweg 107.

— Elle est quand même répertoriée alors ?

— Tout dépend de ce qu'on entend par répertoriée. Pas dans les registres actuels. Je suis descendu aux archives. »

Gabriel ne peut s'empêcher de sourire d'un air narquois. Cogan déteste les archives autant que les déplacements extérieurs. Mais il déteste plus encore ignorer quelque chose de son univers.

« Et ?

— Eh bien, le dossier de cette maison a disparu. Bizarre, en fait.

— Bon, et alors ? Tu as trouvé quelque chose ou pas ? fait Gabriel en plissant les yeux tout en se demandant si c'est un 45 ou un 49 qui apparaît là, entre deux arbres.

— Ashton. Le propriétaire s'appelle Ashton. Il y avait encore un vieux répertoire à colonnes, c'est là que j'ai trouvé ce nom.

— Ashton. Ah ! C'est tout ce que tu as ?

— Ben, il y a encore autre chose, un détail, mais cocasse.

— Putain, n'en fais pas un jeu de devinettes ! Crache le morceau.

— Le nom Ashton a été enregistré le 17 septembre 1975. Vraisemblablement à la première activation de l'installation. Mais, juste après, il y a une deuxième date, manuscrite. Et une petite croix. Et le nom est barré. »

Cogan fait une pause lourde de sens.

« Tout comme si le propriétaire était mort exactement deux jours après avoir emménagé dans la case.

— Étrange », marmonne Gabriel.

Il dépasse une maison à sa droite, avec plusieurs grosses colonnes qui encadrent un perron. Numéro 67.

« Attends, il y a mieux, chuchote Cogan. Apparemment, depuis ce temps-là, la maison est vide.

— Quoi ? laisse échapper Gabriel. Depuis 1975 ? Ça fait presque trente-cinq ans !

— Tu l'as dit.

— Quel est le fou qui laisse une villa inoccupée dans ce quartier pendant trente-trois ans ? Il n'y a donc pas d'héritiers ?

— Aucune idée. Je n'ai rien lu de tel.

— Et l'alarme ? Quelle installation fonctionne encore après tant d'années ?

— Aucune idée, je ne connais pas ce bidule. Même pas la marque. Jusqu'à ce soir, elle n'a jamais été activée dans mon dispositif.

— Reprenons, que je comprenne bien, insiste Gabriel posément. L'installation est restée morte pendant trente-trois ans, et c'est précisément aujourd'hui qu'elle est amorcée et qu'immédiatement après elle déclenche une alarme ?

— Je ne sais même pas exactement quand elle a été désamorcée. À voir la réaction de Sarkov, le ou les propriétaires sont manifestement encore clients chez nous. Mais depuis que *je* suis ici, et ça fait tout de même neuf ans, il n'y a eu absolument aucune activation. Sans parler d'une quelconque alarme.

— Et qu'est-ce que ça pourrait être, cette fois-ci ? Un fantôme ?

— Peut-être une panne, aussi…

— Hum », grogne Gabriel qui tourne la tête.

À droite, un portail ouvert surgit de l'obscurité. Sur l'un des piliers en briques, il y a un 107 usé par les intempéries.

« J'y suis. Restons-en là. Je te rappelle.

— Compris. Mes respects au fantôme du vieil Ashton, si tu le croises en train de hanter les lieux », dit Cogan avec un rire chevrotant.

Gabriel empoche son portable, passe entre les piliers de briques du portail, s'engage sur un chemin gravillonné envahi de mauvaises herbes qui montent à hauteur des genoux.

Une villa inhabitée depuis presque trente-cinq ans, et le portail est grand ouvert ?

De fins gravillons crissent sous les pneus. Des buissons sauvages et touffus alternent avec des sapins noirs, derrière lesquels se dresse une grande villa à colombages, avec des oriels ouvragés et deux petites tourelles qui se pressent contre elle. La villa a l'air d'une maison de sorcière trop grande. Un air humide monte du sol, formant comme une sorte de vapeur. Au-dessus de la porte d'entrée, tel un détecteur d'incendie, le feu de l'alarme pivote sur son axe et colore cette brume d'une vive lueur rouge.

Putain de maison hantée, pense Gabriel.

Comme chaque fois qu'il est devant un bâtiment dans lequel il doit entrer, il ne peut s'empêcher de penser à la cave et se demande comment peut bien être l'escalier qui y descend. Les petits cheveux de sa nuque se hérissent, et il lorgne vers le toit.

Cette maison est vieille, et, dans les vieilles maisons, le plus souvent les systèmes d'alarme sont installés dans la cave.

3

Berlin – 1er septembre, 23 h 22

Liz se fraie difficilement un passage vers la sortie du bar plein à craquer. Robert Bug, directeur de l'information de TV2, est debout au comptoir et ne s'efface pas d'un millimètre, si bien que Liz est obligée de le frôler pour passer devant lui. Bug ricane, se presse contre Liz de toute sa masse, et son corps effleure ses seins.

« Tiens, tiens. Notre femme journaliste vedette, fanfaronne-t-il en la toisant d'un regard sans gêne. Tu ne voulais pas m'envoyer l'argumentaire de ton nouveau documentaire ? »

Je ne t'enverrai quelque chose que si les autres chaînes ne sont pas intéressées, pense Liz.

« J'en suis encore aux recherches », répond-elle avec un sourire vaguement esquissé.

Cette rencontre est détestable. À peine quelques minutes auparavant, elle a surpris Bug dans une de ses magouilles.

Elle pousse la porte du Linus et sort à l'air libre. De la brume monte de la chaussée humide, des masses d'eau coulent dans les caniveaux et s'engouffrent dans les bouches d'égout. La porte claque derrière elle, et le brouhaha du bar s'évanouit. Au-dessus de l'entrée, l'enseigne au néon plonge Liz dans un orange ardent, les spots jaunes des piliers qui encadrent la porte font le reste. Purgatoire.

Liz ferme les yeux un instant et aspire goulûment l'air humide dans ses poumons. Une bouffée de vent passe dans ses cheveux mi-longs, roux et rebelles, qui rebiquent en une sorte de chaos ordonné, un peu comme si au réveil elle avait vidé une bombe de laque dessus. Le vent frais fait du bien. L'air chaud et aigre du bar empestait. Depuis peu, elle sent des odeurs dont elle n'avait pas conscience à ce point auparavant : transpiration sous les bras, déodorants bon marché, tabac froid ou encore haleine chargée de cette note amère de café. L'odeur de personnes inconnues l'agresse sans qu'elle puisse s'en défendre.

Inconsciemment, elle pense à Gabriel, à l'odeur agréable de sa peau, quoiqu'il refuse systématiquement d'utiliser le parfum qu'elle lui a offert – comme il bannit d'ailleurs tout parfum. Elle sent une chaleur lui gagner l'entrejambe et se dépêche de refouler ses pensées, avant tout pour ne pas éprouver encore une fois la déception qu'elle a ressentie lors de sa dernière conversation téléphonique avec lui.

Liz jette un regard en arrière vers le bar. On distingue l'intérieur à travers les hautes fenêtres vitrées, et il lui semble reconnaître au comptoir la face bien en chair de Bug et son épaisse tignasse brune. *Mr News*. Et déjà la voici de retour en plein boulot. Les scénars les plus étonnants vous tombent toujours dessus quand on s'y attend le moins, se dit-elle. Tard le soir par exemple, dans les W.-C. pour hommes.

Les W.-C. pour hommes empestaient l'urine à vomir, mais, contrairement aux toilettes pour dames surchargées, ils étaient libres. Le dégoût est relatif. Et son envie était absolue – surtout à cause de son état. Quand elle ouvrit à la volée la porte des W.-C. pour hommes, une de ces furies BCBG qui attendait dans la file des toilettes pour femmes la suivit avec de grands yeux, comme si elle avait la gale. Elle connaissait ce regard et elle le haïssait. C'était celui dont l'avaient toujours gratifiée sa mère et sa sœur cadette Charlotte, une jeune fille belle à ravir. Aux yeux de sa mère, tout ce qui concernait Liz était mal, alors que tout était bien chez Charlotte. Que de surcroît sa sœur ait épousé un membre de la noblesse britannique et exhibe à présent des chapeaux mondains à Ascot ne faisait qu'empirer les choses.

Liz entra donc dans les W.-C., tout en souhaitant que la peste plante ses griffes dans la nuque de Miss Chichis ou tout du moins qu'elle ait la vessie aussi gonflée que la sienne. C'était incroyable, mais la place dans son ventre semblait déjà diminuer de volume.

La porte d'entrée des W.-C. se referma derrière elle, et le brouhaha du bar se transforma en un léger bourdonnement sourd. Elle chercha la plus propre des trois cabines et bascula le verrou.

Peu de temps après, une onde sonore bruyante l'agressa de nouveau, et quelqu'un pénétra dans les W.-C. sales aux carreaux jaunes. Elle reconnut immédiatement la voix de Bug, qui surnageait comme un amas d'écume à la surface de la rumeur assourdie du bar. Il avait manifestement besoin d'un endroit tranquille pour téléphoner.

« Je ne comprends pas, fit-il, on était convenu d'autre chose, Vico. »

Vico ? Liz tendit l'oreille et retint son souffle. Vico désignait probablement Victor von Braunsfeld, le propriétaire du groupe de médias de la BMC, dont faisait aussi partie TV2.

« Non, non. Je ne me plains absolument pas, disait Bug précipitamment, naturellement, c'est un progrès, j'en suis conscient, mais si j'étais directeur, je pourrais faire avancer la chaîne aux premières places en employant de tout autres moyens. »

Liz écarquilla les yeux. Bug directeur ?

« On parle de quel laps de temps, là ? » demanda Bug.

Il y eut un court silence.

« Je peux vivre avec ça, si vous me... Quoi ? Non, c'est bruyant ici, tout simplement... Qu'on en parle ? » Bug eut un rire mauvais. « Faites-moi confiance, j'ai déjà quelque chose en vue. Ce sera l'exclusivité parfaite. Les pisseurs de copie vont s'écorcher les doigts à force d'écrire, les pharisiens vont jeter les hauts cris, et le bon peuple restera scotché devant sa télé. »

Exclusivité ? pensa Liz. Cela ne pouvait faire allusion qu'à un nouveau format d'émission télé, une merde quelconque au ras des pâquerettes.

« Comment ? demanda Bug. Ah bon, *celle-là*. Oui, oui, je sais. Le docu était formidable. Je ne la lâche pas, elle m'a déjà proposé le prochain. »

Un sourire ironique glissa sur le visage de Liz. Manifestement Bug était en train de parler d'elle. À peine un an auparavant, elle avait réussi un petit miracle : elle avait réalisé un documentaire en trois épisodes sur Victor von Braunsfeld, l'un des hommes les plus riches du pays. Durant ces dernières décennies, il avait refusé par principe tout reportage.

« Non, là je vais vous décevoir, dit Bug, un engagement fixe, c'est pas son truc, ça ne l'intéresse absolument pas. Elle préfère travailler en free-lance. »

Pas étonnant, connard, pensa Liz, avec un patron pareil...

« Oui, oui. Je le sais qu'elle est très bien, pas de problème, j'essaie de nous l'attacher autrement. »

Liz fronça les sourcils.

« Bien, compris. On se verra donc demain pour les formalités. Bonne nuit. »

Bug coupa la communication, puis expira bruyamment.

« Maudite *bitch*[1]. Il ne va pas tarder à l'inviter au *Carpe noctem*... Elle a dû lui sucer toute la cervelle, au vieux. »

Liz resta impavide. Que Bug tape au-dessous de la ceinture n'était pas nouveau. Mais que voulait-il dire par *Carpe noctem* ?

Quand un bruyant clapotis commença à se faire entendre dans l'urinoir, elle se représenta la tête de Bug si elle sortait de sa cabine en le saluant d'un sourire aimable.

Même à présent, arrivée dans la rue, elle ne peut s'empêcher de sourire encore une fois à cette idée. Liz respire profondément, fait de nouveau défiler dans son esprit la conversation téléphonique de Bug et se surprend déjà à imaginer un scénario. Elle ne pense pas vraiment en faire un sujet, par simple habitude plutôt – et par curiosité.

La curiosité l'aiguillonnait déjà quand elle était petite fille. Aux yeux de sa mère, cette faculté était une disposition profondément féminine, sauf que, chez Liz, elle était toujours mal orientée. Liz était comme ses cheveux roux. Rouge et rebelle. Pas assez belle pour devenir mannequin, pas assez élégante pour une danseuse de ballet et pas assez bonne ménagère pour un beau mariage.

À neuf ans, Liz avait été surprise dans le bureau de son père, le docteur Walter Anders, procureur général à Berlin, en

1. En anglais dans le texte.

train de farfouiller dans les dossiers de ses affaires criminelles, par curiosité.

Lors des repas, elle ne cessait de poser des questions à propos de ces affaires, mais la plupart de ses demandes étaient tournées en dérision. Moins parce qu'elle avait neuf ans, en réalité, que parce qu'elle était une fille. Liz détestait être une fille. Et quand son père daignait tout de même répondre à l'une de ses interrogations, le plus souvent c'était tourné vers son frère Ralf, de quatre ans son aîné, comme s'il y avait un putain de projecteur constamment dirigé sur lui.

C'est à Ralf aussi qu'on avait offert pour son baccalauréat un voyage de quinze jours à New York – et une Volkswagen Golf flambant neuve. Il avait obtenu 16 de moyenne, ce qui fut fêté comme il se doit.

Liz passa le bac trois ans plus tard, avec 19 de moyenne.

On lui offrit un vanity-case, et sa mère insista pour choisir avec elle sa robe pour le bal du lycée. À peine entrée dans la boutique, Liz sentit qu'elle n'avait rien à y faire. La robe décolletée que sa mère lui acheta coûtait 4 299 marks et réclamait à grands cris une diva. Liz la détesta immédiatement. Dès qu'elle l'eut enfilée, elle eut l'impression de ressembler à un épouvantail et se défendit bec et ongles, mais sa mère la fit tout de même emballer.

Le jour du bal, elle se leva avec des maux d'estomac. Sa mère entra dans sa chambre, la robe à la main.

Liz explosa :

« Je refuse de mettre ce truc. Tu peux toujours courir.

— Oh que si, contra sa mère, que tu le veuilles ou non, ça m'est complètement égal. Tu porteras cette robe.

— Non !

— J'en ai assez, s'écria sa mère, ou tu enfiles cette robe, ou tu ne vas pas à ce bal.

— Eh bien, je n'irai pas », riposta Liz du tac au tac.

Sa mère la regarda fixement.

« Bien, dit-elle, et elle finit par sourire. Puisque c'est comme ça, tu me la paieras, cette robe. Et jusqu'au dernier pfennig. »

Liz resta bouche bée : 4 299 marks ?

« Mais je n'en voulais même pas. C'est *toi* qui me l'as offerte.

— Réfléchis bien. Ou tu la portes, ou je retire la somme de ton livret d'épargne. »

Liz regarda sa mère, interloquée. Des années durant, elle avait économisé un mark après l'autre pour se payer un voyage ou une voiture après son examen. Elle s'était doutée que les cadeaux pour son bac ne seraient pas aussi généreux que ceux de Ralf. Mais ce qu'elle entendait là, c'était le bouquet.

Écumant de rage, elle se précipita hors de la maison, erra sans but dans la ville, jusqu'à ce qu'elle se trouve soudain devant une sordide porte de magasin. Le propriétaire était un homme bâti comme une barrique qui empestait anormalement la nicotine et la sueur.

Elle était rentrée quatre heures plus tard, blême, mais le sourire au coin des lèvres. Le soir même, de son plein gré, elle enfila la robe détestée.

La première réaction de sa mère fut un sourire triomphant. Jusqu'à ce que son regard tombe sur le décolleté de Liz. Dépassant du bord de la robe, une tête de mort fraîchement tatouée de deux centimètres sur deux la dévisageait, avec des sabres croisés sous le crâne et un couteau entre les dents.

Sa mère en eut le souffle coupé. Elle s'emporta, claqua une gifle retentissante à sa fille et se foula la main.

Liz se rendit au bal avec une robe noire toute simple à encolure montante.

Le lendemain matin, elle clôtura son livret, empila quelques bûches de bois destinées à la cheminée sur le gazon fraîchement tondu du jardin de ses parents. Elle y déposa la robe détestée, ainsi que toutes les robes et tous les vêtements de son armoire. Il n'y avait pas un souffle d'air quand elle mit le feu au tas. Elle fut enveloppée d'une fumée noire d'une puanteur agressive.

Elle quitta la maison avec une veste en cuir, quelques jeans et des pull-overs qu'elle avait fourrés dans une valise. Elle enchaîna les petits boulots, s'inscrivit en journalisme à la fac, y ajouta un stage à l'Académie Von Braunsfeld du journalisme, couronné par un diplôme avec la note de 20 sur 20.

Les nouvelles de son père se limitèrent à ce qu'elles avaient toujours été. Rien. Au surplus, les journalistes étaient situés bien bas sur son échelle de valeurs.

Quelques années plus tard, Liz se trouvait avec son rédacteur en chef, debout devant une table de bar lors d'une réception, et elle parlait de son père. Il rit.

« Félicitations. Au fond, tu as marché sur ses traces. Procureur ou journaliste, tout compte fait, c'est la même chose, il n'y a que le niveau qui change. En tout cas, tu as la même fibre investigatrice que lui et la même inflexibilité quand il s'agit de terrasser les méchants. »

Liz en était restée comme foudroyée.

Trois ans auparavant, alors que l'un de ses documentaires avait été retenu pour le prix Grimme[1], finalement attribué à quelqu'un d'autre, sa mère se manifesta brusquement.

« Et alors, Elisabeth, s'enquit-elle sur un ton caustique, tout ça pour ça ? »

Aujourd'hui encore, elle souhaiterait avoir eu ce prix. Au moins sa mère ne l'aurait pas appelée.

Liz soupire et se demande qui pourrait lui dire ce qui se cachait derrière ce curieux coup de fil de Bug. En temps normal, sa tête est un agenda ambulant, mais, en l'occurrence, elle est étrangement vide.

Alzheimer de grossesse ? Déjà maintenant ?

« Bah ! quelle importance, grommelle-t-elle. Rentrons. »

Sa montre indique 23 heures 25. Elle s'était fait une autre idée de cette nuit. Et nom de Dieu, Gabriel lui en avait effectivement promis autre chose.

Elle sent à quel point l'absence de Gabriel l'agace, et c'est exactement ce qui l'agace le plus. Il n'y a pas si longtemps encore elle aurait simplement haussé les épaules et se serait abîmée dans son travail.

Elle ne s'arrête pas à la station de taxis et monte dans le tramway. Elle déteste être embarquée dans des discussions avec des chauffeurs de taxi. Somme toute, mieux vaut l'anonymat du tram, où elle peut contempler en silence la nuit ou observer les gens autour d'elle, comme si elle était sur une île lointaine. Prendre le tram la nuit, c'est un de ses rares moments de tranquillité.

---

1. Le Grimme-Preis est attribué chaque année depuis 1973 pour récompenser les meilleures émissions de télévision.

Pour commencer, une station jusqu'à Alexanderplatz, puis la ligne de métro U8, direction Wittenau. À la gare de Gesundbrunnen, lorsqu'elle monte dans la ligne de ceinture S41, elle tombe de fatigue et s'écroule sur le siège en moleskine. Un nasillement métallique sort des haut-parleurs : « Veuillez rester éloignés de la bordure du quai, s'il vous plaît ! » Les lampes carrées des avertisseurs virent au rouge au-dessus des portes, puis la rame s'ébranle dans une secousse avec un grand bruit de ferraille.

Le regard absent de Liz glisse dans le wagon presque vide. Une rangée plus loin, de l'autre côté du couloir, deux jeunes types en jeans crasseux lèvent le regard vers elle, puis se parlent à l'oreille. Ils sont montés en même temps qu'elle. Le visage de l'un d'eux ressemble à un crumble.

À Schönhauser Allee, une jeune mère monte dans le wagon, un bébé hurlant dans les bras. Le crumble lève les yeux au ciel. Quand le train démarre dans un cahot, la jeune femme perd l'équilibre et tombe assise sur le siège voisin de celui de Liz. Le bébé hurle de plus belle, et elle se met à fouiller nerveusement dans son sac en bandoulière.

« Arrange-toi pour que l'avorton ferme sa gueule, c'est énervant », lance le crumble.

La jeune femme se fait toute petite. Puis, d'une main, elle soulève furtivement son tee-shirt et serre le petit paquet contre sa poitrine. Les cris se changent en un braillement sourd quand la petite bouche de l'enfant est pressée contre le sein.

Liz éprouve de la pitié, tandis que son estomac se rebelle, comme si elle avait bu un café trop torréfié. Ces types sont répugnants.

Les traits de la jeune femme sont déformés par la douleur quand le bébé lui pince fougueusement le mamelon. Les deux types observent la scène, dégoûtés.

« Mec, avec des nichons pendants comme ça, je gueulerais aussi », constate le second en essuyant avec sa manche le filet de morve sous son nez. Le boutonneux ricane.

Liz contemple la jeune femme, puis de nouveau les deux types. Elle aimerait par-dessus tout se lever d'un bond et leur dire leur fait. Son cœur se met à cogner violemment. Tout lui crie de ne pas le faire !

Le métro s'arrête en grinçant à la station Prenzlauer Allee. Le boutonneux se penche en avant et siffle entre ses dents en direction de la jeune femme :

« Allez, hop ! Disparais, magne-toi le cul, descends. »

Liz se lève. Ses yeux verts étincellent.

« Et si c'était *toi* qui disparaissais ? » Sa voix pourrait être plus assurée et elle essaie d'ignorer son estomac qui se noue. « Sinon, tu la boucles et tu la laisses tranquille. »

Le boutonneux la regarde, stupéfait. Il a vingt ans au plus. Son haleine empeste l'alcool. L'autre type détourne les yeux, regarde par la fenêtre dans la nuit, au-delà de son reflet.

« Ben..., rétorque avec lenteur le boutonneux, à mon avis, c'est pas *toi* qui décides, *pussy*. Mais si t'es mignonne avec moi, peut-être qu'après je laisserai cette bécasse continuer sa route. »

Il a les yeux accrochés aux seins de Liz, dont une partie du tatouage de tête de mort dépasse du décolleté. Le type au nez qui coule ricane bêtement. Il tient dans la main gauche une bouteille d'eau-de-vie débouchée, enveloppée dans un sac en papier brun.

« Bande de salopards, si vous touchez à qui que ce soit ici, je fais un scandale. » Elle désigne une petite caméra de surveillance ventrue fixée au plafond beige laqué. « Et je suis curieuse de savoir ce qui arrivera. Je parie que vous avez déjà pas mal d'ennuis avec la police. Déjà chopé une peine comme mineurs ? Ou fait des travaux d'intérêt général ? »

Le ricanement du boutonneux s'efface. Il ouvre la bouche, veut répondre quelque chose, mais l'autre lui envoie un coup de coude dans les côtes. La bouche du crumble se referme.

Ça fait du bien, se dit Liz. Beaucoup de bien, même. Sauf que ses genoux tremblent encore. Elle enregistre le regard reconnaissant de la jeune femme et lui sourit en retour. Le bébé tête encore goulûment, mais plus calmement.

Sans le vouloir, Liz pose la main sur sa veste et son ventre légèrement rebondi. Malgré la précarité de sa position, ce geste lui donne chaud. Au début de sa grossesse, elle avait l'impression d'avoir été précipitée dans des eaux profondes et noires. Mais la grossesse lui est devenue agréable, comme si durant toutes les années passées elle avait touché le fond et crevait maintenant la surface de l'eau, bras écartés dans l'air pur.

Lorsqu'elle descend à Landsberger Allee, près du parc public Friedrichshain, les deux adolescents sortent aussi. *Zut !* Elle marche plus vite et quitte la Landsberger Allee pour tourner dans la Cotheniusstrasse. Les pas derrière elle se sont tus. Les types semblent partis, Dieu sait où. Mais elle presse quand même l'allure, jusqu'à ce qu'elle soit devant sa porte.

Une fourgonnette de livraison vert olive aux vitres fumées est stationnée de l'autre côté de la rue. Elle ne la remarque pas, tout comme elle ne repère pas l'homme assis au volant en train de la guetter. Et même si elle ne connaît pas cet homme, le simple fait de voir ses yeux aurait probablement tout changé, modifié tout son comportement dans les minutes suivantes. Elle aurait senti un léger tremblement, jusque dans les jambes. Ce tremblement qui se produit toujours quand le corps fait une poussée d'adrénaline. Son instinct lui aurait commandé sans ambiguïté : Reste à la maison. Ferme la porte. Appelle au secours !

Et c'est exactement pour éviter cela que l'homme reste tapi dans l'ombre. Il sait que Liz est seule et qu'à cet instant précis Gabriel tourne vraisemblablement dans une allée, et que les gravillons inondés de rouge crissent sous ses pieds.

4

Berlin – 1er septembre, 23 h 41

Liz enfonce la clef dans la serrure, pénètre dans le hall de l'immeuble, et le battant claque brutalement derrière elle. Au premier étage, une porte s'ouvre brusquement. Une voix de femme l'interpelle :

« Ça va pas, la tête ? Vous savez l'heure qu'il est ?

— Mes excuses, madame Jentschke, la porte d'entrée est cassée », répond Liz en levant les yeux au ciel.

Manquait plus que *celle-là*, songe-t-elle, et elle s'adosse au mur face aux boîtes à lettres en attendant que Jentschke disparaisse derrière sa porte. Le mur avec son merveilleux carrelage Jugendstil lui rafraîchit le dos, et ça fait du bien. Elle se caresse de nouveau le ventre avec la main. Douze semaines ! Ou déjà treize ? Si Gabriel était là, elle ferait encore un tour dans le parc. Mais seule ? Elle se rappelle la promenade au cours de laquelle elle lui a parlé du petit signe positif du test.

Enceinte.

Pendant des années, la gynécologue lui avait dit qu'elle ne pourrait pas avoir d'enfant, en tout cas par des voies naturelles, car ses trompes de Fallope n'étaient pas intactes. Elle répondait chaque fois qu'elle n'en voulait pas, et pourquoi donc ? Son bébé, c'était son boulot. Et les vrais bébés, c'était un boulot pour des femmes comme sa sœur Charlotte. Ses règles douloureuses qui la tourmentaient étaient déjà pour elle une abomination. Elle aurait préféré s'en débarrasser, elles ne lui servaient d'ailleurs strictement à rien.

Jusqu'à ce qu'elle ait soudain en main le test positif.

Sa gynécologue s'autorisa même à la féliciter, tout naturellement, pour cette grossesse.

« Vous voyez, plus on est cool, mieux ça marche. Ou est-ce que par hasard vous ne voulez pas de cet enfant ? »

Ne pas en vouloir.

Liz était sous le choc. Elle avait déjà rayé les enfants de sa vie depuis une éternité et, pour on ne savait quelle raison extravagante, le destin avait redistribué les cartes.

Et avec un homme comme Gabriel, en plus. Il lui apparaissait comme un chevalier noir, un Anakin tranquille ou un Batman, coincé dans une vie dont il ne s'échappait que pour redresser un tort. Il laissait alors exploser sa colère, comme le jour où ils avaient fait connaissance. Face à toutes les injustices qu'elle rencontrait jour après jour et à son impuissance, il lui arrivait parfois de n'avoir pas d'ambition plus pressante que de lui ressembler. Mais le seul moyen qu'elle avait à sa disposition pour se battre, c'étaient ses documentaires et ses reportages.

Quant à sa grossesse, une concurrence discrète s'engagea entre elle et Gabriel pour savoir qui en était le plus bouleversé.

Depuis, elle sait que l'indiscutable vainqueur de cette compétition, c'est lui. Dans la vie de Gabriel, aucune place n'était prévue pour des enfants. En fait, dans sa vie, il n'y avait même aucune place pour *elle*. Qu'elle en ait tout de même remporté une, voilà qui frôlait le miracle.

La Berlinale. Elle ne peut s'empêcher de sourire en pensant à leur première rencontre au Festival international du film de Berlin, un an et demi auparavant. Elle avait une fois de plus brillé par son talent pour se précipiter tête la première dans les ennuis. À commencer par cette interview âprement disputée avec David Naumann, puis avec Zabriski, ce poids lourd sur le déclin qui prenait lentement des kilos parce qu'il ne boxait plus. Une plainte pour coups et blessures venait d'être déposée contre lui : quelques jours auparavant, il avait roué de coups un paparazzi. Mais il faisait encore partie des personnages en vue de la chaîne.

Ses combats avaient toujours fait un bon audimat, et il était de la partie une fois sur trois dans les shows de TV2. Qu'il prenne de la coke depuis peu et que sa vie aille à vau-l'eau étaient si évidentes que ça en faisait mal au cœur.

Une fois de plus, elle n'avait pas réussi à tenir sa langue. Une fois de plus elle avait posé la question qui mettait le feu aux poudres. Zabriski avait perdu les pédales. Quand le premier coup avait frappé sa pommette, elle avait été trop abasourdie pour prendre la fuite à temps. Quand il lui avait serré le cou et l'avait secouée, elle avait eu très peur. Toute la meute des invités de TV2 avait fait cercle autour d'eux, mais personne n'était intervenu. Même Neo, son caméraman, placé directement derrière elle, n'avait rien entrepris. Il avait fait la seule chose qu'il pouvait faire : laisser tourner la caméra pointée droit sur l'incident.

Et tout à coup, Gabriel avait été là. Des yeux bleus au regard glacé, les cheveux noirs coupés court, la veste en cuir noire, une demi-tête de moins que Zabriski peut-être, et nettement plus fluet.

« Lâche-la », lui avait-il intimé. Il n'avait pas dit un mot de plus. Liz avait eu l'impression d'entendre le grognement contenu d'un félin.

Et effectivement Zabriski l'avait relâchée. Mais uniquement pour se jeter sur Gabriel. Tout s'était alors passé à une vitesse inouïe. À la fin, personne n'aurait su décrire ce qui était vraiment arrivé, même Liz, s'il n'y avait eu les vues enregistrées par la caméra de Neo, qu'elle avait visionnées sans cesse, en marche avant, en marche arrière, et au ralenti.

Avec son bras droit, Gabriel avait dévié de sa tête le poing de Zabriski qui lui arrivait en pleine face ; il lui avait agrippé le poignet, forçant son bras vers le sol, tandis que son avant-bras gauche s'envolait et cognait son coude. Zabriski avait été projeté vers le haut. La jointure du coude s'était fendue avec un froissement à peine audible, tordue en un angle anormal et funeste. Quasi au même instant, la main de Gabriel avait lâché le bras de Zabriski, et la paume était partie prestement à l'horizontale en direction du visage du boxeur. Le coup avait réduit son nez en compote. L'ex-poids lourd avait hurlé de douleur et vacillé. Gabriel lui avait balayé la jambe d'un coup du pied droit et il s'était écrasé pesamment sur le sol. Entre le premier coup dans le vide de Zabriski et sa chute brutale sur le derrière contre le parquet du bar chic, il ne s'était écoulé que quelques secondes.

La réception de la Berlinale s'était arrêtée net, comme si l'on avait enfoncé la touche « stop ».

Étrangement, Gabriel ne s'était pas intéressé le moins du monde au sort du boxeur. Il n'avait d'yeux que pour la caméra ; elle l'inquiétait. Deux pas vifs, et il avait fait face à Neo et tendu sa main ouverte : « La bande. »

Liz, qui essayait toujours de recouvrer contenance, avait vu que Neo appuyait sur la touche Eject. La caméra avait recraché la cassette, Gabriel s'en était saisi, l'avait enfouie dans sa veste en cuir noire, puis il avait franchi la porte et disparu avec sa victoire éclair contre Zabriski dans la poche – et l'interview de Liz avec David Naumann.

S'il n'était pas parti avec cette cassette, elle ne l'aurait sans doute plus jamais revu.

Mais elle avait été obligée de courir à sa poursuite et était sortie dans la rue en criant :

« Hé ! Excusez-moi. Attendez-moi, s'il vous plaît. »

Nulle réponse. Il s'était contenté de poursuivre sa route en allongeant le pas.

Le souffle coupé, elle avait tenté de s'accorder à son rythme.

« Je... je voulais vous remercier. C'était... très sympa. »

De nouveau, pas de réponse.

« Pourquoi avez-vous fait ça ?

— Je ne peux pas encaisser les types qui battent les femmes.

— Les autres ne le peuvent pas non plus. N'empêche que vous êtes le seul qui m'ait aidée.

— Laissez tomber.

— Et pourquoi donc ? Vous m'avez... »

Gabriel s'était arrêté net.

« Qu'est-ce que vous voulez ? » avait-il demandé, contrarié. Il avait des yeux brûlants. Trois rides verticales s'étaient creusées entre ses sourcils.

« Je... Vous remercier. Vous m'avez aidée.

— Non. »

Il avait avancé son menton non rasé.

« Vous non plus, je ne peux pas vous encadrer. »

Liz l'avait regardé, éberluée.

« Pourquoi êtes-vous intervenu, alors ? »

Gabriel avait haussé les épaules.

« C'était quelque chose comme... un réflexe.

— Un *quoi* ? »

Gabriel avait brusquement eu l'air las, sa mine énergique avait fait place à quelque chose qui ressemblait à de la perplexité, peut-être même de la détresse. Il s'était détourné et avait voulu changer de trottoir.

« Attendez. La bande... Je peux l'avoir ?

— Non. »

Et il s'était engagé sur la chaussée sans un regard en arrière.

« S'il vous plaît, c'est important.

— Pas mon problème.

— Non ! Dieu du ciel. C'est... » Elle avait voulu le suivre, mais un bus lui était passé directement sous le nez, si bien qu'elle avait bondi littéralement en arrière.

« Hé ? Hé ! Ça ne va pas se passer comme ça, j'ai besoin de cette interview. »

Gabriel était parvenu sur le trottoir d'en face. Les voitures filaient entre eux comme des traits parasites sur un écran. Il ne semblait même plus avoir conscience de sa présence et était parti à une allure effrayante.

« Hé ! avait hurlé Liz, qu'est-ce que vous comptez faire de cette bande ? »

Pas de réponse.

« Vous vous faites du souci à cause de cette bagarre ? Zabriski ne portera pas plainte... »

Aucune réaction.

« Vous êtes passionné par l'entretien avec David Naumann ? Vous êtes journaliste ? Peut-être que je pourrais intervenir pour vous. Je connais ce type. »

Gabriel avait pilé comme s'il avait couru droit dans un mur, et l'avait regardée fixement par-dessus la chaussée.

Droit au but. Liz avait traversé et couru vers lui. Ses yeux bleus s'attardaient sur son corps et suivaient chacun de ses mouvements.

« Vous êtes vraiment journaliste ? avait-elle demandé, hors d'haleine.

— Je ne peux pas encadrer les journalistes. »

Liz avait froncé les sourcils.

« Et les femmes journalistes ?

— Pas plus.

— Peut-être que vous devriez faire connaissance avec l'une d'entre elles. » Puis elle avait souri.

« Si vous voulez savoir quelque chose à propos de David Naumann… Venez avec moi. Je vous offre un dernier verre.

— Café, dit Gabriel.

— Pourquoi pas. Peut-être que vous serez même capable de faire des phrases complètes. »

Cette histoire de phrases complètes demeura un problème. Et pourtant, elle avait appelé Gabriel deux mois plus tard parce qu'elle gardait en mémoire la manière impressionnante dont il avait envoyé Zabriski au tapis.

« Mais bon sang, comment avez-vous eu mon numéro ? avait-il demandé à Liz quand il avait reconnu sa voix.

— Je suis journaliste d'investigation. Déjà oublié ?

— Et alors ? »

Elle avait hésité un instant et s'était demandé si elle n'avait pas fait une erreur de l'appeler.

« J'aurais un boulot pour vous.

— J'ai déjà un boulot », avait rétorqué brutalement Gabriel.

Elle était à deux doigts de couper la communication, mais quelque chose l'en avait empêchée.

« Vous pourriez prendre des congés.

— Des congés ? s'était étonné Gabriel, je ne vois pas pourquoi. »

Ce mot ne faisait manifestement pas partie de son vocabulaire.

Liz s'était raclé la gorge.

« Je vous parle sérieusement. J'ai besoin de quelqu'un qui pourrait si nécessaire me sauver la vie à coup sûr. Et j'ai pensé à vous. »

Bref silence à l'autre bout de la ligne.

« Qu'est-ce que vous avez l'intention de faire ? avait-il fini par demander.

— Il faut que j'aille à Zurich, pour une interview avec un comptable.

— Un comptable ? Et pourquoi avez-vous besoin d'un garde du corps ?

— Son ex-patron m'a menacée, avait dit Liz. Il veut à tout prix éviter un scandale. »

Neuf jours plus tard, Liz et Gabriel étaient à Zurich à la réception de l'hôtel Europe, et occupaient deux chambres contiguës séparées par une porte de communication.

La nuit précédant l'interview, Liz avait très mal dormi. Elle avait rêvé que sa mère témoignait contre elle dans un procès. La salle du tribunal était haute comme une nef d'église et vide de toute âme. Son père se tenait devant l'autel et cognait sur le marbre avec un livre gigantesque, la condamnait à être brûlée vive sur le bûcher pour hérésie. Liz était sortie de son rêve trempée de sueur, avait vacillé vers la salle de bains et était tombée. Avant même qu'elle ait pu se relever, Gabriel était à ses côtés, silhouette sombre dans une chambre plongée dans l'obscurité.

« Tout va bien ? avait-il demandé.

Liz aurait préféré hurler : Non. Tue-les, tous les deux ! Ses lèvres tremblaient.

« Chhhhh ! » avait murmuré Gabriel.

Il avait la voix rauque et profonde. Elle avait ressenti un élancement cuisant au bas-ventre. Gabriel lui avait caressé le visage et avait remarqué combien elle transpirait. Elle lui avait saisi la main, elle ne voulait surtout pas qu'il s'en aille. Le rêve planait encore au-dessus d'elle.

De sa main libre, elle avait pris Gabriel à la nuque, s'en était servie d'appui pour se redresser. Il n'y avait plus qu'une largeur de main entre son visage et le sien. Elle avait senti son haleine, noté qu'il s'arrêtait soudain de respirer et se raidissait comme si tout cela lui était bien trop proche. L'instant avait duré une éternité, son cœur s'était ouvert. Auparavant, il lui cognait de peur dans les oreilles. Il était déchaîné à présent, de crainte que Gabriel puisse sentir tout ce qu'elle était en train d'éprouver, et qu'il s'éloigne. Ç'avait été un moment bref, un moment durant lequel il leur fallait se décider. Et il semblait tout à fait évident qu'il allait se relever dans la seconde. Tout le proclamait à grands cris, son hésitation, sa respiration qu'il retenait, sa nuque raidie, et les doigts glacés dans sa main fermée, comme s'il avait été saisi d'une soudaine panique.

Est-ce qu'elle se trompait, ou les lèvres de Gabriel tremblaient plus que les siennes ?

Elle avait soupiré et s'était rapprochée encore plus de lui. Elle ne pouvait faire autrement qu'avancer son visage dans l'obscurité. Et en même temps, sa raison se rebellait. En réalité, tout était embrouillé. Le putain de cauchemar, cet homme qui lui faisait face, son hésitation, vraiment tout. Et cependant, elle l'avait attiré encore plus vers elle, jusqu'à ce que sa bouche touche presque ses lèvres. Ce n'était pas un baiser, c'était une sorte d'haleine contre haleine. C'était l'instant d'avant le baiser. Et cet instant avait été si intense, tout comme si Gabriel était déjà en elle, comme une sorte d'événement avant-coureur de ce qui devait inexorablement suivre, chose à laquelle il était impossible d'échapper et qui durerait éternellement, une promesse, ou plutôt l'accomplissement d'une promesse, que ni l'un ni l'autre n'aurait jamais osé faire. Il y avait eu dans cet instant toute la détresse de Liz, ainsi que sa nostalgie d'être guérie de ses frustrations, et si elle avait pu lire dans les pensées de Gabriel, elle aurait éclaté en sanglots tellement il résistait avec l'énergie du désespoir. Si elle avait pu entendre ce qui se disait dans sa tête, elle aurait entendu la voix : *Luke, prends tes jambes à ton cou. Laisse tomber, tu vas te brûler les ailes, tu entends ? Tu vas brûler !*

Elle aurait aussi deviné sa nostalgie, celle d'un gamin de onze ans dans le corps d'un homme de quarante. Les années qui s'étendaient entre onze et quarante ans étaient soudain comme effacées. Il était debout à l'extrémité d'un plongeoir, à une hauteur vertigineuse, et il voulait sauter et fuir à la fois, retourner en arrière à l'échelle, à la sécurité du garde-fou.

Elle n'aurait jamais pensé qu'il sauterait. Et elle n'avait même jamais cru qu'elle-même désirerait sauter.

Mais ils avaient sauté. Tous les deux.

Liz soupire. L'écho de son soupir résonne entre les murs du vestibule aux carreaux Jugenstil. Elle est encore agacée, parce qu'il lui manque souvent. Elle se croyait plus indépendante. Son besoin d'air frais prend le dessus. Le parc public Friedrichshain est juste au coin, et elle pèse soigneusement le pour et le contre afin de savoir s'il serait judicieux de faire encore une promenade solitaire à cette heure. Et une fois de plus, elle constate à quel point les décisions qu'elle prend dépendent de sa présence.

Elle ouvre résolument la porte, scrute la rue à gauche, puis à droite. Et cette fois non plus, elle ne remarque pas le véhicule de livraison vert olive quand elle sort dans la rue. Où est le problème ? se dit-elle. Elle a déjà fait ce chemin mille fois, avec ou sans Gabriel. Et de plus, il y a des lampadaires tout au long.

Au passage pour piétons de la Dantziger Strasse, elle ignore le feu rouge et traverse la voie ferrée. La grande salle de badminton située au bord du parc est fermée depuis longtemps à cette heure, mais l'enseigne au néon brille encore. En faisant claquer ses talons, elle pénètre sur le chemin du parc dans l'ombre de petits arbres.

Ça sent la crotte de chien et la terre humide. Le léger bruissement des feuilles lui fait l'effet d'un baume, des gravillons crissent sous ses pas et elle louvoie pour éviter les flaques. Le vent dans ses cheveux lui paraît léger et vivant.

Elle ne remarque pas la silhouette qui se profile dans l'obscurité des arbres. Le léger vent de face laisse l'odeur de l'homme derrière elle, ainsi que le léger bruit de ses pas souples. Elle ne remarque pas qu'il ne cesse de gagner du terrain, jusqu'à être si près d'elle qu'il n'a plus qu'à tendre le bras pour toucher son manteau, et flairer, narines grandes ouvertes, les effluves du Linus et le parfum de son cou.

Jusqu'à ce qu'une brindille sèche de la taille d'une paille craque sous la semelle de l'homme.

Liz s'arrête machinalement, son instinct en éveil, vif comme l'éclair. Ses petits cheveux se dressent dans sa nuque, elle veut se retourner et elle craint de le faire. Le temps s'étire et se déchire. Un bras d'homme la saisit à la gorge et serre comme un manchon d'acier. Elle est tirée vers l'arrière, un corps se presse contre son dos comme un arc tendu. Une haleine chaude lui effleure la joue, quelque chose avec la consistance du cuir frotte contre son oreille, comme une boursouflure de cicatrice. Elle veut crier, mais le bras lui coupe la respiration, et elle ne peut que s'étrangler.

« Hello, Liz… », murmure une voix rauque.

Oh mon Dieu, non ! Épouvantée, Liz essaie d'aspirer de l'air dans ses poumons.

« Laisse-toi aller, petite, dit la voix qui continue à serrer impitoyablement. Je t'emmène. On va faire la fête. Nous deux avec encore quelqu'un d'autre. Le 13. » Il rit, et son rire sonne dur comme du cristal.

« Ça te va ?

— Hrrrr, fait Liz et elle envoie soudain son coude vers l'arrière.

— Que tu es forte, dit la voix. J'en connais tellement qui sont si déplorablement faibles. »

Oh, s'il vous plaît ! Mais n'y a-t-il personne pour me voir ? Les yeux de Liz lui sortent des orbites comme des balles de ping-pong. Le bras lui écrase le larynx, le poids de son propre corps la tire vers le bas, et son cou s'allonge de plus en plus, comme si elle était pendue à une potence. Le ciel où rayonne la lueur orange qui monte de la ville devient noir comme les arbres qui s'y découpent. Des étoiles dansent devant ses yeux. Désespérée, elle se dit que sa vessie se videra aussitôt qu'elle mourra et pense brusquement aussi que cette idée absurde ne lui sert absolument à rien.

Et tout à coup la pression du bras se relâche, et elle tombe, elle tombe comme une poupée de son sans défense. Elle cille faiblement. Là, là où à l'instant encore il y avait cet homme avec ce bras dur comme de l'acier et cette peau de cuir, il n'y a… rien.

Parti. Il est parti ! se dit Liz sans y croire. *Mais pourquoi* ? Elle respire avec difficulté, ses poumons n'aspirent plus qu'à une chose : éclater. Elle est de plus en plus soulagée par l'oxygène qui envahit sa cage thoracique. Elle essaie de se redresser, s'affaisse de nouveau. Inquiète, elle regarde autour d'elle. *Où est-il allé ?*

Et la peur lui revient instantanément.

Et s'il était encore là ?

Elle porte le regard à droite et à gauche dans les bosquets, puis elle voit le chemin en pente et comprend pourquoi l'homme a renoncé. Un lampadaire brille à moins de dix mètres. Et deux silhouettes masculines s'avancent vers elle en chancelant dans le cône de lumière.

Dieu merci ! Liz veut appeler à l'aide, mais elle ne réussit qu'à tousser.

Les deux hommes s'arrêtent directement sous la lumière.

« Tiens, regarde donc ça. »

La bouche de l'un d'eux se tord grotesquement en essayant d'articuler de manière compréhensible. Il cligne des yeux et ses lèvres forment une grimace au milieu d'innombrables pustules. « Si c'est pas la salope du métro… »

Son compagnon de beuverie ricane et torche du revers de la main un filet de morve qui lui coule du nez.

« Et pas de caméra vidéo de près ni de loin, *pussy*. »

Sa voix grince et piaule comme une scie circulaire déréglée.

« C'est qu'une chandelle de merde », grogne le boutonneux en balançant un coup de pied contre le lampadaire, qui refuse de s'éteindre.

5

Berlin – 1er septembre, 23 h 46

Gabriel descend lentement de voiture, sans quitter la villa des yeux. Des gravillons crissent sous ses semelles. Une odeur de résine, de terre humide et d'aiguilles de pin flotte dans l'air brumeux. Gabriel retient un instant son souffle et écoute attentivement.

Rien.

Seul le feu rouge de l'alarme au-dessus de l'entrée de la maison tourne inlassablement. On dirait que la villa respire à son rythme.

Le regard de Gabriel s'attarde le long des quinze mètres de façade. Le rez-de-chaussée surélevé est revêtu d'un crépi brut, sale sur lequel prolifère du lierre, comme si des bras noueux voulaient tirer la maison dans les profondeurs ; aux étages, le squelette noir du colombage avec ses fenêtres à meneaux dont la peinture blanche s'écaille. Les tuiles rouges des tourelles sont tachées de plaques de mousse, et, du sommet de celle de gauche, une tige de métal pliée en son milieu se détache sur les nuages. Un trou blême s'entrouvre dans le ciel, et, devant une lune délavée au dernier quartier, un majestueux coq noir pend de la tige recourbée, tête en bas, comme mort.

On ne voit pas âme qui vive. Ni voiture autre que la sienne, ni lumière aux fenêtres. Même pas le faisceau d'une lampe de poche.

Gabriel jette un regard inquiet sur l'écran digital de son portable.

La voix intérieure lui lance une pique : *Tu espères encore qu'elle appellera, Luke ?*

Gabriel ne lui répond pas.

Oublie tout ça. Elle ne le fera pas. Et tu sais pourquoi ? Parce que tu ne représentes rien pour elle.

Sottise. Elle est en rogne. C'est tout.

En rogne ? Non ! Si elle était en rogne, elle appellerait et elle te démolirait. Même pour ça, tu n'as pas assez d'importance à ses yeux.

Ferme-la, nom d'un chien !

Je veille sur toi, tout simplement, Luke. Ni plus ni moins. C'est bien ainsi que tu l'as toujours voulu.

Gabriel se mord les lèvres, active le mode vibreur de son portable et l'empoche. Comme si Liz allait appeler à ce moment précis ! Il allume sa lampe torche Maglite et fait danser le cône de lumière sur la façade de la maison. La porte d'entrée est en bois noir à chevrons ; en son centre, un marteau verdâtre, oxydé, une tête d'ange. À côté de la porte, une plaque de sonnette tachée, aux lettres cursives gravées : Gill Ashton.

Mr Ashton était manifestement une femme.

La serrure à barillet semble intacte. Gabriel tend la main pour repérer s'il n'y a pas trace de griffures. Lorsqu'il touche le métal humide, la porte s'ouvre vers l'intérieur en grinçant, et la vue donne sur le vestibule.

Gabriel retient son souffle et écoute attentivement.

Silence de mort.

Derrière lui, une voiture passe dans le Kadettenweg. Le bruit des pneus sur le sol humide rompt le silence.

Gabriel respire profondément et pénètre sans bruit dans l'entrée. Une odeur de poutres vermoulues frappe ses narines. Devant lui, un escalier massif qui se perd dans l'obscurité conduit à l'étage. À sa gauche, le salon. Gabriel dirige la lampe torche vers le sol et se fige. Dans une épaisse couche de poussière, on distingue nettement des empreintes de pas. Des empreintes qui conduisent derrière le grand escalier, là où se trouve vraisemblablement celui de la cave ; d'autres traces encore qui mènent au salon.

Le pouls de Gabriel s'accélère. Il pénètre avec précaution dans le salon, pose un pied devant l'autre, parallèlement aux traces. On perçoit une odeur pénétrante de vieille maison. Ça sent l'argent, les livres anciens et les vieux objets de valeur. Les meubles sont recouverts de draps, sous lesquels se profilent les silhouettes de fauteuils, de chaises, d'une table et d'un divan, comme des ombres d'une vie passée.

À l'autre extrémité du salon, là où se dirigent les empreintes, se dresse une large cheminée victorienne, avec un conduit de dégagement haut comme la pièce, paré de marbre noir. Sur la tablette de la cheminée, il y a toute une rangée de cadres argentés. Gabriel suit les traces jusqu'à se retrouver directement face aux photos. Quand il les regarde, les visages lui donnent la chair de poule sur tout le corps. Ce sont toujours les mêmes : une femme d'une quarantaine d'années environ, avec de profondes ombres qui lui dévorent les yeux, mais d'une beauté envoûtante, avec de longs cheveux noirs près du cou, et un homme très jeune, âgé de dix-huit ans à peine, aux cheveux blond filasse et au regard assuré et arrogant d'un Adonis.

Gabriel reste debout devant le manteau de la cheminée, comme s'il avait pris racine. Le regard de la femme se vrille dans le sien, comme si l'âme de Gabriel était pourvue d'une fenêtre, un passage qu'elle serait en train d'ouvrir à cet instant précis. Il ne peut s'empêcher de penser à Liz, quoique la femme aux cheveux noirs n'ait pas la moindre ressemblance avec elle. Il ferme un instant les yeux. Quand il les rouvre, la magie du moment est passée.

Gabriel fixe la tablette de la cheminée et le verre brillant de la photographie. Curieux, pense-t-il. Aucune trace de poussière sur le cadre ? Un verre brillant ? La poussière de la tablette est creusée de sillons, comme si on avait glissé les photos sur le côté. Gabriel se baisse et examine le foyer. Une grande plaque de marbre noir se dresse en plein milieu des chenets, appuyée au mur de l'âtre. Étrange.

Il se relève et observe le conduit de dégagement. À hauteur de sa tête, juste au-dessus de la tablette avec les photos, est accroché un tableau. Recouvert d'un drap, comme les meubles. Il le décroche avec précaution, du bout des doigts, et dégage ainsi un renfoncement, d'où a probablement été retirée la plaque de marbre, et dans lequel une porte de coffre-fort lisse, en métal gris, reflète la lumière de sa torche. Elle mesure environ quarante centimètres sur trente ; en son centre, un trou de serrure.

De la pointe des doigts, Gabriel tapote sur le coffre. Un léger *clong* retentit et la porte bouge de un ou deux millimètres.

Il fait glisser sur le côté les photos alignées sur le dessus du manteau de la cheminée, puis avec l'ongle il ouvre la porte en métal et regarde à l'intérieur du coffre. Vide béant. Ou bien il a toujours été vide, ou bien le cambrioleur a trouvé ce qu'il cherchait.

Gabriel referme la porte, remet le tableau à sa place et résiste à la tentation de sortir le portable de sa poche – même s'il est probablement minuit.

Il fait demi-tour, retourne dans le vestibule tout en prenant garde à ne pas effacer les empreintes du cambrioleur, se rend derrière l'escalier massif et se retrouve sur le seuil de l'escalier de la cave, une longue suite de simples degrés en bois. En bas, plusieurs points rouges clignotent dans l'obscurité d'un couloir. Pendant un court instant, cette même sensation angoissante l'envahit, celle qui l'a toujours submergé chaque fois qu'il se tenait sur le seuil de l'escalier de la cave dans la maison paternelle. Cette sensation irrationnelle qu'il y avait là quelque chose qui l'attendait. Il envoie le faisceau de sa lampe torche dans les ténèbres et reconnaît la boîte de distribution centrale du système d'alarme avec ses petites lampes rouges.

OK. Descendre, désamorcer l'installation, verrouiller la villa et hop ! à la maison, se dit Gabriel. Il pourra tout aussi bien faire sa déclaration à la police le lendemain. De toute façon, vu l'état des lieux, le cambrioleur est depuis longtemps dans la nature.

Il pose le pied sur la première marche de l'escalier, quand soudain il dérape. Il chancelle, tend la main vers la rampe et lâche la lampe torche qui rebondit sur les marches en bois dans un tintamarre assourdissant, plongeant l'escalier dans une chaotique confusion de flashs lumineux.

Gabriel se redresse, la respiration haletante.

La lampe Maglite roule sur le sol de la cave avec un cliquetis métallique, oscille puis s'immobilise.

Les points rouges de l'installation clignotent à l'envi. Gabriel remarque alors à quel point cet escalier ressemble étrangement à celui de sa maison paternelle. Il est subitement pris de vertige. Les points rouges s'embrasent, comme le judas de la porte du laboratoire de son père qui brillait chaque fois que son père y était.

Luke ! Réveille-toi ! Ce n'est pas ta cave. Ta cave n'existe plus.

Et s'il était là, en bas ? pense Gabriel. Si père était en bas ? Il se pose la question au plus profond de lui, avec la voix craintive d'un enfant de onze ans.

Il n'y est pas. Tu le sais bien, Luke. Tu le sais !

La main de Gabriel s'agrippe à la rambarde, et il ferme les yeux.

Putain d'impression de déjà-vu. Putain de laboratoire. Putain de père. On ne l'avait pas autorisé à voir le laboratoire, pas même une fois. Dans son imagination, il était devenu quelque chose de monstrueux, un lieu magique avec l'attirance fascinante et repoussante à la fois d'un cabinet des horreurs, le cœur d'un fantôme, tout comme la maison dans laquelle il se trouvait. Tout cela était parti en fumée, d'un seul coup. Si seulement il avait eu le droit d'entrer ne serait-ce qu'une seule fois dans le laboratoire. Mais il n'y avait jamais mis les pieds. Pas une seule fois. Et finalement, cela avait été trop tard. Le laboratoire n'existait plus.

Gabriel hausse les épaules, ouvre les yeux et se ressaisit.

Ridicule.

En réalité, il n'est pas dans la cave de la maison de ses parents. Et ce truc qui rougeoie là, en bas, n'est rien d'autre qu'un système d'alarme vieux comme Mathusalem.

Alors, allons-y.

Il descend les degrés, le pas souple. Il ramasse la lampe torche, ses doigts se referment sur le métal noir, froid et rassurant, il se relève, quand tout à coup il perçoit un mouvement. Quelque chose frôle sa tête, l'enveloppe comme une lourde étoffe. Il mouline des bras pour se libérer. Le faisceau de lumière tressaute sur les murs, une forme sombre s'effondre, et un bruit de bois qui tombe sur le sol retentit dans la cave.

Gabriel titube et fait deux pas de côté. La respiration oppressée, il dirige le faisceau de la lampe à l'endroit qu'il vient de quitter. Sur le sol nu de la cave, dans une flaque sombre, il y a un petit tas d'étoffe et un cintre en bois. Il y regarde à deux fois avant de se rendre compte qu'il ne s'agit pas d'un quelconque morceau d'étoffe. C'est une robe. Noire, extravagante et chère. Une robe comme on n'en voit qu'à la télévision, dans les reportages sur les défilés de mode.

Mais que vient faire ici une robe comme ça ?

Il la dégage de la flaque. De l'eau coule de l'étoffe imbibée. Gabriel porte son regard vers le plafond de la cave, de l'eau tombe goutte à goutte d'un tuyau de cuivre qui fuit.

Le rayon de la lampe torche s'attarde sur le tissu brillant.

La robe a l'air neuve, propre, et on n'a pas du tout l'impression qu'elle a passé trois décennies dans cette cave. Et puis il y a encore cette feuille de papier.

Gabriel fronce les sourcils et fixe la feuille mouillée et sale. Là où il y avait probablement une image, l'encre d'imprimerie s'est changée en une soupe de couleurs méconnaissables, comme si le contenu d'une boîte d'aquarelles s'était répandu dessus.

Quelle que soit l'image imprimée sur cette feuille, elle a disparu.

6

Berlin – 1er septembre, 23 h 54

« Alors ? Tu la ramènes toujours autant, *pussy* ? »

Liz se tord sur le sol et pose une main protectrice sur son ventre.

« J'ai… j'ai besoin d'aide », balbutie-t-elle.

Le boutonneux cille, étonné, puis il ricane.

« De l'aide. Bien sûr… »

Le nez qui coule regarde fixement la main de Liz qui protège toujours le bas de son ventre.

« Hé, Pit, elle est…

— Ta gueule, mec ! » aboie le boutonneux.

Liz gémit.

« Il y a un fou en liberté ici ; il a essayé de m'enlever… il a failli me tuer.

— Regarde-moi ça, la nana a les foies.

— Pit, et si vraiment…, murmure le nez qui coule, indécis.

— Ta gueule, Jonas ! »

Liz tente à nouveau de se relever.

« Vous n'êtes que des lâches. »

Elle arrache péniblement son corps du sol et se retrouve à quatre pattes.

« Lâche, hein ? »

Jonas reluque Liz et penche la tête de côté.

Elle recouvre lentement ses esprits et le fusille du regard.

« Des types dans ton genre, ça ne bande plus que quand... »

Elle ne peut aller plus loin. Le boutonneux lui balance un coup de pied à l'épaule, si violent qu'elle retombe lourdement sur le côté, comme un sac de pommes de terre.

« Putain de conasse ! » bafouille Jonas.

Puis il lui donne un coup de pied dans la poitrine, et elle bascule sur le dos. Pit se penche sur elle et la contemple. Le regard de Liz se voile, mais une faible lueur brille au plus profond d'elle, quelque chose comme une mèche d'amadou. Elle voit le coup arriver et, alors qu'elle s'étonne qu'un homme aussi ivre soit encore capable de viser avec autant de soin, elle sent son nez qui éclate. Un millier de pointes acérées s'enfoncent en même temps dans son visage. La douleur irradie avec la puissance d'une explosion. Elle lève les bras, gémit et se tourne sur le côté. Du sang gicle devant elle sur le chemin.

C'est à peine si elle sent encore les coups qui pleuvent dru sur elle comme autant d'impacts sourds. Elle perd toute notion du temps.

Pit arrête finalement de frapper, hors d'haleine. Les rares poils de barbe autour de sa bouche sont humides et brillants. Il regarde la femme allongée sur le sol.

« Hé, attends, mec, arrête, elle en a eu assez, lui dit Jonas.

— Une nana comme ça, ça en a jamais assez, halète Pit.

— Elle a son compte, mec. Laisse tomber. Elle a eu sa branlée, cette pute. »

Jonas agrippe le bras de son pote et essaie de le retenir.

« Merde. Laisse-moi tranquille, putain de connard. »

Usant de toutes ses forces, le boutonneux se libère de la prise. Il s'empare du manteau de Liz et fouille ses poches. Sans un mot, il prend le porte-monnaie, puis il enfonce la main dans la poche intérieure et du bout des doigts pêche le portable et l'inspecte.

« C'est vraiment de la merde, mec », grogne-t-il en le laissant tomber comme une patate chaude.

Il atterrit sur le chemin avec un bruit métallique, à quelques centimètres de la tête de Liz.

« Allez viens, on se tire.

— Et si elle parle ? »

Liz gémit.

« Qu'est-ce que tu racontes ! De toute façon, elle se rend plus compte de rien.

— Et si elle réalisait quand même ? »

Jonas roule des yeux grands comme des soucoupes.

Liz gémit de nouveau. Le sang lui gronde dans le crâne. *Ça finira bien par s'arrêter.* Mais personne ne met fin à la douleur. Les minuscules gravillons du chemin piquent comme des punaises.

Pit contemple la tête de Liz. Les cheveux roux de la jeune femme ne renvoient qu'une lueur éteinte à la lumière du lampadaire. Il arbore un sourire rageur et prend son élan pour frapper un grand coup.

« T'es dingue ? »

La voix de Jonas dérape dans les aigus ; il saisit Pit par le bras, et le coup dévié frappe durement le sol, directement sous le nez de Liz. Des petits gravillons lui sautent au visage comme des éclats de grenade. Avec un craquement pitoyable, un coup de talon enterre à moitié le portable.

« Ta gueule, mec, rugit Pit, en se débarrassant d'une bourrade de la prise de Jonas. Ferme ta gueule une fois pour toutes, espèce de débile. »

Les battements désordonnés et affaiblis du cœur de Liz lui cognent dans les oreilles.

Elle a un goût de sang dans la bouche.

Curieusement, la sensation aiguë des punaises s'est émoussée. Ses paupières pèsent des tonnes.

Elle bat des cils.

Il y a quelque chose, là. *Le portable !* Directement sous son nez, comme un mirage.

Qu'est-ce qu'ils ont fait avec le portable ?

Les deux types s'enfuient. Pit et Jonas. Leurs pas résonnent comme les sabots d'un cheval. La coque éclatée du mobile apparaît entre les graviers, l'écran est blafard. Les cristaux de la montre digitale font un saut. 00:00.

Il est minuit, nous sommes le 2 septembre, c'est l'anniversaire de Liz, elle a trente-quatre ans.

7

Berlin – 2 septembre, 00 h 01

Gabriel dirige le faisceau de sa lampe sur le mur, vers l'austère boîte de distribution grise où clignotent plusieurs lumières rouges. Une vieille SKB 9600, une alarme préhistorique, totalement disproportionnée pour une maison individuelle, même dans le cas d'une villa comme celle-ci. En bas à droite, est resté fixé un autocollant pâli de la Python avec un numéro d'appel d'urgence. Un gros paquet de câbles sort du dessus de la boîte. Deux d'entre eux ont été sectionnés il y a peu à l'aide d'une pince coupante, les extrémités de cuivre scintillent dans la lumière de la torche.

Gabriel examine les câbles coupés. L'un d'entre eux commande certainement la sirène. Mais à quoi sert le second ?

Un petit vent encore humide de pluie tombe de l'escalier de la cave. Gabriel frissonne et se retourne comme si on lui avait soufflé dans la nuque. Et soudain, il n'est plus du tout certain d'être seul dans la maison.

C'est à ce moment qu'il sent une vibration dans sa poche de veste. Le téléphone ! Merde ! Sa main s'enfonce rapidement dans la poche et en tire le portable tandis qu'il lance un regard nerveux en direction de l'escalier. Personne. Mais pourquoi a-t-il cette étrange impression d'une présence ? Le portable ronronne dans sa main. Le nom de Liz Anders apparaît sur l'écran.

Je t'en prie, pas maintenant ! pense-t-il.

Il s'empresse d'effacer Liz. Le portable s'éteint, et tout est de nouveau silencieux.

L'oreille aux aguets, il épie l'obscurité. Rien. Que le murmure du vent dans l'escalier. Il se rappelle qu'il n'a pas fermé la porte d'entrée. Les câbles nus ressemblent à des nerfs à vif.

Bon Dieu, que se passe-t-il ici ?

Quel cambrioleur s'intéresserait à une maison vide depuis une éternité ? Et comment se fait-il qu'il s'y connaisse si bien en système d'alarme, au point de saboter la sirène avec une telle précision ? Certes, il y a beaucoup de cambrioleurs doués pour manipuler les alarmes courantes. Mais un modèle qui remonte à bien trente-cinq ans ? Et, s'il s'y connaît vraiment si bien, pourquoi a-t-il négligé l'alarme silencieuse ?

Soudain il sent de nouveau la vibration dans sa main. Liz ! Encore.

Éteins ce truc, Luke, susurre la voix.

Et si c'était urgent ?

Urgent ? Merde ! Et qu'est-ce que tu crois qu'on fait ici ? Qu'est-ce qui se passerait si le cambrioleur était encore là ? Et d'ailleurs : qu'est-ce que tu veux qu'il soit arrivé ? C'est son anniversaire, tu n'es pas là, et elle fait son cirque...

Gabriel ne répond pas, continue à fixer l'écran lumineux du portable et les petites lettres noires.

Liz Anders.

Au diable ! Remets ça dans ta poche !

Gabriel appuie sur l'icône verte et applique le téléphone contre son oreille.

« Liz ? Je suis occupé, murmure-t-il, je te rappelle tout de suite ! »

Une voix cassée balbutie :

« Aide-moi... je t'en prie. Aide... »

Gabriel se fige de stupeur.

« Liz ?

— Je t'en... supplie..., aide-moi, bredouille Liz d'une voix sans force, fragile comme une feuille qui tremble au vent.

— Mon Dieu. Que s'est-il passé ?

— Je... je me suis fait agresser. Je saigne... tout est plein de sang... ma tête... »

Le cœur de Gabriel s'affole. Un cercle de fer lui enserre la poitrine. Les lumières rouges de l'alarme clignotent.

« Où es-tu ? » demande-t-il en pressant le portable contre son oreille pour mieux la comprendre.

Elle hoquette.

« Dans le parc. Friedrichshain, au coin de chez moi... je t'en prie, j'ai peur. »

Gabriel ouvre la bouche, mais ne parvient pas à articuler le moindre son.

« Gabriel... ?

— Je... je suis là, Liz. Écoute-moi. Je t'envoie de l'aide. Tu m'entends ?

— Où... où es-tu ? demande Liz, troublée.

— J'arrive tout de suite. J'arrive, Liz. Tu m'entends ?

— J'ai froid, murmure-t-elle, j'ai terriblement froid.

— Liz ? »

Pas de réponse. Des points rouges devant ses yeux.

« *Liz !* » hurle-t-il dans le téléphone.

Sa voix résonne dans la cave. Son pouls bat à tout rompre. Un léger bruissement s'échappe du portable collé à son oreille. Son front est perlé de grosses gouttes de sueur froide.

« Liz ! Tu es encore là ? Tu m'entends ? »

Gabriel colle désespérément son portable contre l'oreille.

« Je vais chercher de l'aide, dit-il, tiens le coup. Je t'en prie, tiens bon ! »

Rien. Rien qu'un léger grésillement.

Gabriel aspire l'air dans ses poumons jusqu'à ce qu'il ait l'impression qu'ils éclatent, puis il appuie sur la petite touche rouge du téléphone. Quand le contact est coupé, c'est comme si une corde s'était rompue et que Liz chutait dans les profondeurs.

Pour quelques fractions de secondes – ou s'agit-il de minutes ? – il ne bouge plus, comme pétrifié.

Puis d'une main tremblante il appelle police secours. Décrochez, nom de Dieu ! Décrochez ! Il gravit l'escalier quatre à quatre, téléphone à l'oreille, et passe la porte d'entrée en sprintant. La lumière de l'alarme noie l'allée dans une braise rouge.

« Police secours Berlin, s'annonce une voix routinière. Que puis-je pour vous ?

— Allô ! hurle Gabriel tout en ouvrant brutalement la portière et en sautant dans la Golf. C'est une urgence, dans le parc public…

— Allô ! Il y a quelqu'un ? » dit la voix.

Oh non ! pense Gabriel. Pas de réseau ! Pas ça !

« Allô ! crie-t-il, vous m'entendez ? »

Il change le portable de main pour démarrer la voiture, tire violemment le levier sur marche arrière, fonce sur le chemin gravillonné en tenant le volant d'une seule main et rejoint la rue. « Allô ? Allôôôô ! Ah oui, je vous entends maintenant. Qu'est-ce qui se passe ? »

La Golf file comme un bolide en faisant gicler les gravillons et débouche dans la rue. Gabriel tourne brusquement le volant en écrasant la pédale de frein.

« Une urgence, hurle-t-il dans le téléphone, dans le parc public de Friedrichshain. »

Il pousse sans ménagement le levier de l'automatique sur marche avant et appuie à fond sur l'accélérateur.

« Écoutez-moi, je vous comprendrai mieux si vous ne criez pas comme ça, dit l'homme avec une voix d'un calme affligeant.

— Dans le parc public de Friedrichshain. On vient tout juste d'agresser une femme. Elle est grièvement blessée et a besoin d'une aide urgente.

— OK. Parc public Friedrichshain, répète la voix. Et où exactement, dans le parc ?

— Aucune idée, rétorque Gabriel, ou plutôt si, attendez. Probablement près de la Cotheniusstrasse.

— Près de la Cotheniusstrasse. Bien. Savez-vous qui est cette femme ?

— Elle s'appelle Liz. Liz Anders.

— Liz Anders. Pouvez-vous me dire ce qui s'est exactement passé ?

— Elle s'est fait agresser, nom de Dieu ! Ça ne vous suffit pas ?

— Si, naturellement. Agressée, reprend la voix avec un calme stoïque. Donnez-moi encore votre nom.

— Merde ! Qu'est-ce que c'est que ces questions à la con ? Je veux que vous y envoyiez quelqu'un. Maintenant, tout de suite. Elle a besoin d'aide.

— D'accord. Calmez-vous. Nous allons envoyer quelqu'un. S'il vous plaît, maintenant donnez-moi encore… »

D'un doigt rageur Gabriel coupe la communication et balance le portable sur le siège passager. Puis il tourne dans la Drakestrasse. Il écrase la pédale de l'accélérateur et fonce vers le nord. L'aiguille du compteur tremblote à plus de quatre-vingt-dix kilomètres-heure.

Roule plus lentement, nom de Dieu ! Tu veux nous tuer ?

Elle a besoin d'aide ! Tu ne comprends pas ça ?

Et tu crois que ça va l'aider, si tu nous tues ?

Depuis quand tu joues les anges gardiens pour elle ? Je croyais que tu n'en avais rien à foutre.

J'en ai effectivement rien à foutre. Alors ressaisis-toi.

Va te faire voir ! murmure Gabriel en regardant fixement à travers le pare-brise, droit devant lui. Son portable fait soudain entendre sa sonnerie. Il repère sur l'écran le numéro de la centrale de la Python. Cogan. Il coupe vivement la sonnerie et dirige à nouveau ses yeux sur la rue. Du coin de l'œil, il voit encore un faisceau de lumière qui s'approche venant de la droite, suivi d'une ombre noire. Par pur réflexe, il appuie sur la pédale de frein, puis il entend un bruit assourdissant lorsqu'il accroche l'aile de l'autre véhicule et l'éjecte de sa trajectoire. La Golf fait une embardée, glisse, et la roue avant gauche tape violemment la bordure du trottoir qu'elle saute comme un cheval rétif. Gabriel est projeté vers l'avant, la poitrine comprimée par la ceinture de sécurité, puis il est brutalement rejeté contre le dossier du siège. Une douleur lancinante lui traverse l'épaule. Et la Golf ne bouge plus.

Le brusque silence est écrasant. Gabriel happe de l'air. Son pied pèse toujours de tout son poids sur la pédale de frein. La poussée d'adrénaline le fait trembler.

Il se retourne vers l'autre voiture, et son épaule le fait hurler de douleur. À quinze mètres derrière lui environ, une Jaguar bleu nuit plate comme une raie est arrêtée en plein milieu du carrefour ; on dirait que quelqu'un a arraché un morceau de l'aile gauche d'un coup de dent. Les portières s'ouvrent, et le conducteur, un homme corpulent d'une cinquantaine d'années, essaie de s'extraire de la voiture de sport. La passagère descend elle aussi et pointe le doigt sur Gabriel. Elle a des cheveux blonds lisses et porte un élégant pantalon noir moulant et une veste avec un motif en peau de léopard. Ses hauts talons claquent sur l'asphalte lorsqu'elle s'approche. L'homme la retient par le bras. Elle fixe des yeux pleins de colère sur Gabriel.

Il lève le pied du frein et appuie sur l'accélérateur. La Golf se remet en mouvement en cahotant. Elle grince quand un bout de plastique tombe de l'avant embouti et passe sous les roues. Il voit la femme-léopard dans le rétroviseur : elle le suit des yeux, bouche grande ouverte.

J'arrive, Liz, pense-t-il.

Tu te conduis comme un idiot, Luke. Chaque fois qu'il est question de cette femme, tu perds le contrôle. Et pourtant tu sais ce qui arrive quand tu perds le contrôle ?

8

Berlin – 2 septembre, 00 h 34

Gabriel descend la Dantziger Strasse à trois voies en longeant toujours les abords du parc. Le léger cliquetis erratique à l'avant de la voiture endommagée ressemble à une arythmie cardiaque. De loin déjà il distingue sur les hauteurs de la Cotheniusstrasse des lumières bleues clignotantes, et son estomac se noue. À l'entrée flanquée de bosquets touffus, à côté de la salle de badminton, sont stationnés une ambulance, une voiture de médecin urgentiste et deux véhicules de police.

Gabriel braque le volant de la Golf. Lorsqu'il monte sur le trottoir pour se garer sur le chemin, le pneu frotte contre l'aile défoncée avec des grincements pitoyables.

Il descend de voiture et part en courant. Avec les gestes mécaniques d'un robot, il entre dans le parc et descend le chemin sinueux. Il en connaît la plupart des arbres. Il les contemple quand il longe le chemin avec Liz, ils le rassurent et lui donnent le sentiment qu'une promenade peut apporter quelque chose.

Après le virage suivant, ce virage où Liz lui avait dit qu'elle voulait garder l'enfant, il en arrive à la longue portion de chemin sur laquelle il n'avait su faire qu'une chose : se taire. Un enfant. Lui et un enfant. Cela l'avait complètement dépassé. Au cours de la nuit suivante, il s'était réveillé plusieurs fois, trempé de sueur après des rêves tourmentés d'une étouffante intensité. Celui-ci par exemple : il se trouve sous un soleil de plomb dans un désert de sable rouge dans lequel ses bras et ses jambes s'enracinent comme des plantes grimpantes. Devant lui, un verre d'eau claire, un simple verre propre. Et l'eau s'évapore dans la chaleur, sans qu'il puisse jamais s'en saisir.

Il se débarrasse de ces images et se précipite en avant, de plus en plus loin à l'intérieur du parc. Le chemin fait ressort sous ses semelles, ramolli par toute cette pluie. À cent mètres environ, dans la lumière brumeuse d'un lampadaire, tressaillent plusieurs puissantes lampes de poche. Des silhouettes en uniforme courent en tous sens. Un peu en retrait, au bord du chemin, deux secouristes et un médecin urgentiste se parlent à l'oreille. L'un d'entre eux fume. Au milieu du chemin, il aperçoit un monticule allongé, informe et gris. Un corps, recouvert d'un drap.

Liz.

Il est pétrifié sur-le-champ, le froid le gagne comme si une plaque de glace avait cédé sous ses pas. Il est paralysé, sous le choc de ce qu'il voit et il s'arrête, alors qu'il voudrait courir. Courir pour s'éloigner, ou courir immédiatement vers elle. Il est même hors d'état de trembler et ne peut que rester bêtement figé sur place et fixer le drap.

Sans s'en rendre compte, il fait quand même quelques pas. L'un après l'autre. Bien trop lentement. Il ne voit rien d'autre que le drap et devine le corps. Ne voit pas le policier qui l'observe d'un air méfiant et qui lui crie quelque chose, ne voit pas non plus les autres, comme s'il passait dans un tunnel étroit au bout duquel il n'y a que cette forme sous un drap. Quoiqu'il s'interdise de penser qu'il s'agit de Liz, cette idée s'est depuis longtemps insinuée dans son esprit, et il ne peut plus s'en défaire. Quand il arrive enfin au bout du tunnel, il tombe à genoux à côté de Liz. De petits cailloux pointus lui piquent la peau, mais il ne les sent pas. L'humidité du sol s'infiltre instantanément dans le tissu de son pantalon.

Elle a l'air si grande sous ce drap ! C'est la première réflexion qu'il se fait.

« Hé, vous, là, bas les pattes, ne touchez à rien », crie quelqu'un.

Gabriel ne cille même pas. Sa main droite agrippe le drap. Il est humide au toucher. Sale et poisseux.

Pourquoi n'a-t-elle même pas droit à un drap propre ? pense-t-il tout en soulevant l'étoffe et en fixant le visage du cadavre.

C'est le visage d'un jeune homme boutonneux aux yeux éteints et à la peau gris cendré. Il porte une veste en jean sale. Il a la gorge tranchée d'une incision profonde. Un sang noir et gluant luit sur son cou et le col de sa veste. Gabriel touche les mains du jeune homme dont les doigts sont collés par le sang, glacées, mais dont les jointures sont encore souples. Une odeur infecte d'urine et d'excréments enveloppe le mort comme un halo. Il s'est vraisemblablement vidé au moment où il a perdu les derniers vestiges de contrôle sur son corps.

Gabriel ne peut faire autrement que fixer ce visage. Un visage étroit, déplaisant, aux traits grossiers.

Un visage qui n'est pas celui de Liz.

Et c'est la seule chose qui compte pour le moment. En tout cas pour cet instant qui se prolonge à l'infini, jusqu'à ce qu'une autre idée lui vienne.

Si ce n'est pas Liz qui est couchée là, sous ce drap, où est-elle donc ?

Quelque part non loin de là, une sirène hurle, un son net et perçant qui se rapproche rapidement.

9

Berlin – 2 septembre, 00 h 39

Les paupières fermées de Liz se gonflent, tandis que ses pupilles errent en tous sens. Elle sent qu'elle vit encore, mais sa tête et son corps sont engourdis, bien trop gourds pour être à même de ressentir quelque chose comme de la joie ou de la peur ; c'est vraiment comme si tout était englué dans un épais brouillard.

Un bourdonnement continu se fraie un passage jusqu'à son oreille. *Un moteur, ce doit être un moteur.* Puis une sirène, si assourdissante qu'il lui semble que des aiguilles s'enfoncent douloureusement dans son crâne. Elle sent qu'elle ne peut pas remuer les bras, qu'elle est solidement ceinturée sur une espèce de lit. Tout son esprit se concentre immédiatement sur son ventre, les sangles ne sont-elles pas trop serrées pour son bébé ? Des sangles. Et pourquoi des sangles, au fait ? Et soudain une crainte diffuse monte en elle. *La colonne vertébrale. C'est la colonne vertébrale.* Dans les ambulances, on attache toujours les patients blessés à la colonne vertébrale.

L'image déformée d'une ambulance la hante, orange et blanc crème, en train de foncer dans le Berlin nocturne, tremblotant dans le clignotement giratoire de sa propre lumière bleue. Mais la sirène, pourquoi n'entend-elle plus la sirène ?

Puis elle perçoit une voix, une voix d'homme, assourdie comme si elle lui parvenait depuis l'autre côté d'un mur.

« Hé ! je cherche l'entrée de la clinique Vivantes. Par où faut-il que j'aille ?

— Eh, c'est juste au coin de la rue, répond une voix, plus jeune et plus douce que la première. Il faut tout simplement que vous entriez là-bas à gauche, et puis c'est tout droit.

— Merci. »

À présent le bruit du moteur a lui aussi disparu et une portière claque. À travers ses pensées brumeuses, Liz voit déjà ce qui va immédiatement se passer, ce qui se passe des millions de fois quand des brancardiers sortent une civière d'une ambulance, quand on déplie les béquilles escamotables avec leurs roulettes pivotantes qui passent le seuil des Urgences en cahotant et en cliquetant. Elle attend les inévitables cahotements et cliquètements. Mais curieusement rien de tel ne se passe. Il ne se passe absolument rien.

Rien que le silence.

De nouveau, ce sentiment diffus de malaise qui se mêle à son indifférence comme un jet de sang à un pot de peinture blanche. Et soudain elle pense à Gabriel. Elle se rappelle qu'elle l'a appelé, elle sait encore comment elle était allongée sur le chemin. Elle a même encore sa voix dans l'oreille : « Liz, je vais chercher de l'aide, promis. » Si Gabriel va chercher de l'aide, tout ira bien, avait-elle pensé. Mais pourquoi n'a-t-elle pas le sentiment que tout va bien ?

Ses pensées flottent et se perdent dans le vide. Son malaise est de plus en plus intense. C'est le même malaise que celui qu'elle a ressenti quelques mois plus tôt.

Ssssinnng. Elle est stupéfaite par le bon fonctionnement de sa mémoire, comme un ascenseur qui monte et descend et l'emporte.

Il y a quelques mois. Elle venait juste d'apprendre qu'elle était enceinte. Jusque-là, elle s'était retenue de fouiller dans la vie de Gabriel. Ne demande rien, avait-elle pensé. S'il ne t'en parle pas de lui-même, laisse-le tranquille. Et elle avait réussi à se taire. Malgré sa curiosité et sa rage innée de faire des enquêtes, elle avait ravalé ses questions, parce qu'elle savait instinctivement tout ce qu'elle risquait de détruire en les posant. Et puis elle était tombée enceinte et tout à coup elle n'était plus parvenue à ignorer ses questions. Elle avait subitement ressenti un malaise. Le malaise d'avoir un enfant avec un homme qui n'avait pas de parents, qui n'avait aucun contact avec son frère, pas d'amis et un boulot auquel il était certes accroché comme une moule à son rocher, mais qu'il haïssait tout autant.

Depuis ce temps, elle traîne ce sentiment de malaise quand elle pense à Gabriel. Ce sentiment que Gabriel est comme une unique grosse tache noire, une tache qu'elle aime, avec qui elle va avoir un enfant, mais qu'elle ne connaît pas. Et brusquement, elle a peur.

Sssinnng. De nouveau l'ascenseur. Entend-elle des pas ? Elle cille et à sa grande surprise parvient à ouvrir les yeux. Autour d'elle, tout est brumeux et sombre. Quand elle bouge les yeux, tout semble flotter, même l'obscurité. Pourquoi fait-il sombre dans une ambulance ? Et pourquoi personne ne m'emmène-t-il à l'hôpital ?

On entend un grand bruit sec et sonore et un courant d'air frais s'engouffre dans le véhicule. Enfin. Elle presse les paupières, à la fois dans l'espoir que la lumière s'allume aussitôt et la crainte qu'elle ne l'aveugle. Puis la portière se referme en claquant et une ombre se penche sur elle. Une lampe de poche s'allume et la lumière lui brûle les yeux comme un jet de flammes. Elle veut demander ce qui se passe avec sa colonne vertébrale, mais ne réussit pas à former le moindre mot. Soudain, son corps se rappelle toutes ses blessures et la punit instantanément avec des douleurs. Si elle était à même de sentir, elle saisirait une odeur âcre caractéristique, mais son nez enflé lui interdit toute sensation. La seule chose dont elle a encore conscience, c'est cette serviette humide qui s'applique sur son visage.

Ses sens s'atrophient. À partir de cet instant, l'indifférence endort immédiatement toutes ses sensations. Peut-être, se dit-elle encore, l'hôpital était-il complet.

Elle n'entend déjà plus le moteur qui redémarre. Mais si elle l'avait entendu, elle se serait sans doute dit : Nous partons donc vers un autre hôpital. Je vous en prie, faites qu'il y ait un lit de libre.

10

Berlin – 2 septembre, 00 h 41

Gabriel est toujours agenouillé à côté du cadavre quand deux mains l'empoignent aux aisselles et le remettent sans ménagement sur ses jambes. Son épaule droite proteste avec de vives douleurs, et il fait la grimace.

Quelqu'un le houspille.

« Nom de Dieu ! c'est quoi cette histoire ? Qu'est-ce que vous faites là ? »

Gabriel est pris de vertige et de nausée.

« Hé, vous, là ! Je vous parle.

— Où… où est-elle ? demande Gabriel.

— Où est qui ? »

Le policier à sa droite le toise avec méfiance. Il a environ trente-cinq ans, une barbiche et des mains énormes.

Gabriel soutient son regard. Quant à cette méfiance profondément ancrée en lui, les policiers viennent directement après les armes à feu.

« Mon amie. Liz Anders. La femme blessée. C'est pour elle que j'ai appelé. »

Le policier le lâche et fronce les sourcils.

« C'était vous ? »

Gabriel opine.

« Bon, très bien, grogne le policier, alors expliquez-nous ce que c'est que ce merdier.

— Je ne vois pas ce que vous voulez dire.

— Toute cette saloperie, là », précise le policier en désignant le cadavre du jeune boutonneux.

Gabriel le regarde sans comprendre. Il lutte encore contre sa nausée. La main du second policier qui le tient toujours fermement lui brûle le bras. Il déteste qu'on le touche comme ça et il essaie de se débarrasser de cette poigne. En vain.

« Je ne comprends rien à ce que vous me dites. Je cherche ma compagne. C'est pour elle que j'ai appelé. Elle s'est fait agresser ici il y a une demi-heure, et elle m'a téléphoné. »

Le policier lève un sourcil et se gratte la nuque.

« Écoutez-moi, je...

— Schultz, qu'est-ce qui se passe ici ? » demande une voix impérieuse dans le dos de Gabriel.

Le policier à la barbiche sursaute et se jette dans un garde-à-vous maladroit.

Gabriel se retourne et se retrouve face à une paire d'yeux bruns perçants dans un visage imberbe fatigué d'avoir trop veillé. L'homme est chauve, et même ses sourcils sont si minces que seule une ombre les dessine.

« Commissaire Grell, police criminelle de Berlin », se présente-t-il, de mauvaise humeur.

Il a le cou court et porte un costume de velours mal ajusté sur un corps enveloppé.

« Et vous êtes ?

— Gabriel Naumann. Je... »

Sans quitter Gabriel des yeux, le commissaire élève la voix en grondant.

« Jansen, vous avez déjà contrôlé l'identité de cet individu ?

— N-non, bégaie l'autre policier qui serre toujours le bras gauche de Gabriel.

— Alors, qu'est-ce que vous attendez ? »

Jansen opine, fait quelques pas de côté et presse son portable à l'oreille.

« Central ? Allô. Un contrôle d'identité. Naumann, Gabriel... »

Gabriel se frotte le bras désormais libre, comme s'il devait encore se débarrasser du point de contact du policier. Peu à peu, il réussit à ordonner ses pensées et la peur le ressaisit sur-le-champ. Où est Liz ?

Le commissaire Grell et Schultz, le policier à la barbiche, se parlent à l'oreille. Le chauve approuve de la tête et vient vers Gabriel d'un pas pesant.

« Avant tout : ici, c'est une scène de crime. Qu'est-ce qui vous prend de vous balader là et de tripoter mon cadavre ?

— Je pensais que sous le drap il y avait ma compagne.

— J'en ai rien à foutre de ce que vous pensiez. »

Il mesure d'un regard méprisant la stature massive de Gabriel.

« L'essentiel, c'est que vous ne touchiez pas à ma scène de crime.

— Comme je vous l'ai dit, je pensais…

— N'allez pas trop penser. Ça n'a pas l'air d'être votre fort. »

Schultz ricane silencieusement à quelque distance derrière le commissaire.

« Et où est-elle, votre compagne, maintenant ?

— Aucune idée, répond Gabriel en essayant à grand-peine de se contenir. Quand elle m'a téléphoné, elle arrivait encore tout juste à parler, elle était grièvement blessée. Et c'est pour ça que j'ai appelé police secours.

— Bon. Si elle n'est plus là, allongée sur ce chemin, c'est que ça ne devait pas être si grave que ça. Est-ce que votre compagne a tendance à exagérer d'habitude ? »

Gabriel fixe le chauve, en colère, mais réussit à réprimer une réponse.

Jansen s'approche du commissaire.

« Chef ! murmure-t-il, j'ai quelque chose, là… »

Grell hoche la tête et entraîne le policier quelques mètres plus loin, sous un grand orme. D'un air important, Jansen lui chuchote quelque chose à l'oreille. Le commissaire opine à plusieurs reprises, fronce ses sourcils glabres et regarde fixement Gabriel. Puis il tapote brièvement l'épaule de Jansen et se dandine en direction de Gabriel avec une mine qui n'annonce rien de bon. Le sol meuble fait un bruit de succion sous ses grosses chaussures.

« Je vous le demande pour la deuxième fois, fait-il posément, et réfléchissez bien à ce que vous allez répondre : Pourquoi êtes-vous ici ? »

Gabriel roule les yeux.

« Mais merde, combien de fois faudra-t-il encore que je vous l'explique ? Ma compagne s'est fait agresser. Elle m'a appelé parce qu'elle est grièvement blessée et qu'elle a besoin d'aide. Je suis donc venu. Je ne savais absolument pas qu'il y avait un cadavre ici. Et ça ne m'intéresse pas non plus ! Je veux tout simplement savoir où est ma compagne, et si elle va bien.

— Bien, Herr Naumann, réplique Grell avec un sourire glacial, *moi*, ce cadavre, il m'intéresse énormément. Et ce qui m'intéresse avant tout, c'est ce que *vous*, vous avez à voir avec ça. »

Incrédule, Gabriel fixe le commissaire.

« Qu'est-ce que ça veut dire ? Vous ne parlez pas sérieusement.

— Bien. Voyons cela de manière tout à fait pragmatique. Premièrement, vous arrivez ici, sur ce lieu de crime, comme si de rien n'était, immédiatement après qu'un meurtre a été commis. Deuxièmement, vous prétendez que quelqu'un vous a appelé à l'aide, et il se trouve que ce quelqu'un n'est même pas là. Troisièmement, vous êtes, manifestement, comme mon collègue Jansen vient juste de me l'apprendre, un Security et vous travaillez pour l'entreprise Python. Mais, curieusement, si j'en crois votre certificat de bonne vie et mœurs, vous n'avez pas le droit de porter une arme. Et quatrièmement, vous avez du sang sur les mains et sur votre pantalon. »

Gabriel reste bouche bée. Il contemple ses mains, sur lesquelles on voit de très nettes traces de sang.

« Vous voulez sérieusement prétendre que c'est *moi* qui aurais fait ça ? Pourquoi ? »

Grell hausse les épaules.

« Nom de Dieu ! siffle Gabriel, demandez à vos collègues. Ils m'ont vu m'agenouiller à côté du cadavre et ils ont vu que j'ai touché au drap. C'est de là que vient ce sang.

— Peut-être aviez-vous de bonnes raisons pour revenir ici et vous barbouiller du sang sur les mains.

— Mais quelles bonnes raisons ? Vous êtes fou !

— Vous touchez là au point crucial, Herr Naumann, dit Grell d'une voix basse, mais ferme. Ou niez-vous avoir été, de 1983 à

1988, à la clinique psychiatrique de Conradshöhe, enfermé dans le pavillon de sécurité ? »

Gabriel devient blanc comme un linge.

« Mais... mais ça remonte à vingt ans, ça, balbutie-t-il, la voix sourde. C'est classé depuis longtemps ; d'où... »

Le commissaire le regarde, sur la réserve, un mauvais sourire ironique sur les lèvres.

« Donc vous étiez bien à Conradshöhe ?

— Oui, admet Gabriel, mais comment se fait-il que vous le sachiez ? C'est...

— Quoi ? Illégal ? » Grell lève un sourcil. « Si je ne me trompe pas, c'est vous qui venez juste de me confier ce fait. Je vous ai simplement demandé si vous le nieriez... »

Il sourit d'un air suffisant.

Gabriel le regarde fixement avec des yeux pleins de colère.

« Conradshöhe n'a rien à voir ici. Absolument rien ! Je veux seulement retrouver Liz Anders. C'est tout.

— Bien sûr. Liz Anders. » Grell hoche la tête et son sourire se fige. Si c'est effectivement ça, tant mieux pour vous. « Mais je pense que vous comprendrez que, dans ces conditions, il faut que je prenne le temps de vérifier tout ça. »

Gabriel sent les battoirs de Schultz se resserrer sur son bras droit. Venu de la gauche, Jansen s'approche et détache une paire de menottes de sa ceinture. Une vague de panique et de colère submerge Gabriel.

Ça recommence, Luke, murmure la voix. *Tu vois ? Je te l'ai dit. Ça recommence toujours.*

Les paupières de Gabriel tressaillent, juste un peu. Puis son avant-bras droit fend l'air comme un ressort qui se détend et son poing vient cogner en plein milieu du visage de Schultz. Le policier lâche prise instantanément, titube en arrière en se tenant le nez. Du sang sourd entre ses doigts.

Gabriel balance son bras gauche en un mouvement circulaire brusque et imprévu, comme une aile de moulin à vent, et se libère de la prise de Jansen. Vif comme l'éclair, il se prépare à frapper du tranchant de la main gauche quand une voix sévère hurle :

« Stop ! »

Gabriel se fige. À une distance de sécurité de plusieurs mètres, il voit Grell, son arme de service aux reflets noirs en main, le doigt replié sur la détente.

« Donnez-moi une seule bonne raison de ne pas tirer, espèce de cinglé, une seule raison ! »

Gabriel baisse lentement les bras. Il est peu à peu envahi d'un désespoir qui le paralyse. L'espace d'un court instant, il voit de larges sangles en cuir qui lui bloquent le corps. Le brun des sangles est l'unique couleur au milieu de toute cette blancheur et de cet acier chromé. Sinon, il n'y a plus que le rose pâle de la peau des visages des hommes.

Ne perds surtout pas le contrôle, maintenant, Luke. Tu sais ce qui se passerait.

C'est trop tard, pense-t-il, désespéré. De toute façon, j'ai déjà perdu le contrôle.

Les menottes qu'on lui passe lui brûlent la peau. Le fait de ne pas pouvoir bouger les bras l'affole. La nausée le gagne, comme un réflexe, et il essaie de se persuader qu'il n'y a personne ici pour lui fixer des électrodes sur le crâne et basculer le levier. Mais son corps ne le croit pas, son corps a sa propre mémoire.

Et soudain, il pense à David, aux ferventes accolades de son petit frère et à cette sensation d'avoir envie de rire et pleurer à la fois. La nostalgie fond sur lui comme une poussée de fièvre, une nostalgie qui veut le convaincre que finalement tout ira bien, que ce qui s'est passé jadis n'a jamais eu lieu et qu'il n'y a qu'une raison pour expliquer qu'il ne peut se rappeler cette terrible nuit : elle n'a jamais eu lieu, pour l'amour du ciel, et tout est parfaitement normal ; qu'il peut tout simplement appeler son frère au téléphone, comme tout individu qui a un frère.

Mais rien n'est normal. Depuis presque trente ans, plus rien n'est normal. Impossible de l'appeler tout simplement pour lui dire : me voici de retour.

Même si c'est la seule personne susceptible de vous aider.

11

Berlin – 2 septembre, 10 h 05

David Naumann chasse de son visage ses cheveux blonds mi-longs et entre à reculons dans le secrétariat de Robert Bug, le directeur de l'information de TV2, comme s'il pénétrait dans un sas qui ouvre sur un autre monde.

« Il va falloir que tu attendes un peu. Von Braunsfeld est encore avec lui », lui annonce Karla Wiegand en le saluant.

Son regard glisse incidemment sur la silhouette élancée de David, son jean bleu, la chemise blanche froissée qu'il porte de manière décontractée au-dessus du pantalon et la veste bleu marine.

« Un café avec du lait ? »

David approuve d'un hochement de tête.

« Victor von Braunsfeld ? Dans le bureau de Bug ? Mais qu'est-ce qu'il fait là, celui-là ? D'habitude, il ne s'occupe que des *big deals.* »

Karla Wiegand se compose une mine grave tout en haussant les épaules. La machine à café lance sa plainte en broyant les grains et crache un expresso et du lait. Wiegand est blonde et proche de la cinquantaine, elle a bien dix ans de plus que David. Ses cheveux commencent déjà à grisonner aux racines, et, dans son visage tout compte fait attirant, la commissure des lèvres affaissée et les rides marquées qui s'y creusent sont comme des parenthèses qui encadrent un mécontentement latent.

Le logo de la station TV2, qui vient juste d'être redessiné, brille au-dessus d'elle comme une épée de Damoclès, rouge bordeaux, le 2 d'un orange frais et étincelant. David pense qu'elle fait probablement du bon travail, sinon Bug l'aurait changée depuis longtemps pour une plus jeune.

« Tu sais ce qu'il me veut ?

— Aucune idée », répond Karla Wiegand.

David a l'impression qu'elle fuit son regard. C'est donc que Mister News a un prétexte pour râler, pense David. Soit, et alors ? Tout le monde sait que Bug franchit depuis longtemps les limites de son domaine de compétences et qu'il piétine les plates-bandes de celui des divertissements. Au pire, il n'est question que d'un peu de *cross-promotion* pour une nouvelle présentatrice de journal ou une animatrice qu'il s'agit de faire connaître dans une émission quelconque. Reste à savoir pourquoi, le cas échéant, Bug ne s'adresse pas directement au patron de David, le directeur des émissions de divertissement.

« Ah ! au fait, dit Wiegand à voix basse en tendant le café au lait à David, je viens de prendre un coup de fil pour toi, un Herr Schirk, de la Commerzbank… »

Tout en opinant, David feint l'indifférence. Merde. Les voilà déjà qui m'appellent au boulot. Il sent une légère rougeur lui monter aux joues qui doit probablement chatoyer à travers les poils de sa barbe blonde de trois jours.

C'est alors que la porte capitonnée du bureau de Bug s'ouvre. Sa voix profonde ronronne quelque part derrière.

« Merci encore. »

On ne voit que sa main avec laquelle il secoue de manière empressée celle de Victor von Braunsfeld, un homme qui a passé les soixante-dix ans, sans un poil de graisse, avec une chevelure toute blanche mais abondante, portant un costume sur mesure gris acier.

« C'est bon, grogne von Braunsfeld, une légère condescendance dans la voix. Ah ! ajouta-t-il, avant que j'oublie : *Carpe noctem* aura un prochain épisode, le premier du mois.

— C'est noté », fait Bug.

Carpe noctem ? se dit David. Qu'est-ce que c'est que cette émission ? Aurait-il raté quelque chose ?

Von Braunsfeld fait un signe d'approbation à Bug, passe devant le bureau de Karla Wiegand d'un pas énergique, quand son regard tombe sur David. Ils se fixent du regard, et von Braunsfeld s'arrête, intrigué.

« On se connaît ? » demande von Braunsfeld.

Ses cheveux blancs brillent, séparés par une raie parfaite ; un regard perçant tombe de ses yeux brun clair.

« En fait, non », répond David.

Il sourit, indécis, comme il le fait toujours quand il approche de trop près des individus à la personnalité aussi rayonnante.

Il change machinalement son café de main et tend la droite à von Braunsfeld.

« Je travaille pour vous. Aux divertissements de TV2. Conception et réalisation de shows et de formats de téléréalité.

— Je vois », opine von Braunsfeld.

Il sourit. Un sourire étrangement machinal, qui ne découvre pas les dents et auquel les yeux ne prennent pas part. Sa poignée de main est fraîche et solide, même si les doigts ont l'air fins et osseux.

« Et vous vous appelez… ?

— Naumann, complète David précipitamment, David Naumann. »

Von Braunsfeld retire vivement sa main, un peu trop vivement, se dit David, comme s'il avait touché un endroit douloureux.

« Naumann ? Oui, bien sûr, cette histoire de *Treasure Castle*, fait-il. Vous avez quelque chose à voir avec Wolf Naumann, le cameraman ? »

David le regarde, abasourdi, puis il opine.

« Je suis son fils. Vous le connaissiez ? »

Von Braunsfeld lève les bras en un geste de défense. Sa chevalière étincelle pendant un instant.

« Pas vraiment. Mais ça a été une sale histoire, dans notre branche si vous voulez, la presse en a fait des gorges chaudes à cette époque-là.

— Oui, répond David », qui se ferme comme une huître.

Il sent dans son dos le regard curieux de Karla Wiegand et s'arme contre les inévitables questions. Ces questions qu'il hait tant et qu'on ne cesse pourtant de lui poser encore à présent. Il fut un temps où il aurait préféré se tatouer sur le front un « Je n'en sais rien non plus ». En réalité, tout ce cauchemar s'était joué alors qu'il était enfermé dans sa chambre.

« Bien, alors, bonne chance encore », ajoute von Braunsfeld, ce qui ne l'engage à rien, puis il lui fait un signe de la tête et passe la porte à grands pas.

David le suit des yeux, soulagé et étonné à la fois. Karla Wiegand s'éclaircit ostensiblement la gorge et désigne du pouce la porte ouverte du bureau de Bug.

« Mister News attend… »

David opine en pensant à tout autre chose. Au moment d'entrer dans le bureau de Bug, il hésite.

« Au fait, Karla, tu sais de quoi il retourne ? Un nouvel épisode de *Carpe noctem* ? »

Karla Wiegand hausse les épaules.

« Aucune idée. Probablement un nouveau format télévisuel quelconque.

— Mais pas chez nous, si ?

— Je ne crois pas, mais von Braunsfeld est sur tous les bons coups.

— Bah, si c'est comme ça… », grommelle David, puis il entre dans le bureau du directeur de l'information. Quelques gouttes de café au lait débordent de sa tasse, aussitôt absorbées par le tapis de sol gris.

Robert Bug est debout devant la fenêtre de son bureau et regarde fixement la bruine comme un grizzly grincheux. Il a la stature massive d'un homme dans la cinquantaine, un corps qui fait craquer les coutures de son costume trop étroit, une tête carrée, un menton puissant et des cheveux bruns qui poussent dru.

« Savais même pas que ton père était cameraman, attaque Bug en lieu et place de salutations.

— On a parlé si fort que ça ?

— Aux *news*, il faut avoir de bonnes oreilles, contre Bug sans se retourner. Qu'est-ce que c'est que cette “sale histoire” dont Victor vient de parler ? »

Tu ne vas pas t'y mettre aussi, pense David.

« Laisse tomber, ça remonte à trente ans. C'est certainement pas d'actualité pour les *news.* »

Bug se retourne et fait face à David. Ses yeux foncés un peu saillants étincellent.

« Tu m'as l'air d'avoir une famille qui t'embarrasse vachement. »

Je n'ai pas de famille, pense David. Il ouvre la bouche pour donner à Bug la réponse qui convient, mais son portable vibre juste au même instant. *Le type de la banque !* pense-t-il immédiatement. Il enfouit la main dans la poche intérieure de sa veste et louche sur l'écran, juste pour le cas où ce serait quelqu'un d'autre. Un quelconque numéro de Berlin. Poste fixe. Il est intrigué, parce qu'il croit connaître les premiers chiffres, mais il ne réussit pas à les attribuer.

« Allez, accouche, dit Bug. Je saurai tôt ou tard ce qui s'est passé. »

David empoche son portable et regarde Bug d'un air bourru.

« Dis-moi, c'est le temps des vaches maigres, pour que tu farfouilles dans la vie privée des gens ? Pourquoi tu m'as fait venir, au fait ?

— Arrête tes conneries, on s'en contrefiche, de cette histoire. »

Bug écarte ses grosses pattes et ricane.

« C'est une maladie professionnelle chez moi. Quand j'entends "sale histoire" je pense tout de suite : Bonne histoire ! Et la dernière bonne histoire remonte à juillet, celle avec Kristen.

— Kristen ? C'est ce mannequin qui a disparu, non ? Au fait, il y a du nouveau, dans cette affaire ? »

Bug secoue la tête en un geste de dénégation.

« Elle est et reste disparue, sans aucune trace. Avec toutes ces fringues haute couture. Aucun signe de vie, pas de cadavre, rien.

— Incroyable, grommelle David.

— Ouais. Ça, c'était une *story* ! Une histoire comme celle-là, on peut la traîner, l'étaler, la tirer en longueur pendant des semaines dans tous les magazines et toutes les *news.* »

Bug soupire et dessine des gros titres, main levée.

« La top-modèle Chiara Kristen disparue du studio sans laisser de traces. Qui plus est, en emportant une douzaine de créations haute couture… En réalité, une chance qu'on ne l'ait pas retrouvée, on a pu spéculer comme des fous. Au fond, on devrait lui être reconnaissant, à ce salopard.

— Tu penses que quelqu'un l'a enlevée ? »

Bug souffle.

« J'ai une imagination qui a bien tendance à exagérer de temps en temps, mais je suis et reste réaliste. La Kristen est morte, allongée quelque part dans un petit bois, bien proprement enterrée. Cette femme, qui gagne entre un et deux millions par an, ne va tout de même pas fuguer avec quelques petites robes haute couture invendables…

— Tu penses à une sorte de maniaque sexuel ?

— Sûr, opine Bug. Et j'espère qu'il ne prendra pas trop de temps pour recommencer.

— Peut-être qu'entre-temps tu devrais t'occuper de politique, dit David d'un ton sec.

— Politique ! » Bug vomit quasiment le mot sur le bureau. « Merde. Nous sommes une chaîne privée. La politique est prise par les publiques. Chez nous, personne n'a envie d'écouter ça. Trop compliqué, trop mal vu. Nous sommes le boulevard. C'est tout ce qui est privé qui nous intéresse ! Ça ne nous intéresse pas de savoir ce que fait un homme politique, tout au plus *comment* il le fait, combien de fois et avec qui. »

David roule les yeux. Impossible de ne pas se rendre compte de la mauvaise humeur de Bug – seule la raison de cette irritation n'est pas simple à comprendre. Le téléphone vibre de nouveau dans la poche intérieure de sa veste. Il l'agrippe machinalement. Le même numéro que précédemment. Il fouille sa mémoire à la recherche de la série de chiffres. Une quelconque maison de production ? Les impôts ? Les services administratifs de la ville ? Et tout à coup, il a compris. *Police !* Les quatre premiers chiffres forment le début du numéro de la police de Berlin. Mais par tous les diables, que peuvent-ils bien lui vouloir ?

Bug utilise cette pause pour faire quelques pas, passe la porte du secrétariat et gare son large derrière sur le bureau de sa secrétaire.

« Des appels, Karla ? »

Karla Wiegand hoche la tête.

« Juste la routine…

— Et en ce qui concerne Miss McNeal ?

— Rien », répond Wiegand.

David est toujours planté là, téléphone en main ; il regarde fixement l'écran, décontenancé. La vibration a cessé.

Bug singe sa secrétaire.

« Rien ! Et ça veut dire quoi : *rien* ? Pas le temps ? Pas de réaction ?

— Aucune idée, fait Karla Wiegand, peut-être aussi *manque d'envie.* »

Bug se débarrasse de cette pique d'un haussement d'épaules.

« Et le lanceur d'alerte ?

— Vous voulez dire Liz Anders, pour le docu ? Je n'ai pas encore de réponse. Elle a probablement dû s'immerger une fois de plus, pour une enquête quelconque.

— Sottise. J'ai encore failli lui écraser les arpions hier soir, au Linus. Il n'y a donc aucune raison qu'elle ne réponde pas au téléphone. »

De la main droite, Bug farfouille dans sa poche de pantalon et se gratte l'entrejambe. Sourcils levés, ce qui révèle les profondes rides de son front, il se tourne de nouveau vers David.

« Qu'est-ce qu'elle a, au fait, ta Jaguar ? »

David serre les lèvres et fourre le téléphone dans sa poche.

« On ne pourrait pas en venir à l'essentiel ? Tu ne m'as tout de même pas convoqué pour me parler de cette voiture.

— Mais c'est pas vrai ! ricane Bug, tu n'as toujours pas digéré cet accord à l'amiable au sujet de *Treasure Castle* ?

— Épargne-moi tes vacheries.

— Tu es bien sensible, petit. »

Son regard scrute de manière méprisante le visage de David, le mince nez d'aigle légèrement courbe, les yeux gris-vert.

« Tu as copié et tu t'es fait piquer. C'est comme ça. Tire un trait, une fois pour toutes.

— Je n'ai pas copié, nom de Dieu ! »

Bug hausse les épaules.

« Allez, on passe l'éponge. De toute façon, dans le divertissement, les idées courent les rues. Il suffit d'ouvrir les yeux et hop ! » dit-il en claquant les doigts.

David se tait.

« Pas d'idées en ce moment ?

— Rien de concret », esquive David. *Et si c'était le cas, je ne risque surtout pas de t'en parler.*

Il boit une gorgée de café et sent que sa main tremble. Nom de Dieu. Personne d'autre que Bug n'arrive à lui hérisser autant le poil.

Le directeur de l'information l'observe, les yeux rétrécis à ne former que deux fentes.

« Au fond, je t'envie, finit-il par soupirer. Si *moi, je* veux nourrir mes *news*, il faut au minimum que j'enlève une personnalité... » Il enfouit de nouveau les mains dans les poches de pantalon déjà bien tendues de son costume coûteux, mais étriqué.

« C'est peut-être ça. "Directeur des *news* fou enlève supermannequin." Le crime paie toujours. On le voit bien avec Kristen. Et finalement, pourquoi on n'essaierait pas d'inclure un crime sanglant dans les divertissements ? L'audimat crèverait certainement le plafond.

— Parce que nous connaissons les limites, contre David. Crime et divertissement, c'est comme l'eau et le feu.

— Toi et ton putain de politiquement correct. Je me demande comment tu as pu en arriver à une idée comme *Treasure Castle.*

— *Treasure Castle* joue avec les limites. Le crime les explose.

— Jouer. Exploser. » Bug hoche théâtralement la tête. « Tout ça, c'est couper les cheveux en quatre. Pour ce qui me concerne, tu n'as qu'à *jouer* avec les limites, si ça peut t'aider. Mais ne sois pas si mesquin.

— Et ça veut dire quoi, ça, maintenant ?

— Ça veut dire que je te prie de réfléchir à un *crime show.*

— Pardon ? » David en reste baba. « J'ai bien compris ce que tu viens de dire ? *Tu* veux *me* confier un boulot ?

— Vois ça comme une chance. Au fond, tu devrais m'être reconnaissant. »

David fait un geste de dénégation et se tourne vers la porte.

« Si tu as besoin d'un *sparring-partner*, vois donc avec notre très honoré directeur des programmes. Je suis certain qu'il sera ravi… C'est lui, ensuite, qui pourra me confier le contrat. Et au moins on aura respecté la voie hiérarchique. C'est tout ce que tu avais à me dire ?

— Je lui ai déjà parlé », répond Bug, impassible.

Ses lèvres se retroussent ironiquement.

David est sidéré.

« Tu as *quoi* ?

— Depuis ce matin, pour être précis, depuis que Victor von Braunsfeld est passé, je ne suis plus seulement directeur de l'information – je suis aussi directeur des *programmes.* »

David se fige, et se retourne, incrédule. Il lui faut un certain temps pour bien comprendre ce que Bug vient de dire.

« Je vois, ajoute Bug dans un ricanement, que l'effet de surprise est réussi. Au fait, tu es le premier à être au courant. Les félicitations à partir de demain seulement, je te prie, ce sera alors officiel. Tu sais que le vieux est très conservateur là-dessus.

— Von Braunsfeld t'a personnellement nommé directeur des programmes ?

— *He himself.* Et maintenant je lui dois quelque chose et il faut que je livre. »

David ouvre la bouche, mais rien n'en sort. Son estomac se noue. Robert Bug se tient debout là, tel un cauchemar incarné.

« Bon. Donc, si tu veux garder ton boulot, tu feras bien de prendre ma demande au sérieux. »

David le regarde, consterné. Il est incapable de répondre quoi que ce soit.

Le BlackBerry de Bug fait entendre sa petite musique électronique qui déchire le silence. Le grizzly tire rapidement son portable.

« La rédaction, grommelle-t-il. C'était tout, mon cher. Fais-moi signe dès que tu auras quelque chose… et ferme la porte derrière toi. »

Il agite sa main libre comme pour chasser une mouche.

David file par la porte sans la refermer. Le téléphone se met à vibrer pour la troisième fois dans sa poche de veste. Le même numéro, une fois de plus.

Une fois de plus, la police.

12

Berlin – 2 septembre, 10 h 24

Gabriel fixe d'un regard vide le mur de la cellule 05 du commissariat de police et presse l'écouteur du téléphone sans fil contre son oreille. Prends l'appel, nom de Dieu !

Il ne le prendra pas, Luke.

Il le prendra. Peut-être qu'il ne le prendrait pas s'il savait que c'était moi. Mais il ne le sait pas.

Et après ? Qu'est-ce que tu vas dire ? Allô, c'est moi ? La dernière fois a beau remonter à vingt ans, et tout avait alors été un rien déplaisant, mais justement j'ai besoin d'aide...

Tuuut... tuuut...

Combien de fois faut-il encore te le répéter ? Il ne prendra pas l'appel... et il ne t'aidera pas non plus...

Il le fera ! Il reste mon frère, malgré tout.

Ah bon ? Je crois plutôt que c'est toi qui as toujours été son *frère. Mais lui le tien ? Je n'arrive pas à m'en souvenir...*

Les murs de béton nus de la cellule se rapprochent à chaque signal sonore. L'exiguïté l'oppresse et l'inquiétude à propos de Liz lui noue la gorge.

Il s'est longtemps demandé s'il devait appeler David. Quelque temps auparavant, il avait lu son numéro dans le répertoire du portable de Liz. À présent, il le connaît par cœur, tellement il l'a tapoté pour finir par renoncer à appuyer sur la touche d'appel.

Tuuut... tuuut –

La sonnerie s'interrompt brusquement. Effacé, pense Gabriel, consterné, en regardant l'écran éraflé du téléphone usagé.

« Qu'est-ce que c'est que cet avocat ? demande une voix enrouée à travers le petit guichet de la porte de la cellule. Jamais là quand on a besoin de lui, hein ? Vous devriez peut-être en changer, à l'occasion. »

Le visage d'un policier apparaît dans l'ouverture. Les yeux sombres sont éteints et une moustache, pendante comme la moustache d'un morse, donne l'impression qu'il est de mauvaise humeur, exilé à vie dans un désert. Puis il agite une main exigeante dans l'ouverture du guichet.

Gabriel lui tend le téléphone.

« Il faut que je parle à Grell.

— Pour le moment, c'est avec moi que vous parlez et avec personne d'autre », contre le policier d'un air glacial. Sous la moustache, on devine un bec-de-lièvre ; de fins cheveux blond pâle lui collent sur la peau du crâne. « Et à part ça, je vous conseille de nommer son grade quand vous vous adressez à mon supérieur. »

Il referme brutalement le guichet et Gabriel se laisse tomber sur son bat-flanc fatigué au matelas affaissé. La matière brute de la couverture brune lui gratte la paume des mains et sent la vieille sueur.

Son regard inquiet balaie les murs de la cellule, peints à mi-hauteur d'une couleur tilleul administratif, s'arrête sur l'écoulement au milieu du sol, sur le lavabo et le W.-C. en inox. Lavable, incassable et inadapté aux suicides. Des souvenirs de Conradshöhe surgissent en rampant hors de leurs tanières.

Ne pas perdre le contrôle, Luke. Pense à autre chose. C'est fini ça, fini depuis longtemps.

Il refoule péniblement ces images, aussitôt remplacées par cette incertitude qui le tourmente. Où est Liz ? Que lui est-il arrivé ?

Il fixe la couleur vert pâle du mur où courent de minces fissures semblables aux artérioles sous la peau. Vert. Comme les yeux de Liz. Sauf que ceux-ci sont plus foncés et tout à fait éveillés. Qu'ils savent si bien vous percer à jour, et que l'acuité de son jugement s'y reflète.

Liz, la journaliste. Autrefois, après la Berlinale, lorsqu'elle s'était lancée à sa poursuite, il était parti du principe que c'était uniquement à cause de cette bande vidéo. Cette vidéo qui montrait comment il avait humilié un champion de boxe avec de la cocaïne plein les naseaux, un balourd qui avait sauté à la gorge de la journaliste. Et pourtant, il s'était laissé prendre dans ses filets. Qu'elle ait évoqué David avait été une raison suffisante pour lui de supporter cette femme quelques instants de plus.

Dans le bar, durant les dix premières minutes, ils étaient restés assis l'un en face de l'autre sans échanger une seule parole. Gabriel avec un petit noir, Liz avec un thé. Ni l'un ni l'autre n'avaient voulu de sucre. Elle le toisait d'un regard qui s'efforçait constamment de lire en lui, coupant comme un rasoir, disséquant tout.

Elle avait fini par porter le regard sur sa tasse de thé.

« *Treasure Castle*... ça vous dit quelque chose ? » avait-elle demandé.

Gabriel avait froncé les sourcils.

« Le show télévisé..., l'aida Liz.

— Je ne regarde pas la télé.

— Jamais ?

— Jamais.

— Pourquoi ?

— Je ne peux pas supporter la télé. »

Liz avait levé un sourcil.

« Il y a vraiment beaucoup de choses que vous ne pouvez pas supporter. »

Il avait haussé les épaules.

« Et David Naumann, vous ne pouvez pas le supporter non plus ? » poursuivit-elle.

Gabriel avait regardé ailleurs.

Je te l'avais pourtant dit, Luke, que c'était une idée à la con ! Pourquoi a-t-il fallu que tu ailles à cette réception ?

Je voulais simplement le voir. Tout simplement voir David, merde, voir quelle tête il a.

Sottise ! Tu ne comprends donc pas où cela mène ?

Où donc ?

À ce que tu te compliques la vie, naturellement !

Ça n'a rien à voir avec David. Elle a eu besoin d'aide.

De l'aide ! Ben voyons. Et il faut que tu t'en mêles aussitôt et que tu lui sauves les miches.

C'est bon, c'est bon. Je sais.

Tu as vraiment le complexe du sauveur. Tu n'as qu'à te débrouiller pour t'en débarrasser, maintenant, de cette nana.

Gabriel avait levé le regard. Ses yeux verts l'examinaient avec méthode. Il savait qu'il valait mieux ne pas poser de questions. Mais il n'avait pas pu s'en empêcher.

« Où est le problème, avec David Naumann ?

— *Treasure Castle*, c'est Naumann qui a créé ça. Le show est un vrai succès, une chasse au trésor en temps réel. Une émission assez intelligemment faite. Elle ne passe pas qu'en Allemagne, elle a été vendue à quatorze pays. »

Gabriel la regardait avec un visage inexpressif.

« Vous ne regardez vraiment jamais la télé, c'est sûr ? avait-elle demandé.

— Je viens de vous le dire », avait rétorqué Gabriel.

Quand elle souriait, les traits de son visage étaient soudain bien moins sévères.

Ressaisis-toi, Luke. C'est une putain de journaliste d'investigation. Elle veut la bande. Que la bande.

« C'est pour ça que vous l'avez interviewé. »

Liz avait approuvé de la tête.

« Plus ou moins. En fait, je m'intéressais plus à la plainte.

— Quelle plainte ?

— Ben, l'émission a beau être un énorme succès, quelqu'un d'autre revendique les droits de licence, les droits d'auteur, donc. On a soudain prétendu que Naumann avait copié, piqué l'idée. Et ça pourrait lui attirer de graves ennuis. Il est question de plusieurs millions. »

Plusieurs millions ? Gabriel s'était efforcé de garder la mine la plus impavide possible.

« Et quelles sont ses chances ? »

Liz avait haussé les épaules.

« Pourquoi vous intéressez-vous tant à Naumann ? D'où le connaissez-vous ?

— C'est une longue histoire », avait grogné Gabriel.

Liz était revenue à la charge.

« Allez, racontez, *Quid pro quo.*

— *Quid pro* quoi ? »

Liz avait souri.

« Ben, *une chose contre une autre.* Un truc de marchand. Je vous raconte quelque chose, et vous me racontez quelque chose en échange. »

Gabriel avait pincé les lèvres.

« C'est comme vous voulez, avait fait Liz. En ce qui me concerne, on n'est pas obligés de parler. »

Gabriel avait réfléchi un instant, puis laissé échapper un grondement maussade.

« Ça remonte à loin, on était encore enfants. Je l'ai sauvé d'une maison en feu. »

Les yeux de Liz s'étaient écarquillés.

« Pour ce qui est de sauver les gens, vous m'avez l'air champion. »

Gabriel avait répondu par un semblant de sourire.

À présent, après coup, sa phrase lui donne des douleurs au creux de l'estomac. Il se rappelle la nuit passée, Friedrichshain, la détresse et la peur dans la voix de Liz.

Il se lève, s'approche de la lourde porte en métal chargée de plusieurs couches successives de laque gris clair et frappe des poings contre le panneau ; après quelques coups, la douleur dans son épaule droite l'oblige à s'arrêter.

Un instant plus tard, la petite fenêtre du guichet bascule. Le morse le regarde de ses yeux vides.

« Le commissaire Grell, dit Gabriel en s'efforçant d'adopter le ton le plus amical possible. J'aurais aimé parler au commissaire Grell. »

Un vilain sourire fend le visage du policier.

« Et pourquoi ?

— Je vous en prie, tout ça, on en a déjà parlé. Pour la même raison que cette nuit. Il faut que je sorte d'ici. Je n'ai rien à voir avec le mort du parc, et je peux le prouver.

— Écoutez, tout le monde veut sortir d'ici. Et personne n'a jamais rien fait. On tourne en rond, là. Bon, je veux bien vous le redire encore une fois : Si vous voulez sortir d'ici, dites-*moi*, *à moi*, ce que vous savez et c'est *moi* qui déciderai d'en informer ou non le commissaire Grell. »

Toujours parler au chef, jamais au grouillot, c'était une des règles d'or de Youri Sarkov. Et la plupart du temps, elle fonctionnait. Excepté ici et maintenant.

« D'accord, dit Gabriel en s'efforçant de garder son sang-froid. L'essentiel, c'est que vous lui rendiez compte *rapidement*.

— On verra ça après », réplique le morse.

Une mèche grasse et blonde lui tombe devant les yeux et il la chasse maladroitement d'un revers de main.

« Bon, alors, ça vient ?

— Le mort du parc, dit Gabriel. Quand cet homme a été tué, j'étais à Lichterfelde. »

Le morse lève un sourcil. Des rides s'assemblent sur son front tavelé.

« Vous m'en direz tant. Et à votre avis, quand cet homme a-t-il été assassiné ?

— Entre onze heures et demie et minuit...

— Et comment le savez-vous ? Vous êtes médecin ? l'interrompt le morse.

— Non, grogne Gabriel, mais c'est vraiment pas difficile à comprendre. »

Le policier souffle bruyamment, incrédule.

« Et vous étiez où exactement entre onze heures et demie et minuit ?

— À Lichterfelde, comme je viens de vous le dire. Kadettenweg 107. C'est à au moins une demi-heure de voiture du parc. Il y a eu une alarme à cette adresse, qui a clignoté chez Python – c'est l'entreprise de sécurité pour laquelle je travaille.

— Et quelqu'un vous a vu, au Kadettenweg ?

— Non, pas vraiment. Mais j'ai quitté la Python à onze heures trente et je suis arrivé à minuit moins le quart au Kadettenweg.

— Et vous avez débranché l'alarme ? Il y a un constat électronique, ou quelque chose comme ça ? »

Gabriel est interloqué.

« Non, je n'ai pas eu le temps. Je suis entré, il y avait des empreintes dans la maison, ç'avait tout l'air d'un cambriolage. Quelqu'un avait pénétré dans la villa. Le portail sur la rue ainsi que la porte d'entrée de la villa étaient ouverts. Je suis descendu dans la cave pour m'occuper de l'alarme, et, curieusement, juste à côté d'elle, il y avait une robe, elle avait l'air neuve. Une sorte de tissu noir, brillant et cher. C'est alors que ma compagne m'a appelé, elle avait d'urgence besoin d'aide, elle était grièvement blessée, quelqu'un l'avait agressée dans le parc public Friedrichshain. Et je suis parti immédiatement.

— Et vous n'avez pas débranché l'alarme ?

— Non. »

Le morse aspire de l'air à travers ses naseaux. Les poils de sa lourde moustache tombante ne bougent pas d'un millimètre.

« Et des témoins ? Il y a quelqu'un pour témoigner de tout ça ?

— Bert Cogan, mon collègue de la centrale. Et mon patron, Youri Sarkov, avec qui j'ai téléphoné à onze heures trente, quand j'étais encore à la Python avec Cogan.

— Personne d'autre ? »

Gabriel pense à l'accident et hésite un instant. Puis il soupire.

« Deux rues après le Kadettenweg, j'ai eu un petit accrochage, grommelle-t-il. Une Jaguar bleu foncé. Une femme et un homme. Elle portait une veste en peau de léopard. C'est lui qui était au volant. Il m'a grillé la priorité, et je leur suis rentré dedans.

— Vous leur avez parlé, à ces deux-là ?

— Non, dit Gabriel en fixant le mur de la cellule. C'était juste de la tôle froissée. J'ai continué ma route tout de suite. Mais je suis certain que la femme m'a vu. »

Le policier le regarde, impassible.

« Vous savez que c'est un délit de fuite ? »

Gabriel approuve de la tête sans un mot.

« Vous avez le numéro d'immatriculation du véhicule ? »

Gabriel hoche la tête.

Le morse souffle brusquement.

« Bon. Nous allons vérifier tout ça, et je vais parler au commissaire Grell. Mais même si tout était exact, vous avez un problème : Schultz, le collègue que vous avez assommé, est toujours à l'hôpital. »

Il recule d'un pas et veut refermer la petite fenêtre du guichet.

« Attendez. Mon coup de téléphone », lui crie Gabriel.

Le policier s'arrête et le regarde d'un air hostile. Il lui tend le téléphone à contrecœur.

« Faites tout votre possible pour contacter ce type. Mais je n'ai qu'une chose à vous dire : si votre histoire ne tient pas debout, un seul avocat ne vous suffira pas pour vous tirer de là. »

Gabriel se saisit du téléphone poisseux. David est tout sauf avocat. Mais pour le moment, ce n'est pas d'un avocat que Gabriel a le plus besoin. Et de nouveau il ne peut s'empêcher de penser à Liz, il voit son visage devant lui, les cheveux roux, plus ou moins lisses, à vrai dire, ce qui ne les empêche pas de rebiquer aux quatre points cardinaux.

Tu n'es qu'un crétin fini, Luke.

Pourquoi ? Parce que j'ai parlé du délit de fuite au flic ?

Ne me prends pas pour un con. Tu sais exactement ce que je veux dire.

Boucle-la, murmure Gabriel.

Je veux seulement aider.

13

Berlin – 2 septembre, 10 h 42

L'estomac de David est dans tous ses états. Trop de café. Trop de Bug. Il est dans les toilettes et examine son image dans le miroir d'un lavabo. La chemise blanche froissée, ce visage pâle, ces yeux verts fatigués et ces rides autour de la bouche qui se creusent de plus en plus. Il tente un sourire, alors qu'il n'a absolument pas envie de sourire. Et il trouve que même ça, ça se voit.

Il remonte les manches de sa veste et de sa chemise, ouvre le robinet et laisse gicler l'eau froide sur les veines de ses poignets. Ce n'est que quand un collègue entre dans les toilettes qu'il coupe l'eau et fait semblant de s'être rincé les mains.

Le chemin le plus court vers son bureau passe près de celui de Bug. Il fait donc un détour par la postproduction de la chaîne, un long couloir étroit avec des portes de chaque côté, où l'on s'agite comme dans une basse-cour, avec des tables de montage où l'on assemble les diverses collaborations pour les informations et les magazines. Des lambeaux d'interviews bruissent dans l'air. Dans la salle de montage 8, on monte un entretien sur Benoît XVI, juste en face, dans la 15, quelques paires de seins tressautent en gros plan sur les écrans, et dans la 7 un éminent spécialiste de l'endettement débat avec un banquier. David sourit amèrement.

Il pousse la porte qui mène de la postproduction au département des graphistes quand son portable vibre une fois de plus dans sa veste. Tout en poursuivant sa route, il essaie de le tirer de sa poche intérieure, mais il s'est coincé. David baisse la tête et louche dans sa direction, cherche à l'empoigner quand sa tête va cogner contre un obstacle qui lui résiste. Un son caverneux résonne dans son crâne. Il titube en avant, quelque chose tombe à ses pieds et il trébuche par-dessus. « Nom d'un chien ! Qu'est-ce...

— *Aïe !* »

David masse son crâne douloureux. Une paire d'yeux bruns lui lance des éclairs de colère. Devant lui, au beau milieu du couloir du département graphique, est assise Shona McNeal, qui elle aussi se masse le crâne.

« Oh *shit* ! Faut que je peigne un passage clouté sur le sol pour arriver saine et sauve de l'autre côté du couloir ? » Elle geint et se palpe la peau du crâne sous sa crinière brune.

« Je suis désolé, mon portable... »

Il farfouille de nouveau dans sa poche, mais le téléphone s'est tu. Il la regarde d'un air confus. Sans un mot, Shona MacNeal lui tend une main. David la saisit et l'aide à se relever. Lorsqu'elle est debout devant lui, elle hoche la tête en faisant voler ses boucles brunes rebelles...

« *Reset*, grogne-t-elle, un sourire ironique aux lèvres. C'est comme ça que tu te débarrasses des collègues encombrants ?

— Comment ça, encombrants ?

— Depuis ce dernier boulot, je n'ai plus entendu parler de toi, et j'ai donc pensé...

— N'importe quoi, dit David. C'était bien. On l'a accepté sans rien y changer, sans même y ajouter une de ces améliorations qui n'améliorent rien. Tu as bien vu l'émission, non ?

— Bien sûr. » Shona baisse la tête, considère le désordre de sa tenue et tire sur sa chemise négligemment boutonnée. On entrevoit un soutien-gorge de sport exigu.

« N'empêche, ç'aurait été sympa d'avoir une réaction avant.

— Mais tu savais bien que le générique me plaisait. »

Shona roule les yeux.

« Purée ! Vous les mecs, vous nous rendez cinglées.

— Sérieusement. J'ai dit que ça me plaisait », insiste David en faisant de gros efforts pour diriger son regard sur son visage. Et surtout pas plus bas.

« *J'ai dit ?* Tu veux dire ce truc avec des mots, qu'on emploie pour parler avec quelqu'un d'autre ? Comme, par exemple "Chouette intro !" ou "Beau travail !" » Elle sourit d'un air narquois et agite la tête. « *Sorry*, mais je m'en souviendrais. »

David hausse les épaules. Il n'arrive effectivement plus à se rappeler ce qu'il a raconté ce jour-là – ou ce qu'il n'a pas raconté. Il avait été bien trop occupé à regarder Shona en train de travailler, ses mains fines qui créaient avec une élégante précision les outils graphiques de son émission. Il n'avait pas beaucoup à redire, juste à approuver de la tête. La seule chose difficile avait été de ne pas toujours laisser son regard filer dans son décolleté, tout comme maintenant. Il était fasciné parce qu'elle ne cherchait pas à collectionner ces regards. Sa chemise souple était comme coupée sur elle. Avec ses manches larges qui flottaient autour de ses poignets, elle allait bien avec ses Converse et la montre d'aviateur à son poignet. On avait l'impression qu'elle avait besoin de tout cet air qui circulait sur sa peau pour respirer et non pour séduire. Et il était d'autant plus aberrant qu'elle soit allée s'afficher avec cette crevure égomaniaque de Bug.

Quand il se rend compte de l'endroit où il lorgne une fois de plus, il lève vite les yeux et rougit.

« Sympa qu'au moins après coup cette histoire te soit pénible », remarque-t-elle avec suffisance.

Qu'est-ce qu'elle veut dire, exactement ? David déteste rougir. C'est le moment de riposter.

« Parce que tu t'es fait du souci ?

— Comment ça, du souci ?

— À cause de cette ressemblance avec le graphisme de Mystix, rétorque David, qui réprime avec malice un ricanement quand il remarque sa réaction.

— *Shit*, grogne Shona, et moi qui pensais que personne ne le remarquerait.

— C'est bon. Tout le monde pique quelque chose à tout le monde ici.

— Alors, satisfait tout de même ? »

David réussit à se fendre d'un signe de tête, qui ne ressemble toutefois pas à un « oui » vraiment incontestable.

Shona penche la tête sur le côté.

« Waouh, quel magnifique compliment ! Manque plus que tu m'offres un morceau de sucre avec un café pour me remercier. »

David ne peut s'empêcher de rire, pour la première fois de la journée.

« Je le ferai certainement, mais je descends de là-haut, dit-il en désignant l'étage des bureaux de la direction, et j'ai eu comme l'impression que Mr News attend de toute urgence que tu prennes contact avec lui ; je ne voudrais pas marcher sur ses plates-bandes… Tu le connais. » La moue de Shona se fige soudainement. « J'ai dit quelque chose que je n'aurais pas dû dire ?

— Il y a quelque chose de bien plus important qui a piétiné ses plates-bandes, grommelle Shona.

— Pardon ?

— Oh ! fait-elle, embarrassée. Personne n'est encore au courant, sans doute. Bizarre. D'une certaine manière, j'ai pensé que ce genre de truc ne m'arriverait pas, *à moi…* »

David la regarde, perplexe. Il lui faut un moment pour comprendre ce qu'il vient d'entendre là.

« Bug est comme un cabot errant, fait-il avec lenteur. Il ne peut pas s'empêcher de pisser contre tous les arbres qu'il rencontre, sans comprendre qu'il a le plus bel arbre de toute la ville devant sa niche. »

Shona fronce les sourcils, puis éclate de rire.

« Alors ça, c'est le compliment le plus merdique et le plus beau de la journée ! Et tout ça dans une seule phrase. Et j'annonce à haute et claire voix que l'heure du sucre en morceau a sonné. »

David devine que le rouge lui monte au front, et se sent redevenir un petit garçon. C'est à ce moment que son portable bourdonne.

14

Berlin – 2 septembre, 10 h 51

« Si cette fois, ça ne marche pas, on arrête avec cette histoire d'avocat, compris ? » râle le policier moustachu.

Gabriel est assis là, téléphone à l'oreille. Il fixe le sol affligeant de la cellule et espère que le morse va basculer, moustache en avant, dans une machine à broyer. Soudain, il perçoit un léger crépitement sur la ligne et retient son souffle.

« Naumann », se présente une voix d'homme.

La voix de David n'avait jamais été particulièrement grave, elle sonne néanmoins étonnamment adulte.

« Salut, dit Gabriel, la voix couverte, c'est moi. »

Silence à l'autre bout de la ligne.

« David ? » Ne coupe pas, pense Gabriel de toutes ses forces.

Le silence se prolonge. Puis, après une éternité :

« *Gabriel ? C'est toi ?*

— Oui. »

Le souffle de David déferle dans le micro comme une vague qui se brise.

« Étonné ? demande sèchement Gabriel.

— Moi… Non. Sous le choc serait bien plus juste.

— Ça fait longtemps que tu m'as enterré, hein ? » Silence. « Je ne me trompe pas alors, marmonne Gabriel. C'est bon. Je ne me plains pas.

— Co… comment vas-tu ? » questionne David.

Gabriel ouvre la bouche en se demandant ce qu'il doit répondre, quand on tape contre la porte de la cellule. Le morse tient sa montre dans l'ouverture du guichet et d'un air menaçant en tapote le verre avec l'ongle de l'index.

« Écoute-moi, David, dit Gabriel en hâte, tout ça n'a aucune importance pour l'instant. Il faut que je...

— *Mais où étais-tu ?* explose David. Je croyais que tu étais – je veux dire... C'est comme si tu avais disparu de la surface de la terre. La dernière fois que nous nous sommes vus, c'était à Conradshöhe. Ça fait combien de temps ? Vingt ans ? Et maintenant, tu tombes du ciel, tout simplement, sans prévenir. Tu m'appelles, et tu fais comme si de rien n'était ?

— David, c'est important, écoute-moi ! J'ai un problème, je...

— Tu as toujours un problème », fait David, bourru.

Gabriel pince les lèvres.

« Il ne s'agit pas de moi. Il s'agit de ma compagne. Elle s'est fait agresser, dans le parc public Friedrichshain, et maintenant elle a disparu.

— Normalement, c'est la police qui règle ce genre de problème.

— Tu sais ce que j'en pense, de ceux-là.

— Ben justement, répond David, d'ailleurs tu y es, pas vrai ? »

Gabriel demeure interdit. Son regard se dirige vers le guichet de la porte de la cellule, bouché par le dos de l'uniforme vert.

« Qu'est-ce que tu veux de moi, Gabriel ? Je veux dire, si ta compagne a disparu, pourquoi tu ne la recherches pas ? En quoi cela me regarde ?

— Dieu du ciel ! je ne te demande pas de la rechercher. J'ai simplement besoin de quelqu'un pour passer quelques coups de fil pour moi, à des hôpitaux et quelques adresses. Je me fais du souci.

— *Quelqu'un*, reprend David d'une voix monotone. » Gabriel aurait juré qu'il était en train de secouer la tête. « Tu as besoin de *quelqu'un* pour téléphoner !

Gabriel se mord les lèvres.

« Non, non, naturellement. J'ai besoin de *toi* !

— Et pourquoi, s'il te plaît, tu ne téléphones pas toi-même ?

— Parce que je... je suis coincé. »

S'ensuit une pause désagréable.

« Tu es coincé ?

— Ce n'est pas ce que tu penses, ne te fais pas de souci. J'ai juste eu une petite altercation avec…

— Oh non ! gémit David, tu es en prison, exact ? »

Gabriel s'empresse de répondre.

« Non, pas en prison, en cellule au commissariat. Un malentendu, rien de plus. Je serai vite ressorti.

— Un malentendu, naturellement. » David soupire. « Qu'est-ce que tu as fait ?

— Pour le moment, ça n'a aucune…

— … importance ? l'interrompt David, irrité. Qu'est-ce qui est important à tes yeux ? Après que j'ai dû m'habituer pendant vingt ans à l'idée que tu étais mort, ou à autre chose, tu finis par m'appeler, depuis la prison, et tu veux que je téléphone pour retrouver ta compagne qui a disparu ? Nom de Dieu ! Tu t'es évadé de l'asile ? Ou tu t'es shooté ? Tu sais à quel point tout ça est complètement fou ? »

L'asile. Gabriel pince les lèvres.

« Tu ne me crois pas », dit-il avec amertume.

Silence.

Que le souffle de David.

« OK, fait David. Désolé d'avoir parlé d'asile. Mais franchement, je ne sais pas ce que je dois penser. La dernière fois que je t'ai vu, ils avaient été obligés de te mettre brutalement la camisole de force. Tu n'étais plus responsable de tes actes.

— Ils m'ont bourré de drogues.

— Tu t'es bourré de drogues toi-même, tout seul, pendant des années.

— Ah, c'est *comme ça* que ça s'est passé ! Heureusement que tu me réexpliques tout ça ! » L'estomac de Gabriel se consume de colère. « Si seulement ç'avait été comme ça ! Ça étonne qui, après tout ce qu'ils m'ont fait ?

— Je ne pense pas qu'ils aient eu le choix…

— *Moi*, je n'ai pas eu le choix, moi », dit Gabriel. On tourne en rond, pense-t-il. À peine on se reparle, et déjà on tourne en rond. « David, écoute. Peu importe ce qui s'est passé. Je suis clean, depuis presque dix-neuf ans. Il faut que tu me croies, je t'en prie. »

David ne dit rien.

Le silence s'étire comme l'écume sur la grève.

« Est-ce que de temps en temps tu vas encore sur la tombe ? » demande David.

Gabriel sursaute. La question est abrupte, comme une agression dans une ruelle sombre.

« Quelquefois », répond Gabriel. En réalité, depuis l'enterrement, il n'y est allé qu'une seule fois. « Et toi ?

— Tous les deux, trois mois. »

L'espace d'un instant, cette ancienne intimité est de nouveau là, la chambre d'enfants commune avec le mur bleu clair et la lucarne sur laquelle la pluie crépite. Ils sont couchés, chacun sous sa couverture. Le poster de Luke est au mur, sur l'étagère il y a les sabres lumineux en plastique. Tout est si évident, si présent, comme si, de l'autre côté du miroir, la lumière s'était allumée et qu'il pouvait y contempler une vie antérieure. Une vie pleine de posters, d'étagères et de lits. Et des parents. Sa gorge se serre et il doit s'éclaircir la voix.

« Aide-moi, David, je t'en prie.

— OK, dit David. Je vais essayer. »

Gabriel a le vertige tellement il se sent soulagé.

« Est-ce que tu sais qu'en réalité c'est la toute première fois que tu me demandes de faire quelque chose pour toi ?

— Comment ?

— Sérieusement, venant de ta part, c'est ce que j'ai jamais entendu de plus raisonnable de toute ma vie, je crois. » Gabriel se tait, abasourdi. « Quand est-ce qu'elle s'est fait agresser ?

— La nuit dernière, vers minuit, dans le Friedrichshain, comme je te l'ai dit.

— Ah ! Friedrichshain. Non loin de la clinique Vivantes, tout près du parc. »

Gabriel est déconcerté, puis il gémit.

« Nom de Dieu ! Comment je n'y ai pas pensé plus tôt…

— Peut-être qu'elle s'est retrouvée là. De toute façon, c'est ce qu'il y a de plus proche. Je vais y passer. Comment s'appelle-t-elle ?

— Comment ? Qui ?
— Devine, aboie David.
— Ah, Liz. Liz Anders.
— Liz Anders ? Silence de mort. *La* Liz Anders ? »

Gabriel se demande s'il ne doit pas tout bêtement répondre oui, mais d'une certaine manière la réponse lui semble inappropriée. Il peut entendre son frère en train de réfléchir à l'autre bout du fil. Les pensées tombent l'une après l'autre comme des jetons de domino. Clic. Clic. Clic.

« Tu vis avec Liz Anders ? répète David, la journaliste ? Ça veut dire que tu vis à Berlin ? Depuis longtemps ?
— Oui.
— Depuis *combien* de temps ?
— Depuis quand je vis à Berlin ? Ou…
— Nom de Dieu, oui. Ne m'oblige pas à te tirer les vers du nez.
— Je n'en suis jamais parti. »

Un nouveau jeton de domino qui tombe. Clic. David est probablement en train de se demander comment Gabriel a réussi à l'éviter pendant vingt ans.

« C'est… fou, murmure David. Je… »

Le policier posté devant la porte interrompt la conversation :

« Bon, c'est fini, maintenant. Le temps qui vous est imparti est terminé. Ça suffit. »

Sa main tapote le rebord étroit de l'ouverture qui sert à déposer des assiettes, d'autres choses encore le cas échéant.

« Il faut que je mette fin à la conversation, dit Gabriel en hâte, je reprends contact aussitôt que…
— Hé ! Ça suffit, j'ai dit : ça suffit. Tout de suite. »

Le morse tape plusieurs fois du plat de la main contre le panneau de la porte.

« C'est bon, c'est bon », fait Gabriel en lui tendant le téléphone par la petite ouverture du guichet. On entend encore la voix de David dans l'écouteur.

« Allô, fait le morse, qui est là ? »

Il tend l'oreille un bref instant, puis il écume de rage.

Il braille dans le téléphone :

« Soupçonné de meurtre. »

Puis il enfonce la touche rouge.

Soupçonné de meurtre. La phrase fait naître un frisson qui court le long du dos de Gabriel bien qu'il sache l'absurdité et la futilité de tout cela.

« Et vous prétendez que c'était un avocat ? questionne le morse.

— Je n'ai pas besoin d'un avocat de merde. »

Le policier secoue la tête, comme si on venait de lui expliquer que c'est le soleil qui tourne autour de la Terre. Un geste bref, et l'abattant de la fenêtre du guichet se referme avec un claquement sec.

Oyez, oyez. Ces mots résonnent dans la tête de Gabriel. *Ce flic est déjà spécialement con. Mais comparé à toi, ce gros lard est une vraie lumière.*

Fiche-moi la paix.

C'est exactement de cela qu'il s'agit, Lucky Luke. De paix. Moi aussi, je veux la paix. Seulement, ce que tu fais là, c'est malheureusement ce qu'il y a de mieux pour continuer à pourrir ici. « Je n'ai pas besoin d'un avocat ! » Ah, tu remues bien la merde ! Tu ne crois tout de même pas que David va nous tirer de là ? Maintenant que le flic lui a soufflé qu'il est question de meurtre ?

L'essentiel, c'est que David s'occupe de Liz.

Liz ! Manquait plus que celle-là ! Tu nous conduis tout droit à l'échafaud, tu sais ça ?

15

Berlin – 2 septembre, 10 h 58

David est debout au milieu du couloir. Il baisse la main qui tient le portable et le range dans sa veste. *Soupçonné de meurtre.*

Il cherche Shona du regard, mais elle est partie. Des bribes d'interviews parviennent d'une des salles de montage, les mêmes plusieurs fois de suite.

Gabriel.

Combien de fois s'était-il imaginé qu'il était mort, mort d'une overdose, ou enfermé pour toujours dans un établissement spécialisé ou une prison ? Oui, il l'avait enterré. Il s'était tout aussi souvent demandé ce qui se passerait si son frère vivait encore, s'il avait toute sa raison et que lui, David, puisse lui parler comme avant, avant cette terrible nuit – cette nuit qui avait détruit leur vie.

Et maintenant, ça !

Gabriel vit à Berlin, depuis toujours. Et mieux encore, il est avec Liz Anders. Il essaie de se les représenter ensemble, ces deux-là, mais il n'y parvient pas, son cerveau se noue.

Quelqu'un qui déteste la télévision, avec une journaliste de la télévision ?

Le dernier documentaire de Liz Anders que David avait vu était *La Von Braunsfeld Story*, trois fois 45 minutes sur le milliardaire de soixante-dix ans, qui depuis des années n'était presque jamais apparu en public. Qu'elle ait eu l'autorisation de tourner dans la villa de Victor von Braunsfeld à Schwanenwerder avait fait sensation. Non, pour être précis : plus qu'une sensation, c'était une énigme. Pour ne rien dire de l'interview.

Depuis longtemps, von Braunsfeld évitait avec succès la presse en faisant un grand détour, entre autres parce que certains secteurs du marché des médias lui appartenaient, comme par exemple TV2 et le groupe BMC. La relation entre Liz Anders et Victor von Braunsfeld avait semblé remarquablement étroite et elle avait donné lieu à bien des spéculations parmi les médias concurrents. Ceux qui connaissaient Liz savaient qu'elle n'était pas seulement douée pour embarrasser les gens dans ses interviews, mais qu'elle était tout aussi douée pour « fendre l'armure » des personnes les plus diverses. Que Liz Anders puisse avoir une liaison avec von Braunsfeld semble bien absurde, se dit David, mais il est encore plus absurde de se la représenter avec Gabriel.

« Tout va bien ? » Shona sort la tête de sa salle de montage et le regarde, soucieuse. « On dirait que tu as rencontré un fantôme. »

Touché. David la regarde dans les yeux, et il a l'impression de s'y noyer. Des yeux bruns avec de petites taches claires, comme de l'ambre jaune.

« Il… il faut que j'y aille. À l'hôpital. »

Les sourcils de Shona se rapprochent imperceptiblement. Puis elle opine et va dans sa salle de montage pêcher sa sacoche avec le MacBook.

« Est-ce qu'il y a aussi du sucre en morceaux à l'hôpital, et quelque chose à manger ? Si oui, je t'y emmène.

— Comment ? » David la regarde, interloqué. « Je ne suis même pas certain de quel hôpital il s'agit, il faut d'abord que je téléphone.

— Si l'agression… a eu lieu dans… le parc Friedrichshain, dit Shona en étirant les mots, elle a certainement atterri à la clinique Vivantes. C'est juste au coin. En cas d'urgence, ils prennent toujours l'hôpital le plus proche. »

David lui jette un long regard.

Shona hausse les épaules.

« Tu as parlé à voix suffisamment haute.

— Ça va, c'est bon, grommelle David. Merci, je vais y aller moi-même…

— Tu as récupéré ta Jaguar ? »

David se sent rougir, et Shona se mord instantanément les lèvres.

16

Berlin – 2 septembre, 11 h 38

Gabriel ne cesse de faire les cent pas devant le bat-flanc. Sous ses semelles, le sol de la cellule dur comme de la pierre est usé et brille – une trace laissée par l'anxiété et le désespoir, polie durant des décennies – comme un miroir de ses pensées qui se cognent toujours au même mur.

Où est Liz ? Marcher, se retourner et de nouveau : où est Liz ? Marcher de nouveau, se retourner une fois encore, etc.

Alors qu'il frappe du poing contre le mur de béton, son épaule lui répond aussitôt par des douleurs lancinantes. Une petite diversion, c'est toujours ça.

Puis la serrure grince. Le verrou est tiré avec un bruit métallique, et la porte de la cellule s'ouvre à la volée. Le morse se tient dans l'embrasure, jambes écartées, à ses côtés un collègue solidement bâti sur des jambes en cerceau, cheveux blonds coupés court comme s'ils étaient passés sous les dents d'une râpe, cou de taureau et menton en galoche. Il mâchonne sans arrêt du chewing-gum.

« Dehors », ordonne le morse en désignant le couloir de la tête. Quelques miettes sont restées accrochées dans les poils de sa moustache. « Le chef veut vous voir.

— Enfin », gémit Gabriel.

Il quitte la cellule et sort dans le couloir, où l'armoire à glace le chope par le bras. Une douleur brûlante lui traverse à nouveau l'épaule.

Les deux policiers le font passer devant plusieurs cellules ; ils franchissent une porte de sécurité et pénètrent dans une pièce nue aux murs d'un crépi gris lisse taché, au sol un linoléum d'un brun jaunâtre. Au milieu de la pièce, une table avec un support en acier et un plateau en bois éraflé, sur lequel est posé un micro relié à un magnétophone par un long câble parsemé de nœuds. Les assises des chaises en plastique sont aussi engageantes que du papier de verre à gros grain. Au-dessus de la table pendouille une lampe à l'abat-jour bosselé. Elle semble dater de la RDA.

D'un coup de menton, le costaud désigne la première des deux chaises et s'assied sur une troisième, directement à côté de la porte qu'il a refermée derrière lui.

Gabriel prend place à la table, la porte derrière le dos. La chaise grince et elle réussit à être encore plus inconfortable qu'elle en a l'air. Dans son dos, le policier mâchouille bruyamment son chewing-gum. Le bruit rend Gabriel agressif.

Vingt minutes plus tard, Grell entra dans la pièce. Des effluves de nicotine, d'after-shave bon marché et une odeur ambiante irritante agressent le visage de Gabriel.

« Herr Naumann », fait Grell, qui se laisse tomber de tout son poids sur la chaise qui gémit.

Il fixe Gabriel. Il porte le même costume de velours côtelé que la nuit précédente. Le blanc de ses yeux, soulignés de profondes ombres rouge foncé, est taché de petites veinules éclatées. Il met en route le magnétophone sans quitter Gabriel des yeux et s'adresse sans transition au micro.

« Cote du dossier 1443 27-1000/5, direction de la police 5, Section 51, interrogatoire dans l'affaire du meurtre de Pit Münchmaier. »

Puis il débite encore la date, l'heure, le nom de Gabriel et le sien.

« Herr Naumann, où est votre avocat ?

— Je n'en ai pas besoin », répond Gabriel, tandis qu'une sensation de faiblesse se manifeste dans son estomac.

Grell le regarde comme s'il doutait de sa santé mentale.

« Bien, finit-il par dire, puis il soupire et hausse les épaules. Ça simplifie les choses. » Un sourire sans joie lui tord les lèvres.

« Herr Naumann, la nuit dernière un jeune homme a été assassiné dans le parc public Friedrichshain. Pit Münchmaier. » Il s'interrompt un instant, consulte un petit calepin en piteux état. « Vingt-quatre ans, au chômage, habitant Berlin. Connaissez-vous ce jeune homme ?

— Non.

— Curieusement, vous avez pu donner à mon collègue, avec une grande exactitude, l'heure à laquelle le meurtre a été commis. Où étiez-vous exactement entre onze heures trente et minuit ?

— Kadettenweg, à Berlin Lichterfelde, plus exactement en route pour y aller. À onze heures et quart, on a enregistré à la Python un signal d'alarme qui venait du Kadettenweg 107. J'ai pris une voiture de l'entreprise et je me suis aussitôt mis en route.

— Avez-vous des témoins ?

— Comme je l'ai déjà dit à votre adjoint : Bert Cogan, un collègue de la Python, et Youri Sarkov, mon patron », récite Gabriel.

Il est clair pour lui que Grell connaît déjà ces réponses, mais qu'il en a besoin de nouveau dans le cadre de l'interrogatoire officiel.

Grell opine sans le quitter des yeux.

« Dans quel état avez-vous trouvé la maison ?

— Le portail était ouvert, la lumière rouge pivotante de l'alarme allumée, et la porte d'entrée juste tirée. La maison est inhabitée. Il y avait des empreintes de pas à l'intérieur, et quelqu'un s'est manifestement intéressé au coffre-fort installé au-dessus de la tablette de la cheminée.

— Un coffre-fort ?

— Oui. Au-dessus de la tablette, il y a une peinture, et derrière cette peinture il y a le coffre.

— Qu'est-ce que vous entendez par “s'est intéressé” ? »

Gabriel hausse les épaules.

« Le coffre était ouvert et vide. Je n'en sais pas plus.

— Hum ! Ouvert et vide, répète Grell. Et vous avez aussi parlé d'une robe de prix, à l'étoffe brillante, en bas, dans la cave ?

— Oui. Juste à côté du système d'alarme.

— Hum ! Drôle d'endroit pour une robe. » Grell gratte son crâne chauve, puis se passe une main dessus, comme s'il devait se flatter le cerveau ainsi qu'un chien qu'on caresse. « Savez-vous ce qu'il y a de curieux ? Nous n'avons trouvé aucune robe sur place. Vous pouvez m'expliquer ça ? »

Gabriel fronce les sourcils.

« Aucune idée.

— Hum ! répète Grell une fois de plus. Où étiez-vous donc quand, peu après onze heures, vous avez appelé police secours au sujet de Frau Anders ?

— Encore au Kadettenweg.

— Et ensuite ?

— J'ai tout laissé en plan et je me suis rendu au parc. La police était déjà là. Quand j'ai vu le cadavre, j'ai d'abord cru que c'était ma compagne.

— Mais ce n'était pas Frau Anders. Cela vous a-t-il étonné ?

— Étonné ? J'ai été soulagé. Écoutez, je me fais un sang d'encre. À présent, Liz est quelque part en ville, et personne ne sait où. Il lui est arrivé quelque chose. Elle n'est pas du genre à appeler et à paniquer sans raison. »

Grell opine, pensif.

« C'est possible, mais...

— Pourquoi ne passez-vous pas tout simplement chez elle pour vérifier tout ça ? demande Gabriel, irascible. Ou appelez-la.

— Si ça peut vous aider, répond Grell, *nous y sommes allés*. Cotheniusstrasse, n'est-ce pas ? Et nous avons appelé aussi. »

Le cœur de Gabriel se met à battre violemment.

« Et alors ?

— Eh bien, elle n'était pas là.

— Alors, vous me croyez, maintenant ? »

Grell se gratte la nuque.

« Le problème, c'est sa messagerie : "Liz Anders. Je suis sur une enquête et je ne peux pas rappeler. Vous pouvez laisser un message." »

Gabriel gémit et se passe la main sur le visage.

« Elle a toujours ce message sur le répondeur. Quand on la connaît, on sait qu'il suffit de laisser tout bêtement un message et elle rappelle, naturellement.

— Mais vous reconnaissez que Frau Anders aime bien disparaître de temps en temps pour quelques jours ou quelques semaines ? »

Gabriel fixe Grell avec des yeux de colère.

« Vous ne réagissez que quand le ressac a rejeté des cadavres sur votre plage privée, c'est ça ?

— Vous voulez dire comme avec Münchmaier ? »

Gabriel se mord les lèvres. Sous le plateau de la table, il serre son poignet droit avec la main gauche, comme pour se tenir à lui-même.

Grell sourit, comme s'il avait des yeux de rayons X qui lui permettaient de voir à travers la table.

« Au fait, quand vous avez quitté le Kadettenweg, poursuit-il à voix basse, est-ce que vous avez débranché l'alarme ?

— Non. »

Grell le toise sans un mot. Puis il se penche en avant par-dessus la table et fixe Gabriel par la fente des paupières. Au-dessus de la table, la lumière de la lampe brille sur son crâne et projette des ombres épaisses sur son visage. L'ombre de son nez partage en deux ses grosses lèvres.

« Et comment expliquez-vous alors que cette alarme ait été débranchée pendant la nuit ? »

Gabriel est intrigué.

« Aucune idée.

— Ça fait un peu beaucoup d'"aucune idée" à mon goût, fait Grell à voix basse. Par ailleurs, la porte d'entrée était fermée, *à clef* même. Tout comme le portail d'entrée. »

Gabriel le regarde, stupéfait. Il ouvre la bouche, veut dire quelque chose, mais se tait.

« Et vous savez ce que votre patron, Herr Sarkov, m'a confié ? Qu'il avait expressément envoyé votre collègue Cogan au Kadettenweg, et pas vous ! »

Grell se laisse lourdement aller contre le dossier de sa chaise. Son visage est en suspens dans la pénombre comme une lune pâle et pierreuse.

« Je sais. Mais c'est tout de même moi qui y suis allé. Cogan avait des problèmes avec ses jambes.

— Avec ses jambes. Ah ! fait Grell. Il ne nous a rien dit à ce sujet. Il a simplement dit qu'il s'était rendu au Kadettenweg, qu'il n'y avait rien trouvé de spécial à signaler, qu'il avait débranché l'alarme et fermé les portes avant de repartir.

— C'est débile, dit Gabriel d'une voix enrouée. Il a tout simplement peur que Sarkov apprenne qu'il n'y est pas allé. S'il était là, il vous raconterait exactement le contraire.

— Parce qu'il aurait peur de vous ? demande un Grell aux aguets en le fixant avec des yeux perçants.

— Non, nom de Dieu, parce que ça s'est passé comme ça, c'est tout ! » rétorque Gabriel.

Grell l'observe depuis la pénombre sans bouger. Dans le dos de Gabriel, on entend un léger bruit de mastication – l'armoire à glace et son chewing-gum.

« Bien, je résume tout ça, murmure Grell, la mine faussement aimable. Nous avons deux témoins qui affirment que c'est Cogan qui est allé au Kadettenweg, et pas vous. Nous avons toute une série de détails que vous nous avez décrits tout à fait différemment de ce que nous avons trouvé sur place. Et nous avons dans la cave une robe noire, qui n'existe visiblement que dans votre imagination fertile. Mais *vous*, vous prétendez toujours que votre version est la vraie et que tous les autres se fourrent le doigt dans l'œil, c'est bien ça ? »

Gabriel approuve de la tête.

Le corps massif de Grell se projette brusquement en avant et fait trembler le cercle de lumière.

« Alors expliquez-moi, s'il vous plaît, comment vous pouvez prétendre fixer l'heure du décès avec une telle précision. Vous êtes voyant ? Ou est-ce que, par hasard, vous auriez regardé l'heure à votre montre quand vous avez tailladé le cou de Münchmaier ?

— Non, s'insurge Gabriel », le cœur serré. Tout son corps se raidit. Ni l'un, ni l'autre. « Mais j'ai touché votre putain de cadavre ! Et au bout d'une demi-heure s'il est vrai qu'un cadavre est déjà froid, la rigidité cadavérique n'apparaît qu'après une heure. Le corps était *glacé*, mais pas raide. Et si en plus on sait lire l'heure, pas besoin d'être grand clerc pour déterminer celle de la mort. Ça vous va ? »

Grell retrousse les lèvres.

« Écoutez, ajoute Gabriel en luttant pour garder sa contenance, votre collègue a certainement déjà dû aussi vous raconter que j'ai eu un accident en allant au parc. Il vous suffit de retrouver les occupants de la Jaguar. Ça vous coûtera cinq minutes, pas plus. Il suffit de consulter les plaintes enregistrées hier, entre onze heures et minuit. Ces deux-là me reconnaîtront facilement, j'en mets ma main au feu. »

Grell opine du chef avec circonspection, puis il sourit.

« Ah ! oui, c'est exact, cette histoire de délit de fuite. J'ai failli l'oublier. »

Gabriel se rejette en arrière et respire. Il sent la tension se relâcher dans son corps. Mieux vaut un délit de fuite qu'un meurtre.

« Effectivement, fait Grell. Ça a même duré moins de cinq minutes. Mais je vais vous décevoir. Aucune plainte, ni de près ni de loin. Aucun accident. Rien.

— *Quoi ?* » Gabriel fixe le commissaire, incrédule. « Et pourquoi croyez-vous que mon aile ressemble à un tas de tôle ?

— Ça a pu arriver il y a longtemps. » Le sourire de Grell se change en une grimace cynique. « Un accident qui n'existe pas. Une robe noire de conte de fées qui disparaît, comme ça. Des portes qui se ferment d'elles-mêmes… Franchement, ou vous avez des hallucinations, ou vous vous foutez de ma gueule, mon ami. »

Le regard de Gabriel vacille un instant.

« Mais je ne sais pas ce que tout cela signifie, finit-il par dire à voix couverte, et je ne peux pas m'empêcher de penser que vous cherchez absolument à me coller quelque chose sur le dos.

— Vous coller quelque chose sur le dos ? Jusque-là, vous vous êtes enfoncé tout seul, avec tous vos mensonges… Sans parler de votre acte de rébellion contre la force publique… Quand je lis votre dossier, plus rien ne m'étonne. Et pour parler franchement, avec toutes les salades que vous racontez, je ne suis plus tout à fait certain que vous soyez bien en sécurité dans une cellule normale.

— Qu'est-ce que cela signifie ? demande Gabriel d'une voix éteinte, tout en sachant parfaitement bien où Grell veut en venir.

— Ça n'a pas été simple de retrouver quelqu'un qui se souvienne de vous. Finalement, ça remonte à vingt ans, cette histoire.

Le seul collègue de cette époque qui est encore en exercice, c'est le docteur Armin Dressler. »

Gabriel est pétrifié.

Les yeux foncés et dépourvus d'expression de Grell se plantent impitoyablement dans les siens.

« Il s'est spontanément dit prêt à sacrifier un peu de son temps pour vous examiner. Il sera là demain matin, à sept heures, avant de prendre son service. On verra après pour la suite. »

Gabriel est subitement pris de vertige et, comme par un réflexe de Pavlov, ses mains se mettent à trembler.

Je te l'avais bien dit, Luke, hurle la voix. *Ne pas perdre le contrôle. Jamais.*

17

Nulle part – 2 septembre

Autour de Liz, il y a de la ouate, des mètres d'épaisseur de coton qui absorbent tout, excepté quelques légers bruits. Son nez est gros et enflé. Elle est suspendue à des cordes et à des tuyaux. L'un d'entre eux, béant, sort de son cou et, quoique de la taille d'une jambe, il est aussi fin qu'un fétu de paille. Elle est allongée sur le fond d'un lac profond où elle a coulé, et sa respiration se fraie difficilement un passage par ce chalumeau.

Ses sens sont muets, déconnectés.

Elle sait qu'elle a des yeux. Elle a essayé de les ouvrir, mais ils sont comme cousus. Elle voit ses paupières de l'intérieur, des images défilent rapidement comme de brefs flashs.

Comme le bras d'acier qui lui serre la gorge et lui coupe la respiration. Elle essaie d'attraper un portable blanc étincelant, mais sa main se referme toujours sur le vide. Une lourde botte vient à la rencontre de son visage, de plus en plus proche, de plus en plus grosse. Elle sait que cela fait mal lorsque la botte atteint son visage, mais elle ne sent rien. Elle ne sent même pas son ventre, avec son enfant.

Et soudain, elle discerne tout de même quelque chose.

Quelque chose de chaud, exactement à l'endroit où devraient être ses yeux. Toutes ses sensations, son corps tout entier se tournent vers la source de chaleur, se concentrent sur ce point, comme un plongeur égaré à qui un faisceau de lumière salvateur indique le chemin qui le remontera des profondeurs du lac.

Et tout à coup, elle sait ce que c'est : une *main*. Une main sur son front.

Un bip-bip incessant, comme un chuchotement confus, se fraie un chemin dans son oreille, elle perçoit comme un froissement, elle commence à avoir froid et elle sent quelque chose de métallique sur son corps. Les pores de sa peau se resserrent, puis le drap glisse à nouveau sur elle dans un froissement.

Maintenant. Liz met toute la force dont elle dispose dans ce mouvement. Ses paupières palpitent.

Elle entend une voix féminine :

« Chhh ! »

Liz ouvre les paupières avec effort. La lumière lui explose dans les yeux. Il faut qu'elle cligne aussitôt. Une forme fantomatique se détache sur un mur blanc. Avec cette blouse blanche et ces cheveux blonds qui lui tombent sur les épaules, elle semble presque invisible dans cette chambre d'un blanc éblouissant. Le regard de la femme repose sur les tracés et les chiffres d'un scope qui émet son bip sonore directement à côté de son lit.

Dieu merci ! Un hôpital.

L'infirmière la regarde.

« Bonjour, vous m'entendez ? »

Sa voix semble sèche et étrangement triste.

Liz opine. *Où suis-je ?* veut-elle demander, mais ce truc dans sa gorge l'empêche de parler.

L'infirmière sourit. Un sourire sans joie, mais un sourire.

« Vous êtes sous respiration artificielle. D'où ce tube dans votre gorge. »

Liz opine une nouvelle fois.

Ses pupilles s'habituent lentement à la lumière. La chambre lui semble plus sombre. Son regard sillonne à travers la pièce et tâtonne le long des murs. Pas de fenêtre, pas de fleurs, pas d'autre lit. C'est toujours ça. Au moins, elle est dans une chambre individuelle. Elle déteste les hôpitaux comme la peste, mais elle déteste encore plus d'être obligée de partager sa chambre avec des inconnus. Les éternelles visites, des ronflements étrangers, une toux inconnue… *Merci, Gabriel.*

Mais où est-il ? Où est Gabriel ?

Elle essaie de se tourner un peu sur la droite, vers la porte. Une douleur lancinante à hauteur des côtes l'en empêche. Au même instant, elle est effrayée jusqu'à la moelle. *Le bébé ! Qu'en est-il du bébé ?*

Elle soulève difficilement la main droite et tâtonne en direction de son ventre. Le cathéter enfoncé dans son poignet la gêne.

« Je crois que pour le bébé tout va bien », entend-elle l'infirmière assurer d'une voix atone.

Ses yeux gris reposent sur le ventre de Liz.

Dieu soit loué ! Mais pourquoi ce « tout va bien » sonne-t-il à son oreille comme si rien n'allait bien ?

« Il sera là dans quelques instants. Il faut encore qu'il téléphone, murmure l'infirmière. Restez tranquillement couchée. C'est ce qu'il y a de mieux à faire. »

Rester couchée tranquillement. Liz a failli sourire. De toute façon, c'est la seule chose qu'elle puisse faire. Mais pourquoi l'infirmière chuchote-t-elle ? Et qui va venir ? Gabriel ? Le médecin ?

Épuisée, elle ferme les yeux et glisse lentement dans le sommeil.

18

Berlin – 2 septembre, 12 h 59

« C'est interdit de se garer ici, faut que tu recules. Le parking des visiteurs était juste là… »

Shona freine brutalement et braque sur la gauche.

« C'est justement pour ça, dit-elle, flegmatique, que j'ai une jeep. »

Et elle monte sur la haute bordure du trottoir, anéantit le gazon bien entretenu et se gare pile entre deux jeunes arbres.

Le moteur diesel de son Defender bleu océan se tait en gargouillant.

« Tout va bien ? Tu veux y aller seul ? »

Le regard de David se porte directement à travers le pare-brise sur la bâtisse géométrique en brique de trois étages. La clinique Vivantes de Friedrichshain. Il se sent mal à l'aise. Puis il soupire et rejette les épaules en arrière.

« Si tu veux, tu peux venir, avec plaisir. »

Il descend de voiture et claque la portière du siège passager du Land Rover de Shona. Une bourrasque de vent hivernal frôle le toit de la voiture et lui souffle de la poussière dans la figure. La portière grise et terne aurait besoin d'un coup de laque.

« Dis-moi, si j'ai bien compris, questionne Shona en faisant le tour du capot anguleux du véhicule. Il s'agit bien de Liz Anders. *La* Liz Anders ? »

David lui jette un regard étonné.

« Tu la connais ?

— Eh ben, dis donc, à la télévision, le nom est incontournable. Mrs Journalisme. La lanceuse d'alerte. Qu'est-ce qu'il lui arrive ?

— Apparemment, elle s'est fait agresser », répond David qui allonge le pas.

Le ciel au-dessus de la clinique est bas et gris. La grande porte vitrée leur renvoie leur image, puis glisse sur le côté avec un léger sifflement. Le hall d'accueil est immense et de la blancheur d'un glacier ; ça sent l'encaustique et l'asepsie. Il préférerait tourner les talons. Les hôpitaux et les cliniques, quels qu'ils soient, provoquent toujours en lui la même sensation qu'autrefois. Alors qu'il n'avait que sept ans, chaque détail s'était marqué au fer rouge dans son cerveau, du badge avec le nom de l'infirmière jusqu'à l'odeur de brûlé de son pyjama, qu'il n'avait voulu enlever à un aucun prix.

Il cille des yeux quelques instants, et l'odeur disparaît de son cerveau. Plus loin, dans le fond, s'étend un long comptoir en hêtre ; il ressemble à un bois équarri surdimensionné derrière lequel trône une montagne humaine. Le réceptionniste. David se dirige directement vers lui.

« Et avec toi, quel rapport ? demande Shona.

— Avec moi, rien. Avec mon frère. Manifestement, Liz Anders est la compagne de mon frère.

— Oups ! Vous êtes une vraie famille de télévision. Tes parents sont aussi dans le coup ? »

La mine de David s'assombrit.

« Mes parents sont morts.

— Oh, désolée ! réplique Shona, je ne savais pas.

— C'est bon, ça va. »

Il pince les lèvres. *Rien ne va.* Aussitôt tout refait surface. Les images font des vagues concentriques autour de lui, comme l'eau après un plongeon, plus vivantes que jamais depuis des années. Le sang frais, visqueux, les deux cadavres, la fumée qui pique les yeux et l'odeur. Un martèlement sourd monte de la cave. Gabriel le tire comme un fou par la main. *Sortir de là.* Ses doigts courts et fins sont glacés et glissants, il porte son pyjama préféré, celui avec Luke Skywalker sur la poitrine, le même que celui de Gabriel

– seulement quelques tailles au-dessous. Sa mère est allongée là, de sombres cratères s'ouvrent dans sa tête et sa poitrine, son œil indemne et vide fixe le plafond, elle a les membres étrangement déformés, comme son père, qui baigne dans une grande flaque rouge sombre. Tout est lourd, épais comme un sable mouvant. Gabriel hurle et le tire après lui, mais il...

« Je peux vous aider ? » demande une voix énervée.

David secoue ses souvenirs. Le réceptionniste est assis devant lui et le regarde fixement avec des petites pupilles noires dans un visage bouffi.

« Euh, oui ! Excusez-moi, nous cherchons Frau Liz Anders. Elle est hospitalisée ici ? »

L'homme cligne les yeux.

« Anders ? J'ai déjà entendu ce nom-là aujourd'hui. Attendez. » Il fixe son écran et pianote le nom dans sa base de données.

« Elle s'est fait agresser la nuit dernière dans le parc Friedrichshain et elle a probablement été conduite ici.

— Ah ! grogne le réceptionniste en tapotant encore sur son clavier.

— Elle est enregistrée dans un service ? s'enquiert David.

— Ben, pas ici en tout cas.

— Elle *n'est pas* ici ? Vous en êtes sûr ?

— Si je dis qu'elle est pas ici, c'est qu'elle est pas ici.

— Vous auriez peut-être une idée de l'endroit où on aurait pu l'emmener ?

— Non. Même avec la meilleure volonté du monde.

— Excusez-moi. » Shona met son grain de sel en se penchant un peu par-dessus le comptoir, suffisamment pour que son décolleté arrive à hauteur du regard du réceptionniste. « Dites-moi, à la centrale des urgences ils devraient savoir ça, non ? »

Le réceptionniste lève ses yeux foncés sur Shona, puis ils reprennent la direction inverse pour se planter entre les plis du tissu de sa chemise négligemment boutonnée.

« Euh ! certainement, oui.

— Vous pensez que vous pourriez – sa main droite prend la forme d'un écouteur – peut-être les appeler pour nous ?

— Écoutez, je... euh... »

Ses pupilles remontent rapidement, pour loucher aussitôt vers le bas.

« Un moment, s'il vous plaît. »

Comme hypnotisé, il saisit le téléphone et enfonce une touche. Il essaie sans succès de regarder ailleurs.

« Germanos ? Oui... c'est moi. Dis-moi, est-ce que cette nuit vous avez transporté une Liz Anders ? Elle aurait été agressée ici, dans le parc Friedrichshain... Oui, certainement... Je le sais aussi... Rien ? Personne non plus du Friedrichshain ?.... Tu es bien sûr ?

— Elle a des cheveux roux, elle a environ trente-cinq ans, intervient David.

— On me précise qu'elle a des cheveux roux, environ trente-cinq ans... Non ?.... Curieux... La police ? Oui, bonne idée, essaye. »

Le réceptionniste lève le regard vers Shona, couvre le micro du téléphone avec la main et lui susurre :

« Il demande à la police... Juste un instant. »

Shona opine et tambourine sur le comptoir. David soupire. Il balaie du regard le hall d'entrée et s'agace d'être venu. Il en aurait certainement appris autant en appelant.

« Comment ? » brame le réceptionniste dans son téléphone.

David et Shona se redressent inconsciemment.

« Je comprends... uniquement l'homme... Oui, oui. Ça va, c'est bon. Merci. »

Il raccroche et hausse les épaules.

« Je suis désolé. Vous avez entendu. Pas de Liz Anders ni de près ni de loin. Et pas plus hier qu'aujourd'hui. Pas non plus de victime anonyme, en tout cas pas de femme. On a bien signalé hier soir à la police une agression sur une femme au Friedrichshain... mais on n'a trouvé qu'un cadavre d'homme.

— Un cadavre d'homme ? » s'étonne David.

Il pense immédiatement au policier et à la détention préventive de Gabriel.

« Bon, en tout cas, pas de femme. Aucune trace de femme.

— Bien, OK. David opine. De toute façon, merci beaucoup. »

C'était évident, pense-t-il. Comment en serait-il autrement ? Gabriel, c'est Gabriel, c'est comme ça.

« On pourrait peut-être encore demander aux consultations externes », propose Shona.

David fait la grimace.

« Laisse tomber, peut-être que ça ne sera même pas nécessaire. »

Shona le regarde, étonnée.

David ignore son regard.

« J'ai l'estomac dans les talons. Tout ce café ce matin… Allons voir s'il y a quelque chose de mangeable à la cafétéria.

— Ça me va », approuve Shona.

Ils se dirigent sans un mot vers la cafétéria. Dès les premiers pas, David sent que malgré sa faim il n'arrivera pas à avaler une bouchée.

À peine Gabriel est-il de retour que tout part en sucette. Qu'est-ce que c'était que cette histoire ? Cet appel inattendu depuis la prison, la prétendue agression, le mort dans le parc ?

« Hé, vous ! crie une voix derrière eux. Attendez ! »

David se retourne. Le corpulent réceptionniste lui fait signe. Il agite une enveloppe brune.

« Je viens juste de comprendre quelque chose. »

David retourne au comptoir. Le réceptionniste lui montre l'enveloppe.

« Je savais bien que j'avais déjà entendu ce nom. C'est sans doute un collègue qui a réceptionné ça, dit-il en tendant l'enveloppe à David. Vous êtes Gabriel Naumann ?

— Non, dit David, interloqué. Je suis son frère.

— Bon, ça devrait suffire. L'essentiel, c'est que je me débarrasse de ce truc. »

David se saisit machinalement de l'enveloppe brune. Elle est molletonnée, épaisse et de la taille d'un magazine. Sur le papier, on a tracé en lettres rouges tremblées :

Urgent ! Liz Anders
Pour Gabriel Naumann

Troublé, il retourne l'enveloppe. Rien.

« Vous la donnerez à votre frère ? »

David opine

« Bien sûr. Merci mille fois. »

Il traverse le hall en hochant la tête et retrouve Shona.

« C'est quoi, ça ? » demande-t-elle.

David hausse les épaules.

« De la part de Liz, pour Gabriel. Aucune idée.

— De Liz ? Je croyais qu'elle avait été agressée ? Ou tu penses qu'elle aurait déposé ça ici avant l'agression ?

— Ça n'aurait pas grand sens, si ? Pourquoi voudrais-tu qu'elle soit partie du principe que Gabriel se rendrait dans cet hôpital précis pour demander après elle ?

— C'est juste. Ça a l'air bizarre. Sauf si elle n'a pas été agressée du tout et qu'elle voulait simplement que Gabriel vienne ici pour chercher ce petit colis. »

David observe en silence l'enveloppe qu'il tient dans sa main.

« Tu vas l'ouvrir ?

— Je n'en suis pas certain. » Il retourne l'enveloppe et contemple le verso, mais il n'y a là rien d'autre que du papier kraft. « La plupart des choses qui concernent Gabriel sont synonymes de complications.

— Bien, comme tu as encore besoin de réfléchir, allons donc tâter de cette merveilleuse cafétéria. »

L'endroit a autant d'âme que le hall d'entrée. Une lumière sans ombre, des jardinières avec des plantes hydroponiques qui ont l'air de tout sauf d'être en bonne santé et, au milieu de tout cela, des êtres d'une santé plus médiocre encore.

David s'assied machinalement sur une chaise au rembourrage épais comme une feuille de papier, dépose l'enveloppe sur la table en formica et sombre dans ses pensées, tandis que Shona est occupée au comptoir réfrigéré à choisir quelques feuilles d'une salade peu séduisante, deux sandwichs baguette et deux Coca light.

« Tu es de nouveau disponible ?

— Hum ?

— Pas de problème. Sers-toi sans faire de chichis, si tu as faim. »

Elle dépose le plateau orange éraflé sur la table et prend place en face de David.

« Excuse-moi, tout cela est assez…, lui dit David.
— … étrange ? » complète Shona en inclinant la tête.
David tente un sourire qui ne lui réussit pas tout à fait.
« Je ne voudrais pas avoir l'air curieuse, fait Shona en enfournant une énorme feuille de salade, mais il paraît que, quelquefois, ça aide de parler…
— C'est une offre pour une série d'entretiens psychothérapiques ? »
Elle hausse les épaules et mâche sa feuille de salade.
« Sûr, c'est mon boulot d'appoint. »
David sourit.
« Et pour Bug, ça a donné des résultats ? »
Shona s'agite et souffle.
« Mon Dieu, non ! Le cas est désespéré. Seule une thérapie de spectre large pourrait l'aider.
— Une quoi ?
— Une thérapie de spectre large. Comme une sorte d'antibiotique de spectre large. Contre tout, tout simplement. »
David ricane, l'air fatigué.
« Au fait, d'où connais-tu Liz ? demande Shona.
— Elle a fait un reportage sur moi il y a quelque temps. Avant tout pour *Treasure Castle*. Avec sa manière de poser des questions, l'entretien devient vite très personnel. Ensuite, on n'a eu que très rarement affaire ensemble.
— Et si j'ai bien compris ce que tu as dit à l'instant, tu ne savais pas qu'elle était la compagne de ton frère ? »
David approuve de la tête et contemple son sandwich, une tranche de jambon blanc et une feuille de salade en accordéon qui dépassent entre deux tranches de pain.
« En vérité, je ne savais même plus si j'avais *vraiment* encore un frère. Jusqu'il y a environ trois heures. C'est là qu'il a appelé. »
Shona lève un sourcil.
« Ce coup de téléphone dans le couloir, quand tu m'as renversée ? »
David opine de nouveau, mais sans la regarder.
« Quand est-ce que vous vous êtes vus pour la dernière fois ?
— En 1987, en hiver.

— Il y a *vingt* ans ?

— À cette époque Gabriel était en psychiatrie, dans un établissement spécialisé. Problèmes de drogue, entre autres. Il n'arrivait pas à se débarrasser tout seul de ce truc, et ça faisait des années que ça durait. Il n'arrivait absolument pas à en venir à bout. Ou il agressait quelqu'un, ou il était allongé dans un coin, complètement défoncé. » David respire profondément et soupire. « Mon frère est un psychopathe, il était imprévisible, et c'est devenu de pire en pire. Tout le monde avait peur de lui, moi le premier. Je ne crois pas qu'il m'aurait fait quelque chose. À ses yeux, j'ai toujours été son petit frère ; le petit David, celui qu'il fallait protéger. Mais, au fond, tout le monde aurait dû le protéger, de lui-même.

— Et moi qui croyais que tu venais d'une famille genre sans-problème-dans-un-monde-sain…

— Ben, oui, plus ou moins. Jusqu'à ce que j'aie sept ans. C'est à ce moment-là… que nos parents sont morts.

— My God ! s'exclame Shona. Qu'est-ce qui s'est passé, un accident ?

— C'est… En fait, on n'a jamais vraiment su. »

Shona fronce les sourcils. Elle sent que David se défile et ne pose plus de questions.

« À la suite de ça, on nous a placés dans un foyer, Elisabethstift, une fondation à Berlin-Hermsdorf. Gabriel a complètement déjanté. Ça n'a rien d'étonnant, je ne me suis pas senti mieux non plus, mais chez lui, ça s'est passé différemment, d'une certaine manière…

— Tu penses que c'est à cause de la drogue ?

— Non, cette histoire de drogue est postérieure. Il était violent, il cognait sur tout ce qui bougeait. Il est arrivé plusieurs fois au foyer qu'il tape à tel point sur d'autres enfants qu'il a fallu les hospitaliser. Il a fini par s'enfermer avec le directeur du foyer dans son bureau et il lui a cassé le nez et brisé deux côtes. Après ça, ils l'ont transféré à Falkenhorst, un foyer pour enfants difficiles, installé dans une de ces anciennes villas nazies sur la rive de la Havel. Mais eux non plus, ils n'ont pas réussi à le maîtriser ; à la moindre bagatelle, il s'opposait à tout et se rebellait contre tous.

— Et ensuite ?

— Psychiatrie. Pavillon fermé de la clinique Conradshöhe. Les visites là-bas étaient des cauchemars. Je m'y sentais comme dans une prison de la Stasi. Des fenêtres avec des barreaux, des portes sans poignée, les télévisions derrière des vitres de sécurité. Je lui ai rendu une dernière visite en décembre 1987, peu de temps avant Noël. Une fois de plus, il était en désintox.

— En désintox ? Je croyais qu'il était en pavillon fermé. Là-dedans, au mieux, il y a des neuroleptiques, mais pas de drogues. »

David hausse les épaules.

« En théorie, oui. Mais apparemment, il y a toujours moyen de s'en procurer. Toujours est-il que les infirmiers en ont trouvé un paquet important dans sa chambre. Il faut ajouter à cela qu'il fallait toujours qu'ils le calment, pour de longs intervalles, avec de l'Haldol ou d'autres neuroleptiques. En l'occurrence, je n'ai jamais très bien compris la différence entre drogue et médicament. »

David fait une pause, fixe les sandwichs.

« Quand je suis entré dans sa chambre, il était en contention sur son lit. L'infirmier nous avait à peine laissés seuls que Gabriel avait déjà libéré ses bras des sangles. Je ne sais absolument pas comment il s'y est pris. Mais Gabriel est comme ça, ce genre de choses arrivait constamment avec lui. Il se sentait persécuté, vivait toujours dans un état constant d'exaspération et voulait partir, sortir de la psychiatrie, se sauver. Il s'était effectivement mis dans la tête cette folie que je pourrais l'y aider.

— Et comment comptait-il s'y prendre ?

— Il avait un couteau de cuisine. David fixe le sandwich-baguette au jambon, le plateau éraflé avec les innombrables petites rainures qui courent en tous sens. Il me l'a mis à la gorge et voulait sortir de là en me prenant comme otage. »

Shona le regarde, bouche bée.

« Il m'a juré qu'il ne m'arriverait rien. Et ce qui est complètement fou, c'est que je l'ai même cru. Il se serait probablement suicidé plutôt que de tolérer qu'il m'arrive quelque chose. Et pourtant… Toute la situation était hors de contrôle, c'était de la folie pure. J'avais peur, tout bêtement. Rien que l'idée de ce qu'il allait faire comme conneries, quand il serait dehors… » David soupire. Il a le regard vide, dirigé sur un point à l'intérieur de lui-même. « Au premier sas de sécurité, je me suis dégagé et j'ai crié à l'aide ; il n'avait pas pensé à ça. Il a fallu cinq hommes pour lui passer une camisole de force. Il n'a pas proféré un son, il n'a fait que se défendre avec acharnement... Si au moins il avait hurlé. Quand ils lui ont eu enfilé ce truc de force, ils lui ont collé une piqûre...

— Mon Dieu ! » murmure Shona.

David suit du bout du doigt une des encoches du plateau et se tait.

Le regard de Gabriel avait alors marqué sa mémoire au fer rouge. Des yeux bleus, comme ceux de son père. Un lac sans fond, dont on ne savait jamais ce que cachaient les profondeurs. Quoi qu'il en soit, il n'y avait dans ce regard ni reproche, ni colère, ni même tristesse. Uniquement un adieu. La piqûre avait fait effet en quelques secondes, et soudain le lac s'était rempli d'algues, mat et plat.

« Complètement à la masse, ton frère », grogne Shona.

David approuve de la tête, fait la moue et essaie de sourire.

« Il s'est toujours pris pour Luke.

— Pour *qui* ?

— Luke. Luke Skywalker.

— De *Star Wars* ? »

David opine.

« Nous aimions les films, le premier surtout. Notre chambre était tapissée de posters.

— Il est schizophrène ? C'est pour ça qu'il était en traitement ?

— Le psychiatre de Conradshöhe a parlé de phases schizoïdes plus ou moins importantes et de délire de persécution. Chaque fois qu'il avait une poussée, ils le soignaient à l'Haldol, un puissant neuroleptique. Ensuite il était comme un robot. Et il était calmé pour un certain temps. » David hausse les épaules. « J'avais aussi quelquefois l'impression qu'il simulait pour qu'ils lui foutent la paix. »

Les yeux bruns de Shona capturent le regard triste de David.

« Ben, allez, au moins ton frère est en bonne compagnie. Il y a des millions d'enfants qui veulent être Luke.

— Le problème, dit David à voix basse, c'est qu'il se comporte plutôt comme *Anakin* Skywalker. »

Shona sent la chair de poule couvrir son corps. Elle se secoue et baisse le regard.

« Et maintenant ? Il a encore des poussées comme ça ? »

David respire bruyamment.

« Si tu veux mon avis, j'ai l'impression qu'en ce moment il en a une particulièrement sévère. »

Il fixe le plateau de la table. Tout près de là, on entend la sonnerie étouffée d'un téléphone portable.

« C'est le tien ? » demande-t-il en regardant Shona.

Elle hoche la tête. Ses yeux balaient la table.

« Je crois, dit-elle d'une voix éteinte, que ça vient de l'enveloppe. »

Interloqué, David fixe l'enveloppe brune avec l'écriture rouge tremblée. Elle est agitée de vibrations au rythme de la sonnerie.

19

Nulle part – 2 septembre

Liz perçoit d'abord le bruit comme s'il venait de très loin, comme si, à l'autre extrémité du ciel cotonneux, quelqu'un tournait une clé dans une serrure. Elle a tout à coup l'impression que les murs, qu'elle ne peut pas voir, se rapprochent et interceptent ce bruit dans sa petite chambre, sa chambre d'hôpital. Je rêve, pense-t-elle, on ne ferme pas à clé une chambre d'hôpital. Elle entend un grincement, puis quelqu'un entre. Elle veut ouvrir les yeux, mais c'est presque aussi difficile que la première fois. Encore un moment, pense Liz. Se reposer ne serait-ce encore qu'un instant.

Elle sent qu'on approche de son lit. *Faites que ce soit Gabriel, je vous en prie !* On soulève la couverture et on la repousse de côté. Un air frais, humide lui inonde le corps.

Le médecin, pense-t-elle, déçue.

Elle n'a pas envie d'ouvrir les yeux. Mais elle sait pourtant qu'elle doit les ouvrir. Ce n'est que si le médecin voit qu'elle est consciente qu'elle sera débarrassée du tube qui lui encombre la gorge. C'est uniquement s'il a l'impression qu'elle est en forme qu'elle pourra sortir. Et elle veut sortir, le plus vite possible.

Elle ouvre les yeux. De nouveau cette lumière très vive. L'infirmière s'est effacée contre le mur. Elle a l'air abattue. À droite de son lit, Liz saisit une haute silhouette élancée dans une blouse de médecin.

Liz lève le regard, voit son visage – et son sang se glace dans ses veines.

L'espace d'un instant, elle croit qu'elle s'est plongée dans un cauchemar et que ses sens – ou des médicaments quelconques – lui jouent un tour. Le médecin lui sourit. Quoiqu'il ait la cinquantaine, son visage est presque sans tache, immaculé comme un visage d'ange, avec peu de rides, et même ces quelques rides n'insultent ni sa beauté ni cette allure jeune. Devant elle se tient un homme avec le visage d'un demi-dieu grec, s'il n'y avait cette autre moitié, la moitié droite de son visage.

Cette autre moitié est comme une peau écorchée, puis recousue en bâclant le travail. Elle est sinueuse, pleine de cratères et de cicatrices. L'œil est quelque peu déformé et déplacé vers le bas. L'homme n'a ni cils ni sourcils, si bien qu'il regarde Liz de ses yeux froids et impitoyables, posés sur son ventre.

Elle a soudain conscience d'être couchée là, devant lui, sans défense. Instinctivement, elle veut sauter du lit, fuir, mais elle n'en a vraiment pas la force.

Ressaisis-toi, espèce de conne ! Cet homme est ton médecin, et il n'est pas responsable de la tête qu'il a !

Le médecin sourit de nouveau, sans toutefois quitter son ventre des yeux. Il tend la main droite, soulève la légère chemise d'hôpital et la lui remonte au-dessus des seins, si bien qu'elle est couchée nue devant lui.

Lorsqu'il ouvre les doigts pour lâcher la chemise, ils crissent. Liz se fige. La main n'est pas faite de chair et d'os, c'est une prothèse. Épouvantée, elle regarde le grossier bras artificiel luisant qu'a dévoilé en glissant la manche de la blouse blanche. Et tout à coup, les pièces du puzzle se mettent en place.

Le bras en acier !

Devant elle se tient l'homme du parc.

Sa grimace déforme la moitié laide du visage en un masque effrayant. Sa main faite de chair erre entre les cuisses de Liz. Adossée au mur, l'infirmière a fermé les yeux, tandis que l'index de l'homme touche Liz, glisse entre les poils de son pubis et va tracer jusqu'à la gorge une ligne droite virtuelle qui passe sur son ventre.

Liz se met à trembler, incapable de contrôler ses spasmes.

« Toutes mes félicitations, Liz, dit l'homme d'une voix glaciale, ni haut perchée ni basse. Nous fêterons cela plus tard, à un jour bien précis. Mais il faut d'abord que je joigne notre invité. » La grimace se transforme en un sourire pensif. « Il faut juste qu'il trouve le téléphone. Tu peux imaginer combien de temps j'ai attendu ce moment, et comme je suis curieux de ce qu'il va dire. »

La poitrine de l'homme se soulève et s'abaisse, il est visiblement exalté. Son haleine caresse le corps sans défense de Liz. Elle veut se redresser, mais elle ne contrôle plus son corps. *Invité ?* se demande-t-elle, désespérée. *Quel invité ?*

« J'ai déjà choisi la robe appropriée, à ta taille, chuchote-t-il. Tout ira bien ensemble, le moment venu. Ce sera *parfait.* Et il souffrira quand il te verra. Au toucher, ce sera comme si sa peau… », il se penche plus près d'elle et lui souffle son haleine sur les seins. « … comme si la peau brûlait sur sa chair. »

Liz est libérée de sa torpeur, de tout épuisement et de toute fatigue. L'adrénaline excite ses sens, tout est cruellement évident. Elle veut crier, mais le tube dans sa gorge lui bloque les cordes vocales. Et soudain, elle ne souhaite rien plus ardemment que perdre à nouveau conscience. Sa respiration devient irrégulière, comme si elle reprenait haleine à contretemps, malgré elle, et qu'elle s'étouffe. Elle veut retourner au fond du lac ou dans tout autre endroit sans peur ni désespoir.

Son désir s'accomplit très vite, de sinistre manière. L'homme à la blouse blanche lui injecte un liquide clair dans le cathéter veineux du bras, puis il augmente la vitesse des gouttes de la perfusion.

« Espérons, lui susurre l'homme, qu'il ne lui faudra pas trop de temps pour trouver le téléphone. Sinon, je lui envoie quelque chose d'autre qui t'appartient. » Son regard glisse sur ses bras et ses mains.

Le tremblement faiblit peu à peu.

Gabriel ! Où es-tu ? Sors-moi de là ! réussit-elle encore à penser, avant de dériver là où elle veut aller pour ne plus être obligée de ressentir tout cela.

20

Berlin – 3 septembre 06 h 27

Gabriel tire de toutes ses forces sur la poignée, mais le sabre laser est coincé. *Tire, vas-y, Luke, ne sois pas si empoté ! Elle va mourir, et ce sera ta faute.* Mais en définitive ses mains sont trop petites. Et ce truc est si brûlant, si rouge, aussi rouge que…

Mais au fait, pourquoi *rouge* ?

Son sabre est bleu, pourtant. Le sabre de Luke a toujours été bleu.

Il baisse la tête. Ses orteils sont petits, des doigts de pied d'enfant, et entre ses doigts de pied, il y a ce truc de la consistance d'une bouillie, qui pue comme du vomi. Il tient une caméra entre ses mains, à travers laquelle il regarde au long de son corps. Tout a l'air très loin dans le viseur, même l'odeur a l'air de se dissiper.

« Il faut qu'on y aille », lui chuchote David à l'oreille.

Il lève les yeux vers lui et s'étonne. Pourquoi David est-il donc si grand ? Il a l'air déjà adulte. Il porte une blouse de médecin d'une blancheur aveuglante et des lunettes cerclées. Ses cheveux ont été curieusement rabattus d'un seul côté au sèche-cheveux. David sourit avec des dents d'une blancheur éblouissante et remplit une seringue.

La caméra se met à pépier au rythme d'un signal de pulsation cardiaque. Une petite icône de batterie clignote dans le viseur. Batterie vide. Le viseur hésite, subitement l'image se rompt, et tout devient sombre ; et du plus profond de cette obscurité surgit cette voix, la voix de son père, grondante comme la voix de Dieu. « Réveille-toi, petit déjeuner ! » Encore et encore : « Réveille-toi, petit déjeuner ! », jusqu'à ce qu'il ne supporte plus cette voix et saisisse son pistolet. Il arrive à peine à toucher la détente avec ses petits doigts. Le coup de feu résonne comme le claquement d'une main qui frappe sur une plaque de métal. Mais son père ne meurt pas, ne meurt pas, et au lieu de mourir, il ne cesse de crier : « Réveille-toi ! » Le coup de feu suivant claque si fort que de peur il ouvre grand les yeux.

Le rêve éclate comme une bulle fielleuse.

« Hé ! debout, mec. » Du plat de la main, le morse tape contre le panneau de la porte de la cellule. « Petit déjeuner. »

Gabriel se redresse avec des sueurs froides, et il tremble comme un vieil homme malade.

« C'est bon, c'est bon ! » bougonne-t-il en allant à la porte. Par l'ouverture du guichet, il prend l'assiette en tôle et un gobelet en plastique très fin.

Le café est chaud, et il se brûle les doigts. Le petit pain garni de fromage et de salami a un goût de carton.

Une demi-heure plus tard, dans un grand bruit métallique, on tire le verrou de la porte de la cellule qui s'ouvre d'un seul effort.

« On y va, fait le morse, le psy est là. »

Gabriel se lève, bien trop vite, et ça lui donne le vertige. Il n'a presque pas fermé l'œil de la nuit. Il a essayé de dormir, mais les cauchemars étaient à l'affût aux frontières du sommeil.

Le balèze lui chope de nouveau le bras et le conduit à la salle d'interrogatoire. Une odeur de menthe s'insinue dans les narines de Gabriel. Même à cette heure, peu avant sept heures du matin, ce type mâchouille du chewing-gum.

La salle d'interrogatoire est aussi triste et mal éclairée que la veille. Gabriel s'assied sur la même chaise, avec la porte dans le dos, et le costaud reprend place derrière lui et mâchonne presque sans bruit.

Cinq minutes plus tard, la porte s'ouvre de nouveau en grand, et l'arôme d'un parfum coûteux pour hommes vole dans la pièce. Gabriel se retourne, il n'a pas oublié l'odeur du docteur Dressler, et aujourd'hui encore il en a la nausée. La silhouette élancée du psychiatre le frôle en passant. Il ne porte pas, comme jadis, sa blouse blanche, mais un costume bleu nuit bien coupé, avec une chemise de même couleur.

Dans un grand cliquetis de ferraille, le docteur Dressler jette négligemment son trousseau de clefs sur la table, une douzaine de clefs argentées ; parmi elles, celle, électronique et noire, d'une Porsche. Il porte une cravate rose au nœud ostensiblement lâche.

« Heureux de te revoir, Gabriel. » Les yeux bleu pâle de Dressler triomphent derrière une paire de Ray-Ban noires. Sa chevelure encore abondante grisonne et il a soigneusement coiffé ses cheveux vers la droite. « Même si j'aurais aimé que ce fût dans d'autres circonstances. Puis-je m'asseoir ? »

Gabriel le regarde sans mot dire. La paume de ses mains est aussi lisse et moite qu'une peau de chamois.

Dressler s'assied, pose ses mains manucurées sur le plateau rayé de la table et regarde fixement Gabriel.

« Comment vas-tu ? »

Gabriel croise les bras et se tait.

« Je sais, Gabriel, tu te fais du souci. Mais c'est inutile. Je suis là pour t'aider, dit le psychiatre, paternel.

— Je n'ai pas besoin d'aide. »

Dressler sourit de manière engageante.

« On m'a rapporté que tu étais dans une situation difficile. Est-ce que j'aurais mal compris ? »

Gabriel se mord les lèvres. Il se sent comme prisonnier de sangles, incapable de mouvoir ses bras ou ses jambes, et il déteste Dressler parce qu'après si longtemps il déclenche encore cette répulsion en lui.

« Je ne vois pas comment vous pourriez m'aider. Vous vous êtes recyclé comme avocat, après avoir failli comme psychiatre ? »

Le sourire de Dressler se rembrunit.

« "Failli" n'est pas un terme tout à fait approprié. Mes méthodes thérapeutiques avaient d'étonnants succès. Simplement, elles ne convenaient plus à Conradshöhe. Mais cela remonte à vingt ans, et, rétrospectivement, tout cela n'a duré qu'un bref instant. Depuis seize ans, je suis chargé de cours et j'officie en tant qu'intervenant, ou plutôt expert. Et dans le cas présent, c'est en tant qu'expert qu'on a fait appel à moi, pour juger de ton état physique, et avant tout psychique.

— Je vais on ne peut mieux, dit Gabriel.

— Et ce bon vieux *Luke* ? Comment va-t-il, celui-là ? sourit Dressler. Est-ce que la voix fait encore appel à lui de temps en temps ? »

Ne fais pas d'erreur, maintenant, murmure-t-on dans la tête de Gabriel. *Tu le connais. Tu sais comment il est !*

« Luke a disparu, répond Gabriel.

— Et la voix ?

— Que voulez-vous qu'il y ait, avec la voix ?

— Que lui dis-tu, quand elle appelle Luke ? Je veux dire, il faut bien que tu répondes quelque chose.

— Qu'il est parti », rétorque Gabriel.

Dressler le regarde à travers ses paupières mi-closes, comme un serpent qui chercherait à le pénétrer en rampant.

« Le seul fait que tu le dises signifie bien que la voix hante encore ton esprit, ou je me trompe ? Et là où est la voix, Luke n'est pas bien loin non plus. »

Comme jadis ! Ce sale con te fait souffrir, te tourmente !

Calme-toi !

Qu'est-ce que ça veut dire, maintenant, calme-toi ? Il dénature tes paroles, et tu veux te calmer ? Tu ne vois pas ce qui se passe ici ? Casse-lui la gueule !

Dans la tête de Gabriel, tout s'embrouille en un tourbillon de voix et de pensées. Il a l'impression d'éclater.

« Allez donc vous faire foutre dans le trou à rats d'où vous sortez », lâche-t-il avec une colère à peine contenue.

Les yeux de Dressler étincellent.

« Pit Münchmaier… Lui aussi, il est sorti d'un trou à rats, n'est-ce pas ? Je me demande ce que Luke aurait bien pu faire de lui ? »

Gabriel a l'impression d'être rentré la tête la première dans un mur. Le tourbillon s'est calmé.

« Aucune idée, répond-il lentement. Si vous le rencontrez, vous devriez le lui demander. »

Pendant un bref instant, Gabriel croit lire de la déception dans les yeux de Dressler. Un sentiment de triomphe conquérant s'empare de lui.

« Ça vous suffit pour vous convaincre de mon état psychique ?

— Bien, dit Dressler. Juste pour te remettre encore une fois sous les yeux la situation dans laquelle tu t'es fourré : ton dossier te décrit comme quelqu'un de psychiquement instable, d'hyper-agressif, de paranoïaque et atteste que tu as un trouble de la personnalité. Au bout du compte, les meilleures conditions requises pour commettre un meurtre. À ta place, je me montrerais donc plus conciliant. Sinon, ton comportement va te perdre encore plus. »

Le sentiment de triomphe s'estompe en Gabriel. En lieu et place, il ne peut s'empêcher soudain de penser à Liz. Qu'il est toujours détenu ici, dans l'ignorance de ce qui est arrivé à sa compagne. Il s'éclaircit la gorge.

« Écoutez, je ne sais pas ce qui se passe ici. Et de plus, je n'ai aucune idée de ce qui est arrivé à ce Pit Münchmaier. La seule chose que je sais, c'est que ma compagne a disparu. Elle s'est fait…

— ... agresser dans le parc, complète Dressler d'une voix douce. Je sais.

— S'il est vrai que vous êtes venu ici pour m'aider, retrouvez Liz.

— Le problème, c'est qu'il n'y aucune preuve de cette agression.

— Elle a disparu, nom de Dieu ! Appelez-la, sonnez à sa porte à Cotheniusstrasse, demandez à sa rédaction. Et après ça, si vous croyez toujours que…

— Mais la police a déjà fait toutes ces démarches, Gabriel. Et ta Liz Anders est une journaliste d'investigation, et d'après ce que j'ai entendu, elle est réputée pour se mettre en planque pendant ses enquêtes, souvent pendant des jours, des semaines.

— Elle ne fait aucune enquête en ce moment, nom de Dieu ! Elle s'est fait agresser !

— Tu t'es disputé avec elle ? » demande Dressler.

Gabriel le regarde fixement, comme si le psychiatre l'avait giflé, et il serre les poings.

« Espèce de trou du cul de merde. »

Dressler sourit.

« Oh, Luke serait-il tout de même encore là ? »

Gabriel respire difficilement et s'oblige à desserrer les poings.

Dressler se penche en avant, au-dessus du plateau de la table, et fixe Gabriel de ses yeux pâles et investigateurs.

« Tu n'as pas l'air de comprendre qu'à cet instant c'est moi qui ai la clef de ton destin en main. Je ne te parle pas de la clef de ta cellule : je suis venu pour décider s'il faut te transférer dans un pavillon fermé. Ici, on ne se sent pas de taille. »

Gabriel regarde fixement Dressler. Ses genoux se mettent à trembler sous la table. Tout sauf ça ! pense-t-il. Plus jamais en psychiatrie. Plus jamais en contention sur une civière. Et ne plus jamais recevoir de décharges électriques. Il s'essuie nerveusement les paumes moites sur ses cuisses.

C'est ce que je te dis, Luke. C'est ce que je te dis. Casse-lui la gueule ! Ou fais autre chose. L'essentiel, c'est que tu fasses quelque chose.

Gabriel pose ses mains à plat sur la table, respire plusieurs fois à fond, se penche en avant et accroche le regard de Dressler. La lampe cabossée déverse sa lumière sur leurs visages pétrifiés à peine distants de trente centimètres. Il règne un silence de mort. Même l'armoire à glace a cessé de mâchouiller son chewing-gum.

D'un geste vif de la main droite, Gabriel se saisit du trousseau de clefs de Dressler. De la gauche, il agrippe la chevelure grise passée au sèche-cheveux et tond violemment le cou du psychiatre, si bien qu'il pirouette et retombe comme une marionnette, dos contre la table. Rapide comme l'éclair, Gabriel applique contre sa gorge ainsi offerte le côté dentelé et tranchant de la clef.

Le balèze le regarde bouche bée tout en se levant au ralenti.

« Le pistolet, lui ordonne Gabriel, avec deux doigts, tout doucement. Si tu tires, je lui tranche la carotide. »

Dressler gémit, effrayé. Le policier retire son arme de l'étui en la tenant entre le pouce et l'index. Le chewing-gum pend de sa bouche ouverte comme un grumeau blanc et luisant.

« Maintenant, tu retires le chargeur et tu le mets dans ta poche de pantalon. »

Le policier le contemple sans comprendre.

« Vas-y, nom de Dieu ! » exige Gabriel.

Un léger déclic et, sans quitter Gabriel des yeux, l'homme retire le chargeur de la crosse et le fait disparaître dans sa poche.

« Tu poses le pistolet sur le sol et tu le pousses du pied vers moi. »

Cela sonne creux quand l'arme glisse sur le sol et s'arrête aux pieds de Gabriel. C'est un Sig Sauer P226 avec quinze coups quand le chargeur est engagé. Gabriel hésite et regarde l'arme, perplexe.

Tu es fou, Luke ? Tu crois sérieusement que tu sortiras d'ici sans flingue ?

Je sais ce que tu veux, mais oublie.

Prends ce truc, nom de Dieu ! Et dis-lui de te donner le chargeur. Tu crois que dehors ils vont hésiter à tirer, ne serait-ce qu'une seconde ?

Je ne peux rien y changer. C'est comme ça, c'est tout.

Toi et ta panique de merde, mec. Ça pourrait être si simple. Mais non, Lucky Luke a peur des flingues.

Gabriel serre les dents, relâche sa prise du cou de Dressler, se baisse vivement et ramasse l'arme noire aux reflets mats. Ses doigts tremblants se referment sur la crosse rugueuse et vide. Le pistolet sent l'huile lubrifiante, et il a l'impression de tenir en main un morceau de métal chauffé au rouge.

Le policier observe les mains tremblantes de Gabriel, puis il fixe ses yeux. Il se remet lentement à mastiquer en même temps que son esprit se remet à fonctionner. On voit à sa mine qu'il pense au chargeur dans la poche de son pantalon. Ses lèvres se retroussent en un rictus sardonique et, d'un bond puissant mais gauche, il se rue sur Gabriel. Ce dernier n'a pas grand-chose à faire. Un coup appuyé au plexus du policier suffit. De l'air s'échappe de sa gorge avec le bruit d'une cannette de bière qu'on décapsule. Et le balèze s'effondre.

Dressler est descendu de la table en glissant sur le dos. Blanc comme un linge, il fixe Gabriel et recule jusqu'au mur.

Gabriel fait deux pas vers lui, l'agrippe et le traîne au milieu de la pièce où Dressler se cogne contre la table ; sa nuque tape contre la lampe qui se met à osciller en tous sens. La lumière vacille et des ombres sauvages dansent sur les murs. L'espace d'un instant, on a l'impression que Dressler va s'effondrer.

« La veste, sur la table. »

Le médecin obéit en flageolant sur ses jambes.

Gabriel roule la veste en boule, reprend le trousseau de clefs de Dressler, puis il l'attrape par sa cravate rose qu'il enroule comme une longe autour de sa main gauche.

« Vous allez prendre votre veste à deux mains et la tenir fermement. Si vous la lâchez, vous êtes mort, menace Gabriel. Allons-y. » Le cœur lui cogne dans les oreilles.

Dans le couloir, il y a le policier à la moustache avec un collègue, tous deux transformés en statues de sel.

« Aidez-moi », ahane Dressler. La cravate tendue et serrée autour du cou lui coupe la respiration et le canon du Sig Sauer a l'air de lui forer un trou dans le dos. « Il bluffe ! Son arme n'est pas chargée. »

Les yeux des policiers sont dirigés vers le métal noir dans la main de Gabriel, mais aucun d'entre eux n'ose un geste.

Lorsqu'ils passent à côté des deux policiers, Gabriel sent la sueur lui couler sur la poitrine et dans la nuque. Tout à coup, Dressler ralentit sa marche. Gabriel lui envoie un grand coup de genou dans les reins, et le psychiatre glapit comme un chien à qui on a balancé un coup de savate.

« Tais-toi et avance. Sinon je te brise les cervicales. »

D'un geste d'avertissement prémonitoire, Gabriel tire sur la cravate de Dressler.

Il pousse le psychiatre devant lui à pas précipités. Ils passent devant une douzaine de portes, descendent un escalier et franchissent le seuil de l'entrée principale du commissariat. Un air frais et humide fouette le visage de Gabriel.

« Où est votre voiture ? »

Dressler lui désigne le fond du coin gauche du parking. Une Porsche Cayenne noire est garée à cent mètres. Le 4 x 4 trapu dépasse les autres voitures d'environ cinquante centimètres.

Trois policiers sont en train de descendre d'une voiture et les regardent attentivement, l'air méfiant ; ils sont à moins de dix mètres. L'un d'entre eux tire instinctivement son arme de service. Gabriel pousse Dressler à marcher plus vite.

Le psychiatre louche vers les policiers.

« Tirez ! leur crie-t-il. L'arme n'est pas chargée, il n'y a même pas de chargeur dedans. »

Le policier garde le doigt sur la détente, sans un mot, le regard indécis, et suit Gabriel avec le canon de son arme comme si c'était un lièvre en tôle dans un tir forain. De plus en plus de policiers sortent sur le seuil du commissariat.

« Pourquoi personne ne bouge ? » hurle Dressler. Sa voix devient stridente. « Mais tirez, nom de Dieu ! Faites quelque chose ! Il n'a pas de munitions. Je l'ai vu moi-même. Ce type est fou. »

Rien ne bouge.

« À l'aide ! hurle de nouveau Dressler. Pourquoi personne le descend ? »

Nul ne répond. Les pas de Gabriel et de Dressler chuintent sur le sol asphalté de la cour. Sinon, il règne un silence de mort.

« Ouvre, ordonne Gabriel quand ils sont devant la Porsche Cayenne.

— Et comment ? demande Dressler. C'est toi qui as la clef. »

Gabriel presse le psychiatre contre la voiture, lâche sa cravate, tire la clef de sa poche et actionne le déverrouillage central du 4 x 4. Il pousse ensuite Dressler sur le siège passager, passe la cravate derrière l'appuie-tête, la tend, fait un nœud serré, puis donne un coup de semonce au creux de l'estomac de Dressler ; au moment où le psychiatre va se plier en deux sous le choc, son cou est retenu par la cravate tendue. Ses yeux se révulsent de douleur.

Gabriel s'assied au volant et dépose l'arme dans le vide-poche au-dessus de la boîte à gants, directement sous le nez de Dressler. Comme paralysé, le psychiatre fixe l'objet : dans le vide-poche, il ne voit pas le pistolet mat aux reflets noirs attendu, avec sa gravure Sig Sauer sur le canon, mais le microphone de la salle d'interrogatoire.

Le V8 démarre avec un hurlement retenu. Le pouls de Gabriel lui cogne aux tempes. Il met les gaz et fonce en passant devant les policiers. Les trois flics finissent par se remuer. Dans le rétroviseur, il les voit sauter dans leur voiture de patrouille. Pneus hurlants, il quitte le parking à toute allure en direction de l'est, vers la sortie de Berlin. Au carrefour suivant, il change brusquement de direction et tourne sur la gauche. Une sirène se met à hurler non loin de là. Il jette un coup d'œil dans le rétroviseur.

On ne voit encore aucune voiture de police.

Les policiers ont dû perdre trop de temps pour faire demi-tour sur le parking.

Au carrefour suivant, Gabriel repart sur la gauche, fait encore deux crochets, puis roule en direction du centre. On n'entend plus la sirène. Après un nouveau regard au rétroviseur, la pression se relâche.

Dressler est assis à ses côtés et ne souffle mot. Ses cheveux gris sont en désordre, et il fixe toujours le vide-poche. Qu'il ait été enlevé dans un commissariat de police à l'aide d'un vieux microphone lui pose manifestement beaucoup de problèmes.

« Où... où est le pistolet ? » finit-il par croasser, presque un quart d'heure plus tard.

Sans un mot, Gabriel désigne la veste roulée en boule que le psychiatre serre toujours entre ses mains comme si c'était la dernière bouée à laquelle il puisse encore se raccrocher dans sa vie chamboulée. Dressler tâte le paquet d'étoffe bleu foncé et soupire lorsqu'il sent l'arme. Pour la première fois de sa vie, ses doigts enserrent la crosse d'un pistolet ; il touche avec émotion la détente légèrement incurvée, et l'on voit à sa mine qu'il aimerait beaucoup que l'arme soit chargée.

Gabriel poursuit sa route en silence. Son pouls s'est quelque peu calmé, mais la présence de Dressler à ses côtés le prend encore aux tripes. Le temps passé à Conradshöhe lui apparaît comme un épais brouillard devant un trou noir qui engloutit tout, et la simple vue de Dressler éveille encore en lui le sentiment oppressant d'être livré à la merci du psychiatre, comme si toujours, à chaque instant, il pouvait encore garrotter son esprit avec une camisole chimique. Il cherche vainement à se concentrer sur Liz, essaie de prévoir les prochaines étapes de ses recherches, mais tant que Dressler est assis à ses côtés, il n'y parviendra pas.

Il se décide subitement, braque brusquement à droite et pénètre dans une cour. La force centrifuge balance Dressler sur la gauche et la cravate lui coupe le souffle. Gabriel met au point mort, descend de voiture, ouvre la portière de Dressler, dénoue la cravate de l'appuie-tête.

Inquiet, le psychiatre le fixe des yeux, puis il descend du Cayenne. La cour est vide ; à gauche et à droite, des portes de garage.

« Déshabillez-vous, dit brièvement Gabriel.

— Pardon ?

— Déshabillez-vous. Complètement. »

Dressler rougit sous sa chevelure grise hirsute.

« Mais… Mais qu'est-ce que ça veut dire ? Qu'est-ce que tu t'imagines ? balbutie-t-il de rage.

— Déshabillez-vous ou je vous brise la nuque, siffle Gabriel entre les dents. » Sa colère ressemble à une huile rance épaisse qui aurait dû être vidangée depuis longtemps. « Ou bien doutez-vous que j'en sois capable ? »

Dressler ouvre la bouche, mais Gabriel lui coupe la parole.

« Qu'est-ce qu'il y avait, déjà, dans mon dossier ? Je souffre de paranoïa et je suis hyper-agressif ? Si vous y croyez vraiment, vous devriez exécuter vite fait ce que je vous demande. »

Les lèvres de Dressler tremblotent d'indignation. Avec lenteur, comme un enfant qui veut se révolter quoiqu'il sache que c'est inutile, il commence à se déshabiller jusqu'au caleçon. Sa peau pâle est couverte de taches roses.

« Le caleçon et les lunettes aussi », dit Gabriel.

Dressler le regarde fixement, avec un désespoir mêlé d'indignation. On lit une supplication dans ce regard, comme s'il voulait réellement demander à Gabriel pourquoi il lui fait subir tout cela.

« Vous savez parfaitement pourquoi. »

Le regard du psychiatre manque d'assurance.

« Je… je n'ai fait que mon travail. Tout le monde a soigné comme ça, à l'époque. Ce n'est pas moi qui ai inventé les méthodes thérapeutiques, je…

— Les lunettes !

— Mais… sans… sans lunettes je ne vois pas bien, je suis…

— *Lunettes et caleçon !* »

Dressler lève le menton. De mauvaise grâce, il pose ses lunettes sur le tas de vêtements, puis, la tête empourprée, il enlève son caleçon et se retrouve nu devant Gabriel. Son pénis ressemble à un rameau sec dans un feuillage fané. Il tremble dans le frais matin de septembre.

Gabriel pêche le portefeuille de Dressler dans la poche de sa veste et prend l'argent liquide, environ 350 euros. Puis il ouvre le hayon du Cayenne, y jette les vêtements et fouille les compartiments du coffre à la recherche de quelque chose pour ligoter le psychiatre. Il ne trouve qu'un gros rouleau de ruban adhésif.

Gabriel referme le coffre et lance le Sig Sauer à Dressler.

« Prenez ce truc à deux mains, l'index sur la détente. »

Dressler se tient là comme un vieillard évadé d'une maison de retraite.

« Il faut... il faut que...

— Que quoi ?

— Il faut que... j'aille aux toilettes », gémit-il.

Gabriel ouvre de grands yeux.

« Dans quelques minutes, pas maintenant. Les mains autour du pistolet, et vous me les tendez. »

La dernière résistance de Dressler est brisée, il s'exécute en silence. Gabriel enroule plusieurs fois la bande adhésive transparente autour des mains du psychiatre et du Sig Sauer noir, si bien qu'il se retrouve les deux mains attachées à l'arme qui pointe de façon menaçante entre ses doigts. Gabriel lui colle encore de l'adhésif sur la bouche, puis il le pousse sur la banquette arrière, l'oblige à se coucher sur le ventre et quitte la cour en direction du centre-ville. Anxieux, nu, Dressler est ballotté sur le rembourrage en cuir beige de son Cayenne.

Le trafic matinal est intense sur la Budapester Strasse. Inquiet, Gabriel vérifie s'il n'y a pas de voitures de police. Un avis de recherche est probablement lancé contre lui. Lorsqu'il arrive au niveau de la gare du Zoo, il se gare au bord du trottoir.

Le Cayenne noir a droit à quelques regards furtifs, la plupart du temps envieux. Quand un homme entièrement nu descend de l'arrière du 4 x 4, avec un pistolet dans les mains, prêt à tirer, l'affolement gagne les passants. Plusieurs d'entre eux prennent malgré tout des photos de l'homme avec leur portable. Deux filles poussent des cris et s'enfuient. Déconcertés, les passants s'écartent et ouvrent ainsi un passage. On assiste aux premiers signes de panique. Elle s'étend comme une vague sur la place, en cercles concentriques avec, au centre, Dressler. La colère et la honte de cette humiliation phénoménale se reflètent dans ses yeux de myope et accentuent encore son air menaçant. Nul ne remarque le ruban adhésif qui lui emprisonne les mains et lui ferme la bouche.

Et nul ne remarque la Porsche, qui se faufile quelque temps dans la circulation, pour être abandonnée au bord du trottoir quelques centaines de mètres plus loin, moteur en marche, portière ouverte et jeu de clefs sur le siège conducteur en cuir.

21

Berlin – 3 septembre, 08 h 12

Gabriel frissonne. Des bourrasques humides le frappent au visage et il essaie de marcher plus vite. Son anxiété à propos de Liz, le manque de sommeil et les événements des trente-trois dernières heures le rongent.

Lorsqu'il arrive devant l'immeuble, il s'arrête devant la porte. Les yeux en alerte, il ratisse les environs d'un regard investigateur. Son haleine chaude monte en minces bouffées de vapeur diaphane.

D. Naumann. Des petites lettres noires sur la plus haute sonnette rectangulaire en laiton, la onzième. Gabriel s'est vu mille fois en face de cette sonnette, sans jamais se résoudre à appuyer sur le bouton.

Il appuie. Le métal est froid. Il attend un moment, puis il sonne de nouveau.

Ouvre, nom de Dieu !

Il a toujours été un grand dormeur. Tu as oublié ça, Luke ?

Il entendra tout de même la sonnerie.

Apparemment, il l'a débranchée, juste pour le cas où son frère passerait.

Gabriel se mord les lèvres.

Puis il enfonce le bouton situé au-dessous de celui de l'appartement de David. Un instant plus tard, une voix de femme âgée nasille dans le parlophone.

« Allô ? Qui est là ?

— Bonjour. Votre voisin du dessus a commandé des petits pains, mais personne n'ouvre. J'aimerais bien les lui déposer devant sa porte. Vous savez comment c'est, de nos jours, les gens piquent tout… »

La serrure électrique bourdonne et Gabriel pénètre dans le vestibule. Ça sent les produits d'entretien. Il laisse la porte de l'ascenseur à sa gauche et grimpe les escaliers quatre à quatre jusqu'à l'étage mansardé. La porte de David est la seule à cet étage. Il appuie sur la sonnette, et entend un bourdonnement sourd dans l'appartement.

Voilà pour cette idée de « sonnerie débranchée ».

Mais personne n'ouvre. Où peut bien être David ?

Je ne te l'avais pas dit ? Tu es et tu restes seul. Et au fond, c'est bien comme ça, Luke.

C'est bon, c'est bon, laisse-moi tranquille.

Gabriel tourne les talons et se dirige vers l'escalier. C'est à ce moment qu'il entend un léger bruit derrière lui. Il s'arrête et se retourne. La porte de l'appartement est entrebâillée. L'homme qui l'observe est blond, il a une barbe de trois jours, des cheveux en bataille et des yeux verts. Les yeux de la mère de Gabriel.

Un bref éclair vibre dans sa tête. Comme une chaude piqûre d'aiguille et le claquement d'un coup de feu. Sa mère est allongée sur le sol, elle tressaille, et son œil gauche est grand ouvert, l'iris dans le blanc de l'œil comme un lac vert figé. À la place de son œil droit, se creuse un cratère sombre et sanglant aux bords irréguliers. Il peut voir l'intérieur de sa tête. Tout est si réel. Une odeur de sang semble flotter dans l'air, comme si un fin brouillard rouge y était suspendu. Le choc l'oblige à happer de l'air. Et le flash-back est passé, tout aussi soudainement qu'il a surgi.

« *Gabriel ?* » Les yeux de David s'écarquillent.

Gabriel opine et tente de contrôler sa respiration. Il veut dire quelque chose, mais il est incapable de prononcer un mot. Il sent que ses mains tremblent. Il les cache rapidement dans les poches de sa veste et essaie de se retrouver au présent. Curieusement, la réalité fait pâle figure après ce flash-back. Il se racle la gorge et serre les poings au fond de ses poches. Ça aide.

David est debout devant lui et le fixe comme s'il voyait un fantôme. *Vingt ans*, se dit Gabriel. Il aurait juré qu'il ressentirait plus d'émotions, et des émotions plus fortes.

« Qu'est-ce que tu fais là ? finit par demander David. Je croyais que tu étais en préventive.

— C'est réglé, grogne Gabriel. Où est Liz ? Tu as trouvé quelque chose ? »

David le regarde de haut en bas, puis lui ouvre la porte en grand.

« Entre, d'abord. »

Gabriel opine. Et tout à coup, la fatigue le frappe de plein fouet, et c'est en titubant qu'il suit David le long d'un couloir lumineux.

« Comment tu as fait pour sortir si vite ? » demande David qui le précède dans le salon.

Gabriel se demande un bref instant s'il ne devrait pas lui dire la vérité.

Et quoi, Luke ? Pour entendre une fois de plus une homélie merdique de Mister Légal ?

« Mon psychiatre a réglé ça », marmonne Gabriel.

Son regard glisse sur le mur du couloir peint en bleu pigeon, où est apposée une série de trois affiches encadrées de *Star Wars*. Celle du centre représente Luke Skywalker.

« Tu as du café ? demande Gabriel.

— Je vais en faire un. »

Le salon de l'appartement mansardé est grand, mais d'un aménagement spartiate. Près de la porte, un secrétaire en merisier, au centre de la pièce deux canapés gris en angle. Sur l'un d'entre eux, un oreiller et une couverture chiffonnée.

« De la visite ? » demande Gabriel.

Curieusement, David a l'air gêné.

« Elle est dans la salle de bains et s'en va tout de suite. »

Il débarrasse la table basse de deux bouteilles de vin rouge vides et de deux verres, les pose sur le plan de travail de la cuisine américaine et désigne le canapé libre.

« Assieds-toi. »

Gabriel hoche la tête.

« Où est Liz ?

— Je n'en ai malheureusement pas la moindre idée…

— Qu'est-ce que ça veut dire, pas la moindre idée ? Je croyais que tu allais te renseigner ? »

Gabriel regarde David d'un air mauvais. Deux bouteilles de vin rouge, une femme dans la salle de bains. David ne s'est visiblement pas donné trop de mal.

« Et c'est exactement ce que j'ai fait. Je me suis renseigné. Mais elle a disparu. Disparu de la surface de la terre.

— C'est impossible, dit Gabriel agressivement. Elle *doit* être dans un hôpital. Tu as cherché où ?

— D'abord à la clinique Vivantes Friedrichshain, elle est juste à côté du parc. Puis à la centrale des urgences ; ils ne savaient rien non plus, et finalement à la police. Rien non plus. Pas de Liz Anders, ni de femme agressée de l'âge de Liz Anders ou de femme aux cheveux roux. Aucune femme n'a été hospitalisée qui correspondrait ne serait-ce qu'un tout petit peu à son signalement, pour ne rien dire d'une Liz Anders en personne.

— C'est impossible, insiste Gabriel. Je veux dire, elle a été agressée…

— Tu ne veux pas quand même t'asseoir d'abord ?

— Fous-moi la paix avec ton *putain d'asseoir.*

— OK, OK ! C'est bon. » David lève les mains pour le calmer. « Tu es certain que tu as bien tout compris ? Je veux dire, peut-être que la ligne était mauvaise ? En plus, il était relativement tard, peut-être que tu avais bu quelque chose – ou elle ?

— Elle n'a rien bu, nom de Dieu ! explose Gabriel. Elle est enceinte. »

David le regarde, éberlué.

« Enceinte ? Et de qui ? »

Gabriel se retourne et regarde par la fenêtre. La tour de télévision argentée de Berlin pointe vers le ciel.

« Pas de toi, tout de même ? demande David. Toi et Liz Anders ? »

Gabriel émet un son, quelque part entre grognement et soupir.

« En tout cas, elle n'était pas ivre. Je sais ce que j'ai entendu. »

Mais il ne croit pas ce que tu dis, Luke, murmure la voix dans la tête de Gabriel. *Ton cher frère te laisse tomber une fois de plus.*

« Laisse-moi tranquille, contre Gabriel à voix basse.

— Qu'est-ce que tu dis ?

— Oublie », répond Gabriel en balayant l'air de la main.

Quelque part dans l'appartement un portable sonne, très faiblement, comme s'il était rangé dans un tiroir.

« Écoute, David, je suis… », Gabriel s'interrompt.

La sonnerie. Il connaît cette mélodie ; l'espace d'un bref instant, il croit même entendre les pas de Liz sur le parquet de la Cotheniusstrasse ainsi que sa voix quand elle va prendre un appel, jusqu'au moment où il comprend que cette sonnerie existe probablement sur des millions de portables.

Il cille brièvement, puis il poursuit :

« Je suis certain qu'il lui est arrivé quelque chose. Liz n'était ni confuse, ni ivre. Elle avait peur, peur de mourir. Elle m'a supplié de l'aider, elle a dit que tout était plein de sang et elle pouvait à peine parler. »

David le regarde longuement en silence. La sonnerie du portable s'est tue.

« Serait-il possible que ça ait un rapport avec la grossesse… ? » demande-t-il prudemment.

Gabriel secoue la tête, dépité.

« Tu ne me crois pas », constate-t-il.

Ah ! triomphe joyeusement la voix. *Et pourquoi donc te croirait-il ? Il est comme ça, David. David ne t'a jamais cru. Tu as déjà oublié ça, Luke ?*

Gabriel ne répond pas. Il s'est retourné et fixe le mur en face des deux canapés, celui où se découpe la tache claire d'un tableau qu'on a décroché.

« Je ne sais pas ce que je dois croire, dit David en allant à la cuisine. Et tu sais ce qui est troublant ? » Il ouvre un tiroir et en retire une enveloppe molletonnée brune. « Quelque chose comme ça », ajoute-t-il en la jetant à Gabriel.

Gabriel l'attrape au vol et fronce les sourcils quand il lit l'écriture tremblée en lettres rouges.

Urgent ! Liz Anders
Pour Gabriel Naumann

« D'où tu tiens ça ? demande Gabriel, perplexe.

— Du réceptionniste de la clinique Vivantes. C'est là qu'elle a été déposée. »

Gabriel retourne l'enveloppe dans tous les sens et la contemple, déconcerté.

« Et alors, tu l'as ouverte ? »

David hoche la tête.

« Mon nom n'est pas écrit dessus.

— Quand les choses se compliquent, ton nom n'est *jamais* écrit dessus. »

On entend le déclic d'une poignée de porte dans le couloir, puis une voix de femme.

« *My God*, j'ai la tête comme une lessiveuse. J'aurais mieux fait de ne pas toucher à la deuxième bouteille. »

Une femme attrayante, en sous-vêtements et chemise d'homme blanche ouverte, pénètre dans le salon en se massant la nuque et se dirige vers la cuisine. Sa crinière brune et bouclée ondule.

« Tu as déjà fait du… Oups ! »

Quand elle aperçoit David et Gabriel, elle reste plantée là, comme si elle avait pris racine. David fait les présentations.

« Shona, voici Gabriel, mon frère. Gabriel, Shona. »

Gabriel la jauge, l'air glacial.

« OK, fait Shona en étirant le mot. Je suis déjà partie.

— Inutile, dit Gabriel, de toute façon, j'allais m'en aller. » Shona et David échangent un regard. « Mais, nom de Dieu, David, fais-moi *une* faveur. Si quelqu'un venait et te demandait si tu m'as vu, réponds tout simplement : non. Et si tu ne veux pas le faire pour moi, fais-le pour toi.

— Qu'est-ce que ça veut encore dire, ça, maintenant ?

— Juste au cas où, grogne Gabriel, et ne crois pas un mot de ce qu'ils te racontent.

— Dis-moi, tu ne pourrais pas être plus clair, pour une fois ? Qui veux-tu qui vienne ici ? Et pourquoi, bordel ?

— Tu verras bien à ce moment-là », répond Gabriel.

Puis il lance un signe de tête à David et s'engage dans le couloir à grandes enjambées.

« Qu'est-ce que tu as encore fait comme connerie, nom de Dieu ? » lui crie David.

Au même instant, Gabriel claque la porte de l'appartement derrière lui.

Cinq étages plus bas, il sort, lance un regard circulaire incisif et se dirige vers la droite d'un pas pressé, descend la rue, puis tourne dans une adjacente plus calme. Il s'arrête à l'ombre d'un petit porche qui mène dans une cour, contemple l'enveloppe qu'il tient à la main, avec ses lettres rouges maladroites. En tout cas, ce n'est pas l'écriture de Liz. Il arrache précipitamment un côté de l'enveloppe brune et regarde son contenu. Pas de lettre, pas de message, mais un portable.

Il le sort de l'emballage et le contemple. La coque est mate et éraflée, le plastique éclaté en plusieurs endroits. Mais il le reconnaît tout de suite.

Comme si l'appareil avait senti la chaleur de la main de Gabriel, il se met à sonner. La coque brisée nasille nerveusement.

Il reconnaît aussitôt la mélodie. C'est la même que celle qu'il vient d'entendre dans l'appartement de David.

C'est bien le portable de Liz.

22

Berlin – 3 septembre, 8 h 52

« Waouh, fait Shona, quand la porte s'est refermée derrière Gabriel. Il a vraiment une tête à faire peur.

— Mon frère, tout craché », précise David.

On sent de la résignation dans sa voix.

« Il a toujours été comme ça ? »

David hausse les épaules.

« À vrai dire, oui. Depuis la mort de nos parents, en tout cas.

— Au fait, ça s'est passé comment, cette histoire avec vos parents ? »

David soupire. Il est dans la cuisine et fait pirouetter un verre à vin rouge vide entre ses doigts. Puis il ouvre le réfrigérateur et se verse un jus d'orange.

« Excuse-moi, marmonne Shona, je ne voulais pas… »

David regarde fixement le liquide jaunâtre que colorent quelques traces de vin rouge, et il s'éclaircit la voix.

« Ils ont été assassinés. Exécutés par balle, pour être plus précis. »

Shona le fixe, choquée.

« Mon Dieu ! Quelle horreur ! »

David esquisse un faible sourire.

« Toute cette nuit a été une vraie nuit d'horreur.

— Tu avais quel âge ?

— Sept ans. Je me suis réveillé parce qu'il y avait un bruit pas possible dans la maison. Comme si un hippopotame marchait au rez-de-chaussée. J'ai voulu descendre, voir ce qui se passait, mais la porte de la chambre était fermée. Fermée à clef.

— Tu étais enfermé dans la chambre d'enfants ? Tes parents faisaient toujours ça ? »

David secoue la tête.

« Jamais. J'ai paniqué et j'ai secoué la poignée, mais j'ai tout à coup entendu un coup de feu. Puis trois autres, peu après. Suivis d'un silence de mort. Ça a duré une éternité. Je me suis caché sous le lit et je n'ai plus bougé.

— Et où était Gabriel ? »

David se tait un instant, puis dit à voix basse :

« Aucune idée. En tout cas, pas avec moi dans notre chambre. »

Shona le regarde, étonnée.

« Tu veux dire que tu étais enfermé seul dans la chambre et que Gabriel était quelque part dans la maison quand vos parents ont été assassinés ? Il a vu qui c'était ?

— Je ne sais pas.

— Vous n'en avez jamais parlé ?

— Non. Je veux dire, si. Le problème, c'est qu'il ne se rappelle plus cette nuit.

— Tu veux dire, quelque chose comme un trou de mémoire ?

— Un traumatisme », précise David en hochant la tête. Il boit une gorgée de jus d'orange. Un goût aigrelet se répand dans sa bouche. « Un traumatisme très grave, qui a provoqué une amnésie. Comme s'il avait effacé cette nuit de son esprit.

— Mon Dieu, répète Shona en hochant la tête. Et qui t'a délivré de ta chambre ?

— Gabriel. » David avale une grande lampée de jus de fruit. Après une éternité. « Tout d'un coup, ça a senti le brûlé, et puis j'ai entendu que quelqu'un grimpait l'escalier quatre à quatre, ouvrait la porte. C'était Gabriel. Complètement déboussolé, l'air traqué, perdu. Il m'a tout simplement pris par la main et m'a traîné au bas de l'escalier. Ils étaient allongés tous les deux dans le salon... » David s'interrompt. « Cette image me poursuit encore aujourd'hui. » Il pose le verre et le remplit à nouveau de jus d'orange. « Reste que Gabriel m'a traîné dehors, dans la rue. Et les pompiers sont arrivés, je ne sais plus exactement quand.

— Les pompiers ?

— La maison a entièrement brûlé. Jusqu'aux fondations. Il n'y avait plus rien à sauver, littéralement rien.

— *Oh shit !* » murmure Shona.

David opine et fixe les fenêtres. D'épais et lourds nuages de pluie se sont assemblés au-dessus de la tour de télévision. On entend soudain une sonnerie à la porte de l'appartement.

David soupire et se passe la main dans les cheveux.

« Nom de Dieu ! Le revoilà. »

Il se dirige à pas lourds vers le parlophone.

« David, un instant, fait Shona. Tu n'es pas obligé de lui ouvrir, tu sais ça, hein ? »

David approuve de la tête, résigné, et il appuie sur le bouton.

« Oui, allô ? »

Une voix nasille dans le haut-parleur.

« Bonjour. Je m'appelle Grell, police criminelle de Berlin. Il s'agit de votre frère. »

David sent ses genoux fléchir.

« J'aurais quelques questions.

— Il s'agit de quoi, exactement ?

— Il vaudrait mieux qu'on en discute de vive voix. On peut monter ?

— Je... On ne peut pas...

— Herr Naumann, ouvrez donc tout simplement la porte, s'il vous plaît. »

David gémit.

« Herr... Rappelez-moi votre nom.

— Grell, commissaire Grell.

— Herr Grell, je n'ai plus aucun contact avec mon frère, depuis vingt...

— Écoutez-moi, Herr Naumann, je sais que votre frère vous a appelé depuis sa cellule. Votre numéro a été mémorisé. Votre frère s'est évadé ce matin de la détention préventive, armé, et avec un psychiatre en otage. Alors, vous nous ouvrez tout de suite la porte, ou vous voulez que toute la rue soit au courant ? »

Abasourdi, David fixe le haut-parleur. Il lui semble que le temps vient de faire un bond de vingt ans en arrière et que tout recommence là où ça s'est arrêté jadis.

« Naumann ? Allô ? »

David appuie sur le bouton de commande du portier électrique.

Shona le contemple, bouche bée.

« Hé ! fait-elle. Ne te casse pas la tête. Nous dirons tout simplement qu'il n'est pas venu et que tu ne l'as pas vu depuis longtemps.

— Et le coup de téléphone ?

— Bon, et alors ? D'accord, vous vous êtes parlé au téléphone. Mais ils ne savent pas ce que vous vous êtes dit. Et tu n'étais au courant de rien. La seule chose qu'ils puissent te demander, c'est que tu te manifestes au cas où il débarquerait ici. »

On frappe à la porte de l'appartement et David tressaille.

« J'en ai tellement marre », confie-t-il à voix basse.

23

Berlin – 3 septembre, 08 h 53

Gabriel, fasciné, a les yeux rivés sur l'écran du portable de Liz. Une petite craquelure de l'épaisseur d'un cheveu s'étire au milieu des caractères digitaux. Un numéro masqué. Il hésite un instant, puis il appuie sur la touche de la petite icône verte.

« Allô ? »

Silence.

« Qui est là ? »

Un petit rire feutré et métallique filtre du téléphone de Liz.

« Tu as mis le temps, Gabriel, tu as mis très longtemps ! »

C'est une voix d'homme sans timbre, glaciale, assourdie.

« Qui êtes-vous ?

— Oh ! tu sauras bientôt qui je suis. Il est bien plus important pour toi de savoir *qui j'ai ici* avec moi. »

Un frisson d'horreur parcourt la colonne vertébrale de Gabriel.

« Qu'est-ce que ça veut dire ?

— Qu'est-ce qui... te manque le plus ? » susurre l'homme.

La voix s'infiltre dans l'oreille de Gabriel comme une fumée froide. Un seul nom prend forme dans son esprit. *Liz !*

« L'aimes-tu, Gabriel ? chuchote la voix. Es-tu encore capable d'aimer quelqu'un, après ce qui s'est passé ? Est-ce que ça n'est pas vraiment trop dangereux ? »

Il détient Liz ! pense Gabriel.

Et il peut voir dans ta tête, prends garde, Luke !

Le cœur de Gabriel s'affole. Tout se passe comme si quelqu'un de lointain, de très lointain, pouvait voir au tréfonds de lui-même, malgré la distance.

« Donc, tu l'aimes, murmure l'homme exalté. C'est ce que j'avais espéré, Gabriel. C'est ce que j'avais espéré...

— Qu'est-ce que vous lui avez fait ? Où est-elle ?

— Doucement. Une chose après l'autre. Occupons-nous en premier de ta *dernière* question : où peut-elle bien être ?

— Si vous touchez à un seul cheveu de Liz...

— Tsss tsss ! Doucement ! Restons-en à ta question, Gabriel. Où – est – elle ? Car c'est la seule question qui importe si tu veux la sauver.

— Soit. Où est-elle ?

— Bravo, c'est comme ça qu'on avancera, dit la voix. Elle est chez *moi* !

— Et que voulez-vous ?

— Tu ne t'en doutes pas ?

— Je n'ai pas d'argent. Si vous voulez de l'argent, il faut vous adresser à quelqu'un d'autre.

— Tu n'as pas vu la photo ? Il suffit que tu penses à la photo et tu le sauras.

— Photo ? demande Gabriel, interloqué. Quelle photo ? Dans l'enveloppe, il n'y avait que le portable.

— La photo dans la cave, reprend la voix, fâchée, celle qui était épinglée à la robe noire... La ressemblance n'est-elle pas étonnante ? Est-ce que la femme ne ressemble pas presque trait pour trait à celle de la vidéo ? »

La robe noire. Tout d'un coup, Gabriel devine. Il veut dire la robe du Kadettenweg !

« Je ne comprends pas un mot, dit-il, la voix prise. Il n'y avait pas de photo. Et de quelle vidéo parlez-vous ? Qu'est-ce que tout cela signifie ? »

Silence. Gabriel perçoit le souffle de l'homme à l'autre bout du fil.

« Je vous répète que si vous voulez de l'argent, vous êtes à la mauvaise adresse.

— Il n'est pas question d'argent. C'est de toi qu'il est question ! Il est question de ce que tu m'as fait. »

Un psychopathe ! Ce type est un putain de psychopathe, se dit Gabriel. Peut-être quelqu'un de Conradshöhe, qui était au pavillon fermé en même temps que lui ?

« Qui diable êtes-vous ?

— Tu ne l'as toujours pas deviné ?

— Vous voulez dire qu'on se connaît ?

— Oh oui. On se connaît, dit la voix. Pense à la vidéo. Pense à la nuit du 13 octobre… »

Gabriel est pétrifié.

Le 13 octobre ! La nuit où ses parents sont morts. Il a une subite envie de vomir, comme si quelqu'un lui avait enfoncé son poing au creux de l'estomac. Ses mains se mettent à trembler.

« Une nuit exceptionnelle, Gabriel. Une nuit qui nous unit. » L'homme a un rire glacial. « Et ce treize ! Un chiffre porte-malheur, n'est-ce pas ? On comprend de suite que ce n'était pas une nuit agréable. C'était l'enfer ! Tu sais qui je suis, maintenant ? »

Gabriel a la gorge nouée.

« Je n'en ai… je n'en ai aucune idée, répond-il d'une voix chevrotante. Je n'arrive pas me rappeler cette nuit.

— Tu *n'arrives pas* à te rappeler ? » L'homme respire profondément, plusieurs fois de suite. « Bien sûr que si, tu te rappelles. Tu *mens.*

— Non, je…

— Tu MENS ! » hurle l'homme, la voix déformée.

Machinalement Gabriel a un peu éloigné le téléphone, mais l'homme s'est tu. D'une main tremblante, Gabriel presse de nouveau le portable à son oreille.

« Je suis amnésique, explique-t-il. Je ne sais qu'une chose, que mes parents ont été tués par balle et que la maison a brûlé de fond en comble. Mais ce qui s'est passé cette nuit-là, avec la meilleure volonté du monde, je ne peux pas me le rappeler. »

La respiration de l'homme siffle dans l'écouteur, ses lèvres doivent être directement contre le petit microphone.

« Mais tu devrais, murmure-t-il finalement. Tu devrais, vraiment. C'est ta seule chance ! Parce que si tu veux *la* trouver, il faut que tu *me* trouves, *moi.*

— Où voulez-vous en venir, avec tout ça ? siffle Gabriel. Faire un jeu de piste ?

— Appelle ça comme tu voudras. Mais une chose est sûre : le 13 octobre, elle mourra. Et je te ferai un cadeau que tu n'oublieras jamais. Je veux que tu ne m'oublies *plus jamais*. Je veux que tu souffres comme j'ai souffert. *Non*. Plus. Je veux que tu souffres plus. »

Gabriel serre les mâchoires. Tout tourne dans sa tête et des gouttes de sueur froide perlent à son front.

« Mais *qui* diable êtes-vous donc ?

— Je ne peux pas croire que tu aies oublié *ça*, dit l'homme. Mais crois-moi, ça va te revenir. Il le *faut*, tout simplement. Ah, et ceci encore : pas un mot à quiconque. Tu entends ? Rien à la police. Rien à qui que ce soit. Je te préviens : si tu entraînes quelqu'un dans cette histoire, tu le regretteras amèrement. Si tu fais ça, j'éparpillerai ta Liz morceau par morceau aux quatre coins du parc, en pièces détachées. D'abord un sein, puis une main, puis un œil… Tu as compris ? »

Gabriel veut dire : oui, mais il ne parvient pas à articuler un seul son. Puis il entend un claquement et la ligne est coupée.

Il est toujours debout, comme pétrifié, sous le petit porche qui mène à la cour. Ses mains tremblent tellement qu'il parvient à peine à glisser le portable dans la poche droite de sa veste. Il enfouit l'enveloppe brune dans la gauche.

Liz !

Il veut tuer Liz pour se venger de moi. Mais pourquoi ? Des remords se ruent sur lui en masse. Le monde qui l'entoure est sorti de son axe. Quelques gouttes de pluie tombent du ciel et s'écrasent au sol.

Le 13 octobre 1979.

Cela fait presque trente ans, et il n'arrive pas à se rappeler cette nuit, pas le moins du monde. Il pense à Conradshöhe, et les atroces séances de thérapie avec Dressler lui reviennent en mémoire. Dressler, qui a noté avec son fin crayon en argent tout ce que Gabriel lui a raconté dans son délire. Que n'aurait-il donné alors pour lui arracher le crayon des mains afin qu'il cesse enfin d'écrire, arrête de touiller ses blessures.

Il ne souhaite à présent rien d'autre que réclamer ses notes à Dressler, qu'il lui remette son ancien dossier médical pour qu'il y cherche quelque renseignement qui pourrait lui être utile. Mais après son évasion de la prison, Dressler est certainement le dernier homme qu'il pourrait prier de l'aider au sujet de son passé.

Le dossier. Si quelque chose peut l'aider à se souvenir, c'est son dossier. Est-il possible qu'il soit encore à Conradshöhe ? Pendant combien de temps garde-t-on les dossiers des malades ? Certainement pas pendant vingt ans !

Une douleur oppressante irradie aussitôt dans son crâne. Rien que l'idée de retourner à Conradshöhe pour poser des questions l'épouvante.

Laisse tomber ! Laisse ça comme c'est, lui murmure la voix. *Crois-moi, c'est mieux comme ça. Aucune femme au monde ne vaut la peine qu'on remette les pieds dans cette merde.*

Qu'est-ce que tu en sais ? Est-ce que *tu* peux te rappeler, *toi* ?

Moi ?

Oui, toi, nom de Dieu ! Qu'en est-il de ta mémoire ?

Elle est aussi bonne que la tienne.

Qu'est-ce qui s'est passé cette nuit-là ?

Je l'ai oublié, comme toi. Tu n'as toujours pas compris ? On fait équipe. Nous sommes un. Sauf que tu veux toujours sauver les miches des autres. Moi, je veux sauver les nôtres.

Gabriel serre les poings, impuissant. Il se demande désespérément qui pourrait savoir quelque chose au sujet de son dossier.

Et tout à coup il a une idée.

24

Nulle part – 3 septembre

Liz se sent comme échouée sur une grève. L'eau salée lui brûle les poumons et les voies respiratoires, elle avale de travers, elle ne cesse d'avaler de travers. Ses mains se cramponnent au sable humide, jusqu'à ce qu'elle se rende compte que le sable est une étoffe. Un drap humide dans un lit.

Elle ne sait pas depuis combien de temps elle a repris conscience. Elle n'a toujours aucune notion du temps. Et bien qu'elle se rappelle aussitôt l'homme au visage coupé en deux, tout lui semble irréel, comme un mauvais rêve.

Il lui faut un certain temps avant de remarquer qu'elle n'a plus rien dans la trachée et qu'elle ne lutte plus contre un corps étranger pour respirer. Subitement, elle ressent une immense impression de soulagement et de liberté.

Elle ouvre les yeux.

C'est la même chambre à la clarté aveuglante que lors de son dernier réveil. Plus elle garde les yeux ouverts, plus la chambre semble s'obscurcir, jusqu'à ce qu'elle finisse par lui paraître sombre et sale comme une buanderie vide, sauf que la conscience de Liz trace encore une couronne solaire bizarre et floue autour de tout ce qu'elle voit.

Il lui faut un certain temps pour s'assurer qu'elle est seule. Nulle femme qui lui pose une main sur le front, nul homme aux deux visages. Comme si sa mémoire se promenait et qu'elle doive moissonner des détails au bord du chemin. L'agression dans le parc. Le visage défiguré de l'homme. La manière dont il lui a passé le doigt sur le ventre, comme s'il anticipait l'itinéraire d'une lame de rasoir. Curieusement, elle ne ressent guère de peur. Bien trop peu. Elle soupçonne que c'est à cause des médicaments qu'on lui donne. Mais malgré son désarroi, sa raison lui souffle sans relâche, avec une conviction obstinée : *Il te tuera !*

Elle comprend qu'il faut qu'elle sorte d'ici. Qu'elle sorte de ce lit, qu'elle sorte de cette chambre. Et le mieux serait immédiatement, à l'instant même.

Liz tente de se redresser, mais son corps se refuse à l'effort. Bien, lui souffle sa raison, sors tes jambes du lit, tu pourras te lever plus facilement. Elle agrippe à deux mains le drap moite de transpiration et, glissant par saccades son corps vers la droite, elle se rapproche peu à peu du bord du lit. C'est une lutte pour chaque centimètre, mais à ses yeux renoncer n'est pas la bonne manière d'envisager les choses. Elle pense à sa mère, s'imagine de quel air moqueur elle la regarde, le visage récemment lifté à grands frais et ankylosé, les lèvres marquées. « Petite, murmure-t-elle en hochant la tête avec dédain, tu n'y arriveras jamais. »

De toutes ses forces, Liz avance vers le bord du lit. Elle pense à l'enfant dans son ventre, s'imagine l'embryon flottant dans sa chaude grotte de chair, ignorant tout de ce qui se passe dehors. Je vais nous sortir de là, chuchote-t-elle. Elle pense à Gabriel. Elle se rappelle même leur dernière conversation téléphonique. Exact. C'était son anniversaire, et il n'est pas venu. Quand était-ce ? Et où est Gabriel à présent ?

Elle se rapproche du bord du lit, centimètre après centimètre. Elle sent le rebord frais en métal, se rend compte que sa jambe droite repose dessus, puis son épaule droite. Attention maintenant, l'avertit sa raison.

Elle tente maladroitement de ramener sa jambe gauche en tirant dessus, mais elle va heurter la droite, qui soudain tombe du lit. Elle ne peut pas la retenir, elle tombe tout simplement, et Liz sent que tout son corps glisse avec elle vers la droite, basculant à la suite de sa jambe. C'est comme sur une balançoire, non, un tronc d'arbre. Elle est couchée sur un tronc d'arbre et roule sur la droite.

Lorsque son corps percute le sol de la chambre, elle est tout d'abord abasourdie. Puis une vague de douleur l'inonde.

Il faut que tu te lèves, lui murmure sa raison.

Non, dit son corps. Je ne peux pas.

Elle est glacée. Le sol est tellement plus froid que le lit ! La couverture a disparu et elle est incapable de bouger. Des larmes jaillissent de ses yeux. Tu n'aurais pas dû bouger, lui crie son corps ; maintenant, nous allons mourir de froid.

C'est à ce moment qu'on entend un déclic à la porte. Pas maintenant, pense Liz. Il faut que je remonte dans le lit. S'il me trouve comme ça, il me tuera.

Mais c'est trop tard.

Il est entré dans la chambre.

Les deux moitiés de son visage sont ange et démon à la fois. La surprise déforme ses traits. Il s'approche, se baisse et se penche sur elle. Elle peut voir ses dents, jaunes et pointues. Elle sait qu'il va la battre – ou lui faire subir pire encore. Peur et nausée la submergent.

« Tu ne devrais pas faire ça, murmure-t-il. Tu vas te blesser. Et je veux que tu sois belle. Belle pour moi. Et belle pour lui. »

Belle pour lui ? Le sol froid enfonce en elle ses griffes glacées. *Lui ?* Qui est ce lui ? Soudain, elle est prise d'une peur panique, que cet homme au visage atroce ne soit qu'un début, qu'il y ait quelqu'un derrière lui, de bien plus redoutable encore, et qu'elle ne puisse rien entreprendre contre tout cela.

L'homme attrape Liz presque tendrement sous ses bras qui pendent sans force, puis au creux des genoux, et il la soulève. Nulle couverture ne la protège de ses regards et la chemise a glissé. Elle est couchée nue dans ses bras. Elle voit son visage, la belle moitié, et soudain elle lui est reconnaissante. Reconnaissante qu'il la sauve. De toute façon, si elle ne peut pas s'échapper, elle ne veut pas crever comme ça sur le sol.

Quand elle est à nouveau couchée dans son lit et sous sa couverture, intubée, compresses maintenues par du sparadrap, hématomes soignés à la pommade, quand la clef tourne dans la serrure et qu'elle est de nouveau seule, elle se dit : C'est donc ainsi. C'est comme ça que commence le syndrome de Stockholm.

Le neuroleptique fait déjà de nouveau effet et trouble sa raison comme une eau de vaisselle, mais elle remarque tout de même le verre sombre grillagé fixé au plafond. Une caméra, pense-t-elle. Il y a une caméra là derrière ! *C'est comme ça qu'il a su que j'étais tombée du lit.*

La prochaine fois, j'attendrai qu'il fasse nuit.

25

Berlin – 3 septembre 21 h 09

L'obscurité enveloppe Gabriel de son manteau. Ça sent les herbes folles, les mûres sauvages et les ordures jetées par-dessus la clôture. La seule chose qui manque, ce sont les crottes de chien. Les broussailles sont trop touffues pour ça. Il se fraie péniblement un passage le long de la très haute clôture qui délimite l'arrière du terrain de la Python. Des aubépines et des ronciers pleins de mûres s'accrochent à son pantalon et lui griffent les mollets jusqu'au sang. Il aurait évidemment préféré passer par l'entrée principale, mais une Passat bleu foncé qui pue le flic en civil à plein nez est stationnée à environ dix mètres du portail coulissant.

Quelque vingt minutes auparavant, Youri Sarkov était arrivé en taxi, venu vraisemblablement directement de l'aéroport de Tegel, où l'avion de ligne de Moscou avait atterri. Gabriel l'avait observé à bonne distance en train de décharger lui-même sa valise rigide du taxi – une vieille habitude. Youri ne laissait à personne le soin de s'occuper de ses bagages. Ses yeux gris au regard glacé restèrent brièvement fixés sur la Passat bleu foncé. Puis il enfonça son chapeau plus bas sur le front et se hâta vers le bâtiment trapu à un étage au toit en terrasse de la Python Security.

Enfin, se dit Gabriel en longeant laborieusement la clôture dans l'obscurité. Youri était sans doute la seule personne dont il pouvait encore espérer de l'aide.

Dix minutes plus tard, Gabriel est parvenu à l'ancienne sortie de la Python, une porte grillagée vert mousse de deux mètres cinquante de haut aux gonds certes très encrassés de rouille, mais facile à escalader, contrairement à la clôture grillagée.

Gabriel lève la main et envoie un signe à la caméra infrarouge fixée au-dessus du portail, puis il lui présente son visage et pose un index sur ses lèvres. Il sait que sur l'un des moniteurs de la centrale sa face pâle s'épanouit comme une lune à son plein, et que Cogan va sans doute s'étrangler de peur en sirotant son café filtre.

Son épaule droite le fait souffrir quand il passe par-dessus le portail et saute dans la cour. Il se hâte en longeant son ancien appartement. À gauche, il y a l'entrée du garage, où est toujours stationnée la vieille SL que Youri n'a pas conduite une seule fois depuis que Gabriel l'a réparée – comme s'il y avait un sort sur la Mercedes noire et qu'il ne veuille pour rien au monde accepter des remerciements de la part de Gabriel.

Quelques grandes enjambées, et il se retrouve à la porte de l'entrée principale du bâtiment, la déverrouille à l'aide de sa carte électronique et se précipite vers la centrale.

Cogan est comme toujours assis derrière ses moniteurs avec son menton fuyant, légèrement penché en avant. Méfiant, il examine Gabriel.

« Qu'est-ce tu fais là ? »

Son regard laisse entendre qu'il sait déjà tout, aussi bien l'arrestation de Gabriel que sa fuite.

« Te demander pourquoi tu me laisses tomber comme une vieille merde.

— Quoi… Qu'est-ce que tu veux dire par là ? »

Le visage de Cogan prend une pâleur tavelée malsaine.

« À ton avis ? Il n'y a pas deux jours, je t'ai sauvé les miches. Je suis allé à ta place au Kadettenweg, et maintenant que j'ai besoin d'un alibi, tu me fais un doigt d'honneur et tu prétends carrément que tu y es allé toi-même. Tu peux m'expliquer ce que ça signifie ?

— Je… Nous nous sommes concertés avec Youri pour dire ça, faut bien que tu…

— J'en ai rien à foutre de savoir avec qui tu t'es concerté, Cogan. Il ne s'agit pas d'un petit détail. Ils veulent m'enfermer pour meurtre. »

Cogan déglutit et se tait.

« À partir d'aujourd'hui, tu n'as pas qu'*une seule* dette envers moi, mais au moins deux. Compris ? »

Cogan opine machinalement.

« Où est Youri ? » demande Gabriel.

Le garde tend l'index vers l'escalier qui mène à l'étage du bureau de Youri.

Sans gratifier Cogan d'un regard de plus, Gabriel le plante là et se rue au premier, file le long des murs dont la seule décoration consiste en un revêtement en fibre de verre lavable. Il pousse la porte du bureau de Sarkov, fait irruption dans la pièce et se plante en plein milieu.

Youri Sarkov trône derrière son bureau.

« Entre, petit. »

Sa voix sonne comme d'habitude. Très calme, avec une petite touche réprobatrice et ironique. Son origine russe fait qu'il roule les « r ». L'invitation a l'air débitée comme une mélodie mélancolique.

« Assieds-toi, je te prie. »

Gabriel respire à fond et se laisse tomber face à Youri sur une chaise chromée agrémentée de cuir noir. Le bureau pue le cigare froid. Il se sent soudain comme un adolescent violent, explosif et stupide.

« Bonjour ! » grommelle-t-il.

Les yeux gris de Sarkov le toisent froidement.

« On me dit que tu as été en préventive pour meurtre. Et que tu t'es enfui, que tu as assommé un policier, que tu as enlevé un psychiatre… Qu'est-ce que tu fous, nom de Dieu ? T'es devenu cinglé ? »

Gabriel tente de l'amadouer :

« Je sais, mais…

— Il y a combien de temps que nous nous sommes mis d'accord pour que tu arrêtes ces conneries ? »

Gabriel se tait.

« Vingt ans, petit, ça fait vingt ans. Et tu n'as toujours pas compris que c'est sur moi que ça retombe quand tu fais le con ? »

Gabriel fait la moue.

« Tu n'es plus mon tuteur. Depuis longtemps. »

Sarkov le regarde d'un œil perçant.

« Vaudrait peut-être mieux que je le sois encore. »

Gabriel évite son regard et fixe son attention sur le gigantesque plan de Berlin jauni collé au mur derrière Sarkov, une relique de l'époque d'avant Google and Co.

« Explique-moi ça ! proteste Sarkov. Je te sors de Conradshöhe, je suis responsable de toi et de tes actes, et tu réussis à te tenir plus ou moins tranquille pendant vingt ans. Et maintenant, *ça* ! Tu me laisses tomber comme une merde dans un trou de glace ! Pourquoi, nom de Dieu ?

— Tu n'es plus responsable de mes actes, Youri. Ce que j'ai fait, c'est mes oignons, tu comprends ? Tu as pris la tutelle pour cinq ans, c'est fini depuis longtemps.

— Tes oignons, ah ! oui, gronde Sarkov. Peu importe, quand tu fais des conneries, c'est encore moi que ça concerne. D'une certaine manière, je suis toujours responsable. » Il soupire et on pense aussitôt qu'une vague de sentimentalité va le submerger. « Tes oignons ? » répète-t-il. Ses lèvres se pincent en une mince ligne. « Mais si c'est *tes* oignons, pourquoi les poulets frappent à *ma* porte ? »

Gabriel baisse les yeux.

« Dans quelques jours, ils ne seront plus là. J'ai fait attention que personne ne me voie.

— J'y compte bien, nom de Dieu ! Pourtant : quand quelqu'un qui travaille pour *mon* entreprise fait autant de conneries, c'est sur *moi* que ça retombe, compris ? Et j'en ai rien à foutre que tu croies que c'est tes oignons. Tu sais combien de temps il faut pour se faire une clientèle ? Et tu sais à quelle vitesse ils s'en vont, les clients, si ce genre de choses s'ébruite ? »

Sarkov fait claquer les doigts pâles de sa main droite.

Gabriel se mord les lèvres.

Le regard de Sarkov se plante dans le sien.

« Tu ne m'as toujours pas dit *pourquoi* ! »

Gabriel évite une fois de plus le regard de Sarkov et se sent comme un enfant qui ne veut pas se laisser prendre en flagrant délit de mensonge. Il ressent presque impérieusement le besoin de dire la vérité à Youri, de lui parler de l'enlèvement et de lui demander de l'aide. Mais l'avertissement brutal et catégorique du ravisseur le retient.

Pas un mot à quiconque. Tu entends ? Rien à la police ! Rien à qui que ce soit... Sinon, j'éparpillerai ta Liz morceau par morceau aux quatre coins du parc, en pièces détachées...

« Soit, fait Sarkov avec une sobriété calculée. Si tu ne veux rien me dire, peut-être que tu pourras au moins m'expliquer pourquoi ce n'est pas Cogan qui est allé au Kadettenweg, mais toi.

— Cogan n'allait pas bien, marmonne Gabriel.

— Bon Dieu ! » hurle Sarkov. La paume de sa main s'abat sur le plateau de la table avec une détonation telle que Gabriel sursaute. J'en ai rien à foutre de la santé des uns et des autres. Si je te dis de ne pas y aller, tu n'y vas pas ! » Ses yeux gris étincellent derrière les lunettes. « Pourquoi y es-tu allé ? Qu'est-ce que tu voulais faire là-bas ?

— Ce que je voulais faire là-bas ? demande Gabriel, estomaqué par l'explosion de colère de Sarkov. Ben, quoi, à ton avis ? Contrôler une alarme. Franchement, je m'en serais bien passé. »

Les narines de Sarkov vibrent, il s'adosse à son siège, croise de nouveau les bras et toise Gabriel d'un air suspicieux. Il finit par soupirer.

« *Bliad.* Et maintenant ? Qu'est-ce tu veux que je fasse de toi ?

— Aide-moi.

— T'aider ? » Sarkov soupire. « Je t'ai déjà assez aidé, non ?

— J'ai seulement besoin...

— J'ai compris, l'interrompt Sarkov. Un peu d'argent et une planque, pour disparaître quelque temps. » Il soupire de nouveau. « Bon. Je me laisse sans doute gagner par une espèce de faiblesse sénile. OK, je t'aide, mais seulement si tu disparais tout de suite. Tu peux aller à Moscou, j'aurais besoin de quelqu'un comme toi là-bas, la filiale nécessite du soutien et Oleg n'est qu'un putain de sale gosse.

— Moscou ? fait Gabriel qui tombe des nues.

— Et tu croyais quoi ? Hawaï ? Désolé. Je ne peux rien faire de ce côté-là.

— Je... je ne veux pas partir d'ici. Je veux seulement...

— Écoute, petit, dit Sarkov, ce que tu veux n'a aucune importance pour le moment. Je dis : tu disparais, et tu disparais. Parce que c'est effectivement ta seule chance de ne pas te retrouver en taule, compris ? »

Gabriel serre les mâchoires.

« Je ne peux pas partir d'ici. En aucun cas. Pas maintenant. »

Sarkov le regarde fixement, décontenancé.

« Les flics t'ont mis la cervelle en vrac ? À quoi rime tout ce baratin ? Qu'est-ce que tu veux ?

— Quand tu as demandé à être mon tuteur, ils t'ont laissé consulter mon dossier, non ? Je te parle du dossier de mon traitement. »

Les yeux de Sarkov se rétrécissent.

« Je ne comprends pas la question.

— Il... il faut que je sache quelque chose. À propos de la nuit où mes parents sont morts. Je pensais que si tu avais lu le dossier, peut-être... »

Sarkov le toise comme s'il avait définitivement perdu l'esprit.

« Bon, je résume tout ça encore une fois, d'accord ? Tu es arrêté parce qu'apparemment tu as coupé la gorge à quelqu'un. Tu prends un psychiatre en otage, tu t'évades de taule, la police de toute cette putain de ville te recherche, et toi, toi tu n'as rien de mieux à faire que de te creuser la cervelle sur ton putain de passé ?

— C'est important, insiste Gabriel. Est-ce que tu l'as lu ? »

Sarkov le regarde à travers la fente de ses paupières, puis il hoche la tête.

« Non, dit-il brutalement.

— Tu sais comment je pourrais y avoir accès ? »

Sarkov contemple ses doigts et se tait.

« Est-ce qu'il est encore à Conradshöhe ?

— Non.

— Comment tu le sais ?

— Ils me l'avaient laissé, à cette époque-là. »

Le cœur de Gabriel bondit dans sa poitrine. Espoir et crainte germent à la fois dans son esprit.

« Tout le dossier ? Avec tous les résultats d'analyse, tous les procès-verbaux d'entretiens et tout le reste ?

— Pourquoi tu demandes ? Jusque-là, ça ne t'a pas intéressé.

— Mais maintenant, ça m'intéresse », fait Gabriel qui ne peut que difficilement cacher son excitation.

Sarkov se penche en avant, pose les coudes sur la table, croise les doigts, fait craquer les jointures.

« Je ne peux pas te le donner. Et maintenant je veux que tu disparaisses. Tout de suite. Pour Moscou. C'est ma dernière proposition.

— OK, dit Gabriel calmement. Donne-moi mon dossier et je disparais. »

Le visage de Sarkov se ferme comme une huître.

« Il n'y a pas de dossier.

— Qu'est-ce que c'est que cette nouvelle histoire ?

— Exactement ce que je te dis. Je l'ai jetée, cette merde. »

Jetée. Gabriel a besoin d'un moment pour comprendre ce que Sarkov vient de lui dire. Jetée. Sarkov a eu en main la clef de ses souvenirs, et par là-même aussi la clef de la prison de Liz, et il l'a jetée ? Il le regarde fixement, incrédule.

« Tu mens », fait-il à voix basse.

Sarkov hoche la tête.

« Et pourquoi je mentirais ? »

Le regard de Gabriel balaie la pièce et reste accroché au coffre-fort mat argenté, installé à gauche du bureau de Sarkov, juste à côté du petit coffre avec les clefs.

« Il est là-dedans, non ? »

Sarkov secoue de nouveau la tête.

« C'est… *mon* dossier, nom de Dieu ! C'est *ma* vie ! dit Gabriel avec colère.

— Ta vie ? répète Sarkov d'un ton moqueur. Sans moi, tu n'aurais pas de vie du tout. Et maintenant tu gémis à cause de quelques papiers poussiéreux ? Fous-moi la paix avec ton putain de dossier, fais tes valises et casse-toi à Moscou, avant d'aggraver encore ton cas. »

Gabriel cramponne l'assise de sa chaise à deux mains, suffoquant d'une colère blanche.

« Gabriel… » Sarkov le regarde longtemps, puis il soupire. « Honnêtement, Gabriel. Je n'ai plus tout ce fourbi. Laisse-moi donc t'aider. »

Gabriel ne peut quitter le coffre des yeux. Quelque chose au fond de son crâne lui dit qu'il va être obligé de commettre une faute, une faute terrible, parce qu'il a absolument besoin de ce putain de dossier. Lorsqu'il se lève, il a l'impression de peser une tonne. Il opine du chef, comme il l'a toujours fait quand Youri lui a demandé sérieusement quelque chose. Il se tourne vers la porte, amorce un pas en avant, puis bondit en arrière.

La réaction de Sarkov arrive bien trop tard.

Les mains de Gabriel lui ont empoigné la tête et le cou. Ce qu'il fait là n'est pas correct, mais c'est juste quand même. Sous la peau fine de Youri, les vertèbres grincent. Qu'il serre un peu plus, et…

« Encore un peu, et tu es mort, chuchote-t-il à l'oreille de Sarkov. Et maintenant, tu m'ouvres le coffre.

— Tu n'es qu'un putain d'idiot, souffle Sarkov.

— OUVRE ! »

Gabriel traîne Sarkov vers le coffre massif, presque aussi haut qu'un homme. Il observe les doigts fins, les doigts de Youri qui lui sont plus familiers que tous les doigts au monde, en train de pianoter la combinaison sur le clavier de sécurité.

« Plus vite, siffle Gabriel.

— Ça ne t'aidera en rien. »

Il ment ! martèle-t-on dans le crâne de Gabriel.

Luke, qu'est-ce que tu fais là ?

Ta gueule, ça ne te regarde pas !

Lorsque la porte du coffre s'ouvre, il inspecte l'intérieur. Une appréciable liasse d'argent lui sourit, plusieurs classeurs et quelques enveloppes. Il survole les étiquettes. Rien.

« Sors-moi ce truc, montre-le-moi », crie-t-il.

Sarkov gémit sous la prise de Gabriel, ouvre les classeurs, sort les enveloppes, l'une après l'autre.

Rien.

C'est impossible, martèle-t-on toujours dans le crâne de Gabriel. Ses doigts s'enfoncent dans le cou de Sarkov. Ça ne peut pas être vrai !

Il regarde fixement dans le coffre, comme dans un puits noir et vide. Un puits avec un bord argenté mat, dans lequel se reflète tout à coup quelque chose de fantomatique, situé derrière lui. Quelque chose qui ressemble à un homme à la main levée.

Il tente encore de détourner la tête, mais au même moment quelque chose s'abat sur son crâne, puis dérape et percute son épaule droite. La douleur n'est qu'un unique jet de flammes brûlant, lancinant. Il lâche Sarkov, titube, tombe à genoux et ne comprend pas qu'avec une telle douleur il ne se soit pas encore évanoui.

« Putain de trou du cul ! »

C'est la voix de Cogan qu'il entend derrière lui. *Cogan*, se dit Gabriel abasourdi, qui a encore une ou deux dettes envers lui.

Sarkov happe de l'air.

« C'est comme ça que tu me remercies, nom de Dieu ? demande-t-il, tourné vers Gabriel. Et tout ça à cause de ton putain de dossier. » Sa voix a l'air étrangère et très lointaine. « Tu crois sérieusement que je vais encombrer mon coffre avec des conneries pareilles ? »

Étonné, Gabriel lève les yeux. Youri est un géant, se dit-il, troublé.

Le géant se penche vers lui et siffle :

« Je n'ai pas ce truc, compris ? »

Gabriel ouvre la bouche, mais aucun mot n'en sort. Il a mal au cœur, de honte peut-être d'avoir pensé que Youri lui mentait et que le dossier était rangé dans le coffre. Mais peut-être est-ce tout simplement à cause de la douleur. Pendant un bref instant, il s'interroge pour savoir si ce serait bien de demander pardon, afin qu'en plus du reste, il ne perde pas aussi Youri. Mais il voit à sa mine que Youri ne lui pardonnera pas. Et en réalité, Gabriel ne sait pas non plus avec quels mots on demande pardon.

C'est alors qu'il prend le second coup, de côté, directement sur le cou. Cogan, encore une fois. La tension de Gabriel chute instantanément. Le monde autour de lui s'éteint comme un projecteur, son corps passe sur le mode approvisionnement d'urgence des organes vitaux. Ses muscles perdent toute tension, et, avant même que sa tête heurte le sol, tout est noir comme dans une tombe.

26

Berlin – 4 septembre 16 h 09

Les yeux de Gabriel clignent convulsivement sous ses paupières fermées. Directement devant ses pieds nus, un escalier flotte librement dans la pièce et plonge dans l'abîme. Les marches sont comme des pliages de papier, sans support, sans rambarde, et elles se perdent dans le vide. Ce n'est qu'un rêve, pense-t-il pour réprimer sa peur.

Il sait qu'il doit prendre cet escalier, s'enfoncer dans les profondeurs pour aller le chercher, mais il ignore *où* il est.

Il descend, un degré après l'autre. Ses orteils sont froids, à cause des marches en acier. Les aiguilles de sa montre s'emballent, tandis qu'il descend toujours l'escalier dont il ne voit pas le bout, où une fente de l'épaisseur d'un fil s'étire à l'infini. Des avions de ligne passent en grondant au-dessus de sa tête, vrombissant comme des camions. Il aimerait bien être à bord, mais c'est impossible. Il faut qu'il aille chercher le livre. Le livre où quelqu'un a noté ses rêves, y compris ceux dont il ne peut plus se rappeler.

Il s'arrête au pied de l'escalier, devant un rideau noir haut comme le ciel, fixé au plafond et qui dégringole jusqu'à ses pieds. Entre les deux pans du rideau, une fente de lumière. Rouge, enjôleuse et pécheresse. Il doit être quelque part par là, le livre.

Pour bouger le rideau, il doit battre le rappel de toutes ses forces. Il s'arc-boute contre le monstre d'étoffe qui absorbe tous les bruits, y compris ce halètement éreintant. Parvenu au milieu de la fente, il a l'impression que le tissu l'étouffe, une mort silencieuse et atroce, une punition pour avoir franchi un seuil interdit. Et tout à coup, il est passé, et le rideau oscille derrière lui, puis se referme comme la porte d'une geôle – irrévocablement close, pour l'éternité.

Les murs ici, en bas, sont rouges et fibreux, avec des veines grosses comme le bras, comme dans un gigantesque utérus, contre l'enveloppe duquel on tiendrait une lampe d'une puissance démesurée.

Soudain, la panique l'envahit, la peur d'être coincé pour toujours ici, en bas. Soudain, il sait qu'il a trouvé le livre ; mais le livre le retient prisonnier, et il ne peut pas le lire. Il tâte les murs à la recherche d'une issue, mais il n'y a que cette chose rouge comme de la chair, où adhèrent des boules de verre de la grosseur d'une tête. Dans les boules, quelque chose luit, entouré d'un nimbe solaire blanc. Des contours noirs se forment, s'agitent. Là, c'est son père, et sa mère aussi ; ils sont pris dans les boules de verre. Il peut les apercevoir, mais ne comprend pas ce qu'ils disent. Il s'approche pour mieux voir. Sa mère a des yeux verts – comme Liz, se dit-il.

Et il se rend compte ensuite que la femme à côté de son père ressemble trait pour trait à Liz.

Il faut que je la délivre de cette boule, pense-t-il, mais le verre est trop dur. À la base de la boule, il y a un bouton, et Gabriel tend la main, une main d'enfant, et il tripote le bouton.

Un bruit insupportable enfle, ça vrombit, les murs tremblent, c'est comme une gigantesque membrane qui menace de crever parce qu'elle ne réussit pas à répercuter des milliers de voix en même temps. Une odeur agressive de viande brûlée envahit ses narines.

Le bouton qu'il tient dans la main s'est soudain changé en un combiné téléphonique ; le fil torsadé est transparent, il y coule du sang. Une détente colle au microphone comme à un revolver. Il doit actionner la détente pour composer un numéro et, chaque fois qu'il essaie, personne ne décroche, la ligne est morte, on n'entend que le croassement déchirant des oiseaux… et ce vrombissement.

La conscience rampe vers lui comme un reptile. Il essaie de retenir le cauchemar, il sait que c'est très important. Mais les images s'éloignent de lui, partent à la dérive, aspirées par un formidable jusant.

Son crâne hurle de douleur. Une odeur épouvantable recouvre tout ; ça sent comme il se sent.

Les oiseaux croassent toujours.

Engourdi, Gabriel cille des paupières et ouvre les yeux. Autour de lui, s'élèvent des monceaux d'ordures au-dessus desquels planent des corbeaux, taches noires charbonneuses sous une couverture de nuages gris porteurs de pluie, suspendue si près du sol qu'elle renvoie le vrombissement des camions vers le dépôt d'ordures ménagères.

Puis il voit la benne.

À quelques mètres au-dessus de lui, au bord d'une rampe. Le système hydraulique chuinte, et de l'arrière du véhicule un mur d'ordures bascule directement vers lui.

La poussée d'adrénaline le réveille aussitôt de son engourdissement. Il essaie de se redresser, mais c'est déjà trop tard. Une avalanche de quelques tonnes de déchets lui roule dessus et l'entraîne avec elle. Le poids lui coupe la respiration et il pirouette plusieurs fois sur lui-même. Puis l'avalanche s'arrête dans un long bruissement.

Tout est noir autour de lui. Ses bras et ses jambes sont coincés.

Il faut que tu creuses, se dit-il. Que tu creuses vers le haut. Mais ses mains n'y parviennent pas, la montagne d'ordures est trop compacte. Il cède à la panique et essaie de gagner de la place en remuant les bras. Plusieurs tonnes d'immondices le cernent, chassent le dernier souffle de ses poumons, et son crâne semble prêt à éclater. Une masse collante ruisselle sur sa poitrine, sirupeuse, puis s'insinue dans son cou et coule de ses joues sur son front.

Des joues au front ?

Il comprend aussitôt qu'il est enfoui tête en bas sous les ordures. Le sang lui monte au cerveau, il ne lui reste plus beaucoup de temps avant de perdre connaissance, ou même pire, avant que la prochaine benne à ordures arrive.

Il cherche désespérément à bouger les jambes et les hanches. Les ordures cèdent un peu autour de ses pieds, apparemment la couche sous laquelle il est enseveli n'est pas trop épaisse.

Encore !

Il continue à se démener, jusqu'à n'avoir presque plus de souffle. Il tente goulûment d'aspirer le peu d'air qui s'insinue à travers les petits interstices entre les sacs-poubelles. Des larmes lui jaillissent des yeux à cause de la puanteur aigre de lait et de restes d'œufs pourris. Un bout de sac en plastique se prend dans sa bouche. Il vomit et il est certain de bientôt s'étouffer. À cause de son propre vomi, à cause du manque d'air ou de la prochaine décharge d'ordures. Sans savoir comment, il parvient à recracher un morceau de plastique et à déformer ses lèvres de manière à respirer en évitant le contact du sac.

Tenir le coup.

Respirer profondément.

Et continuer à gigoter. C'est sa seule chance.

Centimètre par centimètre, il parvient à comprimer les déchets autour de lui et à gagner un peu d'espace. Et progressivement la pression sur sa poitrine diminue un peu. Puis, d'un dernier et violent effort, il réussit à se pousser vers le haut. Les ordures cèdent sous lui en bruissant et occupent aussitôt l'espace qu'il vient de libérer. Le voilà presque couché à l'horizontale sur le dos et il parvient à tourner la tête. Au-dessus de lui, il n'y a plus qu'une mince couche d'ordures à travers laquelle filtre la lumière du jour. De la lumière et de l'air !

Soudain, il entend des voix. *Deux* voix, pour être précis. Il est sur le point d'appeler à l'aide, quand quelque chose de lourd vient peser sur sa cage thoracique. D'emblée, il pense que c'est une deuxième fournée d'ordures, mais on n'entend ni moteur de benne ni chuintement du système hydraulique. En revanche, les voix sont directement au-dessus de lui.

« Quel boulot de merde, mec ! » jure-t-on.

La pression sur la poitrine de Gabriel se déplace, et il happe de l'air dans ses poumons.

« Sarkov commence à ramollir du citron », grommelle le deuxième homme.

Sarkov ? se dit Gabriel, décontenancé. D'un seul coup, il se rappelle ce qu'il a entendu dans le bureau de Youri avant de perdre conscience.

« Fais bien gaffe à ce que tu dis, sinon tu risques toi aussi de finir sur la décharge.

— Moi, ce que j'en dis ! D'abord, faut qu'on le balance ici, et puis Sarkov veut qu'on vienne le récupérer ? »

Gabriel n'en revient pas.

« Il doit bien avoir ses raisons. C'est pas parce que tu es trop con pour comprendre ce que ça veut dire que ça n'a pas de sens.

— Et quel putain de sens ça aurait, mec ?

— En tout cas, il veut encore lui faire sa fête. Sinon, il n'aurait pas fait autant de pétard. Cogan a dit que Sarkov est sorti de son bureau et qu'il aurait commencé à gueuler tout d'un coup qu'on aille rechercher ce fils de pute.

— Il a dit : fils de pute, dit l'homme en riant d'un air ronchon.

— J'en sais rien. C'est Cogan qui l'a dit.

— *Fuck.* Mais il n'est plus là, ce con. En tout cas, pas là où on l'a déposé. Il n'est plus là.

— Et si une benne avait déchargé ses déchets à cet endroit-là ? Je veux dire, sur lui. »

Quelques instants de silence. Seules les ordures au-dessus de Gabriel crissent quand l'un des hommes change de pied d'appui.

« Sais pas. Je ne vois pas de camions.

— Attends », fait l'autre.

Et soudain, un sifflement coupant comme une lame de rasoir, directement à côté de Gabriel, comme si on embrochait une citrouille.

Shh !

Et un autre, quelques centimètres plus loin. *Tschrk !*

Gabriel se raidit.

« Hé ! tu fais quoi ? Des brochettes d'ordures ? »

Shh !

La pointe d'une longue barre d'acier s'enfonce tout droit sous l'aisselle de Gabriel et ne passe qu'à quelques centimètres de sa poitrine.

« Je vérifie seulement qu'il n'y a pas quelque chose là-dessous. »

Shh !

Cette fois la barre s'enfonce à côté de l'œil gauche de Gabriel, si près qu'il sent le métal contre sa peau.

« T'as l'intention de faire des trous dans toute la décharge, ou quoi ?

— Bah ! rien à foutre, finalement ! »

La barre de métal bruisse de nouveau à travers les immondices, cette fois non loin du crâne de Gabriel. Il retient son souffle, réfléchit fébrilement. Ce n'est qu'une question de temps, et la barre le harponnera. Ne vaut-il pas mieux laisser tomber ?

« Peut-être qu'on n'aurait pas dû le jeter là-dedans. À cause des bennes à ordures, je veux dire, s'il est enseveli, maintenant ! Ça devait être qu'un avertissement.

— Euh ! Moi j'vois pas de camions, reprend l'autre.

— Alors, il a mis les bouts ?

— Putain, qu'est-ce que j'en sais, moi. Et où est la différence ? S'il est là-dessous, il est parti, de toute façon. Et s'il est parti, c'est qu'il est plus là non plus. »

Silence.

« Et Sarkov ?

— On lui dira, puis c'est tout. Qu'il a disparu. Qu'il s'est barré, quoi. Il a toujours été vachement coriace, le bâtard. »

Nouveau moment de silence. Quelques croassements assourdis filtrent à travers les ordures.

« Bon, on se casse, alors. Il a qu'à chercher lui-même, s'il veut encore lui faire sa fête, à ce con. »

Les pas des deux hommes s'éloignent en crissant. Gabriel a le cœur battant à toute allure, et la seule chose à faire, c'est de rester couché là en silence.

Quelque temps plus tard, on n'entend plus que les croassements des corbeaux et il ose alors se frayer un chemin vers la surface. Lorsqu'il cille des yeux dans le ciel gris, bas et lourd, il lui prend des vertiges de soulagement. Il lève le regard vers la rampe pour s'assurer qu'aucune benne ne stationne là-haut. Les deux hommes sont partis.

Gabriel, déprimé, fixe ce désert d'immondices. Éliminé comme un sac-poubelle, pense-t-il. L'avertissement de Youri ne peut pas être plus clair. Reste à savoir pourquoi il a envoyé ces deux types pour le récupérer.

Un terrible sentiment d'abandon s'empare de lui, le submerge, se propage jusqu'aux dernières fibres de son corps. David ne le croit pas, il a la police aux trousses, et Liz est entre les mains d'un psychopathe qui veut se venger de lui, Gabriel, et il n'a pas la moindre idée de ses motivations. Tout semble lui filer entre les doigts.

Arrête de te lamenter, Luke. Fais un effort, ressaisis-toi.

Mais il ne parvient pas à se contenir. Comme un barrage qui cède, ses larmes coulent soudain, tout bêtement, comme s'il avait encore onze ans et était prisonnier d'un cauchemar. La puanteur des ordures provoque de nouveau des haut-le-cœur, dans sa tête une image éclate, fulgurante, de doigts de pieds nus et de vomi sur un sol en ciment froid. Il tremble, s'étrangle et vomit. Alors qu'il s'essuie la bouche, la colère du désespoir monte en lui. Pour quelle raison Liz a-t-elle été attirée dans son histoire, jusqu'à quel point faut-il être malade pour s'attaquer à elle, alors que c'est lui que tout cela concerne ?

Le 13 octobre.

Il sait qu'il lui suffit d'ouvrir cette unique porte dans sa tête, la porte qui ouvre sur cette *unique* nuit. Derrière cette porte, Liz attend d'être sauvée. C'est aussi simple que ça. Et aussi compliqué.

Il repense au rêve qu'il a eu quelques minutes auparavant, quand il est debout au pied de l'escalier. Il essaie de remonter en arrière dans ses souvenirs, un pas après l'autre, d'assembler les pièces. Ses parents se sont disputés cette nuit-là. David dormait, et lui s'est levé, pieds nus dans son pyjama, et il est passé subrepticement devant la cuisine en direction de la porte de la cave. C'est tout ce qu'il se rappelle. En rêve, il est descendu dans la cave. Et cette pièce rouge qui l'attire comme par magie, avec ses murs d'une consistance analogue à de la chair, ce doit être le laboratoire.

Le laboratoire de père.

Oublie ça, Luke, tu n'arrives pas à te souvenir.

Il doit y avoir un rapport avec le laboratoire. Mais lequel ?

Arrête, ce n'était qu'un rêve !

Gabriel pince les lèvres. C'est inutile. La porte est close.

Il regarde fixement le ciel et se demande si on est encore le 3 septembre. Ou déjà le 4 ? Jusqu'au 13 octobre, il reste à peine six semaines. Un muscle tressaille sous son œil de manière incontrôlée. Il tente de se lever. Les immondices cèdent sous son poids, il trébuche et retombe mollement, le derrière dans les ordures.

Fais un effort, ressaisis-toi, pense-t-il.

Il enfonce les mains dans ses poches de veste et y fouille fébrilement. Rien. Vide béant. Pas de clefs, pas de papiers d'identité, pas d'argent. Même celui qu'il a pris à Dressler a disparu. Il sent néanmoins quelque chose dans la poche intérieure. Ses doigts tâtonnent. Le portable, se dit-il. *Le portable de Liz.* Il le pêche avec deux doigts. La coque en plastique est brisée, l'écran est oxydé et a pris une couleur vert-bleu, la platine est écornée. Son cœur s'arrête de battre un moment. Le portable est son seul lien avec Liz, ou plutôt avec son ravisseur.

Les mains tremblantes, il enlève la batterie et retire l'âme du mobile : la carte SIM. Il contemple les deux faces de la puce de la taille d'un ongle et respire, soulagé. La carte ne semble pas endommagée, et elle fonctionnera dans un téléphone neuf. Le ravisseur pourra donc le rappeler. Si toutefois c'est dans ses intentions.

Il se demande tout à coup s'il ne vaudrait pas mieux aller à la police pour leur raconter toute cette histoire. Liz, elle, *irait* à la police. David aussi. David a toujours cru en la justice, comme un enfant s'agrippe à une brindille dans une forêt pleine d'arbres.

Justice ? Oublie ça, Luke. Ça n'existe pas. Qu'est-ce que tu crois que les flics vont faire de toi, si tu débarques ? Justice ! Regarde donc ce qui se passe. Dieu et le diable jouent ensemble aux dés. Le seul sur qui tu puisses compter, c'est toi.

Une goutte de pluie éclate sur son front. Il lève les yeux, le ciel est une montagne couleur ardoise, et des traînées de pluie isolées tombent comme des javelots. Les cris des corbeaux et le vrombissement des machines de la décharge sont avalés par le crépitement de l'averse qui augmente.

Gabriel serre les dents, ignore ses maux de tête et se lève, titube, tient debout. *Et maintenant ?*

Une douche, un portable neuf et une planque. Et tout ça coûte un sacré paquet de fric.

Gabriel respire à fond et ignore la puanteur. Son cœur bat plus vite et la pluie froide le réveille complètement. Il se déplace avec raideur, lenteur, entre les montagnes de détritus dans la direction où il entend les grondements des camions-bennes. Les ordures brillent sous la pluie comme si on venait juste de les vernir.

Il cherche vainement à se rappeler où il y a des décharges publiques à Berlin. Peu importe, il faut qu'il guette un camion. Ce n'est qu'au bout de plus d'une demi-heure d'attente qu'un véhicule orange de ramassage d'ordures ménagères qui vient de benner son chargement s'arrête à côté de lui. Trempé de pluie et grelottant de froid, il tape avec la paume de la main contre la portière frappée du grand logo BSR[1].

Derrière sa vitre, un visage émacié aux sourcils touffus contemple Gabriel. L'homme manœuvre la poignée.

« Tiens, tiens, v'là d'jà les clodos qui s'baladent sur la décharge.

— Je peux faire un bout de chemin avec vous ? » hurle Gabriel pour lutter contre le moteur du camion-benne.

Le conducteur le regarde avec une moue inexpressive, puis il hausse les épaules.

« Ça dépend d'où que vous voulez aller.

— Chausseestrasse. Au cimetière de Dorotheenstadt.

— OK, montez. »

Gabriel fait un signe de tête reconnaissant et monte sur le siège passager.

Une bonne heure plus tard, le camion-benne freine en sifflant devant le portail d'entrée principal du cimetière de Dorotheenstadt.

L'itinéraire des allées s'est gravé en lui presque trente ans auparavant. Le gravier sec d'un brun pâle, qui crissait sous les pas de David et les siens, devant eux deux cercueils en chêne, jusqu'à la tombe ouverte qui engloutit ses parents comme une gueule affamée.

---

1. Berliner Stadt Reinigung.

À présent, le gravier luit, mouillé et sombre. Le sol est gorgé d'eau et les cailloux s'enfoncent sous ses pas dans le chemin détrempé. La terre des tombes est mate et noire, un néant qui uniformise tout, qui avale toute la lumière.

À bout de forces, Gabriel s'effondre à genoux devant la pierre tombale. La pluie tombe en filets obliques sur l'inscription dorée et défraîchie du marbre qui tire sur le rouge.

Clara et Wolf Naumann
13 octobre 1979

Un sentiment de tristesse infinie l'étreint soudain.

C'est ça que tu voulais ? chuchote une voix dans sa tête. *Thérapie de choc ?*

Tu sais très bien ce que je veux ici.

Mais tu ne vois pas combien j'avais raison ? Où ça nous mène tout ça ?

Tu veux seulement me faire peur.

Non, Luke. Tu AS peur. Avec raison. Au fond, tu veux que tout reste comme avant, n'est-ce pas ?

C'est TOI qui veux ça. MOI, je veux me rappeler.

Je ne veux que ton bien. Je te recommande seulement ce qu'il y a de meilleur pour toi.

Tu es un conseiller merdique.

Gabriel glisse sur les genoux vers la droite, à côté du rebord en marbre. L'eau lui ruisselle dans le cou, la terre glougloute sous son poids. Ses genoux s'enfoncent de quelques centimètres dans le bourbier, et, à mains nues, il commence à creuser un trou à côté de la tombe, sous le marbre de la bordure.

Tu n'as pas peur de revivre ça encore une fois ?

Gabriel ne répond pas ; têtu, il continue à creuser, de plus en plus profondément. Il a de la terre noire sous les ongles.

Fais attention, Luke ! Si tu creuses trop loin, tu vas finir par tenir leurs os pourris dans la main !

Il déglutit, mais ses doigts gourds continuent à creuser le sol sous la pierre tombale.

Continue à creuser, si tu veux, je n'ai rien contre. Moi aussi, je veux aller me mettre au chaud. Mais arrête enfin de fouiller dans le passé.

« Ta gueule ! » crie Gabriel.

Sa voix, stridente, se perd entre les anges de pierre indifférents du cimetière, les arbres et les innombrables tombes.

Soudain, tout est silencieux dans sa tête.

On n'entend que le crépitement de la pluie et un vent tourbillonnant lui fouette le visage. Il continue à creuser fébrilement, la pulpe des doigts écorchée. Enfin, il touche quelque chose de mou, qui crisse. Il tire précautionneusement sur le coin en plastique et déterre un objet de la taille d'un paquet de cigarettes entouré d'une ficelle. Doigts tremblants, il déchire le ruban adhésif et retire plusieurs couches de feuilles de plastique.

La clef est petite, avec des reflets argentés. Elle ressemble à une tige de métal dans laquelle sont fraisées les cuvettes du mécanisme de fermeture de la clef de sécurité réversible. Sur l'anneau en forme de losange, il n'y a ni gravure ni indication quelconque sur l'origine de cette clef.

Il se voit, puant, trempé de pluie et vêtu comme un clochard dans la filiale du Crédit suisse du Kurfürstendamm pour y ouvrir son coffre, et cela le fait sourire.

Et il sourit avant tout parce qu'il a désormais, à portée de main, un lit chaud, des vêtements propres et un portable neuf. Gabriel se lève péniblement, s'essuie les mains sur les cuisses et enfouit la clef dans sa poche de pantalon, où elle rejoint la carte SIM du portable de Liz.

27

Nulle part – 9 septembre

Le regard éteint de Liz erre dans la chambre. Elle n'arrête pas de sommeiller et, privée de lumière naturelle, elle n'a absolument aucune notion du temps qui passe – même quand, de temps à autre, la lumière est éteinte puis rallumée, dictant ainsi son rythme cruel.

Le seul bruit qu'elle entend, c'est celui de sa respiration. Après tout, c'est sa *propre* respiration et plus celle du respirateur ; le tube a été retiré depuis longtemps de sa trachée, mais l'air maltraite encore ses voies respiratoires écorchées.

Entre-temps, elle a appris à connaître chaque centimètre carré de sa prison. La massive porte métallique avec le guichet qui s'ouvre vers l'extérieur, les tubes au néon grillagés, les murs de brique peints en blanc, le plafond en béton, l'écoulement enchâssé dans le sol au centre de la chambre, comme s'il était question de faire un jour disparaître ses restes par la canalisation, les deux tuyaux d'aération grillagés, l'un dans le plafond pour l'air vicié, l'autre près du sol pour la ventilation, les petites vis à fente qui maintiennent les grilles, la table de nuit à ses côtés, la perfusion, les instruments, le sac de son cathéter.

Son regard ne cesse de s'attarder sur la perfusion, et elle se demande pour la millième fois quels médicaments coulent dans ses veines de ces poches en plastique transparentes suspendues là-haut.

Puis elle entend la clef qui tourne dans la serrure. Son corps se raidit instantanément, elle a la bouche sèche, et, sous la chemise ouverte, sa peau nue est couverte d'un mince film de transpiration. *Fais que ce ne soit pas lui. Je t'en prie, pas lui !*

Sa prière est exaucée. L'infirmière entre dans la pièce, ferme la porte à clef derrière elle et change la perfusion, le tout sans un mot. Le premier jour, elle avait au moins dit quelque chose. Depuis, elle est muette. Et pourtant, en ce moment, Liz a vraiment besoin d'entendre le son d'une voix, ne serait-ce que quelques phrases, quelques mots même.

Liz ouvre la bouche pour dire quelque chose. Sa langue est une chose velue et balbutiante. Une voix étrangère sort de sa bouche :

« Ques qu' vous m'donn… quesque vous m'donnez là ? »

L'infirmière lui lance un bref regard du coin de l'œil, mais ne répond pas.

« À cause de mon bébé », précise Liz d'une voix enrouée.

Nouveau regard du coin de l'œil. Une amorce de sourire effleure le visage de l'infirmière. Elle a le nez rectiligne et, si elle riait vraiment, des fossettes.

« Votre bébé va bien.

— Je vous en prie. Qu'est-ce qu'il y a, là-dedans ? » insiste Liz.

L'infirmière lance un coup d'œil à la porte derrière elle, puis la regarde.

« Un neuroleptique. Pour vous calmer. Pas très grave pour l'enfant. »

Pas très grave !

« Qui… est-il ? »

Les yeux gris de l'infirmière s'agrandissent imperceptiblement, et elle regarde autour d'elle. Elle se penche en avant et souffle doucement :

« Chut ! Vous feriez mieux de vous taire.

— Aidez-moi, s'il vous plaît », supplie Liz.

L'infirmière ne dit rien, se contentant de hocher la tête.

Les yeux de Liz s'emplissent de larmes, qui s'échappent et ruissellent sur ses tempes. Un profond désespoir lui coupe la respiration, elle a l'impression d'étouffer.

« Chut ! » fait de nouveau l'infirmière.

Elle remplit une seringue et introduit l'aiguille dans le cathéter veineux.

Liz veut résister, mais elle est trop faible. C'est déjà assez difficile de parler et de respirer.

« Où... où suis-je ici... ? »

Les yeux gris de l'infirmière ont l'air de voir à travers elle. Puis elle hausse les épaules.

Liz sent ses forces l'abandonner peu à peu ; il ne lui reste plus beaucoup de temps.

« Il va me tuer, non ?

— Je ne sais pas, répond l'infirmière, mais ses yeux la trahissent.

— Je vous en prie », supplie de nouveau Liz.

Les yeux gris s'échappent vers la table de chevet.

Il faut que tu l'appelles par son nom. Demande-lui son nom.

« Comment vous appelez-vous ?

— Yvette, murmure l'infirmière.

— Je m'appelle Liz. S'il vous plaît, Yvette, aidez-moi.

— Non », murmure Yvette.

Le « non » étreint le cœur de Liz comme une main glacée. La peur menace de lui brouiller la raison. Elle sent de nouveau des larmes dans ses yeux. *Et ce manque de force.* « Pouvez-vous... peut-être... » Liz désigne des yeux la seringue vide. « C'est quoi ce truc, là-dedans ? De l'Haldol ? »

Yvette acquiesce.

« J'ai peur, murmure Liz dans un souffle. Si affreusement peur. » Elle parvient à redresser la tête. Les larmes lui coulent sur les joues. « Est-ce que je peux... garder ça ? »

Les yeux gris d'Yvette passent de Liz à la seringue qu'elle tient en main.

« Peut-être qu'avec ça... j'aurai moins peur... si... »

Les yeux d'Yvette cillent, un battement à peine esquissé, puis elle enfile l'aiguille dans un capuchon en plastique et glisse prestement la seringue sous la couverture du lit.

« Avant que ça commence, injectez-vous ça par le cathéter veineux.

— Avant que *quoi* commence ? »

Yvette hoche la tête sans mot dire.

Tout le corps de Liz s'est couvert de chair de poule, ses cheveux se hérissent d'horreur. Il fait nuit soudain, aussi nuit que dans Friedrichshain. Elle croit sentir sur sa joue la peau de la consistance du cuir, elle a sa voix dans l'oreille. *Nous allons faire une fête. Le 13*, avait-il chuchoté. Le 13 ? Mon Dieu ! Quel jour sommes-nous aujourd'hui ? Impossible que ce soit déjà le treize.

Sa main droite agrippe la seringue, ses doigts enserrent le capuchon en plastique comme elle s'accrocherait à une bouée de sauvetage. Elle entend la serrure à mortaiser, la clef.

« C'est pour quand ? balbutie-t-elle.

— Il vaut mieux que vous dormiez maintenant », dit Yvette avant de refermer la porte à clef derrière elle.

Les paupières de Liz sont lourdes comme des stores. Ses pensées se brouillent comme du coton, comme dans un épais brouillard. Un intense besoin de repos la submerge, même si elle n'est pas certaine qu'après ce sommeil il y aura encore pour elle un réveil.

Mais quand ça arrivera, décide-t-elle – et ses doigts enserrent la fine seringue –, elle aura besoin d'une arme.

28

Berlin – 10 septembre, 08 h 56

Un matin pâle s'est lentement levé derrière les rideaux gris-vert du Caesar. À travers la fenêtre basculée, le bruit assourdi de la rue filtre dans la chambre 37.

Gabriel est étendu sur le lit et essaie vainement de contenir son impatience.

Enfin !

Il a enfin une piste.

Six jours auparavant, il a vidé son coffre à la banque. Six jours durant lesquels il a fait des recherches, s'est fait des ampoules aux pieds en courant après une piste, s'efforçant toujours d'éviter la police et de ne pas se faire remarquer. Six jours durant lesquels, à chaque sonnerie du nouveau portable avec la carte SIM de Liz, son cœur s'affolait.

« Allô ? Karla Wiegand à l'appareil, de TV2. En fait, je voulais parler à Frau Anders. Je me suis trompée de numéro ? »

« OK, je comprends. Dites donc à Frau Anders qu'elle prenne contact avec M. Bug, c'est urgent. »

Puis, à la sonnerie suivante :

« Liz ? C'est moi, Vanessa. Dis-moi, tu ne voulais pas... »

« Oh ! Entendu ! Pourriez-vous lui dire de me rappeler ? Vanessa Sattler. Pour cette histoire de Fössler, elle saura. J'ai du nouveau. »

Et, une heure plus tard à peine :

« Hé ! est-ce que je pourrais parler à Liz Anders ?...

Ah ! Et quand sera-t-elle de nouveau joignable ?

C'est au sujet de von Braunsfeld, elle le connaît très bien, le vieux. Je voulais lui demander de m'introduire auprès de lui. »

D'autres correspondants raccrochaient immédiatement en entendant la voix de Gabriel, d'autres encore s'excusaient, croyant avoir fait un faux numéro.

Le ravisseur se retranchait dans le silence.

Jusqu'à la veille au soir, Gabriel avait eu l'impression intolérable de faire du surplace.

Il respire profondément. Un tourbillon d'air poussiéreux descend dans ses poumons. Le Caesar n'est ni propre ni convenable ; en revanche, c'est un petit hôtel discret, une construction étroite des années soixante, sans âme, qui se blottit dans une de ces innombrables trouées que la Seconde Guerre mondiale a creusées dans les rangées d'immeubles du quartier de Moabit, tout comme si l'hôtel avait honte d'être une maison de passe et aurait dû avoir disparu avec ses clients.

La 37 est au troisième étage, au fond d'un couloir aux murs recouverts d'une tapisserie tachée en velours aux motifs beiges. À trois mètres de la porte de la chambre 37, une petite armoire vitrée rouge abritant un vieil extincteur est fixée au mur. La première chose que Gabriel avait faite à son arrivée à l'hôtel avait été d'ouvrir l'armoire rouge, de creuser un petit trou dans l'abattant et d'installer derrière une barrière à rayons infrarouges.

« Mais qu'est-ce que tu fabriques ? lui avait demandé une Liz consternée quand il avait jadis dissimulé dans le vestibule de la Cotheniusstrasse les deux petites boîtes en plastique d'une barrière à infrarouges.

— Mesure de précaution », avait-il grogné.

Il passait la nuit chez elle pour la troisième fois, et il avait eu du mal à se retenir de ne pas le faire les deux premières nuits.

Liz avait commencé par lever les yeux au ciel. Mais quand il s'était collé les deux électrodes sur l'avant-bras avant de se coucher, elle l'avait regardé fixement comme si elle avait affaire à un fondu de la sécurité.

« Mon Dieu, c'est bien ce que je pense ?

— Aucune idée de ce que tu penses », avait répondu Gabriel. Il n'avait pas la moindre envie de parler de ça. « Ça marche avec les indicateurs infrarouges du vestibule. Comme je te l'ai dit, ce n'est qu'une mesure de précaution.

— Et qu'est-ce qu'elle fait exactement, ta *mesure de précaution* ?

— Pas grand-chose. Ça picote.

— *Ça picote ?* Tu es en train de m'annoncer sérieusement que tu installes ici un système d'alarme qui te file un coup de jus si quelqu'un s'approche trop près de la porte ?

— Juste une petite démangeaison. Ça suffit pour être réveillé.

— Mais... une alarme *normale*, ça ne rend pas les mêmes services, je veux dire avec une espèce de bip, ou un truc comme ça ?

— Bien trop bruyant. Tout le monde l'entendrait. »

Les yeux verts de Liz s'étaient tournés vers les électrodes, puis elle les avait levés de nouveau.

« Merde, je couche avec un mec qui est paranoïaque.

— N'en fais pas un drame ! C'est seulement...

— Si encore c'était un sex-toy, pour s'exciter ou quelque chose comme ça, avait-elle gémi, je pourrais vivre avec. Mais *ça*... »

Gabriel s'était renfrogné, la lumière de la table de nuit projetait de longues ombres sur son visage.

Ça, ça le protégeait depuis une éternité. Depuis qu'il avait quitté la clinique psychiatrique, il installait *toujours* des indicateurs infrarouges. La technique était simple, efficace, et on les trouvait pour une somme modique dans tous les magasins d'électricité. *Ça*, c'était son « bonne nuit les petits » à lui. Tout comme ça le calmait, enfant, que des histoires tellement palpitantes se terminent finalement bien, il savait à présent que tout ce qui pouvait arriver dans la vraie vie avait aussi une chance d'avoir une fin radieuse – aussi longtemps qu'il pourrait avoir personnellement les choses en main. Et il ne pouvait le faire que s'il était prévenu à temps.

« Pourquoi es-tu si terriblement méfiante ? avait-il dit. C'est aussi pour ta sécurité à toi.

— Je me moque de ma sécurité. La dernière chose dont j'ai envie, c'est d'entrer dans ta paranoïa.

— Qu'est-ce que ça peut te faire ? C'est moi qui décide de ma manière de dormir.

— Et c'est moi qui décide *avec qui* je couche ! »

Ses yeux jetaient des étincelles, les cheveux roux étaient rebelles comme du fil de cuivre.

« Alors, on arrête », avait-il dit en saisissant son sac.

Dis-lui ses quatre vérités, Luke. Dis-lui, à cette petite sorcière de journaliste, qu'elle t'enquiquine, avait triomphé la voix dans sa tête.

Gabriel n'avait rien dit.

Il avait quitté l'appartement sans autre forme de procès et claqué la porte derrière lui. Dès qu'elle se fut refermée bruyamment, il avait su qu'il était déjà bien tard pour ce genre de connerie. Mais il lui avait fallu six semaines entières avant de laisser un message sur le répondeur de Liz – alors qu'il ne pouvait pas supporter ce genre de machine.

Il ne s'était pas excusé. Ce n'était pas son genre. Il ne s'était même pas comporté de manière à donner la moindre impression que sa conduite le peinait. Il avait tout simplement démonté les indicateurs infrarouges ; et Liz avait fait preuve de réserve, à rebours de ses habitudes, parce qu'elle avait compris que d'autres hommes, par exemple, pouvaient avoir peur de perdre leur travail, de tomber d'une échelle, peur des femmes ou peur du ridicule. La peur de Gabriel avait certainement pour cause quelque chose d'inexplicable, quelque chose qui pouvait vous sauter dessus depuis l'obscurité, comme si le diable venait juste de tirer votre nom à la loterie.

Les nuits suivantes dans la Cotheniusstrasse avaient été agitées et courtes. Sans ses électrodes sur la peau, Gabriel se réveillait continuellement en sursaut et épiait l'obscurité. La plupart du temps, il n'entendait que la respiration de Liz, une respiration régulière, qui montait et descendait comme la houle.

Cela lui avait pris des mois avant qu'il reconnaisse que c'était grâce à cette respiration qu'il avait fini par dormir toujours plus profondément et toujours mieux Cotheniusstrasse que partout ailleurs. S'il se réveillait quelquefois, il avait l'impression irréelle de se retrouver dans son ancienne chambre d'enfant, les draps bleus sur le gros orteil nu, avec David qui respirait dans l'obscurité comme Liz à présent à ses côtés.

Gabriel se passe la main sur le visage et chasse ses souvenirs.

Il jette un coup d'œil à son nouveau portable, dans lequel il a engagé la carte SIM de Liz. L'écran indique 09 h 18.

Il est temps d'y aller.

Dans le métro, il fixe le mur du tunnel à travers la fenêtre ; des câbles à la couleur indéfinie et des conduites lui filent sous le nez, serrés les uns contre les autres et apparemment déroulés à l'infini, comme s'ils emprisonnaient dans son sous-sol toute la ville dans leurs réseaux.

Il pense à l'appel de Liz, à sa voix, un filet mince et fragile. Ces derniers temps, il n'a cessé de se repasser cette conversation dans sa tête.

« Je... je me suis fait agresser. Je saigne... tout est plein de sang... ma tête...

— Où es-tu ?

— Dans le parc. Friedrichshain, au coin de chez moi... je t'en prie, j'ai peur... »

Liz avait été brutalement rouée de coups, sa voix brisée ne faisait aucun doute. Mais *pourquoi* ? Les ravisseurs endorment leurs victimes, les kidnappent, finissent quelquefois par les tuer. Mais quel sens y a-t-il à blesser si grièvement sa victime *au tout début* de l'enlèvement ?

Même si le ravisseur est un psychopathe assoiffé de vengeance, il a manifestement un plan, qui se termine le 13 octobre. Il est donc peu probable que Liz risque la mort avant cette date. Pourquoi cette brutalité insensée ? Et pourquoi Liz a-t-elle pu téléphoner *après* avoir été tabassée ? Où était le ravisseur à ce moment-là ?

C'est avec toutes ces questions à l'esprit que Gabriel s'était rendu au Friedrichshain, avait passé en revue les environs immédiats de la Cotheniusstrasse, jusqu'à l'endroit où il avait découvert le corps de Pit Münchmaier. Les lignes à la craie que les policiers de la criminelle avaient tracées autour du cadavre avaient pâli. À l'emplacement du cou esquissé à grands traits, le sang avait laissé une ombre noire.

Plus il s'attardait sur les lieux de crime, plus toute cette histoire lui paraissait étrange. Selon le *Berliner Zeitung*, au cours de l'autopsie, la police avait fixé l'heure de la mort de Pit Münchmaier à minuit, avec une marge de dix minutes dans un sens ou dans l'autre.

Liz avait appelé Gabriel à minuit et deux minutes.

Un meurtre et un enlèvement, tous deux à la *même* heure dans le *même* parc, non loin l'un de l'autre ?

Un hasard ?

Certainement pas. Il devait y avoir un rapport entre la mort de Pit Münchmaier et le rapt de Liz.

Il se mit donc à enquêter sur Pit Münchmaier. Münchmaier était mort à vingt-quatre ans seulement. Il était au chômage et avait habité dans le quartier de Kreuzberg, près de la station de métro Kottbusser Tor, dans un de ces affreux quartiers construits dans les années soixante-dix qui ressemblent à des silos à voitures en béton pour êtres humains. Le couteau avec lequel on lui avait tranché la gorge était exceptionnellement acéré et mince ; il ne ressemblait pas à l'arme classique du malfrat qui joue du couteau, mais bien plus à un instrument chirurgical. Pit avait des écorchures aux mains et des traces de sang sur les chaussures.

La nuit suivante, Gabriel se rendit en métro à Kreuzberg, à la porte de Kottbus. Il prenait un risque : il n'ignorait pas que l'endroit était un centre de trafic de drogue apprécié, plein de junkies et de dealers, et que pour cette raison la police y faisait souvent des descentes. Mais il n'avait pas le choix.

Les murs du bâtiment de huit étages dans lequel se trouvait l'appartement de Münchmaier étaient recouverts de graffitis d'amateurs qui se chevauchaient ; à côté de l'entrée, il y avait une seringue écrasée sur le sol. L'appartement était au septième, avec à la porte les scellés de la police criminelle. Il avait environ la taille d'une cage à lapins et en avait aussi l'odeur.

Le PC proposait un choix impressionnant de jeux FPS, les connexions internet présentaient d'innombrables sites pornographiques, et la boîte de réception croulait sous les spams des fournisseurs correspondants. Parmi toutes ces ordures, Gabriel remarqua une adresse, avec les abréviations JHERO chez GMX. JHERO semblait être le seul avec qui Pit avait des contacts réguliers. Il nota l'adresse électronique pour plus tard.

Puis il entreprit une enquête de voisinage aux alentours de la porte de Kottbus, pour savoir si quelqu'un avait connu Pit. Il se contenta tout d'abord des boulangers, des bistrots, des sex-shops et des kiosques. Il agrandissait toujours le cercle de ses recherches, jusqu'à ce qu'il ait eu de la chance la nuit précédente dans une rue adjacente, dans une petite baraque peinte en brun, environ à cinq cents mètres à vol d'oiseau de la porte de Kottbus.

« Pit ? Sûr ! Le pauvre diable. » Le propriétaire de la baraque pêcha une bouteille de Coca dans le réfrigérateur et recala ses grosses lunettes noires en écaille sur l'arête de son nez. L'arc de sa moustache pointa en un rictus amer. « Il traînait toujours avec Jonas. Z'étaient comme des frères siamois, ces deux-là ! »

JHERO. J pour Jonas. Gabriel prit la bouteille de Coca et fit glisser un billet de cent euros par-dessus le comptoir. La moustache tressaillit, irritée, fouilla de manière malhabile dans sa cassette en métal et compta la monnaie sur le comptoir plastifié.

« Et qu'est-ce qu'ils bricolaient, ces deux-là ? » demanda Gabriel en repoussant la monnaie de quelques centimètres en direction du patron de la baraque.

La moustache, par-dessus sa monture en écaille, envoya un bref regard à Gabriel ; ses yeux s'étrécirent. Puis il regarda fixement l'argent et le fit glisser vers lui d'un geste vif de la main.

« Des pauvres types, je dirais. Pit, il s'est fait cogner pendant des années par sa belle-mère. Il a même fallu qu'il aille une fois à l'hôpital. Pour Jonas, c'était le père. Il l'a frappé régulièrement pendant ses soûleries. » Il hocha la tête. « À force, ça l'a tué. Depuis, ça va mieux, pour Jonas, je veux dire.

— Et qu'est-ce qu'il fait en ce moment, Jonas ?

— Rien. Il a pas eu de bol, c'est tout. C'est comme ça. Après le collège technique, ça a duré une éternité avant qu'il trouve une place d'apprenti, et puis après, sa boîte a fait faillite... Qu'est-ce qu'on peut faire, alors ? Moi aussi, dans ce cas-là, de temps en temps, je... »

Il leva le coude et entonna un goulot imaginaire.

« Et où je peux le trouver, ce Jonas ? »

La moustache se gratta la tête comme s'il allait réfléchir profondément, pour savoir s'il allait confier encore d'autres détails à Gabriel.

Le regard de Gabriel, jusque-là relativement neutre, devint subitement inflexible.

« Il n'y aura pas plus d'argent. Et pas un traître mot à Jonas. » Il se pencha au-dessus du comptoir et planta son regard dans les yeux du propriétaire de la baraque. « Sinon, je fous le feu à ta putain de boutique, compris ? »

La moustache cilla des yeux, surpris.

« Compris, balbutia-t-il. Il s'appelle Schuster, Jonas Schuster. Il habite chez sa mère. » Son regard évita celui de Gabriel. « Juste au-dessus du Rex, le cinéma, au coin, là. »

Peu avant dix heures, les portes du métro se ferment derrière Gabriel en chuintant. Dix heures, c'est un bon moment pour rendre visite à Jonas. La plupart des voisins seront au travail, et il vient sans doute à peine de se lever.

Gabriel grimpe lentement l'escalier du métro, degré après degré, alors qu'il préférerait monter les marches quatre à quatre. La lourde enseigne bleue de la station Kottbusser Tor se découpe sur le ciel au-dessus de l'entrée. Le jour colle sur la ville comme un film plastique.

Trois carrefours plus loin, Gabriel est devant un immeuble de cinq étages d'un beige maculé, au crépi crevassé et aux fenêtres sales. Les deux premiers étages font partie du cinéma dont les programmes sont affichés au-dessus des portes en verre cerclées de laiton de l'entrée. En lettres au néon rouge, l'inscription REX qui remonte aux années soixante-dix ; quelques mètres plus loin, sur la gauche, l'entrée de l'immeuble pour les étages au-dessus du cinéma.

Gabriel sonne au cinquième chez Verena Schuster et attend un moment.

Rien ne bouge.

Il appuie sur la sonnerie du bas.

« Oui, c'est qui ? nasille une voix bourrue et indéfinissable dans le parlophone.

— La poste », annonce Gabriel.

La serrure grésille. Elle a l'air de mal fonctionner.

« Merci ! » crie Gabriel. Sa voix résonne dans l'entrée. Il monte l'escalier et arrive au cinquième, où il n'y a qu'une seule porte.

Sur une plaque ternie on a collé au ruban adhésif une bande de papier sur laquelle est écrit en lettres gauches « Schuster ». Une odeur désagréable s'accroche à la porte.

Gabriel secoue brièvement la poignée, puis il glisse une mince bande de plastique entre le montant et le panneau, repousse le pêne et avec précaution entrebâille un peu la porte de l'appartement.

Il retient son souffle, épie, attend.

Rien.

Il se glisse sans bruit dans l'entrée obscure. Un film de nicotine jaunâtre adhère au papier peint et au plafond. Trois photographies dans leurs cadres sont accrochées au mur de droite, dont deux d'un gamin au sourire fatigué d'environ sept ans, la troisième du même garçon, nettement plus âgé. Au bout du couloir, la lumière du jour entre par une porte ouverte, derrière laquelle se trouve vraisemblablement la cuisine. On entend le vrombissement furieux d'insectes. Les lames de bois du plancher grincent sous la moquette qui bouloche, tandis que Gabriel s'approche lentement de la porte de la cuisine. Ça sent la tambouille et la viande avariée, une odeur répugnante et douceâtre à la fois. Gabriel connaît cette odeur et il sait qu'elle colle longtemps à la peau et aux vêtements. Il l'a eue plus d'une fois dans les narines.

Il entre dans le rectangle de lumière puis, à contre-cœur, passe le seuil. La cuisine mesure environ trois mètres sur quatre. Face à la porte, il y a une large fenêtre avec un rideau démodé qui a certainement dû être blanc et qui oscille au vent de la fenêtre basculée. La table de la cuisine est au centre de la pièce. Une femme d'une cinquantaine d'années peut-être y est étendue, dos sur le plateau. Ses jambes pendent le long du bord, ses bras dépassent à gauche et à droite, la tête est renversée en arrière, le cou distendu, et le larynx proéminent pointe comme une épine qui prétendrait crever la peau.

C'est comme si on avait déposé un animal bien trop grand sur une table de dissection trop petite.

Comme le reste de ses vêtements, sa robe est entaillée, et les morceaux d'étoffe sont repliés sur les côtés comme des lambeaux de peau, si bien qu'elle est allongée nue devant Gabriel, jambes écartées.

Il presse inconsciemment sa main sur la bouche et le nez, éprouve le besoin de s'enfuir de la pièce en courant ; il ne peut néanmoins détacher son regard de la scène, fixe le centre du corps blême et cireux de la femme.

Une incision, profonde et franche, prend naissance dans son vagin, s'étire à travers la peau, monte par le pubis. Puis ouvre en deux le bas-ventre. Et la paroi abdominale. Jusqu'en haut, au sternum.

Un jet de flammes traverse soudain la tête de Gabriel, un éclair éblouissant, aussi soudain qu'un obus qui aurait explosé dans son crâne. Un tourbillon embrouillé d'images se déchaîne en tous sens, aucune ne subsiste assez longtemps pour qu'il puisse la retenir. Pendant un instant bouleversant, il a l'impression d'avoir déjà été à cette place, non pas sur le seuil de la porte, mais côté fenêtre. Comme s'il avait vu le cadavre depuis cette position, tête à l'envers, de l'extérieur, par la fenêtre de la cuisine. Puis l'instant a disparu, comme si on avait jeté un morceau de tissu sur une boule de verre.

Gabriel fixe le cadavre. Le sexe coupé en deux, la paroi abdominale ouverte, les entrailles qui s'en échappent, la mare de sang sur les carreaux ébréchés de la cuisine, comme si on avait exposé un animal de boucherie sanguinolent.

Il veut bouger les pieds, reculer, mais ses semelles sont comme collées au sol, noir de sang séché. Une nuée noire de mouches bourdonne au-dessus du corps enflé de Verena Schuster.

Il faut un certain temps à Gabriel pour se ressaisir.

OK. Dehors, Luke.

Comme en pilote automatique, il commence à reculer, traverse l'entrée obscure, sort sur le palier. En passant, il décroche du mur une des trois photographies et l'enfouit sous sa veste.

Fermer la porte. Effacer les empreintes.

Gabriel ferme la porte avec précaution, puis il astique la poignée avec la doublure de sa veste.

Ses pas résonnent doucement dans la cage d'escalier. Il ne rencontre personne. Dans la rue aussi, le vide est total et irréel, le cinéma ressemble à une maison hantée. Ce n'est que deux rues plus loin qu'il croise de temps en temps des êtres humains et des voitures. À la porte de Kottbuss, Gabriel est revenu à la réalité. La station de métro crache un flot de voyageurs à la surface. Une voiture de livraison klaxonne parce qu'un junkie a pris ses aises avec son chien sur une place de parking, un bus envoie des puanteurs de diesel.

Gabriel se jette sur un banc, se laisse aller contre le dossier et ferme les yeux un instant. Ne subsistent que les bruits, présents mais, d'une certaine manière, lointains.

Calme-toi Luke !

Je suis calme. Arrête de ramener continuellement ta science, petit con.

Bon, ben, si c'est comme ça...

Quoi, si c'est comme ça ?

On pourrait en venir aux faits.

Tu veux dire le cadavre ?

Je ne m'en mêlerais pas.

C'est ce tu appelles en venir aux faits ? Me donner des conseils de lâcheté ?

Lâcheté ? Je ne suis pas lâche. Intelligent, simplement.

Nom de Dieu, qui a fait ça ? Qui fait des choses pareilles ?

... un psychopathe. Un tueur. Je t'ai prévenu. Ne t'en mêle pas. Ton entêtement et ton enthousiasme vont finir par nous tuer.

Enthousiasme ?

Oui, enthousiasme. Liz par-ci, Liz par-là, Liz partout. Quelles que soient les pertes.

De quoi voudrais-tu que je tienne compte, je te prie ? Qu'est-ce que j'ai à perdre ?

Pas de réponse.

Pourquoi tu la boucles ? D'habitude tu es toujours prêt à faire quelque chose.

Mais je ne fais que ce que tu veux, Luke.

Ah bon ! Je croyais plutôt le contraire.

On ne peut pas laisser ces conneries ? Je ne veux plus en parler.

On peut ! Mais seulement si tu réponds à une question. Qu'est-ce que tu en penses ? Qui c'était ? Le même que celui qui a enlevé Liz ?

Tu me tues, avec ta Liz.

Il y certainement un rapport. L'enlèvement de Liz, puis au même moment Pit Münchmaier la gorge tranchée dans le parc, et maintenant la mère de Jonas, le meilleur ami de Pit, qu'on éventre.

Où tu vois un rapport dans tout ça ?

Et si Pit et Jonas avaient vu quelque chose ? Quelque chose qu'ils n'auraient pas dû voir. C'est peut-être pour cette raison que le ravisseur a assassiné Pit.

Et pourquoi ensuite Verena Schuster ?

Peut-être parce que, comme moi, il recherchait Jonas Schuster. Peut-être qu'il voulait qu'elle lui avoue où est passé son fils...

Apparemment, il lui a enfoncé un couteau dans le con. Et elle lui aura alors sans doute avoué où était son fils. Mais, pourquoi il la massacre après ?

Peut-être qu'elle ne savait pas où est Jonas. Et c'est pour ça qu'il s'est mis en colère...

C'est plus que de la colère. Il y a encore autre chose, là-dedans.

Oui, peut-être, mais quoi ?

Gabriel ferme les yeux et réfléchit intensément. Le flot d'images qui l'a irrité à la vue du cadavre de la mère de Jonas et l'impression de déjà-vu lui traversent de nouveau l'esprit comme un coup de lance.

On ne pourrait pas arrêter avec ça ?

Pas tant que tu ne m'aideras pas.

Mais je t'aide. Tu ne le comprends pas, c'est tout. Tout va pour le mieux pour nous.

Pour nous ? Pouah ! Espèce de connard égomane !

Idiot altruiste ! Je n'entends que Liz, Liz, Liz et sauver, sauver, sauver...

Mais ferme donc enfin ta gueule ! Il faut que je réfléchisse. Il faut que je trouve Jonas.

C'est la même chose.

Gabriel ouvre les yeux. Il a besoin d'un certain temps pour se réhabituer à la lumière. Si le ravisseur de Liz et l'assassin de Verena Schuster sont effectivement une seule et même personne, et si ce psychopathe est peut-être aux trousses de Jonas, il faut qu'il le trouve avant lui.

Il sort la photographie de sa poche. Elle a été encadrée avec amour et représente un jeune homme, très vraisemblablement Jonas. Il a une vingtaine d'années et porte des vêtements en jean ; la tour Eiffel se dresse à l'arrière-plan derrière lui, étêtée et un peu penchée. Jonas a de fins cheveux blonds, des yeux rapprochés et le nez de travers. Il adresse un sourire perplexe à l'appareil photo.

Avec un peu de chance, Jonas est le parfait appât. Si Jonas sait effectivement quelque chose, le tueur cherchera certainement à le débusquer.

Mais il lui vient encore une autre idée. Une idée qui lui fait peur, qui se propage comme un poison dans son cerveau. Si le meurtrier de Verena Schuster et le ravisseur de Liz sont une seule et même personne, alors…

Il essaie de ne pas penser à Verena Schuster, à ces jambes écartées, au sang, à ce ventre ouvert… Mais il ne pense qu'à une femme, les yeux écarquillés d'épouvante, qui fixe un couteau étincelant – et au poing qui guide ce couteau, car il est enfoncé dans son ventre jusqu'au manche.

Et soudain, il ne peut s'empêcher de penser au fait que Liz est enceinte.

29

Nulle part – 15 septembre

Liz fixe le vide. La lumière s'est éteinte environ deux heures auparavant, et une nuit d'un noir total l'enveloppe, comme au plus profond de l'enfer. Le diable en personne a éteint le feu. Liz sait qu'*il* veut lui signifier que la nuit est venue, qu'elle doit dormir.

Son visage épie quelque part depuis les ténèbres, ce visage qui est un masque de pure beauté séductrice, un masque dont une moitié a été arrachée et qui dévoile le monstre tapi dessous.

Il n'est pas là. Et il ne peut pas te voir, il fait noir, se persuade-t-elle.

Le 13 septembre. Cela fait deux jours. Elle avait perdu la notion du temps et elle avait incidemment demandé à Yvette :

« On est bien le 13, aujourd'hui ?

— Non, avait-elle machinalement répondu. Demain. »

Puis elle s'est mordue les lèvres, comme si elle avait trahi quelque chose qu'elle n'aurait pas dû dire.

La peur s'était insinuée en Liz, jusqu'à la moelle des os, pour toute la journée. Puis la porte s'ouvrit, et il entra dans la pièce. Si seulement elle avait été un peu plus forte, si elle avait eu l'esprit un peu moins embrumé, elle aurait essayé d'entreprendre quelque chose, même si cela avait été complètement inutile. Mais elle était couchée, comme clouée au lit.

Il baissa les yeux vers elle, le regard fixe. Les ailes de son nez étaient comme des naseaux grands ouverts ; il sentait sa peur et ça l'excitait.

« Enlève la couverture, je veux te voir. »

Mains tremblantes, elle tira la couverture de côté.

« La chemise. »

Elle hésita, alors que toute résistance était inutile. Elle suivait tout bêtement un instinct stupide.

Plus vite qu'elle ne pouvait le voir, il lança la main en avant, lui planta une piqûre dans la jambe et la lâcha aussitôt.

Liz poussa un cri, plus de peur que de douleur, et regarda l'aiguille enfoncée dans le mollet. Les tremblements de son corps se propagèrent à la seringue.

« Tu vois le liquide dans la seringue ? » chuchota-t-il.

Liz ne parvint même pas à opiner de la tête, ce qui lui était manifestement complètement égal.

« Si j'injecte cette solution merveilleusement cristalline dans tes muscles, tu auras des douleurs épouvantables dans la jambe. Des douleurs comme tu n'en as jamais eu. Tu souhaiteras, susurra-t-il en approchant au plus près son visage de celui de Liz, que je te coupe la jambe, uniquement pour que les douleurs cessent. C'est ça que tu veux ? »

Elle serra les lèvres et secoua la tête.

L'aiguille plantée dans sa jambe tremblait comme pour dénoncer sa peur.

« La chemise », répéta-t-il.

Cette fois, elle n'hésita plus.

Son regard tomba sur ses seins et resta un moment attaché juste au-dessus, sur son tatouage de tête de mort.

« Je sais que tu es forte, murmura-t-il, et qu'un jour tu t'es juré de ne pas te laisser faire. Mais crois-moi, ici tout est différent. Ici, il faut que tu oublies tout ça. »

Ses yeux glissèrent le long de son corps, passèrent sur son ventre légèrement arrondi pour aboutir à la sonde urinaire.

« Ce dont il est question ici, c'est de ta vie. »

De sa main gauche intacte, il palpa son corps, ses côtes, caressa les ecchymoses, les écorchures, tout cela avec le doigté exercé d'un médecin.

« Mais qu'est-ce que ces monstres ont bien pu te faire ? chuchota-t-il, l'air songeur. Tant de peines, tant d'efforts pour guérir tout cela. »

À la pensée qu'il pourrait être médecin et que c'était peut-être lui qui lui avait placé le cathéter, elle eut un haut-le-cœur.

« J'aurais dû venir à ton secours bien plus tôt, vraiment. Il passe son index sur son ventre. Il est de lui, non ? »

De lui ? Liz le regarda sans rien comprendre.

« Il est de lui ? » siffla-t-il.

Gabriel. Il connaît Gabriel. Liz opina. Impossible de lâcher le moindre mot.

« J'en étais sûr. »

Il eut un ricanement mécanique.

Liz se sentit plus vulnérable que jamais. *Qu'est-ce qu'il sait encore ? Depuis combien de temps m'observe-t-il ?*

Les yeux de l'homme perçaient les siens. Des yeux bruns, froids, avec un cercle de flammes jaunâtres dans l'iris.

« Plus sûr même que tu ne crois », murmura-t-il.

Liz eut la chair de poule et regarda vite sur le côté, comme si par ce geste elle pouvait lui interdire de fouiller au plus profond d'elle.

Il se leva subitement, retira l'aiguille de sa jambe et expédia le liquide dans les airs.

« NaCl, plus connu sous le nom de chlorure de sodium ou sérum physiologique. » Il sourit, glacé et plein d'enthousiasme à la fois. « Je ne veux pas te faire de mal. C'est quand tu es indemne que tu es la plus belle. Tu as cette peau claire, sensible, si lisse et… » Son visage partagé en deux se mit soudain à luire d'excitation. Il recula d'un pas, comme pour tempérer sa ferveur. « Un mois encore. Et nous célébrerons notre fête. Dors maintenant ! C'est bon pour ton teint. »

Moins d'une minute plus tard, Liz était de nouveau seule. Elle tira la couverture sur elle et se mit à trembler comme une feuille. Et la lumière s'éteignit. *Un mois encore. Et puis, quoi ?*

Depuis cet instant, elle avait commencé à compter. Clair. Obscur. Lumière. Obscurité. Elle connaissait la date du jour à présent, ou mieux de la nuit : la nuit du 15 au 16 septembre. Deux heures auparavant, quand la lumière au néon s'était éteinte, elle avait ramené à tâtons l'extrémité du tuyau du cathéter veineux à hauteur de la molette de réglage de débit de la perfusion, comprimé le flux des médicaments en pliant le tuyau et attendu, comme elle l'avait déjà fait les cinq nuits précédentes.

Deux heures plus tard environ, c'est gagné. L'effet des médicaments s'est atténué.

Elle se redresse et cette fois elle y parvient d'un seul effort. *Très bien.* Elle descend du lit avec précaution, s'assied sur le sol froid et tâtonne de nouveau pour trouver sa perfusion. Elle enfile posément la seringue qu'Yvette lui a laissée dans l'ouverture en caoutchouc de la bouteille accrochée tête en bas, enfonce l'aiguille et, à l'aide de la seringue vide, elle aspire le liquide. Quelques secondes plus tard, ses doigts trouvent l'écoulement dans le sol de béton. *Aux chiottes ce poison !* Quand le liquide gicle dans la canalisation, cela fait moins de bruit qu'un clapotis, on entend plutôt comme un murmure. Yvette ne remarquera pas que la perfusion n'a pas coulé dans les veines de Liz mais a atterri dans le tout-à-l'égout.

Avec la crainte permanente que l'aiguille ne reste pas stérile à cause de ces manœuvres, elle renouvelle plusieurs fois l'opération, jusqu'à ce que la perfusion soit vide aux trois quarts. En réalité, l'infection n'est qu'une question de temps.

Puis elle commence son entraînement. Un pas après l'autre. Lentement, d'un mur de la cave à l'autre, le pied du portique de la perfusion dans une main, comme les vieux qui ont besoin d'une béquille ou d'une canne pour marcher, la sonde urinaire dans l'autre.

Liz a les jambes en coton. Elle soupçonne que la perfusion ne la ravitaille pas qu'avec des médicaments, mais qu'elle la nourrit aussi d'aliments liquides. Mais s'il lui faut opter entre nourriture et idées claires, le choix est vite fait.

Elle touche le mur devant elle, fait volte-face et repart dans la direction opposée. Un pas après l'autre. *Mon Dieu, faites qu'il ne lui vienne jamais à l'idée de venir ici la nuit.*

Encore deux pas jusqu'au mur.

Pourquoi ne m'attache-t-il pas ? Pourquoi prend-il le risque que je puisse me déplacer ?

Tourner sur les talons et repartir dans l'autre sens.

Il est sûr de son coup. Absolument sûr.

Elle s'oblige à marcher plus lentement pour ne pas tomber.

Est-ce qu'il se surestime ? Ou est-ce que c'est moi qui me surestime ?

Les efforts la font transpirer.

Qu'est-ce qu'il sait encore de moi ? Et que veut-il de moi ? Pourquoi a-t-il demandé si le bébé était de Gabriel ?

30

Berlin – 15 septembre, 23 h 37

Installé au fond du Chrysler Voyager, tout en sirotant son café froid, Gabriel épie l'autre côté de la rue à travers les vitres teintées.

Rien.

Cinq jours ont passé depuis qu'il a découvert le cadavre de Verena Schuster. Cinq jours de plus sans un signe de vie de Liz ou un message du ravisseur. Rechercher Jonas avait été la seule possibilité à laquelle se raccrocher.

Le jour même où il avait trouvé Verena Schuster, il avait acheté le monospace Chrysler bleu foncé. Il avait payé cash le vendeur de voitures d'occasion, sans marchander. Le véhicule avait encore trois mois avant le contrôle technique ; il avait 210 000 kilomètres au compteur, mais cela n'avait aucune importance. Il n'avait pas besoin de cette voiture pour se déplacer.

De l'autre côté de la chaussée, devant la baraque, tout est calme. Derrière la devanture illuminée, la moustache est debout, un coude sur le comptoir ; il fume tout en feuilletant un magazine. De temps à autre, il jette tour à tour un coup d'œil sur la télévision, directement à droite à l'intérieur de la baraque, et à son portable, probablement pour vérifier l'heure. Il est 23 h 38. Dans 22 minutes il baissera l'auvent et rentrera chez lui, ponctuellement, comme toutes les nuits.

Un homme d'un certain âge passe derrière la Chrysler, traverse la rue et se dirige vers la boutique. Son teckel renifle le pied du lampadaire, comme il l'avait déjà reniflé hier et avant-hier, et il lève la patte.

L'homme achète une bière et disparaît.

La moustache jette encore un coup d'œil sur l'écran de son portable.

Rien depuis cinq jours... Cette attente le tue, mais il n'a pas le choix. Jusque-là, c'est sa seule et meilleure piste.

De l'autre côté de la rue, quelqu'un approche, venu de la direction opposée, avec la démarche traînante d'un vieux retraité.

... que des retraités.

Quand l'homme approche, Gabriel essaie de voir son visage, mais une capuche tirée bas laisse le front dans l'ombre. Un sac de sport ballotte à sa hanche.

Retraité ?

L'homme s'avance vers le comptoir de la baraque et récolte un sourire étonné de la moustache. Gabriel saisit une paire de jumelles infrarouges, tente d'identifier le visage de l'homme, mais ne distingue que le bord de la capuche.

La moustache tend une bouteille d'eau-de-vie, prend un billet en échange et explore minutieusement sa cassette.

L'homme au sweat à capuche se retourne, regarde d'abord à gauche, puis à droite, cette fois dans la direction de Gabriel. Pendant un bref instant, le lampadaire illumine le visage sous la capuche, et Gabriel reconnaît les traits pâles d'un jeune homme d'une vingtaine d'années au nez de travers.

Jonas.

Il repose les jumelles, déverrouille la portière du monospace qui va glisser le long du flanc de la voiture avec un bruissement métallique.

Jonas tourne la tête dans la direction du bruit et fixe avec méfiance la Chrysler bleu foncé. La moustache pose la monnaie sur le comptoir. Gabriel descend de voiture, se dirige nonchalamment vers la baraque, comme s'il voulait s'acheter une dernière bière pour la nuit. Une trentaine de mètres les séparent encore. Une fine bruine a commencé de tomber.

Jonas est là comme enraciné, les yeux dans l'ombre de la capuche. Un renard dans son terrier.

Encore vingt mètres.

Jonas ne bouge pas, s'accroche à la bouteille de schnaps. Quelque chose ne lui plaît pas dans l'aspect de Gabriel. Son corps est subitement traversé d'une secousse, et il s'enfuit.

Gabriel se met à sprinter comme un félin. La bruine se plaque sur son visage comme un film humide. Jonas est nettement plus jeune que lui – et nettement moins en forme. Il tourne au premier coin de rue, se retourne et voit Gabriel qui le rattrape à grandes enjambées. Il lui balance la bouteille d'eau-de-vie dans les jambes, mais l'élan du mouvement le déséquilibre, il titube, perd un temps précieux. La bouteille éclate sur l'asphalte dans un grand bruit de verre cassé. Gabriel saute par-dessus les débris, agrippe la capuche de Jonas et le presse de tout son poids contre le mur d'un immeuble. Le crépi grossier lui égratigne la peau de la joue.

« Aïe ! Merde, mec. Lâche-moi ! »

Tel un animal pris au piège, il cherche à se dégager ; il tremble, la cage thoracique pompe de l'air à grandes bouffées tellement il est exténué. Gabriel ferme le poing et le vrille dans l'étoffe de la capuche, lui coupe ainsi le souffle et le force à s'agenouiller.

« Qu'est-ce que ça veut dire, qu'est-ce que vous me voulez ? halète Jonas. J'ai rien fait.

— Bien sûr, et c'est bien pour ça que tu t'es barré. »

Gabriel l'entraîne quelques mètres en arrière sous un porche sombre et le pousse brutalement dans le renfoncement de la porte. L'odeur piquante de l'alcool qui s'est répandu sur le trottoir lui monte au nez.

« Aïe ! Mec, qu'est-ce que c'est que cette merde, hurle Jonas, ça veut dire quoi, ça, maintenant ?

— Tu t'appelles bien Jonas Schuster ? »

Jonas lève craintivement les yeux, cherche le regard de Gabriel, s'efforce de jauger son poursuivant.

« Et alors ?

— J'ai quelques questions.

— Je dirai rien, mec. » Jonas lève le menton en signe de défi. « Pouvez oublier. Seulement avec un avocat.

— Avocat. Ah !

— Il est pas question que je porte le chapeau.

— Toi, tu fais partie des gros malins, hein ? »

Jonas le regarde, indécis.

« L'avocat, tu peux l'oublier, il ne t'aidera pas. Je ne suis pas un flic, les flics vont toujours par deux. Un type comme toi devrait le savoir.

— Pas un flic ? Vraiment ? » s'inquiète Jonas, méfiant.

Une minuterie s'allume dans l'entrée. On entend des pas dans l'escalier.

La main de Gabriel se vrille de nouveau dans la capuche.

« Écoute-moi bien, siffle-t-il, je sais que tu es dans la merde jusqu'au cou. Je peux t'aider. Sinon, j'en finis avec toi. Choisis. »

Le regard de Jonas vacille. Le bruit des pas devient plus distinct.

« Aider », marmonne-t-il à voix couverte.

Sans un mot, Gabriel le prend sous les bras et le remet sur ses jambes. Il lui pose le bras droit sur les épaules et l'entraîne sur le trottoir. Des tessons de bouteille crissent sous leurs semelles, le lampadaire luit dans la bruine comme la lumière filtrée par un phare antibrouillard. De l'autre côté de la chaussée, le monospace Chrysler sort de l'obscurité.

« On traverse, direction la voiture. »

Il pousse Jonas sur le siège passager et démarre la Chrysler. Sans un mot, il tourne dans la Kottbusser Strasse. Les essuie-glaces geignent. Jonas est rencogné au fond du siège comme un petit tas de misère.

« Si vous êtes pas flic, demande-t-il faiblement, vous êtes quoi ?

— Enquêteur privé.

— Un mouchard ?

— Enquêteur privé, répète Gabriel sur un ton pragmatique.

— Et c'est sur quoi que vous enquêtez ?

— Je recherche celui qui a fait ça à ta mère », précise Gabriel.

Silence.

Il ne demande même pas ce qu'on lui a fait, se dit Gabriel.

Jonas se mord les lèvres. Ses pupilles, inquiètes, errent en tous sens.

« Elle… elle est morte, non ? »

Gabriel confirme de la tête.

« D'où vous le savez ?

— Je l'ai vue. »

Les yeux de Jonas se mettent à louvoyer.

« Ce fumier de salopard, dit-il d'une voix tremblante tout en s'essuyant le nez de la paume de la main.

— En fait, ce n'est pas à elle qu'il en voulait, c'est toi qu'il cherchait, non ? »

Jonas dévie le regard. Son menton tremblote, mais il serre les mâchoires pour que Gabriel ne le remarque pas et opine sans un mot.

« Qu'est-ce qui s'est passé ?

— Je suis… je suis rentré à la maison l'après-midi…

— Quand ?

— La semaine dernière, vendredi. Il… il y a huit jours. »

Gabriel calcule. Donc le 7 septembre, trois jours avant qu'il ait découvert le cadavre de Verena Schuster.

« Il était à peu près 3 heures. J'ai… entendu quelque chose, dehors, devant la porte. Je me suis dit qu'elle avait de la visite, un type quelconque. Elle en a souvent. J'ai donc ouvert la porte sans bruit et j'ai voulu aller dans ma chambre. J'ai… j'ai reconnu la voix. Et la porte de la cuisine, elle était ouverte, j'ai… » Il déglutit difficilement et essuie un filet de morve blanchâtre qui lui coule du nez. « …vu le couteau, la manière dont il… » Il se tait et fixe la rue mouillée à travers le pare-brise.

« Qu'est-ce qu'il disait ?

— Toujours la même chose. Toujours : “Où est ton fils ? Dis-moi où il est”, et alors il a… Le couteau était en elle, et il a tourné le manche, sanglote Jonas.

— Et après ?

— Je suis sorti. Je… j'avais une telle trouille, je me suis cassé. Il a même pas remarqué que j'étais là.

— Et après ?

— Quoi, après ?

— Tu es revenu, non ? »

Jonas secoue la tête.

« Il attend que ça, que je rentre, murmure-t-il. Il me tuera. Je peux plus rentrer.

— Pourquoi tu n'as pas appelé la police ?

— Je… parce que… » Il s'interrompt, fixe les essuie-glaces qui balaient le pare-brise et renifle bruyamment. « Sais pas, chuchote-t-il.

— Qu'est-ce qu'il veut de toi, ce type ?

— Sais pas », chuchote Jonas comme un disque rayé.

Gabriel quitte le Kottbusser Damm et prend légèrement à gauche dans la Sonnenallee. La bruine noie tout dans une soupe diffuse, noire comme la nuit, sur laquelle flottent des taches de lumière.

« Écoute-moi bien, dit sèchement Gabriel, ce type est un psychopathe. Il ne s'est pas contenté d'assassiner ta mère. Il l'a carrément massacrée. Il l'a tailladée de partout et l'a étripée. Elle vivait probablement encore et il l'a obligée à regarder. Qu'est-ce que tu crois qu'il va faire de *toi*, s'il te chope ? »

Jonas est blanc comme un linge.

Le silence s'installe. L'asphalte mouillé chuinte légèrement et les caoutchoucs des essuie-glaces barbouillent la vitre.

« Bon, alors si tu veux que je t'aide, il faut que tu parles, tu comprends ? »

Jonas mâchouille ses lèvres pendant presque une minute. Il finit par dire à voix basse :

« Je… je l'avais déjà vu.

— Où ?

— Au Friedrichshain. Il a… tué Pit, un pote à moi. Mais moi, j'ai réussi à me barrer. C'est pour ça qu'il me cherche…

— Parce que tu sais à quoi il ressemble ? »

Jonas opine. Il se torche une fois encore le nez, puis il s'entoure la poitrine des bras, comme s'il voulait s'accrocher à lui-même.

« Il portait quelque chose qui ressemble à un masque, une espèce de bonnet, mais Pit le lui a arraché. Il… son visage est… il y a une moitié qui ressemble à un zombie.

— Un zombie ?

— Je sais pas, comme après un accident, ou quelque chose comme ça. L'autre moitié était tout à fait normale.

— Laquelle ? »

Jonas hausse les épaules.

« La… droite, je crois.

— Quoi d'autre ?

— La main était bizarre. Comme si c'était pas une vraie, comme du plastique ou quelque chose comme ça.

— Une prothèse ?

— Oui, peut-être.

— Quel côté ?

— … à droite aussi.

— Qu'est-ce que tu te rappelles encore ?

— Sais pas, répond Jonas, la voix enrouée. Vous allez… l'attraper ? Vous feriez ça ? » Son regard erre à travers le pare-brise. « Il est blond. La cinquantaine, peut-être. À peu près aussi grand que vous. »

Entre les arbres de l'étroit refuge de verdure qui sépare les voies de l'avenue, la lumière des phares d'une voiture qui approche se réfracte en longs doigts qui scintillent.

Comme il te colle au train, il y a des chances que je l'attrape ! se dit Gabriel. Et sinon, il va falloir que je t'offre à lui sur un plateau d'argent. Ses doigts se resserrent autour du volant, il pense à Liz et sent que son sang-froid se change en rage.

« Au fait, pourquoi tu n'as pas appelé la police, au parc ?

— Je… quoi ?

— Qu'est-ce qui s'est passé dans le parc ? Pourquoi il a tué ton pote ?

— Je… je sais pas…

— Ne me raconte pas de salades. »

Jonas le fixe des yeux. Le cône de lumière crue d'une voiture lui effleure le visage et il cille involontairement ; le refuge protecteur entre les voies de l'avenue a disparu.

« Crache le morceau. Qu'est-ce qui s'est passé dans le parc ? Il a dû se passer quelque chose, autrement tu aurais appelé la police. De quoi tu as peur ? »

Jonas gémit.

« Il y avait encore…, murmure-t-il, il y avait encore une femme.

— Quel genre de femme ?

— Des cheveux roux. Elle était allongée, comme ça, par terre. »

Liz ! L'angoisse lui révulse l'estomac.

« Ça veut dire quoi : allongée là, comme ça ?

— Sais pas. Elle était allongée là, comme ça, par terre. Elle avait quelque chose de bizarre.

— Et après ? »

Jonas tergiverse.

« Ben, elle nous a méchamment fait chier. Avant, dans le métro. Cette nana avait l'air en rogne, provocatrice. Elle avait besoin d'une bonne raclée, et on lui en a filé une. »

Gabriel appuie brutalement sur la pédale de frein et braque sur la droite. Les roues avant du monospace tapent contre la bordure du trottoir, et le véhicule fait un bond puis s'arrête en crissant le long du caniveau, juste devant un carrefour. Trente mètres plus loin, il y a un pont de chemin de fer, suspendu au-dessus de la rue comme une guillotine en béton.

Fracasse-lui le crâne, maintenant, maintenant, tout de suite ! intime la voix dans la tête de Gabriel.

Ne te mêle pas de ça, nom de Dieu ! Surtout ne te mêle pas de ça.

Gabriel avale sa salive et essaie de maîtriser les sentiments qui se bousculent en lui.

Vas-y, fais-le, nom de Dieu ! On aura enfin ça derrière nous. Tu te sentiras mieux...

« Raclée ? demande Gabriel. Ses yeux se plantent dans ceux de Jonas. Tu as bien dit *raclée* ? »

Jonas recule et s'adosse à la portière.

« Ben, bredouille-t-il. Euh, elle était, je veux dire... elle nous a vraiment injuriés... Tout le monde en aurait... »

Il ne peut en dire plus.

Le poing de Gabriel le cogne en pleine face. Sa nuque heurte la vitre, sa lèvre supérieure éclate. Il pousse un hurlement et crache du sang mêlé à quelque chose de blanc dans sa main ouverte.

« Merde, gémit-il, mes dents.

— C'était pour la raclée. Et maintenant, tu arrêtes de raconter des salades. Tu craches le morceau. Qu'est-ce qui s'est passé, exactement ? »

Jonas est blanc comme un mort. La douleur lui fait jaillir des larmes dans les yeux.

« Je… je ne voulais pas ça, bredouilla-t-il. C'était… l'idée de Pit.

— C'était *quoi*, l'idée de Pit ?

— La nana nous a gonflés, je l'ai déjà dit, avant, dans le métro, elle nous a menacés d'appeler les flics et tout. Pit s'est dit qu'il lui fallait une bonne raclée.

— Elle était étendue sur le sol et vous l'avez rouée de coups ? »

Jonas déglutit. De longs filets de larmes coulent sur ses joues et y laissent des traces sales. Il renifle. Avec un bruit de scie émoussée.

« Vous êtes pas un fouineur, vous, pas du tout ! »

La main de Gabriel jaillit et le saisit à la gorge.

Serre, Luke. Serre !

Jonas laisse échapper un gargouillement désespéré, les yeux lui sortent de la tête, et il bleuit. Impuissant, il serre le bras de Gabriel. Une tache humide et noire s'élargit sur son pantalon.

Un rictus déforme le visage de Gabriel.

Encore, encore ! chuchote-t-on dans sa tête.

J'ai encore besoin de lui, je ne peux pas.

Œil pour œil, Luke. Vas-y, fais-le ! Si toi, tu ne le fais pas, personne ne le fera.

J'ai besoin de lui pour trouver Liz, c'est mon appât !

Arrête de penser, fais-le à la fin !

Gabriel ferme les yeux, et lâche prise.

Jonas râle et happe l'air comme un asthmatique. Il tremble de tout son corps.

« Et après ? demande Gabriel. Qu'est-ce qui s'est passé *après* ?

— Après, halète Jonas, et son visage passe du bleu au rouge. Après… ce type est subitement arrivé, sortant des buissons. Avec un bonnet noir et des trous dedans et tout, comme dans un film d'horreur, poursuit-il à bout de souffle. Il nous a foncé dessus et on s'est dit : on se casse ! Pit s'est barré, mais j'ai pas été aussi rapide que lui. Il… il nous a couru après, et il m'a… et Pit a vu ça et il est revenu. Il s'est jeté sur ce type et lui a… et c'est là qu'il lui a arraché le bonnet… Mais il était plus fort… et il lui a… » Jonas renifle et s'interrompt, son menton tremblote et se creuse comme la surface d'une coquille de noix. « Il avait un couteau, un truc très fin, même pas un *vrai* couteau, et c'est avec ça qu'il lui a coupé la gorge... »

Les lèvres de Jonas tremblent. Ses mains incertaines cherchent à se fermer sur quelque chose à quoi se retenir, mais il ne trouve rien.

« J'ai... j'ai pas voulu ça, bégaie-t-il. Désolé, mec. Sincèrement. »

Soudain sa main droite saisit la poignée de la portière, il la manœuvre machinalement, on entend un déclic et la portière passager s'ouvre. Jonas tombe en arrière du Chrysler et se retrouve dos au trottoir.

Gabriel plonge en avant, lui attrape vivement la jambe gauche. Pris de panique, Jonas essaie de se libérer, et donne une ruade avec son autre jambe. Son pied cogne avec un bruit sourd contre le menton de Gabriel qui voit des étoiles danser devant ses yeux. Jonas sent qu'il a une chance de se sauver et envoie immédiatement un second coup de pied, qui atterrit malencontreusement contre l'épaule blessée de Gabriel. Il grogne de douleur et lâche la jambe de Jonas. Celui-ci bat des bras, tombe complètement du Chrysler, et saute illico sur ses pieds.

Sonné, Gabriel ouvre sa portière. Le courant d'air provoqué par une voiture qui passe dans la rue lui arrache presque la poignée de la main, un klaxon lui hurle aux oreilles. Il regarde en direction du carrefour, repère Jonas qui court sur l'avenue en titubant, non loin de lui, en direction du passage souterrain. Gabriel défait sa ceinture de sécurité et saute du monospace.

Pris de panique, Jonas se retourne tout en continuant à clopiner en direction du pont, béant comme un gouffre. Les yeux grands ouverts, il fixe Gabriel qui ne cesse de se rapprocher de lui. Il traverse le carrefour en boitillant quand un coup de klaxon à glacer le sang retentit derrière lui.

Jonas tourne brusquement la tête. Le quarante tonnes jaillit comme un monstre du passage souterrain et fonce vers le croisement. L'étoile Mercedes a la taille de la tête de Jonas et cible directement sa poitrine. Horrifié, il ouvre la bouche en grand – cela a l'air grotesque, presque comme s'il espérait qu'au dernier moment il réussirait encore à avaler le camion. Trop tard, même pour crier. L'impact résonne comme un coup de pied contre une poubelle en plastique.

Comme paralysé, Gabriel s'arrête en plein milieu de sa course. À quelques mètres de distance, il voit Jonas, poupée de son flasque, projeté dans les airs en un vol grotesque pour atterrir dans la seconde qui suit sous le semi-remorque en pleine charge. Le tracteur sursaute un peu, à peine moins qu'un bulldozer qui écraserait un rat.

Il faut quelque cent mètres au camion pour s'arrêter enfin dans un hurlement de freins.

31

Berlin – 16 septembre, 21 h 16

David rince hâtivement les traînées de dentifrice et se regarde dans le miroir du lavabo. Des yeux verts fatigués et cernés. Il passe une main critique sur sa barbe de trois jours, qui a plutôt l'air vieille de six.

Le son de la télévision lui parvient par la porte de la salle de bains ouverte – une publicité pour le rasage des jambes de femmes. Il pense à Shona avec qui il a rendez-vous et qu'il n'a plus revue depuis quinze jours. Elle avait une fois de plus été brusquement monopolisée par un boulot inattendu. Ce qui n'avait pas déplu à David, car lorsque Gabriel avait fait cette soudaine apparition, il était tombé au fond d'un trou profond. Quand la police, alors que Shona se trouvait encore là, s'était présentée à sa porte et lui avait expliqué que son frère était recherché pour meurtre, évasion de la maison d'arrêt et enlèvement, il avait eu le sentiment d'avoir définitivement perdu pied.

Il fouille le tiroir à la recherche de son rasoir électrique, et l'appareil ne lâche qu'un faible gémissement. Il jure à voix basse, ouvre de nouveau le tiroir et l'explore pour trouver le câble électrique, tout en louchant vers l'heure. 21 h 17.

L'appel de Shona lui avait donné encore un peu de répit.

« Excuse-moi, s'il te plaît… » Elle avait l'air énervée. « Je suis toujours coincée par ce boulot. Le truc habituel. Briefing de merde, et maintenant il faut tout changer. Ce qui était bleu devient vert, et le cercle se transforme en carré… Je n'arriverai malheureusement pas avant neuf heures et demie.

— Tu es certaine d'arriver pour neuf heures et demie ?

— Sinon, je vide une bouteille de Coca sur le clavier. Neuf heures et demie, au Santa Media. »

Sans qu'il sache pourquoi, il a perdu du temps à traînailler. David sort du tiroir deux mouchoirs en papier froissés, les jette dans la cuvette des W.-C., et referme le tiroir en le claquant. On applaudit dans la télé.

Puis la sonnerie de la porte bourdonne. *Shona ?* Il jette un coup d'œil à sa montre. Neuf heures vingt. David fronce les sourcils. En fait, ils ont rendez-vous au Santa Media, et il n'a jamais été question qu'elle vienne le chercher. *Cette femme est imprévisible !* Il sourit, lisse sa chemise d'un coup du plat de la main et essaie de la boutonner rapidement. Il n'y a pas de lumière dans l'entrée, et son doigt appuie machinalement sur le bouton du parlophone.

« Ben monte, j'en ai pour une minute. »

En même temps, il presse l'index sur le poussoir du portier électrique, ouvre à l'avance la porte d'entrée de l'appartement – et sursaute, effrayé.

Un homme pâle et élancé apparaît dans l'encadrement de la porte, cheveux gris clairsemés et lunettes de comptable.

« Bonsoir, David », dit l'homme.

Son visage reste dans la pénombre, la lumière du vestibule lui donne un curieux halo. Un court instant, David pense être en face d'un policier, un commissaire peut-être. Mais ceux-ci ne justifient-ils pas toujours de leur identité ?

« On se connaît ?

— Non. Mais on a un ami commun. Votre frère. Il est là ?

— Non, je regrette. Nous ne sommes pas dans les meilleurs termes. »

L'homme fronce ses sourcils presque glabres.

David toise la silhouette élancée. L'homme doit avoir la soixantaine. Il a les mains dans les poches d'un court imperméable gris clair, et dans la droite se dessine une bosse qui ne laisse aucun doute : le canon d'une arme.

Le cœur de David cesse de battre un instant. L'homme a l'air de deviner ce qu'il ressent. Il sort les mains de ses poches de manteau, sans l'arme, et présente ses paumes à David.

« Votre frère est un homme dangereux », dit-il de l'air de s'excuser.

David recule d'un pas.

« Que voulez-vous ?

— Je peux entrer ?

— Désolé. Je suis pressé.

— Vous ne voulez pas avoir enfin des réponses à vos questions ? »

L'homme sourit, d'un sourire tranquille et sans joie.

« Quel genre de questions ?

— Tout le monde se pose des questions. Mais vous en avez quelques-unes de spéciales, n'est-ce pas ? Et votre frère ne peut pas y répondre. Il dit qu'il ne peut pas se rappeler cette nuit. Ou peut-être qu'il ne le veut pas, tout simplement. »

Les yeux derrière les petites lunettes collent au visage de David dans l'attente d'une réaction. Dans le contre-jour, les cheveux clairsemés brillent comme du fil de fer. David a un mauvais pressentiment, il se demande d'où l'homme tient tout cela – et avant tout, que sait-il encore d'autre ? Sans un mot, il ouvre la porte en grand et libère le passage.

L'homme accueille le geste avec le sourire, incline poliment la tête et entre. Ses yeux clairs et inexpressifs balaient le parquet, les murs et les meubles. Dans le salon, il s'assied tout simplement sur l'un des deux divans gris et croise les jambes.

David le regarde, muet. Avec son imperméable gris sans un pli et son visage au teint pâle, il disparaît presque sur le fond du divan. Un comptable, se dit David. S'il n'y avait cette arme dans la poche du manteau.

« Vous avez là un bel appartement. Un peu vide, mais coquet. »

David fait la moue.

« Qu'est-ce que vous savez au sujet de la mort de mes parents ? »

L'homme ignore la question et désigne le rectangle au bord sale sur le mur.

« Où est donc la belle étude de Dalí ? Je croyais que vous teniez à ce tableau ? » David le fixe, ouvre la bouche, et la referme. « Partie ? Comme tout le reste ?

— Mais qui êtes-vous, bon Dieu ? murmure David.

— Votre frère a longtemps travaillé pour moi. Très longtemps. »

David jauge l'homme sans mot dire.

« Ils vous ont trompé, David. Cet arrangement à l'amiable est une putain de saloperie. *Treasure Castle* était votre format. Vous auriez dû aller au procès. Vos chances n'étaient pas si mauvaises que ça.

— Qu'est-ce que *vous* en savez ? »

L'homme hausse les épaules.

« Vous n'aimez pas vous battre, hein ? »

Le mauvais pressentiment de David grandit.

« Qu'est-ce que vous savez de la nuit où mes parents ont été tués ? demande-t-il d'une voix rauque.

— Il vous reste une ardoise de combien, David, deux millions ? Trois ?

— Ça ne vous regarde pas.

— Avec l'appartement hypothéqué, les pertes du fonds immobilier, les frais d'avocat et le reste de ce malheureux arrangement, ça devrait se monter à peu près exactement à trois millions, n'est-ce pas ?

— Pourquoi ai-je le sentiment que vous vous y connaissez mieux dans ma vie que je m'y connais moi-même ? »

L'homme se penche en avant.

« Écoutez, David. Sincèrement, je ne comprends pas pourquoi vous n'êtes pas en colère. Vous avez toutes les raisons de l'être. Vous vous êtes fait avoir, et il ne vous reste plus une chemise… »

David a tout à coup la bouche pleine de poussière. Il veut répliquer quelque chose, mais il ne sait que dire. Il pense subitement à Shona. Il jette un coup d'œil à la cuisinière. 22 h 03. *Elle va être très en rogne.*

« Je peux vous aider, mon petit. Je peux vous aider à vous tirer de là.

— *Vous ?* » Perplexe, David regarde cet homme pâle, puis il rit amèrement. « Et comment vous comptez vous y prendre ? Me donner trois millions ? »

L'homme rit mollement et secoue la tête.

« Non, certainement pas. Je vais vous donner quelque chose de bien mieux. Quelque chose dont vous avez bien plus besoin.

— Je ne vois pas ce que ça pourrait être.

— Je vais vous redonner votre amour-propre, mon petit. *Votre fierté !* » Les yeux de l'homme chargés d'énergie flamboient derrière ses verres de lunettes. « Je pourrais vous faire retrouver les droits de votre format. »

David le fixe. La paume de ses mains devient moite, son cœur bat plus vite.

« Je… je ne suis pas certain d'avoir envie d'entendre ce que vous voudrez en échange.

— Il suffit que vous me disiez où est Gabriel.

— Vous ne venez pas de me dire qu'il travaille pour vous ? Comment se fait-il alors que vous ne sachiez pas où il est ?

— J'ai dit : il *a* travaillé pour moi.

— Qu'est-ce que cela signifie ? s'inquiète David, quoiqu'il connaisse déjà la réponse. Vous l'avez viré ?

— En quelque sorte.

— Juste pour que je comprenne bien, vous commencez par le virer, et maintenant vous le recherchez ?

— Disons simplement que certaines choses ont changé. De toute façon, il faut que je le trouve.

— Et pourquoi ? »

L'homme hésite un instant.

« Il a volé quelque chose, une chose très importante. Il faut que je la récupère. »

David se tait un instant, puis il soupire, tourne sur les talons, va derrière la table de travail de la cuisine ouverte, y appuie lourdement ses avant-bras comme s'il recherchait un équilibre perdu.

« Eh bien, dit l'homme, aidez-moi et je vous aiderai. »

David respire profondément.

« Je crains que vous ne deviez le trouver vous-même. Je ne peux pas vous aider. »

Les yeux de l'homme s'écarquillent en un étonnement feint.

« Vous parlez sérieusement ?

— C'est mon frère. Vous avez un frère ? »

L'homme le regarde. C'est la première fois qu'il semble avoir perdu le fil. Puis il soupire.

« C'est ce que je craignais. Vous faites confiance à Gabriel.

— C'est mon frère, s'obstine David.

— Pourquoi il vous ment, alors ?

— Il... il est... »

David s'interrompt.

« Ou pensez-vous que ne rien dire *n'est pas* mentir ? »

David fixe l'homme d'un air interrogateur.

« Comment pouvez-vous savoir ce qui s'est passé ? chuchote-t-il.

— Dites-moi où je peux trouver votre frère et vous le saurez.

— Je ne crois pas un mot de ce que vous dites.

— C'est tout simple, commente l'homme, dont les yeux gris sont comme deux silex, durs, lisses et sans vie. Vous me donnez une petite information, en échange de quoi je réponds à la question la plus douloureuse de votre vie.

— Vous mentez, dit David en déglutissant. Il n'y avait personne, qui aurait pu voir quelque chose, excepté Gabriel... et celui qui a tiré... »

L'homme sourit et opine.

David a soudain l'impression de se retrouver sur un plan incliné et de perdre l'équilibre.

« Il y a beaucoup de documents, confie l'homme. Bien plus que vous ne pensez. Le dossier, les expertises psychiatriques, les comptes rendus de séances de thérapie. Une vraie mine, en ce qui concerne les rêves et les cauchemars de Gabriel, et son inconscient. »

David a le vertige, et il ferme un instant les yeux.

« Même avec la meilleure volonté, je ne sais pas où il est, finit-il par marmonner.

— Au fait, vous savez qui vous protégez en ne disant rien ?

— Qu'est-ce que vous voulez dire ?

— Vous croyez votre frère ? Je veux dire, vous lui faites confiance ? »

David évite le regard de son interlocuteur et se passe la main sur le visage.

« Celui qui a tiré sur votre père, dit l'homme avec lenteur en insistant sur chaque syllabe, c'est votre frère. »

Le cœur de David cesse de battre.

Silence. Respiration coupée, cœur arrêté, même pas la moindre pensée.

Puis son cœur se remet à travailler, balbutie, cogne contre ses côtes.

« C'est… C'est impossible.

— Qu'est-ce qui est impossible ? lance l'homme. Qu'un gamin de onze ans tire sur son père et le tue ?

— Je ne crois pas un mot de ce que vous dites.

— Regardez votre frère en face. Pourquoi croyez-vous qu'il est comme il est ?

— Il a perdu ses parents, ça ne suffit pas ?

— *Vous aussi*, vous avez perdu vos parents. » Le regard de l'homme se plante dans les yeux de David. « Et pourtant vous êtes un homme normal. Pacifique, posé… Rien à voir avec Gabriel. »

David sent le sol s'ouvrir sous ses pieds. Les bagarres de Gabriel à la fondation Elisabeth, l'agression contre le directeur de Falkenhorst, les excès de drogues, le pavillon fermé – toute cette démence. Et soudain tout semble coller.

« Prouvez-le, murmure David.

— Dites-moi où je peux trouver votre frère. Et vous aurez le dossier… et votre preuve. »

David est ébranlé jusqu'à la moelle. Il tousse, l'acidité gastrique lui envahit l'œsophage, et une aigreur se répand dans sa bouche. La question lui monte aux lèvres sans qu'il puisse y résister.

« Et… est-ce qu'il a aussi… ma mère ?

— On a un deal tous les deux ?

— Je ne sais pas, répond David la voix couverte, si je peux faire ça.

— Oh ! que si, vous le pouvez ! Il vous suffit de vouloir. Mais ne lui dites pas que je suis venu. Ne lui répétez pas ce que je vous ai confié. De toute façon, il nierait. Il ne fait confiance à personne. Vous êtes le mieux placé pour le savoir.

— Je… je ne sais même pas vraiment s'il se manifestera encore. Je crois qu'il a bien d'autres soucis en ce moment.

— Parce qu'il s'est évadé du commissariat ? Croyez-moi, c'est justement dans ces moments-là qu'on a besoin d'amis et de parents. Il se manifestera. Tôt ou tard.

— Qu'est-ce que vous avez l'intention de faire, quand vous saurez où il est ? »

L'homme hausse les épaules et observe David avec des yeux insondables.

« Je veux simplement le trouver. Et je veux récupérer ce qui m'appartient. C'est tout. »

L'homme se lève, étonnamment vif pour son âge, et il laisse tomber une carte de visite sur le divan gris. Sur le bristol souple et blanc, un simple numéro de téléphone.

« Vous n'avez qu'à demander Youri », fait-il.

Et sans un regard de plus, il disparaît dans l'entrée. Le mur bleu jette un reflet de couleur sur son triste manteau.

Puis il claque la porte, et le silence retombe.

32

Berlin – 18 septembre, 16 h 34

Gabriel repose le *Berliner Zeitung* et jette le reste de café dans le lavabo. La lavasse noire bouillie puis réchauffée que le réceptionniste du Caesar appelle café filtre est d'une désastreuse amertume. Malgré la caféine, une fatigue de plomb le paralyse, comme si son poids avait été multiplié par trois.

Le vrombissement obstiné d'une mouche, qui s'est prise entre la fenêtre et le rideau de sa chambre, lui porte sur les nerfs. Cela lui rappelle le bourdonnement des insectes et la puanteur douceâtre qui flottait au-dessus de Verena Schuster.

La veille, son cadavre, dans un état de décomposition déjà bien avancé, avait été découvert par la police. Peu de temps auparavant, on avait identifié le cadavre écrabouillé d'un jeune homme, passé quelques jours auparavant sous un quarante tonnes, comme étant celui de Jonas Schuster. La police voulait informer sa mère et les inspecteurs trouvèrent sa dépouille exposée sur la table de la cuisine de son appartement. Le *BZ* citait l'attaché de presse de la police qui expliquait que c'était « un des méfaits les plus abominables de l'histoire récente de la criminalité berlinoise ».

Gabriel pose la tasse vide sur la table rectangulaire éraflée, roule le journal en une matraque et fait coulisser sans bruit le rideau sur sa tringle. Comme si les jours maussades précédents n'avaient pas existé, le soleil d'automne illumine paisiblement la pièce de sa lumière suave rose orangé.

D'un geste vif du poignet, Gabriel écrase la mouche d'un coup de *BZ*. Le vrombissement s'arrête d'un seul coup, et un petit grumeau noir informe atterrit sur le rebord de la fenêtre.

Gabriel se recouche sur le lit et s'enfonce profondément dans le matelas défoncé. Depuis le coup de pied de Jonas, son épaule droite lui fait de nouveau plus mal. La fatigue et l'air chargé de poussière lui brûlent les yeux.

Depuis que Jonas Schuster a été écrasé par le semi-remorque, le temps a passé tant bien que mal et très vite à la fois.

Il a tout de même un portrait du ravisseur de Liz : cinquante ans environ, cheveux blonds, la moitié droite du visage défigurée et une prothèse de main – ou de bras –, bref, un homme qui ne peut pas se cacher facilement, du moins si on sait où le chercher.

Mais avec la mort de Jonas, Gabriel a perdu la seule chance de piéger le ravisseur de Liz. Il ne lui reste plus qu'à fouiller dans ses souvenirs oubliés, dans les coins les plus reculés, les plus sombres de son cerveau, dans l'espoir de découvrir quelque chose qui établirait un lien avec cet homme.

Depuis trois jours il se martyrise donc le crâne, dort peu, voire pas du tout, et, quand ses paupières finissent tout de même par se fermer, il plonge dans un sommeil troublé, épuisant, noyauté de cauchemars embrouillés qui soulèvent plus de problèmes qu'ils n'en résolvent.

Gabriel fixe de nouveau le plafond, mais il a beau s'escrimer, le 13 octobre est et demeure un point aveugle.

Arrête avec ces conneries, Luke.

Je ne peux pas. Je ne peux plus.

Ça n'en vaut pas la peine. Mais regarde-toi ! Tu sais contre qui tu te bats, là ?

Épargne-moi ça.

Qu'est-ce que tu veux que je dise ? Mais j'y tiens, à ta folie. Libère-toi enfin. Cette fille est un fil à la patte. Rien d'autre.

T'es vraiment un connard.

Tu confonds la cause et l'effet. C'est elle *qui te fait du mal, pas moi.*

Il vaut mieux avoir mal que ne rien sentir, comme toi.

On se connaît bien, tous les deux, pas vrai ?

Gabriel serre les poings.

C'est sans espoir.

Je ne suis pas David.

Non. Certainement pas. Tu es Luke.

On croirait entendre mon psychiatre.

Fais gaffe que je ne me mette pas en colère !

Et toi, ne m'insulte pas tout le…

La sonnerie aigrelette du portable rompt le silence. Gabriel se lève brusquement, droit comme un cierge. En un bond, il est près de la table et saisit le téléphone. Appel masqué.

« Allô ?

— Allô, Gabriel. »

Gabriel prend une longue inspiration. Il sait tout de suite que c'est *lui*.

« Je suis surpris que tu fasses mon travail. »

La voix est calme et froide.

« Je ne comprends pas ce que vous voulez dire.

— Tu ne trouves pas qu'on devrait se tutoyer ? Avec tout ce que nous avons en commun…

— Quel travail ?

— Ce jeune sans intérêt. » La voix devient vibrante. « Tu as déjà regretté ce que tu as fait ? »

Gabriel se tait, alors qu'il voudrait hurler.

« *Moi*, à ta place, j'aurais regretté. Vengeance de quatre sous, manque de self-control. Ça me serait pénible. Si rapidement, en si peu de temps, c'est pas mon truc, ça. La vengeance ne vaut rien, quand elle est si rapide. Et à quel prix… » Il rit de nouveau. « Comment espères-tu me trouver, maintenant ? Moi et ta copine ?

— Qui êtes-vous ?

— Tu peux m'appeler Val.

— Val, reprend Gabriel. Enfin un nom. C'est allemand ou anglais ?

— N'essaie pas de m'entraîner dans une discussion sur mon nom, c'est amusant mais inutile. Sais-tu que j'ai dû réfléchir un certain temps pour savoir ce que je devais penser, quand tu m'as dit que tu n'avais plus aucune idée de qui je suis. Et franchement : tout compte fait, je trouve que tout ça est bien mieux que je l'avais espéré. Un vrai jeu de piste. Un jeu de piste dans ta tête. Dieu, que ça doit être fatigant. Tu as des cauchemars ? Bienvenue dans mon monde, alors. Tu ne te rappelles vraiment rien, n'est-ce pas ? Et cela, quoique le jeune t'ait dit à quoi je ressemble… C'est bien ce qu'il a fait, non ? On n'oublie pas si facilement mon visage. Il t'a raconté aussi ce que j'avais fait de son copain ? »

Gabriel entend son sang cascader dans sa tête comme un torrent, il serre les dents pour ne pas dire de bêtise, surtout ne pas faire la moindre erreur, que Liz devra payer.

« Tu ne veux rien dire, tu as *peur*, je me trompe ? Ça se sent jusqu'ici. »

Gabriel n'écoute que le bruit de la cascade.

« Je sais que tu le sais. Naturellement qu'il te l'a dit. Mais est-ce que tu sais *pourquoi* j'ai fait ça ? » Val se tait longtemps, provocant, et il finit par susurrer : « J'ai fait ça pour toi. C'était une vengeance. Pour venger ce qu'ils avaient fait à ton amie. Ils l'ont blessée. Ta copine. Et moi qui voulais qu'elle soit parfaite, pour moi !

— Vous teniez déjà Liz, non ? Vous l'aviez déjà attrapée, et c'est là, subitement, que ces deux-là ont surgi et vous ont dérangé.

— C'était horrible, oui. Ils étaient si brutaux ! Je me suis conduit de manière si stupide et j'ai été un peu lâche aussi. Je ne voulais pas qu'on me voie et je me suis jeté dans les buissons. J'aurais dû rester, tout simplement, ne pas la laisser seule. J'ai détesté ces types parce que je me suis senti si lâche et si bête… » Val gémit comme si cette idée le poursuivait toujours. « Mais maintenant je me sens mieux.

— Parce que vous lui avez tranché la gorge…, murmure Gabriel.

— Oh ! non ! Non, non, là n'est pas l'essentiel. Je l'ai sauvée, *elle*, et je l'ai puni, *lui*. Mais avant tout, j'ai pu voir comment il est mort, observer chaque seconde durant laquelle sa vie de merde, sa vie misérable et indigne lui a coulé des veines. J'ai vu ça dans ses yeux, jusqu'au dernier instant. Il a vu que je voyais. La dernière chose qu'il a vue, c'est mon sourire quand il est mort. *Ça*, comprends-tu, *ça*, c'est ce qui s'appelle de la vengeance.

— Et Verena Schuster, la mère de l'autre ? Pourquoi elle ? »

Val se tait un moment, puis il dit avec circonspection :

« En fin de compte, ça aussi, je l'ai fait pour toi.

— Pour *moi* ?

— Oh ! oui ! Je veux t'aider.

— C'est... c'est de la folie, s'exclame Gabriel, l'air hébété.

— De la folie ? *Je* vois tout cela très distinctement. Le problème, ce ne sont pas les fous, tu sais. Ce sont les gens normaux. Tu devrais bien le savoir, toi, justement toi. Et néanmoins tu agis comme si tu en faisais partie, de ces *normaux.* »

La main de Gabriel se resserre convulsivement sur le téléphone. Des flashs jaillissent dans son cerveau épuisé. Camisole de force, sangles, le visage de Dressler...

« Je ne suis, murmure Val, que celui qui te construit un pont en or, pour que tu retrouves le chemin du passé. À un moment ou un autre, nous devons tous retourner là où nous avons commencé.

— Quel intérêt ? demande Gabriel. Qu'est-ce que vous attendez de moi ?

— Je veux que tu te *rappelles* et que tu comprennes ce que tu as fait. Je veux que tu te rappelles ça, jour après jour, nuit après nuit.

— Alors, laissez Liz en dehors de tout ça. Elle n'a rien à voir avec ça. »

La voix de Val bascule soudain et devient acérée et agressive.

« Que c'est émouvant ! explose-t-il. Est-ce que tu comprends ce que tu dis ? Tu crois vraiment à ce bavardage de matamore ? Tu crois qu'avec ça tu vas arriver à quelque chose avec quelqu'un comme moi ? Tu devrais pourtant savoir qu'avec moi tu n'arriveras à rien avec ta noblesse d'âme merdique. Car c'est justement ça qui est intéressant, qu'elle n'ait rien à voir avec cette histoire. Ça t'aidera d'autant mieux à te rappeler !

— Pour le moment, je ne me rappelle rien. Et si tu – Gabriel s'interrompt et se corrige aussitôt –, si *vous* voulez absolument que je me rappelle, alors, nom de Dieu, dites-*moi* donc ce qui s'est passé cette nuit là, peut-être qu'alors je comprendrai enfin ce que vous me voulez.

— Oh ! Non. Je ne te rendrai pas la vie si facile. Il va falloir que tu subisses encore bien des tourments, si tu veux revoir ton amie.

— Vous savez quoi ? explose Gabriel. Vous vivez dans votre monde de malade, et, qui sait, vous n'avez peut-être aucune idée de ce qui s'est *réellement* passé durant cette nuit. Je ne pige pas ce que vous voulez. Vous me rendez responsable de quelque chose qui vous est arrivé. Bien. Compris ! Mais aussi longtemps que vous me débiterez ces vagues allusions de merde, tout cela n'aura aucun sens… »

Silence oppressant.

« Tu ne me crois pas ? »

Gabriel regrette aussitôt ce qu'il vient de dire. Peut-être est-il allé trop loin et a-t-il mis Liz en danger.

« Soit », finit par dire Val. Sa voix a l'air soudainement sereine. « Te rappelles-tu ton pyjama ? Avec Luke Skywalker sur la poitrine ? »

Le pyjama. Il est au courant du pyjama. Et alors ? Je l'ai porté assez souvent, ce putain de truc.

« Sur l'ourlet du pyjama, poursuit Val, tu avais une empreinte sanglante. Tu t'y es cramponné avec la main, quand tu es descendu à la cave. »

C'est impossible. Il ne peut pas savoir ça.

Mon Dieu ! Il était là.

« Mais qui diable êtes-vous ? » chuchote Gabriel, le souffle coupé.

Pas de réponse.

« Qu'est-ce que vous savez ? » La voix de Gabriel tremble. – Allô ?

— *Carpe noctem* », dit Val.

Et on entend un claquement : la communication est coupée.

33

Berlin – 19 septembre, 16 h 25

L'appel de Val avait poussé Gabriel du bord d'une falaise. Il ne savait pas qu'il était si proche de l'abîme. Il tombait en chute libre.

L'effet était dévastateur, comme après une overdose de cocaïne. Il avait le cœur en déroute, tout comme ses pensées. Il était sans cesse pris d'un violent tremblement, comme s'il avait de la fièvre, tandis que son corps surexcité criait après le sommeil.

Il mobilisa ses dernières réserves, comme un drogué à la recherche du shoot salvateur, et il acheta une boîte de somnifères.

Le sommeil lui sembla voisin de la mort.

Quand il se réveille, il porte le pyjama. Il s'étonne qu'il lui aille encore. Luke Skywalker flotte lâchement sur sa poitrine de onze ans, devant lui de longues flammes montent dans le ciel nocturne rouge sang. La maison flambe, mais il sait qu'il ne sert à rien d'attendre encore plus longtemps. Il faut qu'il y entre. Il court pieds nus sur les pavés brûlants, les doigts de sa main droite agrippent l'ourlet de son pyjama.

La porte d'entrée de la maison est ouverte, l'embrasure n'est que flammes, et, immédiatement après le seuil, il y a la première marche de l'escalier de la cave. Il pénètre en plein milieu de l'océan de chaleur tremblotante, descend pieds nus dans la cave, degré après degré. Les flammes qui grimpent le long des murs tendent leurs langues rouges vers lui, et l'escalier est sans fin, même après mille marches. Il regarde autour de lui et s'effraie, la porte d'entrée de la maison est toujours directement derrière lui, et dans l'embrasure se tient un pompier – ou est-ce un policier ? – qui lui tend la main. Il connaît le visage du policier, il le sait, mais il ne veut pas saisir sa main, lui tape même dessus, poursuit en courant sa descente de l'escalier sans fin et tombe. Quand il se relève, il se retrouve subitement dans le laboratoire et est pris de panique. Personne ne doit connaître l'existence du laboratoire de père. Même pas le policier !

Le rêve se rompit comme un fil trop tendu. Gabriel se redressa, trempé de sueur.

Il était 14 h 27, il avait dormi presque seize heures. Il avait les jambes en coton, mais elles le portaient. Il fixa l'inconnu du miroir et se donna beaucoup de peine pour le chasser en s'éclaboussant d'eau froide.

Qu'avait dit Val pour terminer ? *Carpe noctem* ? Ça n'avait aucun sens.

Il essaya lentement de démêler le chaos qui lui embrouillait la cervelle. Que Val ait fait allusion au pyjama Skywalker l'avait terriblement ébranlé. Les pyjamas avaient été la seule chose que David et lui avaient réussi à sauver de leur vie antérieure. La tache de sang sur l'ourlet est la marque que l'horreur de cette nuit a imprimée sur le tissu. Et même si Gabriel n'avait plus le moindre souvenir ni du moment ni de la manière dont ce sceau était apparu, il savait du moins qu'il *n'était pas* sur le pyjama *avant*.

La voix de Val flottait dans ses pensées comme un écho. *Sur l'ourlet du pyjama, tu avais une empreinte sanglante. Tu t'y es cramponné avec la main, quand tu es descendu à la cave.*

La cave. Ce n'était pas qu'un rêve, il était réellement descendu dans la cave cette fameuse nuit. Et le laboratoire ? Est-ce qu'il y était entré aussi ? Était-il question du laboratoire dans cette histoire ? Et qu'est-ce que ce Val avait à y faire ? Et d'une façon générale, comment était-il entré dans la maison ? Et pourquoi lui, Gabriel, avait-il eu du sang sur la main ? Où est-ce que ce n'était pas du tout son sang sur l'ourlet ?

Au foyer, il avait fallu laver le pyjama plusieurs fois pour le nettoyer de cette sanglante empreinte de main, et en même temps que le sang partait, l'image de Luke pâlissait elle aussi. Mais malgré les couleurs passées et les terribles événements qui s'y rapportaient, le pyjama Skywalker était le seul souvenir de sa vie antérieure, et c'est pourquoi il y tenait comme à un trésor. Et David, qui avait eu le même pyjama, en faisait autant.

Est-ce que David avait lui aussi gardé son pyjama ?

Le fait de penser à son frère lui donna un coup de poignard. Cette nuit aurait dû les souder. Et pourtant, elle les avait séparés.

Pour la première fois de sa vie, il souhaita ne pas avoir enfermé David dans la chambre. Peut-être son frère aurait-il pu lui raconter ce qu'il s'était passé cette nuit-là. Jusqu'à aujourd'hui, se dit-il, je ne sais ni ce qu'il a entendu, ni ce qu'il n'a pas entendu, depuis cette chambre, à l'étage.

Est-ce que cela vaudrait la peine de le questionner là-dessus ?

Gabriel s'habilla rapidement, un jean noir, un pull sombre et une sobre veste en cuir noir, une casquette à visière qui lui cachait le visage.

Il n'avait plus rien à perdre, et David lui semblait l'ultime espoir de récolter quelques informations qui pourraient l'aider à retrouver la mémoire.

Il quitta donc le Caesar et partit à pied chez David. Peu après la mort de Jonas, il avait abandonné le Chrysler dans une petite rue excentrée, simplement pour le cas où le propriétaire de la baraque se rappellerait le monospace dans lequel Gabriel était parti avec Jonas.

À présent qu'il se trouve devant la porte de David, Gabriel n'est plus certain que ce soit une bonne idée de poser des questions à son frère. Il scrute une fois encore les environs, puis il sonne. Cette fois le bouton n'est pas froid, mais chaud ; le soleil de midi tape sur les plaques en laiton.

Il ne va pas être là, Luke. Il n'est jamais là quand on a besoin de lui.

Gabriel veut le contrer, mais le parlophone grésille.

« Allô ?

— Allô, c'est moi, Gabriel. »

Silence.

« David ?

— Tu es fou ? La police est venue, ils te cherchent.

— Je sais, confirme Gabriel, mais ils sont repartis, non ? »

Nouveau silence. Suivi du bourdonnement de la serrure.

« Monte. »

Gabriel prend l'ascenseur. Il remarque de nouveau combien tout est propre. David apparaît déjà dans la porte, élancé, pâle, l'œil vert.

Et maintenant ?

« Je peux entrer ? »

David le toise, puis il opine. Il a l'air anxieux.

« Tu as l'air d'une merde, fait David.

— Et c'est exactement comme ça que je me sens.

— Tu reprends des trucs ? »

Gabriel secoue la tête.

« Non. Quelques somnifères. »

David ne dit rien.

« Écoute-moi, commence Gabriel prudemment.

— Je ne veux rien savoir, l'interrompt David. Je ne veux rien savoir de toute ta merde. Fous-moi la paix avec ça, hein ?

— OK. Je n'ai pas l'intention de te casser les pieds ou de te convaincre d'histoires que tu ne croiras pas, de toute façon. Et je ne veux en aucun cas t'embarquer dans quoi que ce soit, les choses sont déjà assez compliquées comme ça entre nous… »

Gabriel regarde David, dont les yeux verts sont étrangement indifférents. Il le sent méfiant, sur la défensive, mais il y a encore autre chose, qu'il n'arrive pas à définir.

« Il faut que je sache quelque chose. Je… » Gabriel s'interrompt, cherche des mots pour exprimer ce pour quoi il n'y a pas de mots. « Tu sais que je ne peux pas me rappeler… cette nuit. »

David opine froidement.

« En tout cas, tu as toujours refusé toute discussion là-dessus.

— Je ne le sais vraiment pas, David. Je n'arrive tout simplement pas à me rappeler. Mais maintenant il *faut* que je sache, tu comprends ? »

David le regarde, surpris. Manifestement, il s'attendait à tout, sauf à ça.

« Qu'est-ce que tu veux dire ? Pourquoi ?

— Ne me pose pas de questions. C'est comme ça. Il faut que je sache. »

David s'esclaffe douloureusement. La colère lui met le rouge aux joues, on voit qu'il lutte pour garder contenance.

« Merde, finit-il par éclater, tu ne dis pas un mot pendant trente ans. Tu ne réponds à aucune, mais vraiment à *aucune* de mes questions et tu me laisses tomber. Et maintenant, tout à coup, tu veux que je te dise, *moi*, ce qui s'est passé ? » David secoue la tête. « Franchement, je ne comprends pas ! C'est bien *moi* qui étais enfermé là-haut dans la chambre. *Je* n'ai rien pigé. Et maintenant c'est à *moi* que tu demandes ce qui s'est passé ? Mais putain ! Et *mes* questions, qu'est-ce que tu en fais ?

— Mais tu n'as jamais rien demandé.

— Nom de Dieu ! Tu as toujours mis les verrous. Des questions, j'en avais mille !

— Et alors, pourquoi tu me les as jamais posées ?

— J'ai cru que je... » David s'interrompt et cherche ses mots. « Et merde, finit-il par exploser. Qu'est-ce que tu crois ? J'avais peur. Tu étais toujours si... Je ne sais même pas quoi dire. J'étais qu'un *gamin*, nom de Dieu ! Et tu étais mon grand frère, tu comprends ? Je n'avais plus de père, plus de mère, et j'avais une peur bleue de te perdre, toi aussi. Et vu la manière dont tu refusais toute discussion, je me suis dit, tu as intérêt à le laisser tranquille... Tu donnais l'impression de toujours vouloir te mettre en colère, ou de t'effondrer. C'est ce que je craignais le plus, que tu t'effondres. »

Gabriel le fixe, stupéfait. David avait essayé de l'épargner, *lui* ?

« Tu... tu n'as jamais dit ça.

— Non, naturellement. Et comment j'aurais pu ? Tu étais complètement à côté de tes pompes, toujours un film qui se projetait dans ta tête, dont je ne comprenais pas la moindre image. Il était impossible de t'arrêter dans ton trip...

— Je t'ai protégé, continuellement je t'ai...

— *Non*, putain ! le coupe David, et dans ses yeux se reflètent des larmes. Tu étais occupé avec toi-même. Il n'était pas question de moi, il n'était toujours question que de toi. À chaque bagarre que tu provoquais pour un oui ou un non, chaque fois que tu montais au créneau pour me défendre... Il n'était question que de toi. Je ne t'ai rien demandé... Je trouvais ça terrible. »

Gabriel ravale la colère et la honte qui montent en lui. Ça cogne dans sa tête.

« Foutaises. Peut-être que tu étais vraiment trop petit pour te rappeler... Et quand ces mecs t'ont cassé la gueule au foyer Elisabeth ? Tu ne prétends tout de même pas sérieusement que tu t'en serais sorti seul ? Ou cette bonne sœur, qui...

— Oh ! s'il te plaît ! » David lève les yeux au ciel. « À ton avis, *pourquoi* ils s'acharnaient tant sur moi... Ce n'est pas moi qui étais en cause, ils étaient trop lâches pour s'attaquer à toi. La plupart des emmerdes, je ne les ai eues qu'à cause de toi... »

Gabriel le fixe, l'air hébété. *Des emmerdes, à cause de moi ?* Il se rappelle plein d'occasions où il a sauvé la peau de son petit frère, parce que celui-ci ne voulait pas se défendre et...

Peu importe ! Ressaisis-toi !

« OK, concède Gabriel en se maîtrisant difficilement. Tout de même. Crois-moi, David. Même si tu m'avais demandé, pour cette nuit je veux dire, je ne me souviens de rien. Je n'aurais rien pu te dire, tu comprends ? Cette nuit... Il n'y a rien là, c'est comme... une tache aveugle. »

David le regarde, incrédule.

« Et à la clinique ? Tu étais en psychiatrie. Il y avait des pros, des médecins, des psychologues. Avec tout ce qu'ils ont fait avec toi, tu n'as pu te souvenir de rien ?

— Ils m'ont enfermé et gavé de neuroleptiques. C'est à peu près la seule chose que je peux me rappeler. »

David baisse les yeux et se tait. Le regard est lointain, fixé sur un point situé au-delà du sol. Il finit par soupirer.

« Je ne sais toujours pas, jusqu'à aujourd'hui, pourquoi tu m'as enfermé dans notre chambre, cette nuit-là. Dieu seul sait tout ce qui s'est passé.

— Qu'est-ce que tu as entendu là-haut ?

— J'ai entendu du bruit, c'est ça qui m'a réveillé. Père a crié quelque chose, et puis il y a eu une détonation. Je n'ai pas tout de suite compris que c'était un coup de feu. J'ai collé l'oreille à la porte, mais je n'ai presque rien entendu.

— Presque rien ?

— Un bruit de chute, juste après le coup de feu. Ensuite, il y a eu un moment de silence, et puis de nouvelles détonations. Trois. C'est là que j'ai compris que c'étaient des coups de feu. J'avais tellement peur, je me suis réfugié sous le lit. Au bout d'un certain temps, ça empestait la fumée. Je suis allé à la porte, j'ai cogné contre le panneau et j'ai appelé. Alors, tu es venu et tu as ouvert. Tu avais l'air d'avoir rencontré le diable en personne. Je t'ai crié dessus, je voulais savoir ce qui s'était passé. Tu n'as pas dit un mot, tu m'as tout simplement chopé le bras et tu m'as entraîné dans l'escalier. Et c'est là que je les ai vus, étendus par terre tous les deux. C'était...

— Décris-moi ce que tu as vu », dit Gabriel à voix basse.

David a le visage gris, les rides autour de sa bouche sont comme des agrafes profondément plantées.

« Père était couché sur le dos, une balle dans le ventre, entrée par le côté. Une autre lui avait perforé la poitrine et probablement atteint le cœur. Il était allongé dans une mare de sang frais. » David s'éclaircit la voix, se lève, tourne le dos à Gabriel, va à la fenêtre et regarde par-dessus les toits de Berlin. « Elle... elle avait été frappée par une balle directement dans... dans la tête, dans l'œil droit.

— Tu te rappelles encore autre chose ? »

David hoche la tête.

Gabriel est suspendu à ses lèvres, aspire chaque détail et attend qu'une étincelle jaillisse qui embraserait sa mémoire. Mais il ne se passe rien.

« Combien de temps on est restés là ?

— On n'est pas restés du tout. Tu m'as tout de suite entraîné plus loin. Je les ai vus peut-être deux ou trois secondes, dit David, la voix cassée. Curieux. Chaque fois que j'y pense, je revois tout devant mes yeux, comme sur une photo où je peux discerner chaque détail, même le journal sur la table basse du salon. Mais je ne me rappelle plus ce qui était écrit dessus. Je ne savais pas encore trop bien lire, c'est peut-être à cause de ça, je pense.

— Et quand est-ce que ça a commencé à brûler ?

— Ça brûlait depuis le début. Comme je l'ai dit, j'ai déjà senti l'odeur de la fumée dans notre chambre. En bas, c'était encore pire. D'épais nuages de fumée montaient de la cave. J'ai toussé comme un fou. Je crois que sans toi je serais resté là et que je serais mort étouffé. J'étais tellement… je ne pouvais pas les abandonner. J'étais comme paralysé. C'était une vue épouvantable, comme un champ de bataille, mais il fallait tout le temps… »

Le portable sonne dans la poche de veste de Gabriel.

« Excuse-moi. »

Il se saisit en toute hâte du téléphone, et la clef de sa chambre d'hôtel tombe bruyamment sur le sol.

Gabriel regarde l'écran. Jens Florbrand. Une connaissance de Liz, ou un quelconque contact de boulot. Il appuie vite sur la touche rouge, empoche le portable et la clef, et regarde David.

« Tu peux encore te rappeler autre chose, qui se serait par exemple passé sur le chemin entre le premier et le rez-de-chaussée ? »

David secoue la tête. Il est pâle et tout retourné.

Gabriel détourne les yeux vers le sol.

« Et est-ce que tu sais s'il y avait quelqu'un d'autre dans la maison ?

— Quelqu'un d'autre ? demande David, ahuri. Pourquoi ? » Gabriel hausse les épaules. « Non. Il n'y avait personne.

— Est-ce que nous sommes retournés dans la cave, est-ce tu peux te souvenir de ça ?

— Dans la cave ? Non. Certainement pas, mais attends, si, il y avait quelque chose d'étrange. »

Gabriel lève les yeux et regarde David.

— Quand on est sortis, il a fallu qu'on passe devant la porte de la cave, tu l'as fermée pour qu'il y ait moins de fumée qui monte, je crois. J'ai cru, un instant, qu'on frappait, là, et j'ai cru entendre comme des… des cris. »

La chair de poule envahit la nuque de Gabriel.

Quand même ! Il y avait quand même quelqu'un d'autre.

« Je l'avais presque oublié, poursuit David, ça a duré très peu de temps, si bien que je n'en étais absolument pas sûr, et puis il y avait ce feu et… j'étais complètement retourné. Peut-être que c'était quelqu'un qui criait depuis la rue, quelqu'un qui avait remarqué qu'il y avait le feu.

— Et qu'est-ce tu en penses aujourd'hui ? Ça venait de la cave ou de la rue ? »

David le contemple longtemps. Puis il hausse les épaules.

« Je ne suis sûr de rien. »

Gabriel opine. Il se lève avec lenteur, comme s'il avait un énorme poids sur les épaules.

« Merci », bafouille-t-il maladroitement.

David renâcle et secoue la tête.

« Tu ne peux vraiment te souvenir de rien ? »

Gabriel hausse les épaules.

« Et en psychiatrie ? Tu as certainement dû suivre une thérapie. Il n'en existe pas d'enregistrement, de notes ou quelque chose comme ça ? »

Gabriel fait la moue.

« Le dossier a disparu. Pourquoi tu me demandes ça ?

— Juste comme ça, se défend David. Je croyais qu'ils étaient obligés de garder ça. »

Gabriel lui lance un regard perçant. David donne l'impression de vouloir se mordre la langue. Ça vaudrait peut-être tout de même la peine de demander à Conradshöhe, se dit Gabriel. Au même instant, il ressent des crampes d'estomac et il sait qu'il ferait tout, excepté se rendre là-bas de son plein gré. Les policiers seraient probablement les seuls à l'accueillir.

« Non, dit Gabriel, même si tu ne me crois pas, je ne peux pas me rappeler. J'en rêve souvent ces derniers temps. Des cauchemars. Mais je ne sais pas avec certitude ce qui est réel et ce qui ne l'est pas.

— Tu rêves de quoi, exactement ? »

Gabriel hausse les épaules.

« Des trucs confus. Aucune idée. »

Il se rend devant le plan de travail de la cuisine ouverte, prend un stylo à bille qui traînait là et griffonne dans la marge du journal.

David l'observe et sent que, comme souvent, sa rage fait place à une profonde résignation.

Gabriel tapote le journal.

« Au cas où tu te rappellerais encore quelque chose, ça, c'est le numéro de Liz, et tu peux me joindre avec.

— OK. Et alors, Liz ? Elle a réapparu ? »

Gabriel hésite un instant.

Oublie, il ne te croira pas, Luke. Il ne te croit plus. Même pas que tu n'arrives plus à te rappeler.

« Oublie », fait Gabriel.

Il ouvre la porte du réfrigérateur de David et regarde à l'intérieur.

« Il te reste une bière ? À emporter ? Le réfrigérateur est désespérément vide. Tu ne manges jamais à la maison, ou tu ne manges pas du tout ?

— Ça ne te regarde absolument pas », rétorque David d'une voix glaciale. Une légère rougeur lui monte aux joues.

« C'est bon, je m'en vais. »

David ne dit mot.

Quand Gabriel referme la porte de l'appartement sur lui, David se laisse tomber sur le divan et fixe la tache du mur, là où était accroché le Dalí. Mais au lieu de l'étude de Dalí, c'est une tout autre image qui lui envahit l'esprit.

Elle représente la clef de la chambre d'hôtel de Gabriel qui était tombée par terre, accrochée à un lourd porte-clefs dans le style des années soixante-dix, avec un grand numéro 37 écrit en lettres latines : CAESAR BERLIN.

34

Nulle part – 21 septembre

Liz est allongée sur le dos et somnole. Depuis un certain temps, la lumière est de nouveau allumée, c'est le matin du 21 septembre, pour autant qu'elle ait bien enregistré les changements lumière-ténèbres. La perfusion n'arrête pas d'alimenter ses veines, et elle est persuadée entre-temps que c'est avant tout à cause des effets secondaires de ces gouttes qu'elle a l'impression que sa bouche est asséchée comme si elle avait avalé de la poussière.

Sans oublier l'envie d'uriner. Depuis qu'on lui a retiré la sonde, il faut qu'elle attende pour aller aux toilettes. En revanche, il est plus facile pour elle de s'entraîner la nuit, cette sonde était un vrai supplice.

Impatiente, elle louche vers la porte. Yvette aurait dû être là depuis longtemps, comme chaque matin, pour l'aider à aller sur la chaise percée après le petit déjeuner.

Petit déjeuner.

Ces deux mots sonnent bien, sentent bon la vie normale. En réalité, c'est une bouillie amère de céréales mélangées à des fruits et de l'eau. Sain, mais répugnant.

Au moins, il ne me laisse pas mourir de faim.

La clef grince dans la serrure et Yvette entre. Comme toujours ces derniers temps, elle s'assure que Liz est tranquillement couchée dans son lit. Puis elle approche la chaise, place le seau en dessous, sous la découpe ovale de l'assise et referme la porte de l'intérieur.

Le regard suivant est pour l'écuelle de bouillie vide. Puis elle aide Liz à se lever, comme toujours sans un mot, et elle la traîne sur la chaise percée.

Liz se sent lourde comme du plomb. L'effet des médicaments lui dérobe une grande partie de sa tension corporelle et dissimule son entraînement nocturne. Depuis onze nuits, chaque fois que l'effet de la perfusion a diminué, Liz lutte pour chaque pas en déambulant pieds nus dans l'obscurité totale de sa chambre, toujours d'un mur à l'autre. Au début, elle comptait en pas, puis elle a compté en distance entre les murs et la nuit précédente, pour la première fois, en kilomètres.

Yvette se redresse en soupirant lorsque Liz est enfin assise correctement sur sa chaise. L'infirmière a des bras musclés, mais elle a manifestement mal au dos quand elle soulève Liz.

L'assise fraîche de la chaise percée se presse contre la peau de Liz. Comme toujours, elle ne porte que la mince chemise d'hôpital, ouverte dans le dos. Ses cuisses dépassent comme des baguettes de tambour du bord blanc de l'assise. Pour un bref instant, elle sort d'elle-même, se voit d'en haut, au-dessus d'un seau, livrée de manière dégradante. Elle ferme les yeux, sent l'air frais entre ses jambes et la pression sur sa vessie. Elle contracte le périnée et serre instinctivement l'entrecuisse. *Pas maintenant.*

Liz sait que c'est un des rares moments de la journée qu'*elle* arrive à contrôler. Car, on ne sait pourquoi, Yvette attend pour repartir que Liz se soit soulagée, peut-être pour ne pas laisser seau et chaise sans surveillance dans la cellule, peut-être aussi pour empêcher Liz de tomber de la chaise et de se blesser sérieusement. Et Liz sait qu'il faut qu'elle parle à Yvette. Durant la nuit, elle a révisé cette conversation comme elle prépare ses interviews. Elle est contente à présent d'avoir procédé ainsi, car les médicaments ne diminuent pas que ses facultés motrices.

« Yvette ? »

Elle secoue la tête.

« Yvette, tu pourrais… J'aimerais être seule. »

Hochement de tête.

Bien. Liz doit se forcer à ne pas sourire.

« Tu n'as pas le droit de me laisser seule ? »

Approbation de la tête.

« Je peux te tutoyer ? »

Yvette acquiesce d'un signe.

Très bien ! Liz lève un peu la tête, dans la direction du verre sombre derrière lequel elle suppose que se trouve la caméra, puis reprend sa place.

« Il nous voit ? »

Yvette réfléchit un instant, puis elle souffle :

« Je ne crois pas. Il n'aime pas regarder quand… » Elle tourne les yeux vers le seau sous la chaise de Liz.

« Alors, il ne nous voit pas non plus maintenant si on se parle. »

Yvette n'opine pas, mais ne hoche pas non plus la tête.

« Vas-y ! se contente-t-elle d'intimer d'une voix neutre, il faut que je parte.

— Je n'y arrive pas comme ça. »

Silence.

« Pourquoi tu fais ça, je veux dire ce que tu fais là ? »

Yvette se tait et détourne le regard.

« Il te paie ? »

Elle secoue la tête.

« Alors pourquoi ? »

Elle secoue une nouvelle fois la tête et dit :

« Dépêche.

— Qu'est-ce qu'il t'a promis, Yvette ? »

Yvette se tait, serre les lèvres et louche sur le seau. La pression s'accentue de plus en plus sur la vessie de Liz. Les secondes s'étirent comme des minutes. *Ce n'est qu'une interview, Liz. Juste une interview. Vas-y !*

« Tu crois qu'il tiendra ses promesses ? Je veux dire, c'est quelqu'un qui honore sa parole ?

— Laisse-moi tranquille avec ça.

— Il t'a promis quelque chose, non ? »

Yvette a les yeux humides.

« Yvette. *Qu'est-ce* qu'il t'a promis ? »

Elle lance un regard circulaire, présente ensuite la nuque au verre sombre.

« Il… il a dit, chuchote-t-elle, qu'il me laisserait partir. »

Un moment de silence oppressant.

« Tu as enfin terminé ? » demande Yvette d'une voix chevrotante et elle se baisse pour mieux voir l'intérieur du seau.

Liz secoue la tête. Sa vessie ressemble à une pastèque, mais elle continue tout de même de contracter le périnée.

« Il ne te laissera pas partir », dit Liz gauchement.

Sa bouche est comme asséchée et la langue lui colle au palais.

« Si, il le fera, répond Yvette à voix basse.

— Yvette, quoi qu'il ait l'intention de faire, il *ne peut pas* te laisser partir. Tu as tout vu, tu en sais trop.

— *Il le fera.* »

Liz essaie d'humidifier ses lèvres. Sans succès. *Vas-y ! Ne lâche pas.*

« Depuis quand tu es là ? »

Yvette regarde le seau.

« Quand…, insiste Liz et elle ne peut s'empêcher de tousser, la vessie lui brûle, quand est-ce qu'il t'a enlevée ? »

Yvette tressaille, son visage gris se fige.

« Parce qu'il *t'a bien enlevée*, non ? Tout comme moi. »

Aucune réaction.

Cette putain de vessie !

« Depuis quand es-tu là, Yvette ? Depuis quand il t'a enfermée ? »

Le menton d'Yvette tremble.

« Octobre », murmure-t-elle dans un souffle.

Octobre ? Liz a le souffle coupé. On est en septembre !

« Ça veut dire que… que tu es… ici depuis presque *un* an ? »

Yvette serre les mâchoires et ne bouge pas.

« Seule ? Depuis un an ?

— Il… il y avait encore d'autres femmes…

— D'autres femmes ? Où ? »

Yvette dirige son regard sur le lit.

Une main de fer enserre le cœur de Liz.

« *Ici ?* Dans cette chambre ? »

Yvette ne dit rien. Le silence se creuse comme un vide, comme si l'on pompait l'air de la chambre et de ses poumons.

« Combien ?

— Trois, susurre Yvette. Un mannequin et deux autres.

— Et tu crois encore qu'il va te laisser partir ? »

Yvette hoche la tête, crispée.

« Je l'aide. Il a besoin de moi.

— Mon Dieu ! Il n'a pas besoin de toi, il se sert de toi..., réveille-toi ! »

Yvette secoue la tête comme un enfant qui fait sa colère.

« Tu es la dernière, a-t-il dit. »

La dernière. Liz sent la peur débouler le long de sa gorge et se cramponner à ses entrailles. Sans les médicaments, la panique lui ferait perdre conscience.

« Yvette, c'est un psychopathe. Il te tuera, comme il a vraisemblablement tué aussi les autres femmes de cette chambre. »

La commissure des lèvres d'Yvette tressaille.

« *Dépêche-toi* de finir, à présent ! »

Liz est assise sur sa chaise comme sur des charbons ardents. *Du calme, reste très calme. Ne la provoque pas.*

« Yvette ? » Hochement de tête nerveux, froid et grave. « Pourquoi je suis ici ? »

Aucune réaction.

« Est-ce que ça a quelque chose... à voir... avec Gabriel ? » Yvette lui jette un rapide coup d'œil en coin, puis détourne une fois encore le regard. Ça a donc à voir avec Gabriel.

Yvette semble vouloir se mordre la langue.

« C'est ça ?

— Il dit que quelqu'un va venir, murmure-t-elle d'un ton bourru. Pour toi.

— Yvette, aide-moi, je t'en prie. Il faut qu'on sorte d'ici. Ensemble. »

Yvette secoue la tête. Ses cils palpitent.

« Il a bien dit que tu dirais ça. Il m'a promis que... »

Elle baisse les yeux. Liz respire profondément pour ramener le calme en elle. C'est comme si la poussière qui lui encombre la bouche lui asséchait désormais les poumons, les déshydratait.

« Il ne peut pas te laisser partir, dit-elle aussi doucement que sa gorge sèche et rauque le lui permet. Tu sais qui il est.

— De toute façon, *toi*, il ne te laissera certainement pas partir, siffle Yvette entre ses dents.

— Connais-tu son nom ? »

Yvette la regarde, presque hostile.

« Si je le savais, à *toi* je ne le dirais jamais.

— Yvette, poursuit Liz, *si* tu connais son nom, il ne te laissera jamais partir. Tu sais bien de quoi il est capable. »

On entend nettement Yvette grincer des dents.

« Qu'est-ce que tu ferais à sa place ? »

Des taches roses se forment sur ses joues.

« Tu le laisserais partir, *toi* ? Tu...

— Ferme-la ! » crie Yvette. Puis elle murmure : « Il s'appelle Val. Tu entends ? Val ! »

Liz tressaille, effrayée. Elle perd un instant le contrôle de ses muscles, un jet gicle dans le seau. Elle resserre vite les cuisses.

Yvette se penche subitement en avant, le visage tout empourpré à présent, l'attrape aux genoux et les lui écarte de force. Liz pousse un cri. Et elle sent instantanément que tout commence à couler sans qu'elle puisse rien contrôler.

« Bon, maintenant, tu le connais », dit Yvette. Elle fixe Liz de ses yeux gris humides. « Et maintenant tu sais qu'il ne *te* laissera plus jamais sortir. Plus jamais ! Parce que maintenant, *tu* connais aussi son nom. »

Liz a énormément de mal à ordonner ses pensées, les bruits au-dessous d'elle la font mourir de honte. Elle tente d'ignorer l'odeur mais n'y parvient pas.

Yvette la saisit brutalement sous les bras, la soulève et l'entraîne sur le lit, sans la nettoyer. Ses yeux gris étincellent de colère.

« Espèce de minable sorcière rousse. Il n'a pas arrêté de me prévenir. » Elle emporte la chaise et le seau et ouvre la porte. « Et moi qui pensais que tu n'étais pas comme ça ! »

Elle quitte la place, claque la porte et un instant plus tard la serrure à cylindre grince.

Liz contemple le plafond, épuisée.

Val.

Enfin un nom. C'est presque comme si son bourreau perdait un peu de l'épouvante qu'il lui inspire, à présent qu'il a quelque chose d'aussi vulgaire qu'un nom.

Mais ce qui l'inquiète, c'est qu'elle a le sentiment de l'avoir déjà entendu, ce nom.

Mais peut-être que je me trompe, se dit-elle, et elle se laisse aller à son épuisement.

35

Berlin – 23 septembre, 20 h 23

David repose le combiné sur sa fourche et observe la pluie qui claque en rafales contre les fenêtres de son bureau. En face de lui, l'aile du bâtiment de la chaîne de télévision est noyée derrière la cascade d'eau. Lorsqu'il range dans son porte-monnaie la carte de visite avec le numéro de portable de Liz, ses mains tremblent. Une douleur oppressante lui bat le crâne. Il pêche deux aspirines dans le tiroir de son bureau et les avale avec une gorgée de café au lait froid. Puis il jette un œil sur l'écran de son portable. Il est 20 h 24, et il lui reste donc encore une bonne heure avant que tout soit prêt.

Au fond, il préférerait fermer sa porte à clef, se lover comme un chat sur le divan de son bureau et s'endormir, profondément, pour le restant de l'année, avec la garantie de ne pas rêver. David se frotte les yeux et soupire. Comme s'il pouvait fermer un œil !

Il regarde une fois encore la pluie qui tempête au dehors, et il frissonne.

Le ciel vomit tout ce qu'il peut.

Si seulement il parvenait à se débarrasser de cette image. Elle le poursuit comme un éternel cauchemar et elle ne cesse de renaître dans sa tête. L'expression du visage déformé de son père sans vie, le trou grotesque dans la tête de sa mère, la mare rouge et gluante sur le parquet de chêne… Si l'on scannait son cerveau, c'est cette image qui apparaîtrait.

Il essaie de se représenter Gabriel, Luke Skywalker sur la poitrine et une arme à feu à la main, et il tente de comprendre pourquoi il aurait tiré. Il n'y parvient pas.

Si seulement la pluie pouvait tout nettoyer !

Il pense à Shona, qu'il a plantée il y a quelques jours au Santa Media et auprès de qui il ne s'est toujours pas excusé. Toute sa vie était hors des gonds, comme une porte que Gabriel aurait enfoncée.

Il reprend son portable, pianote le numéro de Shona et appuie sur la touche verte, quand soudain le téléphone de son bureau se met à sonner. Il efface Shona en jurant et se saisit du combiné de sa ligne fixe.

« Naumann.

— Bug », entend-il trompeter dans son oreille. Manquait plus que lui. « Comment se fait-il que je n'aie aucune nouvelle ? On était pourtant convenus que tu travaillerais à des propositions pour un *crime-show*.

— J'y travaille encore, répond David mollement.

— Ah ! ce qui signifie vraisemblablement que tu n'as aucune idée...

— Rien encore, en tout cas, que j'aurais mis au propre », ment David.

Bug soupire d'énervement.

« Écoute-moi bien, David, pendant que tu pètes dans ton fauteuil, tes espérances fondent comme neige au soleil. Je viens juste de recevoir un appel très explicite.

— Quel genre d'appel ?

— Le Vieux m'a appelé, à cause de toi.

— Von Braunsfeld ? Et pourquoi il t'appelle à cause de moi ? demande David, consterné.

— Vous vous êtes rencontrés il y a peu. Dans le bureau de ma secrétaire. Tu te rappelles ? »

Comment aurais-je pu oublier ? se dit David. C'est le jour où Bug lui a révélé qu'il était aussi directeur des divertissements et qu'il était donc son patron.

« Pourquoi tu me demandes ça ?

— Euh... Von Braunsfeld tient particulièrement à l'intégrité de ses collaborateurs. Il s'est de nouveau renseigné au sujet de

Treasure Castle et il est en rogne. Il m'a demandé pourquoi on emploie quelqu'un qui a été condamné pour escroquerie à la licence. »

David happe de l'air.

« Escroquerie à la licence ? Condamné ? C'était un arrangement à l'amiable, nom de Dieu ! Ça n'a rien à voir avec une condamnation.

— Mais ça revient au même, David. Tu sais bien comment c'est. »

David a les mains moites.

« Et ça signifie, en clair ?

— Qu'il veut te foutre dehors. »

Foutre dehors. Les deux mots restent suspendus dans le vide, comme découpés au pochoir. David s'effondre entre les bras de son fauteuil. Un flot de pluie tambourine contre ses vitres et résonne comme des clous sur la tête desquels on frappe.

« Tu ne parles pas sérieusement. »

Bug se tait, ce qui, vu les circonstances, est pire que tout ce qu'il pourrait dire.

« Il… il ne peut pas faire ça.

— Il peut, David. La chaîne lui appartient. » Bug s'éclaircit la voix. « Écoute-moi, David, que tu le croies ou non, à moi non plus, ça ne me plaît pas plus que ça qu'il te vire. Tu es un cerveau créatif, quand tu n'es pas en train de jouer les couilles molles ou les moralisateurs. Et *moi*, franchement, j'en ai rien à foutre que tu copies. L'essentiel, c'est que ça marche. Mon seul problème est le suivant : pour le moment, il ne se passe rien. Je n'ai donc aucun argument pour me porter garant de toi auprès de von Braunsfeld. Tu comprends ce que je veux dire ?

— Je… Oui, évidemment.

— Alors, livre-moi enfin quelque chose.

— Quand est-ce que cette histoire de licenciement sera décidée ?

— C'est *déjà* décidé. La lettre sera dans ta boîte demain. Préavis légal. Tu es suspendu jusqu'à la fin de ton contrat, avec effet immédiat. »

David ferme les yeux. Ça ne peut pas être vrai.

« Ne fais pas tant de simagrées, dit Bug à claire et haute voix, comme s'il lisait dans les pensées de David. Profite de ce laps temps. Si avant la fin du préavis tu as une bonne idée, von Braunsfeld peut encore retirer sa lettre de licenciement.

— Il a dit ça ?

— Non. C'est *moi* qui dis ça. »

David se tait un instant.

« Tu t'engagerais pour moi ? »

Bug soupire de manière théâtrale.

« Je m'engage toujours pour quelqu'un qui m'amène quelques bonnes idées de format.

— Vous me virez, et vous voulez encore que je vous livre des idées ?

— Ne tombe pas tout de suite dans le mélo. Si tu n'y arrives pas, il faudra bien que je trouve quelqu'un d'autre. Alors, réfléchis. Bonne nuit.

— Comment tu vois ça ? demande David, furieux. Que je crache un truc comme ça, du jour au lendemain ? »

Mais Bug a déjà coupé la communication.

Furieux, David claque le combiné sur sa fourche, avec une violence telle qu'un morceau de plastique éclate et lui saute au visage, directement sous l'œil droit. Il se lève lentement. Il ne se sent pas dans son assiette ; il pense qu'il devrait plutôt se lever d'un seul effort, ouvrir violemment la fenêtre et hurler à la face des bourrasques, l'eau et le vent lui cinglant le visage. Il est pris un instant d'une rage telle qu'il se voit, batte de base-ball au poing, dans le bureau de Bug en train de tout casser en mille morceaux.

Mais il n'a pas de batte de base-ball. Et il est debout devant une fenêtre fermée. Il est dans son bureau devant son propre reflet, comme empaqueté dans un emballage fraîcheur. Irrité, il observe dans la vitre la petite tache noire sous son œil et la tâte de l'index. Un peu de sang reste collé à la pointe du doigt.

Il regarde dans l'obscurité à travers son reflet, et c'est comme si les ténèbres l'aspiraient. Il perd toute notion du temps. Autour de lui, le bureau s'estompe, comme tout le reste. Derrière lui, le reflet brillant de l'écran de l'ordinateur est une île de clarté dans un océan sombre et déchaîné. *Son* île. Il souhaite pouvoir y retourner. Pouvoir tout simplement s'asseoir au bureau et écrire. Au fond, tout est tellement plus simple ici. Bien, bien plus simple que dans la vraie vie.

Quand il regarde à nouveau sa montre, il est presque neuf heures et demie.

Comme électrisé, il se lève d'un bond, jette sa veste Belstaff sur ses épaules et se précipite hors de son bureau. Deux minutes plus tard, il est dans le parking et sait que, de toute façon, il sera en retard. Il démarre le moteur de la Saab 900 vert foncé que Weixler, qui séjourne en Angleterre, lui a prêtée, du moins pour une semaine. Lorsque la Saab sort plein pot du parking, la pluie qui tombe à pleins seaux le surprend. *Lève le pied !*

Quatre minutes plus tard, il tourne sans clignotant dans le Kurfürstendamm et compose un numéro sur son portable. Putain de merde ! Au moins, la Jaguar avait un kit mains libres. Il presse le BlackBerry contre son oreille, lâche le volant et passe en troisième. Et elle était aussi automatique, la Jaguar.

Bip. *C'est moi, Shona. Hum. Messagerie, donc. Bon. La semaine prochaine, ça n'ira pas pour moi. Faut que je travaille. Appelle-moi. C'est ton tour.*

Merde. Elle fait encore la gueule, parce que je lui ai posé un lapin au Santa Media. Il sait que c'est à lui de l'appeler pour tout lui expliquer, et même s'il n'explique pas tout, qu'il trouve au moins quelque chose qui ressemble à une excuse valable. Son regard tombe sur l'essuie-glace qui gémit sous les trombes d'eau. Le feu tricolore passe au rouge, des feux stop s'allument. Freiner, débrayer, point mort.

La pluie crépite sur le toit de la Saab, et il presse encore plus le portable contre l'oreille.

Bip. *Bonjour, Herr Naumann. Säckler à l'appareil, Deutsche Bank. Rappelez-moi, je vous prie. C'est urgent.*

Saloperies de hyènes ! Encore quelques semaines d'un ultime délai et en prime le salaire de TV2 ne sera plus versé.

Bip. *Vous n'avez plus de messages.*

Un grand coup de klaxon derrière lui le fait sursauter. Le feu est au vert, et les voitures qui le précèdent ont depuis longtemps franchi le carrefour. David embraye, la vitesse craque, puis il appuie sur l'accélérateur et descend de plus belle le Kurfürstendamm jusqu'à ce qu'il arrive enfin à la station de bus en face de Sis&Broth. Il se range sur la droite et fait un créneau, très près de l'arrêt de bus. Dès qu'il a fini, il regarde le tableau de bord. 21 h 43, un quart d'heure de retard.

La pluie fouette le pare-brise, les balais d'essuie-glace luttent vainement contre ce torrent. Mais bon Dieu ! d'où peut bien venir toute cette eau ? Subitement il ne peut s'empêcher de rire, alors qu'il n'en a absolument aucune envie. Une pluie qui n'en finit pas de tomber et un essuie-glace surmené, il n'y a pas meilleure image pour illustrer sa vie actuelle.

Il coupe le moteur de la Saab et s'adosse au siège rayé en cuir beige. La porte passager s'ouvre tout d'un coup violemment. David sursaute.

Fessier en avant, un homme au chapeau sombre se laisse tomber sur le siège, rentre les jambes dans l'habitacle et claque la portière. Des filets d'eau dégoulinent du bord du chapeau de Youri Sarkov.

« Bonsoir, David. Vous êtes en retard.

— Désolé, murmure David, le temps. »

Sarkov retire calmement ses lunettes et essuie quelques gouttes sur les verres.

« Comment allez-vous ?

— Vous avez l'enveloppe ? demande David sans détours.

— Manifestement pas bien, constate Sarkov.

— Mouais, murmure David. La banque veut mettre mon appartement aux enchères, mon patron m'a foutu dehors et, pour un format que j'ai écrit, ce n'est pas moi qui encaisse les droits de licence… Et vous, vous m'annoncez mine de rien que mon frère a tué mes parents. Et en plus vous m'entraînez dans une petite guerre avec Gabriel et vous exigez que je vous le livre… » David respire profondément. « Oui, "pas bien" est donc une réponse adaptée. »

Sarkov sourit, imperturbable.

« Que vous vous laissiez entraîner ou non, c'est vous qui voyez. »

David évite le regard de Sarkov et reste accroché des deux mains au volant.

« Vous avez l'enveloppe ? »

Sarkov toise David, les yeux mi-clos, puis il enfonce la main dans son manteau mouillé et en retire l'enveloppe.

David fixe le petit paquet blanc. Excepté quelques gouttes, il est sec, le manteau l'a protégé de la pluie.

« Il n'arrivera rien à Gabriel ?

— Je n'en aurais pas le cœur. »

David se saisit de l'enveloppe. Elle est lourde.

« Alors ? »

David hésite, ses pupilles glissent nerveusement vers les cascades d'eau sur le pare-brise. Il finit par soupirer.

« Le Caesar Berlin, chambre 37.

— La rue ?

— Je ne sais pas, désolé.

— Arrêtez de vous excuser. Je ne supporte pas les gens qui s'excusent tout le temps. »

David se tait, embarrassé.

Sarkov se prépare à descendre de voiture.

« Et... le reste ? s'inquiète David.

— Le reste ? Vous voulez dire les droits de *Treasure Castle* ? »

David opine.

« Je ne vous ai pas proposé ça comme package. C'était une alternative.

— Je... j'ai compris ça autrement.

— Vous avez compris quoi ? » Sarkov part d'un rire sardonique. « Qu'est-ce que vous avez fait de votre idéalisme ? J'ai cru comprendre que vous ne trahiriez pas votre frère pour de l'argent. »

David ne peut que le fixer du regard, incapable de lui répondre quoi que ce soit.

Sarkov secoue la tête sans mot dire.

« Babouchka, dit-il, méprisant.

— Pardon ?

— Petite grand-mère... Vous êtes une petite grand-mère... »

Sarkov ouvre la portière et descend sous la pluie qui crépite.

David ouvre la bouche, la referme.

« … un pitoyable lâche. »

On a l'impression que Sarkov crache sur le trottoir. Il claque violemment la portière. Son empreinte humide reste collée sur le siège comme celle d'un fantôme.

David suit des yeux la silhouette élancée de Youri qui se fond dans la cascade d'eau du pare-brise.

Puis son regard se pose sur l'enveloppe. Il se sent misérable. Tout en lui crie à l'aide, et il préférerait courir derrière Sarkov pour tout annuler. Le monde est sous les eaux, pense-t-il, et je me noie. Son téléphone est sa bouteille d'oxygène, et il s'en empare pour composer le numéro de Shona. Quoiqu'il ne sache que dire, il espère plus que tout qu'elle prenne l'appel.

Même si elle ne fait qu'écouter pendant qu'il se taira.

36

Berlin – 24 septembre, 00 h 58

Gabriel regarde à travers les barreaux de la clôture du terrain.

Laisse tomber, Luke. Ça ne te rapportera que des ennuis.

Des ennuis, j'en ai déjà.

Ils finiront par te recoller dans une cellule et t'attacher avec des sangles.

Il épie l'obscurité. Il est une heure du matin, le vent le frappe de plein fouet et pousse de lourds nuages dans le ciel. Au moins la pluie s'est-elle arrêtée.

Il sait que la clinique est là, dissimulée aux regards derrière les grands érables noirs.

Il prend son courage à deux mains et empoigne les barreaux de section rectangulaire. Grâce à leur patine, il trouve suffisamment de prise pour escalader la grille à la force des bras. À trois mètres de hauteur, il passe par-dessus les pointes en fer des barreaux recourbés vers l'intérieur et saute de l'autre côté. Le sol détrempé cède sous son poids, et il s'y enfonce de quelques centimètres. La courroie droite de son sac à dos frotte fâcheusement contre son épaule douloureuse.

Gabriel reste un moment accroupi, sans bouger, attend pour voir s'il n'aurait pas déclenché une alarme. Mais rien ne bouge. Dans le périmètre de la clinique, on ne redoute pas les cambriolages. Les évasions, si.

Il s'approche prudemment des premiers arbres. Sous l'herbe, la terre est imprégnée d'eau et fait un bruit de succion sous ses pas ;

ça sent les feuilles mouillées et le moisi. De l'obscurité émerge une vieille construction de quatre étages en forme de L : la clinique psychiatrique de Conradshöhe. À l'origine, le bâtiment avait deux ailes, mais l'aile est a été soufflée par une bombe durant la Seconde Guerre mondiale et n'a jamais été reconstruite. L'aile ouest abrite toujours l'administration.

Trois jours auparavant, le cœur battant, Gabriel avait téléphoné et s'était présenté sous le nom d'un patient dont il se souvenait encore.

« Quel est votre nom, dites-vous ? avait demandé l'employée.

— Bügler, Johannes Bügler. J'ai été à Conradshöhe de 1984 à 1987.

— Hum. Un moment !... Ah ! vous voilà. Mais vous avez été ici jusqu'en 1988, pas 1987.

— C'est exact, effectivement. Vous avez encore mon dossier ?

— Vous savez à quand ça remonte, cette histoire ? La durée maximale de conservation des dossiers concernant les traitements est de...

— Onze ans, oui, je sais. Mais vous pourriez peut-être quand même faire des recherches pour voir si vous n'auriez pas malgré tout encore ce dossier.

— Vous ne manquez pas d'air, vous. Sommes-nous vraiment obligés de vous communiquer nos documents ?

— Donc le dossier existe encore ?

— Ce n'est pas ce que j'ai dit, mais... *si* c'était le cas, je n'aurais certainement pas le droit de vous le communiquer.

— Ça m'étonne, après tout c'est quand même *mon* dossier.

— Je suis certain que le professeur Wagner voit les choses d'un tout autre œil », rétorqua l'employée d'un ton acerbe.

Professeur Wagner. Le portrait flou d'un homme chauve, corpulent, portant le bouc, lui apparut. Wagner avait été le successeur de Dressler, et Gabriel n'avait eu affaire à lui que trois ou quatre fois.

« Cela vous ennuierait d'aller voir pour moi ? demanda Gabriel.

— Écoutez, j'ai mieux à faire que d'aller rechercher dans le coin le plus reculé de la cave, dans je ne sais quels cartons, pour farfouiller dans des dossiers pleins de poussière. Et au bout du compte, me faire par-dessus le marché passer un savon par le patron.

— Je pourrais venir et chercher moi-même, si vous m'indiquez où.

— Il ne manquerait plus que ça, répliqua-t-elle. Le docteur Wagner serait certainement ravi d'apprendre que je donne la clef des archives à un ancien patient, comme ça, mine de rien.

— Les archives ? » s'enquit Gabriel.

Elles se trouvaient dans la partie historique des caves, derrière l'entrée des livreurs, au sous-sol.

Silence soudain à l'autre bout de la ligne.

La femme finit par geindre, excédée.

« Écoutez, si vous avez vraiment l'intention de vous faire du mal, je veux dire de fouiller dans vos années dévastées, trouvez-vous un bon avocat. Vous en aurez besoin, si vous voulez voir votre dossier, Herr... rappelez-moi votre nom, déjà ? »

Sans un mot, Gabriel coupa la communication. Il savait ce qu'il voulait savoir.

Du bâtiment central de Conradshöhe lui parvient soudain un hurlement à glacer le sang. Gabriel sursaute. La lumière s'allume à une des fenêtres du troisième étage, les barreaux se découpent en noir sur le rectangle clair. Des voix d'hommes, un grand vacarme. Et le hurlement se change en une longue lamentation pitoyable. Le temps d'un instant, il a envie de fuir en prenant ses jambes à son cou. La fenêtre basculée se referme brutalement en claquant très fort. La plainte cesse, comme si on avait tranché les cordes vocales du patient. Seul le vent trouble le silence et siffle dans les cimes des arbres qui atteignent presque trente mètres de haut.

Tu sais ce qu'ils vont faire de toi, s'ils te surprennent, Luke ?

Laisse-moi tranquille, je ne veux même pas le savoir.

Tu ne peux pas te rappeler ça non plus ?

Laisse – moi – tran – quille !

Jour de lessive, Luke, pense aux jours de lessive.

Le rectangle clair disparaît, se fond dans le mur sombre, comme s'il n'y avait jamais eu de fenêtre à cet emplacement, pour ne rien dire d'une chambre dans laquelle survit un être vivant.

Jour de lessive. La procédure était toujours identique, et le docteur Armin Dressler l'avait perfectionnée avec fanatisme. Être allongé sur le dos, puis sanglé, et se laisser coller les électrodes sur les tempes. Le courant électrique lui faisait perdre conscience chaque fois. Jour de lessive, c'était jour de lavage de cerveau, la plupart du temps le vendredi, avant les week-ends, temps durant lequel il y avait toujours moins de personnel pour surveiller les patients à problèmes. Après le jour de lessive, ils erraient tous comme des zombies, avec des yeux de craie, et on avait la paix.

En revanche, *programme de lavage*, c'était la thérapie individuelle. Spécialement à son arrivée au pavillon fermé, chaque fois que Gabriel pétait les plombs, avait une bouffée délirante, ou tout autre comportement tant soit peu désaxé, on lavait. Plus tard, il y avait eu pour ceux qui déraillaient de manière agressive ce qu'on appelait la piqûre en béton. Laver ne suffisait plus. Ou ne donnait aucun résultat. Sans qu'on sache d'ailleurs pourquoi.

Le regard de Gabriel se déplace vers l'extrême droite du bâtiment, là où deux fenêtres sont allumées au troisième étage. La salle de service. Juste au-dessous, il y avait jadis les deux parloirs. C'est dans le plus petit, une pièce austère, meublée uniquement de tables et de chaises rivées au sol, que sa deuxième vie avait commencé de manière inattendue.

Deux infirmiers de jour, Giuseppe et Martin, étaient entrés dans sa chambre. Gabriel avait les yeux fermés, mais il percevait leur odeur. Il sentait ou flairait tout en ce temps-là, comme un écorché, et le moindre soupçon de mouvement humain s'insinuait en lui sans être filtré.

Il avait donc flairé l'after-shave de Giuseppe, que celui-ci utilisait depuis quatre jours, parce que depuis six jours Martin travaillait dans le service. Martin en revanche sentait la femme. C'était un individu à l'intelligence limitée pris dans le corps d'un Achille, et selon les circonstances le parfum du docteur Vanja lui collait plus ou moins à la peau. L'assistante du service n'arrêtait pas de loucher vers le cul divin du demi-dieu Achille.

Gabriel détestait détecter tout ça, les odeurs, les atmosphères. Malgré les médicaments, tout crépitait sur lui et s'instillait en lui, sans qu'il puisse s'en défendre. Il était prisonnier de lui-même et, s'il avait tous les capteurs sur « entrée », il ne pouvait en revanche rien lâcher au dehors. Toutes les vannes étaient fermées.

« Hé, Lucky Luke ! avait joyeusement lancé Giuseppe, bien qu'il sût pertinemment qu'il ne devait pas l'appeler comme ça, t'as de la visite.

— M'intéresse pas », avait répondu Gabriel.

À cause des médicaments, sa langue était métamorphosée en un hippopotame gras et mou.

Ils avaient débouclé sans un mot les sangles qui emprisonnaient ses bras et serraient ses chevilles, l'avaient détaché du lit, chargé sur un fauteuil roulant et conduit ainsi au parloir, non sans lui avoir attaché les poignets aux accoudoirs.

Et il était assis là. Mince et effacé comme un comptable, avec un imperméable gris clair et un chapeau Trilby sombre posé sur la table devant lui, si bien que Gabriel avait pu se rendre compte qu'à cette époque déjà il avait le cheveu rare.

Giuseppe et Martin l'avaient garé devant la table bien chevillée au sol, comme s'il était un vieillard – alors qu'il n'avait pourtant que dix-huit ans –, et laissé seul avec le comptable.

L'homme l'avait toisé avec des yeux gris déplaisants, étonnamment durs. Il sentait le tabac, la ruse et la cruauté. *Pas comptable. Médecin peut-être, mais peut-être même pire.*

« Bonjour, Gabriel, comment vas-tu ? » avait-il demandé.

Il roulait les « r », et son léger accent russe vibrait comme un murmure de mise en garde.

« Je ne vous connais pas », avait constaté Gabriel avec indifférence.

Sa voix tressautait comme une chaîne de vélo rouillée. Le tranquillisant qui coulait dans ses veines le diminuait.

« Sarkov. Je m'appelle Youri Sarkov et…

— Je ne vous connais pas, avait répété Gabriel, désintéressé. Foutez le camp. »

Youri Sarkov n'avait pas plus bougé qu'une poutrelle de fer.

« … et je connais, *connaissais* ton père, il…

— Mon père était un sale con. Et si vous aviez affaire avec lui, vous en êtes certainement un aussi. »

Youri avait souri. Pas un sourire contraint, ou du genre « contre mauvaise fortune bon cœur ».

Attention, Luke. C'est un joueur ! Et il est certain de gagner.

Youri s'était levé, avait pris son chapeau et avait plongé son regard vers Gabriel affaissé dans son fauteuil roulant.

« En réfléchissant bien, il ne s'agit pas de ton père. C'est du passé, ça. La question est de savoir si tu veux sortir d'ici. »

Et comment ! Mais je ne t'en dirai pas un mot.

« Laissez-moi tranquille. » La tête de Gabriel était tombée en avant, il lui restait à peine la force de la tenir droite. « Vous croyez que je ne sais pas que c'est un test ? Je ne fais plus de tests. » Courte pause. Profonde inspiration. Puis : « Dites-le à Dressler, plus de tests.

— Je ne suis pas médecin. Je sais, Gabriel, les médecins, c'est la plaie. Ils te prescrivent ce que tu as le droit de penser ou pas. Ils te disent ce qui est juste ou pas. Mais je crois que dans ton cas, ils se trompent. Je crois que tu es parfaitement capable de prendre soin de toi tout seul. »

Attention, Luke. Il est dans ta tête. Aucune idée de la manière dont il y est entré, mais il y est.

« Je peux te sortir d'ici, Gabriel. »

Il ment. Ici, c'est le pavillon fermé. Pas question de sortir aussi facilement.

« Tu ne me crois pas ? »

Tu vois ? Je te le dis, il est dans ta tête. Il sait ce que tu penses.

Non, non, s'était dit Gabriel. C'est parce que tu parles si fort, il peut nous entendre.

Il ne peut pas nous entendre ! Mais il est malin !

« Gabriel ? »

La tête de Gabriel s'était effondrée complètement sur sa poitrine, un filet de bave s'échappait de la commissure de ses lèvres.

« Je reviendrai la semaine prochaine, vendredi, avait affirmé Youri.

— Le vendredi, c'est jour de lessive, avait murmuré Gabriel.

— Bon. Vendredi matin. Réfléchis à tout ça. »

Gabriel n'avait pas eu à réfléchir. Évidemment qu'il voulait sortir, à tout prix. Un matin de février 1988, de bonne heure, il venait juste de neiger, Youri l'avait tiré de la psychiatrie comme si c'était la chose la plus naturelle au monde.

Aujourd'hui encore, il arrive à Gabriel de se demander comment Youri s'y est pris exactement. Et avant tout pourquoi il a fait ça. Youri avait commencé par être son tuteur légal et s'était porté garant pour lui. La suite fait partie de l'histoire. Au bout du compte, Gabriel sait que, même si Youri a toujours ses raisons d'agir, de faire quelque chose ou de s'en abstenir, il les a toujours gardées pour lui. Finalement la seule chose qui compte, c'est qu'il ait pu sortir de Conradshöhe.

Ils avaient passé le sas du pavillon fermé, puis étaient sortis par l'entrée principale du bâtiment central et descendirent le perron en arc-de-cercle pour atterrir dans le parc. Le cœur de Gabriel lui battait aux tempes, la dose de ses médicaments avait été fortement diminuée, et il craignait à chaque instant qu'on le rattrape au lasso.

La fine couche de neige fondait instantanément sous leurs semelles. Gabriel ne s'était pas retourné, n'avait pas regardé en arrière. Leurs empreintes laissaient derrière eux une longue trace noire dans la neige ; elles traversaient le portail grillagé, allaient jusqu'à la bordure du trottoir où la piste s'interrompait.

Une rafale de vent froid s'agrippe à la nuque de Gabriel. Il rentre la tête dans les épaules et se hâte vers la gauche, côté bâtiment où l'administration se trouve encore à présent. L'aile ouest n'est pas grillagée et elle a gardé le charme du tournant du siècle dernier : personne ne se douterait qu'on gère ici des enterrés vivants.

L'ancienne entrée des livreurs du sous-sol est tapie à côté d'un rosier fané. Gabriel s'accroupit devant la porte, sort son kit de crochetage et force la serrure avec un de ces outils à la forme de tournevis.

La serrure cède avec un léger déclic, on entend comme un piétinement assourdi. Gabriel retient son souffle, épie l'obscurité du parc et écoute.

Rien. Continuer le travail.

Il tire lentement la porte vers lui et pénètre dans le sous-sol par l'entrée des livreurs. Ça sent le renfermé. On n'utilise manifestement plus cette entrée depuis des années, ni le dépôt qui se trouve derrière. Alors qu'il est en train de se retourner sur le seuil pour fermer la porte, il entend de nouveau ce trépignement sourd, cette fois très près de lui. Une ombre galope dans sa direction, quitte le sol. Au dernier moment, Gabriel essaie de mettre la porte entre l'animal et lui. Mais le paquet sombre vole à travers les airs de toute sa puissance, une haleine chaude le frappe au visage, la porte lui échappe de la main. Il lève instinctivement le bras gauche pour se protéger, mais les crocs transpercent déjà sa veste et se plantent dans sa chair. Il titube, essaie désespérément de garder l'équilibre et tombe à la renverse sur le dur sol carrelé. *Mon Dieu, ne le laisse pas s'approcher de ta gorge !*

La bête se dresse au-dessus de lui, un grand rottweiler musculeux. Sa mâchoire enserre l'avant-bras de Gabriel comme un étau. Une odeur fétide de panse s'échappe de sa gueule, les crocs s'incrustent définitivement. Gabriel lève la main droite et plante les crochets du kit dans le cou de l'animal, une fois, deux fois, mais pas assez profondément. Un sang chaud jaillit sur sa main, son épaule droite blessée hurle de douleur.

Le chien tressaille, desserre brièvement son étreinte, mais happe immédiatement de nouveau. La douleur le brûle comme un fer porté au rouge. Un grondement très sourd monte de la gorge du rottweiler, ses yeux brillent d'une lueur sinistre. Gabriel laisse le cou musculeux du chien, pivote le poignet et de toutes ses forces plante une des tiges de métal dans l'œil de l'animal, profondément, jusqu'à la cervelle. Les mâchoires du chien relâchent aussitôt leur étreinte. L'animal a des soubresauts, comme s'il avait mordu un câble électrique. Puis il s'effondre sur Gabriel.

La respiration lourde, Gabriel libère son bras de la gueule du chien et se relève péniblement. Puis il traîne le monstre dans la cave et épie la nuit.

Tout est tranquille.

Il allume sa lampe de poche. Le faisceau à l'éclat tamisé par le film en polyéthylène luit faiblement. Il ferme la porte sans bruit, s'y adosse et se laisse glisser au sol.

L'épaisse manche de la veste est déchiquetée, le bras est barbouillé de sang. Les crocs se sont profondément plantés dans la chair, mais la veste l'a quand même protégé du pire. Il enlève prestement son maillot de corps et ligature la blessure en serrant fortement. Ses doigts tremblent, il ferme un instant les yeux, respire plusieurs fois à fond, lentement. Les battements de son pouls se calment peu à peu et il essaie de se concentrer.

Il faut qu'il se débarrasse du rottweiler.

Au cas où le chien manquerait à quelqu'un et que ce quelqu'un ait des soupçons, il vaudrait mieux qu'en descendant dans la cave il ne trébuche pas directement sur son cadavre.

Gabriel installe difficilement le monstre puant à cheval sur son épaule. L'épaule blessée et la morsure lui envoient de l'essence enflammée dans les nerfs. Il abandonne le rottweiler dans un buisson, sous un énorme hêtre, à quelque cent cinquante mètres du bâtiment. Les lourds nuages se déchirent et le vent fraîchit. Pour ne pas laisser derrière lui de traces d'un cambriolage, il retire le crochet métallique de l'œil du cadavre. Un liquide blanchâtre suinte de la blessure et brille, cireux, dans la lumière de la lune.

Puis il essuie les traces de lutte dans la cave avec la doublure de sa veste et nettoie la semelle de ses chaussures.

Terminé.

Nom de Dieu, qu'est-ce que tu fais là ?

Tu ne le sais que trop bien.

Moi, oui. Mais pas toi. Regarde-toi, tu trembles comme un gosse.

Mais ferme-la donc, une fois pour toutes.

Tu es sur la voie la plus directe du retour au pavillon, tu comprends ça ?

Tu es sourd ?

Combien de personnes, à ton avis, lisent leur dossier personnel ? Et avant tout : qu'est-ce que tu crois qu'il arrive quand on fouille dans sa propre folie ? Tu crois que ce que tu vas trouver te plaira ?

Gabriel ne répond pas. Son front s'est soudainement couvert de sueur malgré l'air frisquet et renfermé de la cave. Du cône blafard de la lampe de poche il balaie les murs du couloir qui longe l'arrière du dépôt. Seize portes, huit de chaque côté. Il procède de manière systématique. Crocheter des serrures lui calme les nerfs.

Dans le neuvième local, il tombe sur un mur brun de cartons de déménagement. Quand il déplie le couvercle du premier, un nuage de poussière tourbillonne à sa rencontre. Son cœur bat plus vite. Sous ses yeux, il y a de gros classeurs, tous avec des noms. Dankwart, Dellana, Demski…

Je t'en prie, Luke, arrête !

Depuis quand tu demandes si poliment ?

Sept cartons plus tard, et il en est à la lettre « N ». Ses doigts effleurent les classeurs. Nom suivant. Non. Nom suivant. Non, une fois de plus. Et tout à coup : Naumann, Gabriel.

Les grains de poussière dansent confusément dans le faisceau de la lampe, nuée de vers luisants qui tremblotent au-dessus d'un point fixe aveuglant. Son pouls s'accélère tandis que ses doigts fébriles extraient le classeur.

Je t'ai prévenu. Tu ne pourras pas dire que je ne t'ai pas prévenu, Luke !

Ne m'appelle pas comme ça ! Tu me rends dingue.

Moi ? Toi ?

Gabriel ouvre le classeur et feuillette. Des diagnostics, des comptes rendus, des expertises, des courriers de l'Office de protection des mineurs, de nouveau des comptes rendus et d'innombrables transcriptions d'enregistrements de ses séances de thérapie avec Dressler. Des termes techniques glissent rapidement devant ses yeux tels des spectres. Schizophrénie, sédation, sismothérapie. Sa tête s'empourpre soudainement de fièvre. Haldol, Dapotum D, Dormicum, Noctamide – il a l'impression que les neuroleptiques sont de vieux amis oubliés depuis longtemps, dressés de nouveau devant lui. Personne ne lui avait jamais avoué, pas plus qu'aux autres patients, quels médicaments on lui donnait et à quelle dose. On piquait, et basta. Comme il se défendait souvent, ils l'attachaient. Quand on ne l'avait pas mis en contention et qu'il se défendait, il avait des hématomes à cause des piqûres. Une aiguille s'était même une fois cassée dans son bras. Ensuite, ils avaient utilisé des aiguilles d'une grosseur spéciale.

Inconsciemment, il se frotte le bras. La morsure du rottweiler brûle. Il continue à feuilleter, imperturbablement.

Naumann, Gabriel. 7-5-1986, 3 h 20. Patient insoumis, se rebelle, a une fois de plus de graves hallucinations. Enregistrer les bandes prescrites en vue du diagnostic. Puis contention, mise en route immédiate de la sismothérapie pour provoquer une restructuration neuronale. Patient relativement calme, légèrement confus.

Gabriel fixe la feuille de papier jauni. Il lui semble que la poussière s'infiltre dans son nez comme une nuée d'étincelles, puis entre par effraction dans son cerveau pour venir s'y cogner.

Transcription de la bande du 7-5-1986
... il est là, par terre... comme ça, tout simplement. À côté, directement à côté... je n'ai encore jamais vu des yeux pareils... comme du feu... des yeux rouges de monstre... Luke, j'ai peur... comme nous tous... non, tu es un lâche... ramasse-le... il va me tuer... il n'en vaut pas la peine... Luke... c'est mon père... c'est un monstre, un monstre dangereux, dangereux.... qui est le monstre ?... Luke, toi aussi tu es un monstre... tu veux être un monstre ?... Non, non, non... mais personne ne voit que je ne veux pas faire ça... si tu ne fais rien, tu es un monstre comme lui...

Soudain une fente s'ouvre dans le mur, étroite, petite comme un trou de serrure dans une porte derrière laquelle se déchaîne un vieux rêve. C'est comme s'il pouvait entendre sa voix derrière la porte, mais on ne voit rien par le trou de la serrure, et il ne ressent rien, même si son cœur s'affole.

... pourquoi est-ce qu'il est tout simplement là, par terre... il suffit que je le ramasse... alors fais-le et ferme ta gueule... c'est bien... rien n'est bien... fais vite... il faut que j'aille là, devant ?... c'est si lourd, pourquoi c'est si lou... tu trembles... lâche ça !... arrête de trembler... vise !... c'est ce que je suis en train de faire, je suis en train de... tu ne vois pas, je suis... tout bleu, il est tout bleu... c'est vraiment un monstre ?

Comment tu veux le savoir ?

Tu en es tout à fait certain ?

... mais c'est père... père !

... ne te mêle pas de ça

... je vais appuyer maintenant. Je vais tirer

... je... maintenant !

... Aïe ! Mon bras, mon bras !

... il... je l'ai touché

... Luke, tu l'as touché
... oui, oui... je... il le fallait
Tu vas m'aider maintenant ?

La conclusion frappe Gabriel comme un coup de hache. Le dossier glisse de ses doigts gourds, l'obscurité fond sur lui.

Il ne ressent plus rien... et tout à la fois. Les douleurs de son bras et de son épaule ont disparu, non parce qu'il n'a plus mal, mais parce que c'est tout son corps qui hurle de douleur.

Je t'avais prévenu, se lamente la voix.

Pourquoi tu ne m'as pas dit ça avant ?

Je ne le savais plus.

Et tu voulais me prévenir de quoi alors ?

Je ne sais pas.

Tu ne sais pas ? Tu me connais mieux que personne et tu ne sais plus que j'ai tué mon père avec une arme à feu ?

J'avais peur, Luke. Je ne voulais pas être puni.

37

Berlin – 24 septembre, 17 h 28

David s'agite nerveusement sur l'assise rembourrée du fauteuil à oreilles en cuir brun foncé. Il est déjà cinq heures et demie, et cela fait une heure et demie qu'il espère entendre autre chose que le bruissement de pages qu'on feuillette, mais le docteur Irene Esser est tout aussi rigoureuse qu'elle l'a toujours été.

Le regard de David reste accroché au panneau de Günther Uecker suspendu au mur derrière elle. Des clous plantés en forme de spirale, comme si le destin s'était arrêté au-dessus de leurs têtes, pareil à un aimant qui pivoterait sur son axe. Il pense à Shona, à son silence, au sien, à son excuse maladroite et laconique. Mais qu'aurait-il pu dire d'autre au téléphone ?

Mon frère a tué mes parents avec une arme à feu ?

Il est recherché par la police ?

Je l'ai trahi ?

Toute cette histoire ressemble aux clous du Uecker. On ne reconnaît la spirale que si on voit tous les clous à la fois. David avait été soulagé d'un grand poids quand Shona ne lui avait plus posé de questions.

« Vous comprenez bien, dit enfin le docteur Irene Esser, qu'il faudrait que j'appelle immédiatement la police ? »

Ses yeux brun foncé sont comme de vieilles billes usées entre ses paupières flasques.

David fronce les sourcils, irrité.

Le docteur Esser le fixe par-dessus le bord de ses demi-lunes à monture rouge et pose le gros paquet de feuilles A4 sur son bureau.

« D'où tenez-vous ça ? »

David soupire.

« Comme je vous l'ai déjà dit, tout cela est un peu délicat. »

Elle l'observe par-dessus le vieux bureau, comme jadis. Sauf que, jadis, le fauteuil était encore plus grand. Et que, jadis, ses cheveux étaient blonds, et qu'elle n'avait pas besoin de lunettes. De toute façon, elle n'avait strictement aucun besoin de ces prothèses quand il s'agissait de décider du sort d'êtres humains.

« Pourquoi venez-vous chez moi avec ça ?

— Parce que je n'y comprends rien, j'ai besoin de votre...

— Non, non, l'interrompt-elle avec un geste net de protestation. Je veux savoir pourquoi vous venez chez *moi.*

— Vous êtes la seule psychologue que je connaisse, répond simplement David. Et parce que je vous fais confiance.

— Le simple fait que vous soyez venu pour quelques séances quand vous n'étiez qu'un enfant ne signifie pas que je vais fouler aux pieds les droits de votre frère. »

Son regard s'est fait dur comme de la terre gelée. David détourne les yeux.

« Je pensais que vous seriez la seule à comprendre toute l'importance que ça a pour moi. »

Frau Esser redresse son corps nerveux et gracile dans son fauteuil bien trop grand.

« Avez-vous volé ce dossier ?

— Non », répond David sans mentir.

Mais il a l'impression qu'à chaque instant l'aiguille d'un détecteur de mensonges imaginaire va se mettre à vibrer et l'accuser. Comment avouer sans se sentir aussi minable ? Il espère qu'elle ne posera plus de questions sur ce sujet.

« Et votre frère, il sait, lui, que vous avez ce dossier ? » David esquisse un hochement de tête. « Et à votre avis, qu'est-ce qu'il faut que je fasse, maintenant ? Il est question dans cette affaire d'un crime de sang au sens classique du terme. Il faudrait vraiment que j'appelle la police.

— Toute cette histoire remonte à presque trente ans.

— Pour un meurtre, il n'y pas de prescription pénale. »

David baisse les yeux, effleure la frise qui fait le tour du bureau, des cerfs, des sangliers, des lièvres. Le bureau d'un chasseur. D'une *chasseresse.* Il regrette d'être venu. Mais il ne peut s'empêcher de poser la question.

« Qu'est-ce que vous en pensez ? Gabriel l'a tué ? Je veux dire, c'était encore un enfant.

— Je ne suis absolument pas certaine d'avoir envie de me prononcer là-dessus.

— Et si vous… deviez le faire ? »

Le docteur Esser soupire.

« David, très franchement, je n'ai pas envie de monter dans votre bateau, quelle que soit votre destination et ce que vous avez en cale.

— Mais ?

— Vous m'avez entendu dire "mais" ? »

David ne quitte pas ses mains des yeux. Irene Esser arrête aussitôt de malaxer sa main droite et croise les bras. Elle cille et observe David, comme si elle était assise à une table de jeu et attendait une carte au black-jack.

David se tait et savoure le rapport de forces inversé entre eux, ne serait-ce que pour quelques instants.

« Sans compter, poursuit le docteur Esser, que j'ai encore un tout autre problème. Après tout, je connais le collègue de Conradshöhe… pas très bien, mais… enfin…

— Vous voulez dire, demande David en hésitant, que le docteur Dressler n'a peut-être pas employé le bon traitement… »

Le docteur Esser dodeline de la tête. Le contour de ses lèvres pâles est encore plus marqué, et elle donne l'impression d'être aussi fragile qu'une chauve-souris.

« Pourquoi pensez-vous tout à coup que votre frère a tué vos parents ? »

Le regard de David s'incruste dans les bois d'un cerf ouvragés en filigrane.

« Vous allez transmettre toute cette affaire à la police ? Je veux dire, il n'existe pas quelque chose comme un secret médical ? »

Le docteur Esser le regarde de ses yeux perçants.

« Disons simplement que nous avons affaire ici à un cas limite… Si vous êtes franc avec moi, je le serai avec vous.

— Pas de police ?

— Pas de police. »

David respire.

« L'homme s'appelle Sarkov. Youri Sarkov. C'est de lui que je tiens ce dossier. C'est, ou c'était, le patron de Gabriel. Manifestement, il le connaît depuis très longtemps. Ce Sarkov est venu me voir il y a quelques jours et il a prétendu que Gabriel aurait tué notre père.

— Qu'est-ce qu'il a dit *exactement* ? »

David réfléchit, essaie de se rappeler les termes exacts.

« Que Gabriel a tué notre père, rien de plus. Je lui ai demandé d'où il savait ça. Il a prétendu avoir lu le dossier, et qu'il connaissait Gabriel. Que tout coïncidait, qu'il n'y avait aucun doute possible.

— Et *vous*, vous avez des doutes après avoir lu le dossier ? »

David se cramponne de nouveau au bord du bureau, le cerf sculpté est là, qui brame.

« Il avait onze ans. Tout juste onze ans.

— Qu'est-ce que vous préféreriez, au fond ? »

Les yeux du docteur Esser se plantent dans les siens.

« Qu'est-ce… qu'est-ce que vous voulez dire par là ? demande David, consterné.

— Que ce soit lui, ou que ce ne soit *pas* lui ?

— Je veux seulement y voir clair », murmure David, très gêné.

Irene Esser soupire et se penche en avant. Ses avant-bras graciles reposent sur le bureau.

« Le docteur Dressler a diagnostiqué chez votre frère Gabriel une schizophrénie, avec des tendances hallucinatoires et paranoïdes, le tout à la suite d'un grave traumatisme, la mort de ses parents.

— J'ai lu ça aussi. Mais qu'est-ce que ça veut dire ?

— Que je crois qu'il s'est trompé. »

David la fixe avec des yeux ahuris.

« Selon les rapports qui remontent à une époque antérieure à celle de son séjour en psychiatrie, votre frère est très introverti, mais aussi, de temps à autre, très agressif, quasiment furieux. À

Elisabethstift, il a agressé à plusieurs reprises le directeur du foyer, s'en est violemment pris à d'autres pensionnaires, en donnant toujours comme justification de ses actes que quelqu'un lui voulait du mal, ou vous faire du tort à vous, son petit frère. À première vue, sans conteste, ce sont là des symptômes de comportement hallucinatoire et paranoïde. Circonstance aggravante qui est venue s'ajouter à ce tableau clinique : il a commencé à se parler à lui-même et à s'appeler Luke. Pas étonnant que le docteur Dressler en soit tout naturellement venu à diagnostiquer une schizophrénie.

— Mais pourquoi pensez-vous que ce diagnostic est faux ? »

Le docteur Esser esquisse un sourire.

« Au vu de l'état actuel des connaissances, je dirais plutôt qu'il souffrait d'un état de stress post-traumatique et d'une perturbation schizoïde de la personnalité. »

David la regarde sans comprendre.

« Perturbation schizoïde de la personnalité et schizophrénie ? Ce ne sont pas là deux noms différents pour désigner la même chose ?

— C'est justement là le fond du problème. Pour commencer, Gabriel a dû avoir un sérieux trouble de stress post-traumatique. Mais on s'est trompé sur la cause exacte de ce traumatisme. Prenez par exemple la transcription de la bande du 7 mai 1986. Si on interprète les hallucinations relatées comme n'étant ni des bouffées paranoïdes ni des hallucinations, et qu'on fait l'hypothèse que ce sont des flash-back, donc des souvenirs réels d'un événement qui s'est réellement passé, on obtient tout à coup un tout autre tableau clinique.

— Qu'est-ce que vous entendez par là ?

— Bien, essayez d'imaginer qu'on vous présente un patient qui n'arrête pas d'être agressif. Vous savez que quelques années auparavant, il a retrouvé ses parents assassinés et qu'en plus sa maison a entièrement brûlé. Ce patient n'arrête pas de se parler à lui-même et flaire un complot à chaque coin de rue, dirigé contre lui et son frère. Quoi de plus simple que d'attribuer ce comportement agressif à son impuissance ? Qui en voudrait au patient de vivre comme si un monde hostile l'enfermait ? Car, tout compte fait, quelqu'un a bien tué ses parents et brûlé tout son univers, n'est-ce pas ?

— Oui, sans aucun doute.

— Vous voyez. Et en raisonnant ainsi, vous avez déjà prouvé une paranoïa chez votre patient. Et tout ce qu'il dira à partir de là sera rangé dans ce tiroir. »

David opine avec lenteur.

« Pensez une fois encore à cette transcription du 7 mai. Vous avez devant vous un patient avec une paranoïa, et le voilà qui se met à s'adresser, hors contexte, de manière confuse, agressive, à son interlocuteur. On dirait qu'il s'est senti menacé. Et de plus, il dit encore avoir un revolver en main. Il raconte qu'il appuie sur la détente, qu'il atteint quelqu'un, que son père est présent et qu'il y a, en outre, un monstre suspect. Que pourriez-vous bien penser, en raison de son anamnèse ?

— Je penserais, répond David en pesant ses mots, qu'il s'invente une histoire de fous.

— Et pourquoi le ferait-il ?

— Peut-être parce qu'il se sent responsable, parce qu'il n'a pas pu aider ses parents. Peut-être qu'il souhaite... qu'il aurait aimé avoir une arme.

— Sentiment de culpabilité. Très bien. Peut-être penseriez-vous même que, parce qu'il n'a pas pu aider, il a le sentiment d'avoir – pour ainsi dire – tué son père, même si, dans la réalité, il n'a jamais dirigé l'arme sur lui. »

David regarde le docteur Esser en silence, suspendu à ses lèvres.

« C'est en tout cas ce que le docteur Dressler a pensé. Il a pensé que Gabriel souffrait d'hallucinations et qu'il était schizophrène. Pour commencer, il l'a donc traité aux électrochocs.

— Électrochocs ? demande David, horrifié.

— Dans le dossier, c'est répertorié sous le nom de sismothérapie.

— Oh, mon Dieu !

— De nos jours, ce serait un moindre mal, ce genre de thérapies – on parle aujourd'hui d'électroconvulsivothérapie – vaut mieux que sa réputation. Maintenant, on les applique avec beaucoup de succès à des patients maniaco-dépressifs, très rarement aux schizophrènes. Jadis, toutefois, on était moins douillet. On vous envoyait des électrochocs sans anesthésie.

— Et quel était censé être le résultat de cette cruauté ?

— Avec le passage du courant alternatif dans la boîte crânienne, on envoie des impulsions électriques, le cerveau est en quelque sorte vigoureusement secoué et il peut ensuite se réorganiser différemment, de nouvelles connexions peuvent se former. De plus, il y a un effet secondaire : les patients deviennent plus calmes...

— Le docteur Dressler a soigné les hallucinations de mon frère aux électrochocs ?

— Les *prétendues* hallucinations de Gabriel. Personne n'a pensé que ces hallucinations pouvaient en réalité être des flash-back. Des éclairs de souvenirs de quelque chose qui s'est réellement passé. Vu sous cet angle, Gabriel n'a été *ni* paranoïde *ni* halluciné. Il a souffert d'un profond traumatisme, si terrible qu'il a refoulé une grande partie de cette nuit. Et quelques années plus tard, la plupart du temps à l'occasion de stimuli précis, ces souvenirs sont revenus sous forme de flash-back ou d'intrusions.

— D'intrusions ? » David fronce les sourcils.

« Quelque chose comme un flash-back, mais alors qu'avec le flash-back les images défilent plutôt comme un film confus, avec l'intrusion ce sont les mêmes sentiments qui sont réveillés, que ceux qu'on a vécus au moment traumatique. On endure tout à nouveau, sans cesse, et de manière tout à fait immanente.

— Ça a l'air atroce, remarque David.

— Oh, ça l'est, ça l'est. Et maintenant, imaginez que votre frère a cette sorte de flash-back, ou une intrusion, et que pour cette raison on le traite immédiatement aux électrochocs.

— Vous pensez que ça aurait eu quelles conséquences ?

— Je dirais que c'est un cas d'école de conditionnement négatif. Gabriel a un flash-back, on lui envoie un électrochoc, et voici ce que son cerveau enregistre : chaque fois que je me remémore, je suis puni avec des électrochocs. La conscience réagit alors de façon tout à fait pragmatique. Elle refoule tout, tout simplement. Pour résumer : Gabriel n'avait pas d'hallucinations, il se *souvenait.* Il aurait eu besoin qu'on l'aide – et tout ce qu'il a reçu, ce sont des messages du genre "Tu es fou", "Tu es dangereux", "Tu dis n'importe quoi". C'est le plus sûr moyen de pousser quelqu'un dans la démence. Et ça lui a vraisemblablement coûté les derniers lambeaux de souvenirs des événements de cette nuit. »

David ne lâche pas Irene Esser des yeux.

« Et... qu'est-ce... qu'est-ce que tout ça signifie ?

— Eh bien, annonce calmement le docteur Esser, cela signifie que votre frère est bien plus normal qu'on ne le pense. Il est très sensible, très intelligent, perçoit souvent des choses que les autres ne voient pas. Ce qui peut sembler étrange à ses semblables. Et si en plus quelqu'un comme lui se comporte de manière extravagante et a des problèmes relationnels avec autrui – ce qui est exactement son cas –, on a vite l'impression qu'il s'agit d'une paranoïa bien installée ou, pour le dire crûment, on conclut que l'individu concerné est fou.

— On l'a donc fourré en psychiatrie tout à fait injustement ?

— Au Moyen Âge déjà, sous le moindre prétexte, on brûlait des femmes accusées de sorcellerie... Mais tout cela est relatif, naturellement. On ne savait tout simplement pas à quoi s'en tenir avec votre frère. Pour tout dire, on lui a probablement appliqué la mauvaise thérapie. » Les yeux bruns et froids d'Irene Esser reposent sur David. « Du moins, si on part de l'hypothèse que les hallucinations relatées dans son dossier sont effectivement des souvenirs du réel.

— Vous diriez donc qu'il a tiré sur notre père et l'a tué ? demande David, troublé.

— Il a tiré. Je suis absolument persuadée qu'il a tiré. C'est la seule explication possible à tout cela. La question est simplement de savoir *pourquoi* il a tiré et sur *qui.*

— Est-ce qu'il y a une chance qu'il se souvienne, ou les souvenirs sont-ils effacés une fois pour toutes ? »

Le docteur Esser dodeline de la tête.

« Oui et non. En gros, le cerveau se comporte comme un disque dur. Les informations sont certes effacées, mais on n'en a pas écrit d'autres dessus, elles ne sont invisibles que jusqu'à un certain point, et on peut donc en principe les réactiver par un processus de reconnaissance où le patient revit l'événement réel passé traumatique.

— Et comment ?

— C'est exactement là que gît le lièvre. »

38

Nulle part – 24 septembre

Val. Comme un fantôme livide, le nom reste en suspension dans son cerveau.

Ne regarde pas là-haut. Il t'observe fixement.

Liz est couchée sur le dos et essaie d'ignorer le verre carré grillagé du plafond de la cellule. *Aussi longtemps que la lumière est allumée, il te voit.*

Suivant l'angle selon lequel elle incline la tête, elle peut même discerner derrière la grille la faible lueur de l'objectif de la caméra de surveillance. *Peut-être même qu'il enregistre tout et, en ce cas, il peut te voir tout le temps, en continu.* Elle l'imagine en train de presser le bouton d'avance ou de retour rapide, jusqu'à ce qu'il parvienne à l'endroit qui l'intéresse. Elle ne sait pas ce qu'il y a de pire pour elle, qu'il puisse entrer à tout moment, pour faire d'elle tout ce dont il a envie, ou qu'il dispose d'elle à tout instant, aussi intime soit-il, qu'il puisse l'observer quand elle se lave avec l'aide d'Yvette, quand elle pleure de désespoir ou quand elle se palpe le ventre et se demande ce qui se passe là-dedans, comment va son bébé.

Je t'en prie, fais que la lumière s'éteigne ! Je t'en prie !

Mais la lumière ne s'éteint pas. Par contre, la porte s'ouvre. À la manière *dont* elle s'ouvre, elle sait déjà que ce n'est pas Yvette. Le courant d'air la saisit comme l'haleine chaude d'un félin. Tout en elle se contracte. À présent elle sait ce qu'il y a de pire : c'est quand il passe la porte et qu'il peut faire d'elle ce qu'il veut.

Le regard de Liz cherche du secours au plafond, se cramponne au tube de néon grillagé.

« Bonjour, Liz ! Laisse-moi te contempler. »

Liz ne bouge pas.

Val retire lentement la couverture.

« La chemise. »

Il n'a pas besoin d'en dire plus. Elle bouge machinalement les mains et réussit tout de même à soulever la chemise *avec lenteur*, comme si elle était encore trop faible.

Val respire bruyamment.

Le courant d'air frôle le corps nu de Liz, et elle déteste ce qui est en train de se passer, que tout se contracte, ses mamelons, tous ses pores, là, immédiatement sous ses yeux.

La prothèse de main de Val la touche entre les cuisses, remonte en caressant la fourche du vagin, à travers les poils de son pubis, suivant une effrayante ligne droite, tracée dans un but bien précis, par-dessus son bas-ventre, son bébé, jusqu'à la gorge entre ses deux seins.

« Tu vas mieux, marmonne Val. Bien. Il faut que la peau soit intacte, lisse, blanche et rose. Pas tavelée. »

Il faut que la peau soit intacte ? *Pourquoi ?* La question angoissée pénètre jusqu'au coin le plus reculé de sa conscience.

« J'ai choisi une robe pour toi, pour le 13. Elle t'ira merveilleusement bien. Tu ressembleras à une reine. » Val laisse échapper un rire glacial. Un bruit de pommes de pin qui se fracasseraient sur le sol. « À une vedette de cinéma. Je suis curieux de voir sa tête. »

La tête de qui ?

« Tu veux savoir ce que je compte faire de toi, non ? »

Sans un mot, Liz approuve de la tête.

« Pour être franc, je suis très impatient. C'est pour ça que je te rends si peu visite, pour ne pas succomber à la tentation. Tu sais, ce serait dommage de tout te dévoiler. Cette peur, cette incertitude dans tes yeux, ce tremblement, une flamme de bougie qui ne sait pas combien de cire elle a encore à brûler sous elle, c'est merveilleux à voir. »

De minuscules perles de sueur se forment sur le visage de Liz. Sa bouche est un désert de sable.

« Je le reconnais : il fallait que je lui accorde un peu d'avance. Une avance dans la connaissance de la suite des événements. Une avance dans la peur.

— À qui ? demande Liz, le souffle court.

— *À lui*, naturellement. À *ton Luke*, princesse. »

Gabriel, il veut parler de Gabriel.

« Tu sais, je suis malheureux. Je ne peux pas voir la peur dans ses yeux comme je la vois dans les tiens. Parce qu'il n'est malheureusement pas là. Je ne peux que lui parler, l'entendre. Mais voir la peur, c'est bien plus intense que l'entendre. C'est pour ça que j'ai dû lui révéler quelque chose. Qu'au moins je puisse *entendre* sa peur. »

Val se penche loin en avant, au-dessus de Liz, elle voit son visage partagé en deux, le masque couturé et le sourire angélique, tandis que son nez touche son épaule et que la pointe de sa langue plonge sous son aisselle.

« *Ta* peur, je peux même la sentir », susurre-t-il. Son haleine chaude s'enfonce en Liz. « Et la goûter. Si je le pouvais, je mettrais l'odeur sous enveloppe et je la lui enverrais.

— Pourquoi... pourquoi faites-vous ça ?

— Ce qu'il m'a fait – la bouche de Val est toujours contre son aisselle, comme si c'était le pavillon de l'oreille de Liz –, c'est quelque chose de monstrueux. J'étais libre. J'étais libre pour *une* nuit et je pouvais goûter, sentir, palper, déguster. C'était très fort. C'était le commencement de quelque chose de grand, qui ne devait plus jamais s'arrêter. Et c'est là que surgit ton petit Luke. »

Val souffle son haleine chaude dans l'aisselle de Liz, qui sursaute comme si elle avait reçu une décharge électrique.

« Assez parlé, dit Val abruptement, comme s'il devait s'arracher à ses souvenirs. » Il se redresse et se retourne vivement. En sortant, il ajoute, laconique : « Pense à moi. J'en fais autant de mon côté. »

Elle entend le grincement de la clef dans la serrure. Vingt minutes plus tard, la lumière s'éteint et une obscurité bienveillante l'enveloppe. Que Val soit aveugle pour quelques heures sonne comme une petite victoire au milieu d'une bataille depuis longtemps perdue.

39

Nulle part – 25 septembre

Liz sait que la lumière crue va bientôt s'allumer, à vrai dire elle l'attend, paupières closes pour protéger ses yeux de l'éblouissement attendu. Excepté cette énorme fatigue, elle a les idées claires, elle est capable de penser vite. Elle n'a pas rebranché la perfusion. Pas aujourd'hui.

Le tuyau pend du portique et s'enfonce comme d'habitude sous la couverture du lit, mais il aboutit au voisinage de sa main, à côté du cathéter veineux, qu'elle a retiré pendant la nuit.

La veille, elle a fait mille quatre cents fois les sept pas de mur à mur ; cette nuit, elle a économisé ses forces et n'a fait le chemin que huit cents fois.

Les yeux clos, elle révise tout dans son esprit, encore et encore, pour se changer les idées, pour empêcher que la peur et le doute ne la paralysent.

Bzzz.

Le tube de néon s'allume avec un bourdonnement électrique. Derrière ses paupières le noir passe au rouge. Restent environ cinq minutes jusqu'au petit déjeuner. Une fois encore, elle récapitule tout et répète tout comme si elle récitait un mantra. Ses doigts se referment sur la seringue. Elle se concentre entièrement sur cet instant à venir. Elle sait qu'elle n'a pas plus de trois ou quatre secondes et elle tend l'oreille dans le silence de mort. Ses tympans sont tendus presque à craquer, le sang bouillonne tellement dans ses tempes qu'elle a peur de rater le moment décisif. Elle sort d'elle-même en esprit, se voit allongée dans son lit, comme dans un film, quasi nue, la fine seringue dans la main, désespérée, presque grotesque.

Puis elle entend des pas.

Liz se redresse d'un seul effort, rejette la couverture de côté. Ses pieds touchent le sol, la fine chemise tremble.

Elle entend le staccato métallique avec lequel le panneton de la clef se glisse cran après cran dans la serrure à barillet de la porte.

Un bond au centre de la pièce, elle lève la main qui enserre la piqûre, aiguille en avant, prend comme ligne de mire la grille fixée sous la lampe fluorescente et saute. Heureusement le plafond est bas. La seringue en plastique passe à travers la grille et atteint le très fragile tube au néon. Le verre explose et de petits éclats pleuvent. Aussitôt il fait nuit.

La porte s'ouvre et Yvette, décontenancée, reste dans l'embrasure, silhouette noire dans un rectangle clair, avec cet horrible petit déjeuner à la main. Le mousqueton du trousseau de clefs pend à la ceinture de son pantalon. Les doigts de Liz se sont resserrés autour du pied en métal du portique mobile de la perfusion ; avant qu'Yvette ait pu s'orienter dans l'obscurité, Liz s'en sert comme d'une lance émoussée et la lui balance au creux de l'estomac.

Yvette gémit et trébuche deux pas en arrière. L'écuelle avec la bouillie atterrit bruyamment sur le sol ; instinctivement, Yvette a saisi le pied des deux mains, Liz en serre l'autre bout et s'arcboute, essaie de pousser de côté Yvette qui lui barre toujours le passage.

« Sale traînée », halète Yvette.

Elle est douée d'une force inquiétante, et Liz sent qu'elle perd du terrain. Yvette la repousse dans la chambre centimètre après centimètre, vers les tessons du tube de néon éclaté. Liz est prise de panique. Et en même temps elle n'a en tête qu'une seule pensée désespérée.

Je veux sortir d'ici.

Elle pousse de toutes ses forces sur la barre métallique de la perfusion. Yvette résiste, et tout à coup Liz fait un pas de côté en lâchant le pied. Yvette trébuche tête en avant dans la chambre, la tige en aluminium atterrit sur le béton, et Yvette perd définitivement l'équilibre. Un instant, Liz ne pense plus qu'à une seule chose, se sauver, fuir par la porte désormais dégagée. Mais elle sait qu'il lui faut encore mettre Yvette hors d'état de nuire.

Elle zigzague vers la porte et, au moment même où Yvette a repris des forces et se relève, Liz la claque bruyamment. Aussitôt la chambre est plongée dans l'obscurité. Une obscurité aussi noire que toutes les nuits au cours desquelles elle a fait ses allers et retours entre les murs.

Bienvenue à la maison.

Bienvenue sur mon territoire, Yvette.

Liz sait exactement où Yvette se trouve. Deux pas, un saut pour éviter les débris de verre, puis deux pas encore, et déjà la voilà qui s'assied sur elle à califourchon, tâtonne, paniquée, pour lui attraper les mains. *Mais elle ne trouve pas de mains.* Un feulement de colère qui monte dans son dos hérisse les petits cheveux de sa nuque. *À l'envers. Je suis assise à l'envers sur Yvette !* Au même moment, elle sent un poing lui marteler les côtes. La douleur lui coupe le souffle. Elle sent une rage inouïe monter en elle comme un jet de flammes. D'un bond, moitié sautillant, moitié glissant, elle se jette en arrière et atterrit sur les fesses en plein milieu du visage d'Yvette. Ses mains sentent sous elle quelque chose de mou, de fragile et de rebondi. *Le cou.* Ses doigts l'enserrent, se referment sur lui comme des griffes, et elle étrangle Yvette de toutes ses forces. Celle-ci arque le bassin, se débat comme une possédée ; ses mains fouettent l'air aveuglément, puis elle tire sur les bras de Liz pour essayer de diminuer la pression des doigts. Liz se fait aussi lourde que possible, se cale de tout son poids sur le visage d'Yvette. Elle sent sous son fessier la bouche ouverte de l'infirmière qui s'efforce de happer l'air dans ses poumons et continue à gigoter dans tous les sens. Elle tente désespérément de mordre comme un chien dans la région du pubis de Liz et – *elle serre les mâchoires.*

Une douleur brûlante submerge Liz. Elle pousse un cri lancinant, lâche le cou d'Yvette, lève les mains, croise les doigts et cogne comme un boulet de démolition sur son estomac.

Les dents d'Yvette lâchent prise aussitôt, elle se tord de douleur, se courbe en deux, tête aux genoux. Liz halète, perd l'équilibre, bascule de côté. Elle sent un objet à côté d'elle, directement à main droite, du métal lisse et froid. Elle s'en empare. Soudain, tout est silencieux. Un silence de mort dans une nuit noire. Liz essaie de retenir sa respiration, mais ses poumons réclament de l'oxygène. Elle s'agenouille sans un bruit, essaie d'évaluer la distance qui la sépare d'Yvette. Deux mètres ? Trois mètres ? Moins ? La tige de métal cliquette légèrement dans sa main. Au mieux, elle mesure un mètre cinquante. Liz, debout à présent, la saisit à deux mains, tend les bras en avant, sans savoir exactement où frapper.

Le silence perdure. Si l'on peut appeler silence les bruissements et les bruits de pompage qu'elle entend dans son corps.

Respire, salope.

Mais Yvette ne lui fait pas cette joie.

Liz retient de nouveau sa respiration. Sous l'effort, des gouttes de transpiration perlent de tous ses pores. Elle est là, la tige de métal lisse dans ses mains moites comme si elle tenait la poignée d'un glaive. À sa gauche, il y a la porte, non loin d'elle le centre de la pièce, quatre pas encore, et c'est le lit.

Elle veut aller vers la porte ! pense-t-elle soudain.

Au même instant, elle entend crisser des débris de verre. C'est comme si elle pouvait voir dans l'obscurité ; voir Yvette debout au centre de la chambre, bras tendus devant elle, tâtonnant dans le noir, tête dans les épaules, légèrement penchée en avant.

Liz frappe brusquement en faisant un demi-cercle devant elle, à l'horizontale. L'impact est si violent qu'il lui arrache la barre des mains ; le bruit du choc ressemble à celui d'un lourd tuyau de cuivre qui s'abattrait sur une pastèque. Puis la tige tombe au sol avec fracas. Un triomphe sauvage s'empare de Liz, elle saute comme une furie dans la direction où elle devine son adversaire. Elle sent un corps chaud, se rue sur lui pour lui donner le coup de grâce. Ses mains s'agrippent de nouveau au cou d'Yvette. Il est poisseux et humide.

Du sang !

C'est maintenant seulement qu'elle se rend compte qu'Yvette ne bouge plus. Rien. *Serait-elle morte ?*

Son sentiment de triomphe se change instantanément en quelque chose de répugnant, d'indécent.

La clef. Reprends-toi. Il te faut la clef.

Liz explore le mousqueton accroché à la ceinture d'Yvette, détache la clef et, d'une roulade sur le côté, s'éloigne du corps encore chaud. Frissonnante comme une feuille de tremble, elle rampe vers la porte, vers la sortie. Elle s'appuie dos au mur, se relève, puis ouvre la porte. Un large ruban de clarté tombe dans la chambre obscure et envoie un faisceau de lumière sur son adversaire. Du sang coule entre les cheveux au-dessus de l'oreille et ruisselle dans son cou. Elle a les yeux fermés. *Au moins ça ! Au moins, je ne suis pas obligée de la regarder dans les yeux.*

Elle respire plusieurs fois à fond pour se calmer mais n'y parvient pas ; elle pense constamment à Val.

Il finira bien par remarquer que quelque chose ne va pas. Un simple coup d'œil à la caméra de surveillance et il saura.

En route, donc !

Liz avance dans le rectangle lumineux, pose un pied sur le seuil, puis le second. Le cœur lui bat dans les oreilles, comme s'il voulait la trahir.

Elle tire la porte derrière elle, enfonce avec les deux mains la clef d'Yvette dans la serrure qu'elle verrouille.

Puis elle se retourne et plisse les paupières. Devant elle, un couloir éclairé d'environ six mètres de long, au bout un coude vers la droite. Les murs de brique sont peints d'une couleur gris sale, à gauche et à droite, une porte. Au plafond, une ampoule nue se balance dans une douille rouillée.

Les pieds de Liz avancent à tâtons sur le sol de béton maculé. Elle passe sous l'ampoule, et son ombre la double, s'allonge dans le couloir. Elle s'approche prudemment de l'angle, lance un coup d'œil au coin et halète, en proie au désespoir.

Non. Non, s'il vous plaît, pas ça !

Dix pas plus loin, une lourde porte munie d'épais barreaux cylindriques lui barre le chemin.

Elle fixe la clef d'Yvette. Mains tremblantes, elle essaie d'enfoncer le panneton fin et argenté dans la serrure de la grille. En vain. Ce n'est pas la bonne clef.

Elle fait volte-face, se précipite vers les deux portes du couloir, ouvre la gauche à la volée. Une cellule comme la sienne. Un peu plus grande, un peu plus confortable. Des couvertures, des coussins, un divan en cuir brun clair usé jusqu'à la corde, des livres fatigués, un lit défait, un lavabo et un W.-C., aux murs des dessins maladroits de fleurs, pas de fenêtre, pas d'issue, une cave.

Yvette n'avait pas menti. Val la retenait manifestement tout autant prisonnière qu'elle.

Elle pivote sur les talons, ouvre la seconde porte. Ici aussi, la lumière est allumée. Encore une cellule, de nouveau sans issue. À droite, un coin cuisine spartiate, une armoire avec des boîtes de médicaments ; à gauche, un sèche-linge et une penderie sur roulettes d'environ trois mètres de long. Sur la barre transversale, une vingtaine de robes élégantes, certaines protégées par une housse en plastique transparent. En tête, séparée des autres vêtements, une robe en satin blanc au bas bouffant, brodée de centaines de roses blanches scintillantes. Le devant de la robe est presque aussi court qu'une mini-jupe, le derrière en revanche est long et ample comme une robe rococo. Un motif floral bleu roi dépasse de la doublure. Liz ne peut s'empêcher de tendre la main vers l'étoffe lustrée. Elle est douce comme de la soie, ferme et froncée à la fois.

J'ai choisi une robe pour toi, pour le 13. Tu ressembleras à une reine.

Un frisson parcourt Liz tout entière. Elle retire la main, comme si elle s'était brûlée. Mais elle ne peut détourner les yeux de cette précieuse robe. De telles pièces uniques valent souvent plus de cent mille euros et pendent soit aux épaules maigres de mannequins haute couture soit dans le dressing des super-riches. Comme électrisée, elle fixe le motif floral bleu. D'où proviennent de tels vêtements ?

Tout à coup, elle entend un bruit dans le couloir, comme l'écho d'une lointaine porte qu'on ouvre.

Val !

Liz fait volte-face, ses pensées se bousculent dans sa tête.

Des pas. Elle entend des pas qui dévalent un escalier.

Elle lève les yeux au plafond de la chambre, vers l'ampoule. Vive comme l'éclair, elle est sous la lampe, lève les mains, tend les doigts. La chaleur lui brûle la peau alors qu'elle se met à dévisser l'ampoule. La lumière vacille et s'éteint. Mais pour la lampe du couloir, c'est trop tard.

Un bruit métallique parvient du dehors, une clef qu'on enfonce dans la serrure de la grille. Le pouls lui cogne aux oreilles, le cœur lui heurte les côtes. Un crissement, des pas. Liz n'a pas le choix. Il n'y a que cette cachette. Elle plonge entre les robes haute couture qui pendent aux cintres et se recroqueville derrière la penderie, contre la brique froide. Elle aimerait creuser un trou dans le mur avec les ongles. Inquiète, elle épie la porte ouverte à travers les précieuses étoffes.

Je t'en prie, laisse-le passer sans s'arrêter.

Et après ? Qu'est-ce qui va arriver après ?

Soudain, la lumière s'allume, un clignotement nerveux, bref.

Oh, non ! L'ampoule, elle n'a pas assez dévissé l'ampoule.

Une ombre s'allonge sur le sol du couloir, la silhouette de Val s'encadre dans la porte au moment même où l'ampoule vacille nerveusement une fois de plus.

Val s'arrête.

Un sourire furtif glisse sur son visage crispé.

« Est-ce que je t'aurais sous-estimée, petite Liz ? Tu es *si* forte que ça ? » murmure-t-il.

Les genoux de Liz flageolent. Elle le voit s'approcher à travers le mince interstice entre les robes. Lentement, irrésistiblement. Son visage est éclairé au rythme de l'ampoule qui vacille.

« Qu'est-ce que tu t'es dit en faisant ça ? Que tu pourrais te sauver ? Comme ça, tout simplement ? Une petite femme affaiblie et nue, en pleine montagne, par ces températures ? »

Des montagnes. Nous sommes en montagne ! Liz se baisse encore, tend tous ses muscles.

« Quelle distance auras-tu parcourue, Liz, avant que je te rattrape ? Cent mètres ? Deux cents mètres ? »

La lampe grésille. Val passe au-dessous et son visage est tout à coup d'un noir d'encre, seule sa silhouette à contre-jour brille, entourée d'un sinistre halo.

« Tu veux qu'on essaie ? Je pourrais te laisser partir. Mais il faudrait que tu coures loin, vraiment très loin. »

Sa voix crépite nerveusement, comme l'ampoule, comme si un courant électrique lui parcourait le corps. Sa silhouette devient immense, cache la porte, le rectangle clair du couloir. À la place de la sortie, il n'y a plus que lui. Gigantesque. Noir. Tout puissant.

« Ce serait en vain, murmure Val. Et je ne veux pas que tu te blesses. J'ai besoin de te garder indemne. Immaculée. »

Désespérée, Liz tend tous ses muscles au maximum. La lampe clignote, moqueuse.

« Sors, petite Liz, sors. »

Il est tout près, se dresse devant la penderie.

Maintenant !

Elle se précipite en avant comme propulsée par un ressort, ses mains exercent une poussée de bas en haut contre la barre, elle veut la lui cogner sous le menton, mais les robes pèsent aussi lourd qu'une étagère pleine de livres. Emportée par son élan, elle bascule en avant avec la barre et tous les vêtements, droit sur Val. Il bat des bras, ne parvient pas à se retenir, et tombe en arrière. Sa nuque cogne contre le sol de béton. Liz atterrit à côté de lui, mais sur le ventre. Les vêtements amortissent sa chute.

Soudain tout est silencieux.

Il a perdu conscience, se dit-elle, et elle arrive à peine à croire en son bonheur.

L'ampoule clignote.

Liz tend les mains jusqu'à ce qu'elle sente le corps de Val. La clef ! Elle doit bien être quelque part ! Ses doigts palpent le pantalon de Val, ses poches.

Là.

Elle fouille dans la poche gauche du pantalon, saisit la clef, qui s'est prise dans la fine doublure, effleure son membre en passant.

Elle réussit finalement à arracher cette clef. Elle se redresse péniblement au milieu de l'amoncellement de vêtements. La lumière du couloir brille par la porte ouverte. Elle prend conscience de sa légère chemise ouverte.

Val gémit doucement, intensément.

Comme piquée par une tarentule, Liz plonge la main dans le tas de vêtements, saisit une robe au hasard et fonce vers la porte, puis le long du couloir. Mains tremblantes, elle tâtonne dans la serrure avec la clef, mais celle-ci lui glisse des doigts et tombe sur le sol en cliquetant.

Bête comme une oie.

Elle la ramasse, fait une deuxième tentative. Le métal gratte sur le métal, le trou de la serrure lui semble bien petit, petit comme un chas d'aiguille.

Vas-y !

Elle reprend avec les deux mains pour maîtriser son tremblement. Elle réussit enfin, et la clef glisse dans le trou de la serrure qui cède, et la grille s'ouvre en grinçant. Ça sent la rouille et la graisse.

Derrière elle, elle entend un gémissement, plus fort.

Elle enfonce de nouveau la clef de l'autre côté de la serrure. Cette saloperie se défend, le panneton accroche. Puis elle passe enfin la porte et la pousse pour la fermer.

Ferme à clef maintenant !

La main qui tient la clef continue à prospecter. Ses doigts tremblent. Très fort. Elle ne les contrôle pas.

S'il vous plaît !

Elle fait une nouvelle tentative en s'aidant encore une fois des deux mains. En vain.

Les gémissements de Val rampent vers elle dans le couloir.

Prise de panique, elle abandonne la serrure, prend la robe et avance en titubant le long du couloir, tourne au coin. Ses pieds rencontrent une marche d'escalier. Elle sent une rampe sous les doigts et grimpe degré après degré, toujours plus vite. Quitter cet enfer, le plus rapidement possible.

L'escalier aboutit à une grande pièce. La lumière du jour pénètre dans ses yeux comme un poison. Dehors, elle reconnaît le fantôme d'un jardin. Elle réussit à faire glisser la porte-fenêtre en verre, se rue à l'air libre.

L'air frais est comme un choc pour elle. Elle gonfle avidement ses poumons. Ça sent l'humus, l'air de la montagne, la résine et l'herbe. Elle plisse les paupières, essaie de s'orienter. À droite, une porte de garage ; elle la secoue, mais elle est fermée. Il doit y avoir une voiture là-dedans et quelque part dans la maison une clef, certainement. Mais elle ne peut pas y retourner. Pas dans cette maison.

Déconcertée, elle sort précipitamment par un portail noir en fer forgé ouvert dans un mur de pierres sèches. Le ciel est si loin qu'elle en a le vertige. Les montagnes qui l'entourent prennent forme, ont l'air d'être accrochées au ciel, avec des sommets et des crêtes enneigés. Ses jambes se rappellent son entraînement. Toujours un pas après l'autre, plus vite, toujours plus vite le long de la route.

Elle se retourne, voit le mur de pierres sèches, avec la maison derrière, *sa* maison, un bungalow sale et froid, solitaire, littéralement soudé à la montagne, quasiment enfoncé dans la roche. La route monte jusqu'à sa porte d'entrée à deux battants où elle s'arrête comme devant une gueule ouverte affamée.

Mais il faudrait que tu coures loin, vraiment très loin.

Et tu peux être sûr que je vais courir, salopard !

La route s'étire devant elle, serpente vers l'aval ; de chaque côté du ruban de macadam, la forêt. Liz continue à courir sous le couvert des arbres, à bout de souffle, toujours à distance respectable de la route, mais toujours parallèlement à elle. Elle trébuche parfois sur les versants abrupts, des rameaux la frappent au visage et sur le corps, ses pieds nus souffrent sur le sol pierreux. Elle finit par avoir terriblement froid. Au-dessus d'elle, des oiseaux se chamaillent dans les arbres. Elle s'arrête, arrache la housse en plastique, dégage la robe et gémit.

Haute couture.

Sur ses épaules est perché un petit diable moqueur qui rit d'elle.

Quand même, pense-t-elle, têtue. C'est mieux que rien.

La robe est noire, et elle souhaite que le crépuscule tombe, quoiqu'elle sache que le jour vient à peine de se lever.

40

Berlin – 25 septembre, 18 h 42

Gabriel garde les yeux clos, comme si cette attitude pouvait lui épargner la douleur, comme si, ce faisant, il pouvait à nouveau oublier toute cette folie.

Luke ! Hé, Luke...

Gabriel ne réagit pas. Tout lui paraît meurtri, engourdi.

Et ? Qu'est-ce que ça t'a rapporté, de descendre dans cette putain de cave ?

Rapporté ? La question résonne dans son crâne sans qu'il trouve une réponse appropriée.

Mais regarde-toi donc, tu fais de nous des épaves. Et pourquoi ?

Silence.

Puis, en sourdine, cette idée : Peut-être que je devrais me débarrasser de toi...

Te débarrasser ? De moi. Tu ne parles pas sérieusement.

Et si je le faisais quand même ?

Luke ! Nous... nous nous sommes toujours bien entendus... Tu te rappelles le nombre de fois où je t'ai sauvé ?

Oui. Peut-être.

Peut-être ?

Je ne sais pas si tu m'as vraiment sauvé.

Quoi ?

Peut-être que je m'en serais mieux tiré sans toi.

Nom de Dieu, quel trou du cul ingrat tu fais. Qui s'est soucié que tu te ressaisisses ? Que tu ne te plaignes pas tout le temps ? Qui s'est débrouillé pour que tu sois fort ? Qui s'est débrouillé pour que les autres ne te détruisent pas bon Dieu ?

Je sais, oui.

Et tu la préfères, malgré tout ?

Il ne s'agit pas de ça.

Si, c'est de ça qu'il s'agit. Depuis qu'elle est là, tu es... imprévisible. Un danger pour toi-même...

Je n'en suis pas certain.

Mais tu peux encore arrêter tout ça. N'importe quand. Il suffit que tu le décides.

C'est ça que tu veux ? Que je me décide ? Contre Liz ? Est-ce que tu comprends ce que tu me demandes là ? murmure Gabriel. Écoute-moi ! J'ai assassiné mon père. *Moi !* Je ne sais pas pourquoi, je n'arrive plus à me souvenir, mais je sais que c'était moi. Et maintenant tu voudrais que je laisse mourir Liz ? Elle, précisément elle ?

Ça va te libérer.

Me libérer ?

C'est bien ce à quoi tu aspires, la liberté.

La liberté ? C'est *toi* qui aspires à la liberté. Moi j'aspire à... Je ne sais pas... À la délivrance.

La délivrance ! Mon Dieu, quel pathos de merde ! La délivrance, ça n'existe pas. La délivrance, c'est un saut depuis le sommet d'une tour. La seule chose qui existe, c'est la liberté.

Peut-être que sans toi je m'en tirerais vraiment bien mieux.

Tu devrais dormir.

Je n'arrive pas à dormir, nom de Dieu ! Ça va finir par te rentrer dans la caboche, ça ?

Notre caboche, Luke. Notre caboche ! Au fait, tu as oublié les électrodes, Luke. Le barrage photoélectrique...

Gabriel ouvre les yeux.

Les électrodes, nom de Dieu !

Doigts tremblants, il tâte le sol près du lit. La poussière volette dans un trait de lumière qui s'est furtivement glissé jusqu'au pied de son lit, descendu d'entre les rideaux tirés du Caesar et qui tombe directement sur le fatras de feuilles détachées de son dossier de traitement. Quelque part entre ces feuilles, il met la main sur les petits fils, fixe les électrodes sur son avant-bras et referme les yeux. Derrière ses paupières, un rougeoiement – comme à l'intérieur d'un ventre. Soudain, il est à nouveau dans la cave de Conradshöhe, assis, comme paralysé, face à son propre dossier.

Il ne se rappelle pas à quel moment ni pour combien de temps il a perdu connaissance, en bas, sur le sol de la cave. Quand il était revenu à lui, il était déjà midi passé. La morsure du chien lui brûlait le bras, et il se sentait fiévreux.

En fait, il voulait attendre le crépuscule afin de quitter le terrain de la clinique psychiatrique à la faveur de l'obscurité. Mais il n'y avait plus rien de normal. C'en était fini de la normalité, définitivement.

Il s'était glissé hors de la salle des archives. Par chance, il avait trouvé dans une des caves attenantes une blouse grise qu'il avait enfilée. Puis il était sorti par le chemin qu'il avait pris pour entrer : la porte des livreurs.

À peine une heure plus tard, il était assis dans la salle d'attente d'un médecin. Entre-temps son bras avait doublé de volume, vraisemblablement à la suite d'une infection due à la morsure. Le médecin voulut lui faire une piqûre contre la rage, mais Gabriel se défendit, exigea à la place un antibiotique, se laissa nettoyer la plaie, poser un bandage propre et il refusa catégoriquement d'être envoyé vers un hôpital.

Quand il sortit du cabinet du médecin, une grande fatigue le faucha comme un train de marchandises. Il grelotta de fièvre. Il arrêta un taxi en claquant des dents, se fit conduire dans les environs du Caesar, surtout pas devant la porte de l'hôtel, et se traîna à pied dans les rues le reste du chemin.

Arrivé dans sa chambre, il laissa simplement tout tomber à côté du lit, se défit de la veste en lambeaux, fourra le portable dans sa poche de pantalon – juste au cas où Val appellerait – et se jeta sur le matelas, avec le sentiment d'avoir en lui, depuis son enfance, une tumeur maligne, qui métastasait à présent et lui révélait l'aspect le plus laid et le plus vrai de sa personnalité.

Quoique certain de ne pouvoir dormir, il partit tout de même à la dérive. Des souvenirs erraient, grands comme des écrans de cinéma, et il courait entre eux comme un dératé, comme une bille de flipper en argent.

Le sang. David, grand comme une poupée, mais lourd comme une cuirasse, qu'il fallait entraîner loin de l'incendie, loin des yeux morts qui se plantaient en Gabriel.

La cave, le laboratoire. Une porte ouverte. Son père qui criait après lui qu'il n'entre pas. Mais il ne pouvait faire autrement. Il sentait quelque chose de collant entre ses orteils, il respirait une odeur de produits chimiques. Il traversait une forêt de photos. Des bandes de film pendaient du plafond, dardaient leur langue de serpent et le léchaient. L'une d'entre elles s'enroula autour de son cou et lui coupa la respiration, son bras lui brûlait comme du feu…

Comme un courant électrique.

Il ouvre les yeux et le rêve se déchire.

Il reçoit une impulsion de ses électrodes. Le barrage photo-électrique. Il y a quelqu'un devant sa porte.

Alerté, Gabriel saute du lit et se presse contre le mur, entre le lit et la porte. Il observe fixement la poignée usée et attend.

Rien. Rien ne bouge.

Son cœur palpite.

Respire ! Du calme !

Derrière les rideaux épais, le soleil plonge toute la chambre dans une pénombre sale.

On entend un raclement discret au chambranle de la porte, exactement à hauteur de la serrure. Quelqu'un glisse une carte en plastique entre le pêne et le montant. Gabriel tend ses muscles. La serrure cède avec un déclic métallique, la porte s'ouvre en grand et va heurter le mur à côté du lavabo. La silhouette d'un homme taillé à coups de serpe se précipite dans la chambre, bras tendu, pistolet noir compact en main.

Les réactions de Gabriel sont celles d'une machine. Le bras droit est expédié en avant comme la lame d'un couteau à cran d'arrêt, le tranchant de la main s'abat sur le côté du cou de taureau de l'intrus. L'homme gémit, tombe en avant, l'arme lui échappe.

Derrière lui, deux autres personnages en blouson de cuir noir. Gabriel balance un solide coup de savate du pied droit au premier. L'homme titube en arrière dans le couloir, bute contre le second. Gabriel voit du coin de l'œil que le costaud allongé sur le sol de la chambre essaie d'atteindre le pistolet.

Il claque la porte au nez des deux autres. On entend un coup sourd et un cri de douleur. Gabriel pirouette sur les talons et frappe un deuxième coup sur la nuque du costaud. Les doigts de l'homme relâchent l'effort à quelques centimètres de l'arme. Le pistolet, un semi-automatique calibre 9 mm Baghira MR-444 russe, gît sur le sol comme une équerre en bois. Gabriel entend que les deux comparses s'attaquent de nouveau à la porte. Ses pensées lui battent dans le crâne à toute allure – comme pendant le passage à toute vitesse d'un train, quand tout est flou.

Ramasse ce putain de flingue.

Non, non et non.

Espèce de crétin, toi et tes hésitations de merde !

Pas de pistolet.

Qu'est-ce que tu crois qu'ils vont faire de nous ?

Gabriel ne répond pas. Il ne sait pas qui sont ces « ils ». Il ne sait pas ce qu'« ils » veulent. Et il sait encore moins ce qu'il doit faire. Il est coincé, entre les rails. Un pas, et le train l'écrase.

Et Liz ? Tu penses à elle, nom de Dieu ? Si tu ne veux pas t'aider, aide-la au moins, elle. C'est bien ce que tu n'arrêtes pas de me dire, non ? Et maintenant, tu te dégonfles ? À cause de ta putain de phobie des flingues ?

Soudain, le train a disparu, il est passé à toute allure, et Gabriel est littéralement aspiré sur les rails par les turbulences.

Ses doigts se serrent sur la crosse de l'arme. Elle est légère et compacte, et pourtant elle pèse lourd dans sa main. La détente lui brûle l'index droit comme un feu de magnésium. Il tremble. Néanmoins, doigt sur la détente du Baghira, il ouvre brusquement la porte. Surpris, les deux hommes le regardent fixement, armes au poing dirigées sur lui. De sa main libre, l'un des deux se tient le nez, manifestement cassé. Du sang lui coule entre les doigts, et ses yeux très écartés envoient des éclairs de rage. Gabriel le connaît de la Python. Il s'appelle Koslowski, c'est un Polonais.

« Qu'est-ce que vous voulez ? demande Gabriel.

— Devine, siffle Koslowski avec effort entre ses doigts, la voix tremblante de colère et de douleur.

— Je n'en ai pas la moindre idée.

— Le film, rétorque le deuxième homme. Donne-nous le film et on disparaît.

— *Film ?* » Gabriel le fixe, éberlué. « Quel film ?

— Joue pas au con, on sait que tu l'as.

— Je n'ai rien du tout. Qui vous envoie ? Youri ?

— Tu sais bien qui nous envoie. Alors donne-nous la bande, et on disparaît.

— Quelle bande ? » Le regard de Gabriel passe de l'un à l'autre. « Je n'ai pas la moindre idée de ce que tout cela signifie. Si Youri veut quelque chose, pourquoi il ne le dit pas, tout simplement ? Au lieu de ça, il me fout à la porte et me balance dans une décharge publique. Et maintenant, vous vous pointez et vous prétendez que j'aurais une bande ou un film... Mais quel film, nom de Dieu ? »

Koslowski échange un regard avec son comparse.

« Ben, la vidéo », nasille-t-il. Il a visiblement du mal à parler. « Ce qu'il y avait dans le coffre du Kadettenweg. »

Gabriel fronce les sourcils.

« Le coffre était vide.

— Sarkov dit qu'il y avait quelque chose dedans, bredouille Koslowski en penchant sa tête en arrière à cause de son nez qui saigne, mais il ne baisse pas son arme. Sarkov dit que tu as piqué ce truc.

— N'importe quoi !

— Sarkov nous envoie pas pour des broutilles. Alors, donne. » Il agite énergiquement son arme. « Donne le film. Ton heure a sonné. »

Gabriel fixe les orifices noirs des canons. Dans sa main, le Baghira pèse une tonne.

« Si je comprends bien ce que vous dites, Youri veut absolument avoir ce film ?

— Tu l'as dit. »

Gabriel a un sourire dépité.

« Les pistolets ont un grand inconvénient, quand on veut absolument obtenir quelque chose… »

Koslowki le regarde avec de grands yeux.

« Ils tuent. »

Koslowski change de point d'appui et passe sur la jambe droite, comme s'il pouvait ainsi débloquer son cerveau.

« Alors, qu'est-ce que tu en penses ? fait Gabriel à voix basse. Si j'avais le film et qu'il soit bien planqué, comment Youri mettrait la main dessus, si vous me tuez ? Hein ? »

Koslowski cligne des paupières. Son front se couvre de rides, puis il pointe lentement et sans un mot son arme sur le genou de Gabriel et ricane. Du sang coule de sa lèvre supérieure enflée et lui colore les dents. Le deuxième homme s'entête et pointe toujours son pistolet sur la tête de Gabriel.

« Donc, tu l'as, constate Koslowski.

— Là n'est pas la question », réplique Gabriel. Il est tellement tendu qu'il transpire. Il essaie de se concentrer pour dissimuler sa nervosité. « La question est plutôt celle-ci : à vos yeux, quelle importance il a, ce film ? Parce que, qu'est-ce que tu crois qui va se passer, si tu me tires dans le genou ? »

Koslowski fixe le Baghira pointé sur lui. Le canon de l'arme tremble, tout comme la main de Gabriel.

« Tu as peur », bredouille-t-il, et il ricane d'une manière abjecte.

Le tremblement s'amplifie.

« Oui, dit Gabriel, et c'est justement pour ça que je vais tirer. »

Le ricanement de Koslowski se défait.

Gabriel avance d'un demi-pas. Les deux hommes ne bougent pas d'un centimètre.

« T'es foutu », répète Koslowski. Son haleine sent la fumée froide. « Donne-moi le film. »

Gabriel fait un pas rapide vers le Polonais et lui presse le canon du Baghira sur l'œil gauche. Le doigt de Koslowski tressaille sur la détente de son arme, mais ne se replie pas. Gabriel augmente la pression sur l'œil. Le Polonais recule, résigné, et libère la porte. Gabriel se glisse dans le couloir. À reculons, à pas lents et comptés, il se dirige vers la cage d'escalier, face aux hommes, le pistolet sur eux.

« Tôt ou tard, je t'aurai, lui crie Koslowski.

— Je te reconnaîtrai à ton attelle sur le nez », rétorque Gabriel.

Fou de rage, le Polonais crache un mélange de sang et de salive sur le tapis du couloir. Au même moment, Gabriel fait un bond de côté, disparaît derrière le coude du couloir et se précipite dans l'escalier. Ses pas résonnent dans l'entrée. Lorsqu'il sort en courant par l'arrière du Caesar, c'est avec des gestes d'une précision étonnante. Ça ne durera pas longtemps, se dit-il, la décharge d'adrénaline ne va pas tarder à diminuer.

Il sprinte jusqu'à la station de S-Bahn voisine. Dans l'escalier, il dégage le chargeur de la crosse du Baghira et le balance dans une corbeille à papier. Il se débarrasse de l'arme dans une poubelle du quai, avec le sentiment de s'être dépouillé d'un serpent venimeux particulièrement hargneux et prêt à mordre. Il monte dans le premier train et se jette sur une des banquettes au motif coloré. Les lampes carrées au-dessus des portes clignotent pour prévenir de leur fermeture. Le train se met en marche en gémissant.

Merde !

Bon Dieu, comment Youri l'a-t-il retrouvé ?

Et qu'est-ce que c'est que ce film qu'il cherche ?

Gabriel pense à cette nuit au Kadettenweg, au salon avec les lourdes poutres et les meubles recouverts de drap, aux photos sur la tablette de cheminée et au coffre-fort derrière le tableau. Le coffre était ouvert et vide, si bien que celui qui l'avait précédé dans la villa avait emporté ce qu'il contenait. Mais qui était-ce, et que voulait Youri avec ce film ? Et qu'en était-il au juste de cette histoire du Kadettenweg ? Quand il avait été question de cette adresse, Youri avait réagi comme si la maison faisait partie de lui-même.

Frustré, Gabriel plonge ses mains dans ses poches. Ses doigts froids touchent le portable, et il pense à Liz.

Les freins du métro grincent, et une mère monte avec un landau. La petite a une tétine rose bonbon dans la bouche et ouvre de grands yeux. Gabriel se demande instinctivement quel âge elle peut avoir. Le spectacle lui serre la gorge. Liz est enceinte de combien de mois ? Il crispe les poings au fond de ses poches.

Allez, pense à la suite ! Qu'est-ce que tu vas faire à présent ?

Une chose est sûre, impossible de retourner au Caesar. La place est connue, et la prochaine fois Youri enverra des hommes qui ne se laisseront pas avoir si facilement. Le problème, c'est qu'à part le portable tout est resté au Caesar, y compris l'argent.

Gabriel gémit. Il a besoin de nouveaux vêtements, ceux qu'il porte empestent la saleté et le sang séché. Sans argent, impossible de dénicher un refuge, sans même parler de trouver à manger ou d'acheter de nouveaux vêtements. Il ferme les yeux. Les soubresauts du métro échouent dans son oreille et calment le chaos qui tourbillonne dans sa tête.

David, pense-t-il. Il faut que j'aille chez David.

Tu es incorrigible, Luke !

Il me faut juste un peu d'argent.

Il ne t'a jamais aidé. Pourquoi veux-tu qu'il t'aide maintenant ?

C'est mon frère.

Famille ! ricane la voix. *Tu crois que les liens du sang sont plus forts que ceux qui nous lient à des étrangers ou quoi ?*

Gabriel ne répond pas.

Le dicton reste valable alors que tu l'as fait couler, ce sang ?

Je veux que tu disparaisses !

Gabriel ouvre les yeux et les dirige vers l'horizon enflammé et rouge qui apparaît entre les maisons. On dirait que quelqu'un a mis le feu au ciel.

41

Andermatt, Suisse – 25 septembre, 19 h 12

Liz est assise tel un pantin désarticulé sur le banc en bois de l'accueil du poste de police cantonale. Elle s'est enveloppée d'une couverture de l'armée suisse qui lui démange la peau et elle ne souhaite qu'une chose : prendre un bain chaud en fermant les yeux, en sachant qu'il ne peut plus rien lui arriver. Mais plus elle entend les voix très assourdies qui lui parviennent depuis l'autre côté de la cloison en verre, plus son désespoir augmente. Même si les deux policiers cantonaux qui discutent entre eux pensent qu'elle n'entend rien, elle comprend chaque mot. Les voilà qui rient à présent ; ils parlent voiture, l'un des deux, le plus petit, fait pirouetter de manière compulsive sa clef de BMW entre les doigts.

Elle ne sait où porter les yeux et regarde dehors. Le soleil est tombé comme une pierre derrière les montagnes, et Andermatt s'enfonce dans l'obscurité. Ses pieds sont gourds et tous les muscles de son corps sont douloureusement contractés.

Elle a réussi à se battre pendant une bonne demi-heure pour progresser entre les arbres. La pente devenait de plus en plus abrupte, les pierres aux arêtes vives et les branches maltraitaient tellement ses pieds nus qu'elle s'est mise à pleurer. Elle a donc quitté la couverture des arbres, est descendue sur la route et a suivi les lacets vers l'aval. Elle avançait bien plus vite sur l'asphalte lisse. Pour recouvrer le calme, elle a commencé à compter ses pas. Chaque fois qu'elle entendait une auto approcher, elle clopinait dans les buissons, se jetait au sol et priait instamment que la voiture poursuive sa route et qu'*il* ne soit pas au volant, reconnaisse entre les broussailles un morceau de cette extravagante robe noire, s'arrête et la traîne de nouveau dans sa prison – ou fasse bien pire encore.

Une éternité plus tard, un clocher d'église blanc en forme d'oignon apparut derrière un virage. Des voies de chemin de fer coupaient le paysage en deux.

Le village s'appelait Wassen.

Liz y entra comme une mariée gothique. À l'aide d'une pierre acérée, elle avait fendu en deux à hauteur du ventre cette encombrante robe noire haute couture qui lui allait si mal, afin que son corps épaissi par sa grossesse puisse effectivement y entrer. La soie noire, transparente par endroits, était souillée, et des fils étaient tirés là où des rameaux ou des épines s'étaient pris dans l'étoffe. Ses pieds nus étaient sales comme un peigne et ses cheveux roux graisseux partaient dans tous les sens. Au Moyen Âge, on l'aurait brûlée sur un bûcher comme une sorcière. Au XXIe siècle, elle donnait l'impression d'une folle évadée du pavillon fermé d'un hôpital psychiatrique.

Alors qu'elle était arrivée à hauteur des premières maisons du village, elle remarqua du coin de l'œil qu'elle était observée derrière les rideaux. Elle poursuivit son chemin, pas à pas, comme elle l'avait toujours fait dans sa cellule. Le léger tapotement de ses pieds sur l'asphalte sonnait comme le balancement d'un métronome qui dictait à son cœur et à sa tête surtout de continuer à marcher avec obstination.

La première personne qui vint à sa rencontre fut une femme qui tenait à la main une fillette de cinq ans environ. La petite était tout le portrait de sa mère, avec des yeux très écartés l'un de l'autre et de longs cheveux blonds noués en un chignon tiré.

Liz trembla de soulagement.

« S'il vous plaît, aidez-moi, adjura-t-elle. Il faut que j'aille à la police. »

La femme s'arrêta à quelque distance, comme si elle avait pris racine, et contempla Liz, bouche bée.

« Qu'est-ce... qui vous est arrivé ? »

Liz déglutit péniblement, se contenta de secouer la tête avec lenteur et répéta :

« S'il vous plaît, il faut tout simplement que j'aille à la police. »

La petite fille examinait Liz et tirait énergiquement sur la main de sa mère. Le regard de la femme s'attarda sur le ventre arrondi. Puis elle opina.

« Venez, je vais vous emmener à la gare. La police cantonale est à Andermatt, c'est à une station.

— Merci », répondit Liz et elle suivit la Suissesse vêtue avec soin.

Sous les regards du village, elle eut l'impression d'être une mendiante pleine de poux. La fillette ne cessait de se tourner vers elle, dans le regard un mélange de dégoût et d'insécurité. Liz ne pouvait pas lui en vouloir. Elle lui adressa un sourire laborieux.

« Tu en as un beau chignon », lui dit-elle à voix basse.

La petite la regarda et une grosse ride lui barra le front.

« Je veux dire la torsade, les cheveux », reprit Liz en désignant sa tête de la main.

La petite fille la repoussa comme si l'étrangère avait la gale et détourna le regard.

« Ici, on dit "huppi", pas "chignon" ou "torsade" », précisa sa mère.

Huppi. Liz fut partagée entre le rire et les larmes.

La gare du village était un simple bâtiment aux fenêtres à meneaux et au toit pointu avec, sur l'arrière, un quai désert.

La femme, dont elle ne connaissait même pas le nom, consulta les horaires pour elle.

« Le train arrive dans dix minutes. » Elle examina Liz, incertaine. La fillette la tirait de nouveau par la main. « Vous avez de l'argent ? »

Liz secoua la tête. La femme lui mit un billet de vingt francs dans la main, lui adressa un sourire, moins crispé cette fois, et envoya un regard venimeux à sa fille qui tirait toujours sur sa main.

« Excusez-moi, grommela-t-elle. Vous y arriverez toute seule ? Je crois que ma petite…

— C'est bon, répondit Liz, vous m'avez beaucoup aidée. »

Le train entra en gare avec des cahots sinistres. Les freins grincèrent de manière si aiguë que Liz se boucha les oreilles. Chaque bruit semblait pénétrer directement sous son crâne, comme si elle n'avait plus rien pour filtrer le monde extérieur.

Elle monta dans le train, comme en transe. Elle ne s'inquiéta même pas de savoir qu'*il* aurait pu penser qu'elle fuirait en train.

Quand le paysage se mit en mouvement autour d'elle, fila le long de la fenêtre et que le claquement régulier des roues sur les rails s'insinua dans son esprit, ses yeux s'embuèrent à nouveau de larmes. Toutes les fibres de son corps lui faisaient mal, la faim lui donnait des vertiges.

Elle fixa un regard absent sur le paysage qui s'étirait en longs rubans. Quand le contrôleur de la SSB lui réclama son billet, troublée, elle chercha les vingt francs que la femme lui avait donnés.

« Je... je les avais, bredouilla-t-elle, il y a encore... Excusez-moi. » Elle déglutit et essaya de se ressaisir. « Je suis désolée. Je vous en prie, aidez-moi. J'ai été enlevée. Il... il faut que j'aille à la police. »

Et à Andermatt deux policiers l'attendaient déjà sur le quai. Le contrôleur la leur remit avec reconnaissance – une femme enceinte, confuse, sans titre de transport, qui divaguait de manière incohérente à propos d'un enlèvement.

Liz fut soulagée. Dans l'immédiat.

Elle s'effondra au poste de police. On lui tendit une épaisse couverture râpeuse de l'armée suisse, on lui donna enfin quelque chose à manger et à boire, et elle eut l'autorisation de se débarbouiller dans les toilettes. Quand elle se vit dans la glace, elle sursauta. Pas encore, se dit-elle. *Pas encore pleurer, nom de Dieu !*

Puis ce fut au tour des questions.

« Vous pouvez nous rappeler votre nom, s'il vous plaît ?

— Anders. Liz Anders, de Berlin. Je suis journaliste.

— Et vous avez effectivement été enlevée à Berlin et on vous a traînée ensuite ici, en Suisse ? »

Liz opina.

« Pourquoi le ravisseur s'est-il tellement compliqué la vie ?

— Comment voulez-vous que je le sache ? Demandez-le-lui.

— Vous voulez dire... ce Val ?

— Mon Dieu, oui, maugréa-t-elle, proche des larmes. Pour la troisième fois !

— Vous êtes certaine que votre description correspond bien à la vérité ?

— Si je vous donne trois fois de suite la même description, vous avez l'impression que je suis confuse ? »

Les deux fonctionnaires échangèrent un regard. Le plus petit des deux, celui qui avait accueilli Liz à la gare avec un collègue, s'éclaircit la voix.

« Ne le prenez pas mal, s'il vous plaît, mais tout ça a l'air un peu… Eh bien… Un homme, dont le visage est pour moitié déformé et dont l'autre moitié est… Comment disiez-vous ?

— Belle, j'ai dit belle, particulièrement attirante, grommela Liz, abattue. Comme celui d'un mannequin qui fait de la publicité pour de la crème à raser ou quelque chose comme ça.

— Vous savez, je vous crois, mais… Tout ça sonne un peu comme cette histoire de docteur Jekyll et mister Hyde… C'est…

— Je ne peux malheureusement rien y changer. Tout ça a l'air complètement farfelu, c'est possible. Mais c'est la vérité. *C'est exact. Je vous en prie !* Envoyez une voiture de patrouille à cette maison, si vous ne me croyez pas. »

Nouvel échange de regard. Le plus grand des deux soupira.

« Donnez-nous encore une fois l'itinéraire exact.

— La rue qui passe devant l'église, sortir de Wassen, toujours longer le ruisseau, environ 7 200 pas. Puis bifurquer à droite, direction la montagne. Je ne sais plus combien de pas ça fait, de temps en temps, j'ai pris par la forêt. Mais la maison est au bout du chemin. Un bungalow, directement adossé à la roche. Clôturé par un mur de pierres sèches, avec un portail en fer forgé. La porte d'entrée est à deux battants en bois brun foncé. Il n'y a pas d'autres maisons. Vous ne risquez pas de la rater.

— Et vous êtes certaine que vous voulez dire cette maison-*là* ? »

Liz lui lança un regard chargé d'éclairs.

« Selon vous, quel degré de certitude il faudrait que j'atteigne pour que vous me croyiez ? »

Le grand fonctionnaire de police fronça les sourcils, coinça le crayon dans son calepin qu'il ferma et se leva.

« Bon, ben, allons-y. »

Ce « Bon, ben, allons-y » remonte à présent à un coup de téléphone et à quarante minutes auparavant.

Liz regarde ses pieds. Le téléphone sonne dans le bureau attenant. Le petit pose la clef de sa voiture et va pour décrocher. Le regard de Liz colle à la vitre. Soudain elle reconnaît son propre reflet et elle est terrifiée.

« Police cantonale d'Uri, Schechtler », se présente le policier.

Il écoute un moment, puis opine, fait un signe de la main à son collègue pour qu'il le rejoigne et enclenche le haut-parleur.

« … c'est bien ce que vous pensiez, nasille une voix, c'est bien la maison. Sans aucun doute. »

Liz se redresse, l'excitation la gagne tout entière.

« Et alors ? Qu'est-ce que vous avez trouvé ?

— Ben en fait, c'est bien désert là-haut. La gouvernante nous a ouvert la porte. Elle est un peu bizarre, pas étonnant quand on ne voit pas âme qui vive de toute la journée. »

La gouvernante ?

Liz se lève d'un seul effort. Tout son corps proteste contre ce mouvement brusque. Elle mime de la main un coup sur la tête et gesticule vigoureusement.

Le policier écarte son intervention d'un revers de main.

« Comment s'appelle-t-elle, cette gouvernante ?

— Yvette Baerfuss, 39 ans. Travaille pour la famille depuis quatorze ans. Les gens du coin la connaissent. »

Depuis quatorze ans ? Liz écarquille les yeux. *Quatorze ? Impossible !* Elle ouvre la porte du bureau, entre, et murmure, souffle coupé :

« À quoi ressemble-t-elle ? Demandez-lui si elle a une blessure à la tête. »

De rage, les sourcils du fonctionnaire se rejoignent en une chenille velue et il lui lance un regard agressif.

« Euh… elle ressemble à quoi ?

— À quoi elle ressemble ? reprend la voix du téléphone. Ben, un peu fanée. Dans le temps, ça devait être un bon coup, si je…

— Putain, crie le petit, je ne te demande pas si tu veux coucher avec, je veux savoir à quoi elle *ressemble*. Vous avez remarqué quelque chose de particulier… »

Le grand policier pouffe de rire.

« Ah, euh, ah bon ! Ben, elle a des yeux gris ou bleus, des cheveux blonds, mi-longs, je crois… Elle portait un fichu sur la tête… Élancée, taille moyenne, les seins un peu plus… par rapport à…, je veux dire… »

Avec ses mains, le grand dessine dans l'air des seins énormes et s'esclaffe.

Le petit lève les yeux au ciel.

« Tu as encore remarqué autre chose, espèce de génie, des blessures ou quelque chose comme ça ?

— Des blessures ? Où donc ?

— Aucune idée. N'importe où. »

Un instant de silence.

« Non. Rien », dit la voix du haut-parleur.

Le petit bouche le microphone avec la main, regarde le grand d'un air bourru et lui désigne Liz du menton.

« Quand tu auras fini de te marrer, vire-la du bureau. »

Liz le fixe, décontenancée.

« Vous voulez dire qu'ils n'ont rien trouvé ? »

Tout à coup, elle devient pâle comme un linge.

« Écoutez-moi, s'il vous plaît. Il est là, je le sais ! Il suffit que vous entriez. Elle est de mèche avec lui. »

Le petit lui tourne le dos et écarte son objection d'un geste de la main.

« Je vous en prie, supplie Liz. Ils savent maintenant que je suis ici. Si vous ne le trouvez pas, alors… »

Soudain sa voix la trahit.

Le grand policier la pousse gentiment dehors.

« Je vous en prie, calmez-vous. Ne vous faites pas de souci, ici, vous êtes en sécurité. »

Puis il tente de fermer la porte, mais quelque chose la bloque, et elle reste entrebâillée.

Liz s'effondre sur son banc en bois. Son cœur se met à cogner comme une pendule déréglée, ses mains tremblent. *Contrôle !* se dit-elle. *Garde le contrôle.* Elle ferme un instant les yeux et essaie de calculer. 7 200 pas. Combien de temps faut-il pour faire ça en voiture ? *Dans combien de temps sera-t-il là ?*

À travers la vitre, elle entend le petit poser une question :

« Mais vous êtes rentrés, je veux dire… est-ce que vous êtes entrés dans la maison ? »

La voix du haut-parleur regimbe.

« Mais tu sais à qui elle appartient, cette cabane ?

— Je ne t'ai pas demandé à qui la cabane appartient, je te demande si vous y êtes entrés, nom de Dieu !

— C'est bon, c'est bon. Oui.

— Bien. Vous avez demandé ?

— J'ai.

— Écoute, putain, arrête de jouer au con. Réponds.

— Ça été un peu laborieux, mais je crois que j'ai trouvé l'art et la manière de lui parler… »

Le grand ricane et se met à bouger le bassin en rythme. Le petit l'arrête d'un geste brusque.

« C'est une baraque bien austère pour un richard comme lui. Ça m'a vraiment étonné.

— Vous avez tout vu ?

— Chaque chambre. Mais il n'y avait rien, question enlèvement ou truc dans le genre. »

Liz fixe les deux policiers de l'autre côté de la vitre, puis son regard craintif va vers la porte d'entrée du poste de police, comme si elle pouvait s'ouvrir à chaque instant à la volée et que Val s'encadrait dans l'embrasure. Son visage lui apparaît en pensée, en lambeaux, comme de la chair crue. Elle essaie de toutes ses forces de le chasser de son esprit, mais il est partout. *Ressaisis-toi, nom de Dieu ! Et commence enfin à faire fonctionner tes méninges !*

« Et la cave ? La description est exacte ?

— Il n'y a pas de cave.

— Quoi ?

— J'ai refait tout le tour. J'ai vérifié chaque porte. Moi aussi, ça m'a étonné. Mais Yvette m'a dit…

— Ah bon, vous vous tutoyez déjà ?

— Euh… Donc Yvette a dit que ça n'avait pas été possible avec la cave, à cause de la roche. Trop dur, impossible de creuser une cave. Von Braunsfeld aurait bien voulu, mais ça n'a pas été possible.

— Ah ! Donc pour ce qui est d'un enlèvement… ? » commenta le petit en jetant à travers la vitre un œil sur Liz qui s'était de nouveau assise, puis effondrée sur le banc.

Il y a de la friture sur la ligne.

« Si tu veux mon avis, tout ça c'est du bidon. Elle n'a pas dit qu'elle était journaliste ? »

Le grand se laisse tomber sur une chaise pivotante fatiguée.

« Si. Pourquoi ?

— Hum. Laisse-moi vérifier quelque chose. »

Le grand approche un clavier sale.

« L-i-z A-n-d-e-r-s, épèle-t-il à voix haute, tout en tapotant le nom dans sa base de données, et il appuie sur la touche Entrée. Tiens, regarde, dit-il en désignant l'écran. Ça a l'air d'être vrai, elle est effectivement journaliste, elle travaille à la télévision.

— Attends une seconde, grommelle le petit, puis il se penche en avant et étudie les liens. Effectivement, constate-t-il. Mais si c'est pas un enlèvement, qu'est-ce qu'elle peut bien faire ici dans ces guenilles ?

— Regarde, dit le grand, soudain excité, et il tapote avec le doigt sur un lien. C'est pas vrai ! Elle a même fait un documentaire sur ce von Braunsfeld.

— Tu crois qu'elle est peut-être venue ici à la chasse au VIP, pour débusquer Braunsfeld ?

— Sottise. Ça fait des années qu'il n'est pas venu au chalet. C'est ce qui se dit, en tout cas.

— Hé ! se signale au téléphone le policier sur place. Ça a tout l'air d'une fausse alerte, non ? Vous avez encore besoin de moi ?

— Aucune idée, marmonne le petit, insatisfait. Probablement pas, en tout cas pas là-haut. Il faut maintenant qu'on s'occupe de cette Anders.

— Elle est mignonne, au moins ?

— Mais ferme-la donc et dépêche-toi de rentrer. Ciao. »

Et le petit claque le combiné d'un geste rageur.

« Nom de Dieu ! » peste-t-il en fixant l'écran où s'étalent les liens de Liz Anders.

Son collègue prend une mine songeuse.

« Tu sais ce que je trouve bizarre ?

— Non, répond le petit.

— Si quelqu'un comme ce Victor von Braunsfeld, un de ces super-friqués, quoi, se fait construire un chalet exprès à flanc de montagne, pourquoi il ne fait pas creuser une cave dans la roche, s'il en a tellement envie ? D'habitude, ces richards se font toujours construire tout ce qu'ils veulent, en se foutant complètement de ce que ça coûtera. »

Le petit hausse les épaules, perplexe.

« Spleen ?

— Et pourquoi il se fait construire un chalet comme ça, si c'est pour ne jamais y mettre les pieds ? Ça aussi c'est du spleen ?

— Qu'est-ce que j'en sais, moi. Peut-être quelque chose comme un nid d'amour, pour des rencontres secrètes avec cette Yvette ?

— Mais von Braunsfeld a plus de soixante-dix ans ! Et pourquoi des rencontres *secrètes* ? Parce que ça fait des années que sa femme est morte, qu'est-ce qu'il aurait à cacher ? »

Le petit fait la moue, comme s'il avait une rage de dents.

« Jamais là, pas de cave, c'est un peu curieux tout ça, non ?

— D'une certaine manière, oui. D'un autre côté : pourquoi on aurait besoin d'une cave, si on n'est jamais là ? »

Le grand soupire et consulte l'horloge murale.

« Bon. Et qu'est-ce qu'on va faire d'elle, maintenant ?

— On va peut-être encore une fois rappeler son ami, ce... – le petit jette un coup d'œil sur son calepin posé à côté du téléphone – ... Gabriel Naumann.

— Pour lui laisser encore un message sur le répondeur ? Ça va nous avancer à quoi ? Il finira bien par se manifester. À condition qu'elle soit vraiment avec ce type.

— Tu crois qu'elle ment ?

— Comment le savoir ? Je veux dire, tu n'as qu'à la regarder.

— Hum. Il faudrait peut-être qu'on appelle Lucerne, la clinique ? dit le petit posément. Ils ont une certaine expérience, non, avec ce genre d'affaires ?

— Avec ce *genre* d'affaires, tu dis, reprend le grand en se tapotant la tempe avec l'index.

— Ma foi, comme on dit : regarde-la bien de près, ces guenilles et tout le reste. Et cette manière de décrire son itinéraire ! 7 200 pas. Qui c'est qui compte ce genre de truc ? Des autistes, tout au plus.

— Des autistes ?

— J'ai lu ça, une fois. Les autistes ont des troubles de la perception. Il y a beaucoup de choses qu'ils ne comprennent pas, mais par compensation ils savent par exemple bien compter, ou ils sont capables de te dire combien il y a de grains de riz dans un verre. »

Le grand le regarde, dubitatif.

« Autiste et journaliste à la télé ?

— T'as une meilleure idée ? »

Le grand secoue lentement la tête.

« Bon. Je m'occupe d'elle et tu appelles Lucerne. Après tu prendras le relais, parce que, de toute façon, moi, faut que j'y aille, sinon ma femme l'aura mauvaise. Dis-leur de faire vite. »

Il passe la main sur le plateau du bureau pour prendre la clef de sa voiture, mais elle se referme sur le vide.

« Dis, c'est toi qui as ma clef de bagnole ? »

Le grand arrête de composer le numéro de Lucerne et le regarde sans comprendre.

« Qu'est-ce que tu veux que je fasse avec la clef de ta BM ? »

Le petit fronce les sourcils, jette un coup d'œil dans l'accueil par la cloison vitrée et devient blanc comme un linge.

« Merde ! murmure-t-il, merde, merde, et merde ! »

Il ouvre la porte à la volée et fixe le banc vide sur lequel Liz était encore assise il y a peu.

42

Berlin – 25 septembre, 21 h 17

Quelqu'un a éteint l'horizon flamboyant. Des nuages bas reflètent l'éclairage public et donnent au ciel son aspect de cendre venimeuse.

Gabriel sonne. Au même instant, une sirène hurle très près de là et il sursaute ; ses nerfs surexcités le rendent très irritable. Sans attendre, il enfonce de nouveau le bouton de la sonnette. Cette fois, il n'entend pas ce hurlement de sirène, mais la voix de David qui racle dans l'interphone.

« Allô ?

— C'est moi », répond Gabriel.

Silence.

Gabriel croit entendre le souffle de la respiration de David qui répond d'une voix hésitante :

« Je… j'ai de la visite, on pourrait se voir une autre fois…

— Je n'en ai pas pour longtemps. »

Nouveau silence.

« OK ! OK ! » finit par répondre un David résigné.

La serrure électrique nasille et Gabriel pousse la porte. De la cage d'escalier descend un courant d'air gros d'effluves de produits d'entretien. L'odeur écœurante des vêtements de Gabriel s'accorde avec l'entrée comme une merde de chien sur un tapis de bridge. Tandis qu'il grimpe les marches quatre à quatre, il tapote sa poche de pantalon pour sentir le portable et se demande quand Val va le rappeler.

La porte de l'appartement en attique de David est déjà ouverte et Gabriel entre.

« T'es où ?

— Au salon », crie son frère.

Quelques instants plus tard, il fait face à un David pâle aux yeux caves, accoudé sur le plan de travail de sa cuisine ouverte. Derrière lui, occupée à la machine à café, la femme aux cheveux bruns que Gabriel a déjà rencontrée chez David quand il est venu pour la première fois. Elle se verse un café, fait un bref signe de tête à Gabriel et jauge son accoutrement.

« Tu connais Shona », grommelle David tout en évitant ouvertement de le regarder.

Néanmoins son regard frôle le pansement à son bras, le pull-over maculé, le pantalon abîmé et les chaussures pleines de croûtes de boue séchée. Il écarquille les yeux.

« Qu'est-ce qui t'est arrivé ? »

Gabriel fait la moue.

« Je pourrais te parler seul ? J'en ai pas pour longtemps. »

David et Shona échangent un regard. Et aussitôt Gabriel se demande ce que David a bien pu raconter à cette femme.

« Et si tu commençais par t'habiller correctement ? propose David en lui indiquant la porte ouverte de la chambre à coucher. La taille devrait convenir à peu près, sers-toi sans faire de chichis.

— Les costumes, c'est pas mon truc, et je ne veux pas rester longtemps. Si tu me prêtes un peu d'argent, je m'achèterai quelques fringues.

— Qu'est-ce que tu entends par "un peu" ? »

Shona avertit David d'un regard.

« Deux à trois mille, pour commencer, propose Gabriel. Je te les rendrai, ne te fais pas de souci, poursuit-il rapidement quand il voit les yeux de David qui s'ouvrent en grand. Je me suis fait agresser et il a fallu que je me sauve. La seule chose que j'ai pu emporter à l'arrache, c'est mon portable. »

David respire profondément et se dérobe à son regard. Sous les poils de sa barbe blonde, ses joues sont empourprées, et on voit qu'il déteste qu'on puisse lire chacune de ses émotions sur son visage.

Shona se tourne vers David, puis vers Gabriel. Elle pose sa tasse de café bruyamment sur le plan de travail.

« Écoutez, ça ne me regarde pas, dit-elle, mais vous n'êtes pas le seul ici à avoir des ennuis en ce moment et...

— Shona, je t'en prie, l'interrompt David.

— Qu'est-ce que ça veut dire ? demande Gabriel d'un air soupçonneux.

— Regardez donc autour de vous, répond-elle, rien dans le frigo, il manque des tableaux aux murs, l'appartement est à moitié vide, et pour ne rien arranger, David se fait... »

David tente de la freiner :

« Shona, ça suffit maintenant !

— Quoi ? rétorque Shona, exaltée, il te pompe, aussi, avec ses problèmes. Pourquoi tu ne lui dis pas simplement que tu t'es fait virer et qu'en plus tu n'as plus un rond ? »

Gabriel fixe David.

« C'est vrai ? »

David mâchonne sa lèvre inférieure et regarde par la fenêtre.

« Donc, c'est vrai. »

David opine.

« Merde, gémit Gabriel en s'adossant au mur.

— Peut-être que je pourrais t'aider autrement, dit David à voix basse, mais pas avec deux ou trois mille... »

Shona regarde David, éberluée.

« Dis-moi, tu ne piges pas ce qui se passe ? Ton charmant frère t'emporte au galop de catastrophe en catastrophe et tu lui proposes encore de l'aide ?

— Shona, je t'en prie, répète David.

— Bravo, intervient Gabriel l'air mauvais, manifestement, c'est ta nouvelle baby-sitter.

— Et vous, *votre* psychiatre, il est où ? contre immédiatement Shona entre ses dents. J'aimerais bien lui parler, à celui-là ! »

Gabriel lui envoie un regard de colère.

« Je ne crois pas que vous puissiez vraiment juger. Alors, fermez-la, tout simplement, lui lance-t-il froidement.

— Ah bon ! et qu'est-ce qui se passera si...

— Shona, l'interrompt de nouveau David. Il a raison. Tu n'as vraiment aucune idée. S'il te plaît, laisse tomber. »

Shona regarde David, interdite. Le rouge lui est monté aux joues, comme si on l'avait giflée.

Tout est calme pour un instant.

Puis Shona pivote sur les talons, balance son sac sur son épaule et se précipite hors de l'appartement. Derrière elle, le pêne tombe bruyamment dans la gâche.

« Grandiose, murmure David. Merci beaucoup. »

Gabriel hausse les épaules.

« Tu n'as qu'à l'appeler quand je serai parti. »

La douleur diffuse de son épaule se rappelle à lui.

« Pour que tu me la refoutes dehors une prochaine fois ? Non, merci. T'es vraiment un sale con, tu sais ça ? Pas étonnant que tu aies tout le temps quelqu'un qui te colle au train.

— Qu'est-ce que tu veux dire par là ? »

David rougit. Une expression étrange, indéfinissable se reflète dans ses yeux verts.

« Je t'ai demandé ce que tu voulais dire par là.

— Tu ne viens pas de dire *toi-même* que tu t'étais fait agresser ? » dit hâtivement David.

Gabriel lui lance un regard perçant.

Tu entends ça, Luke ? murmure-t-on avec insistance dans sa tête. *Tu entends le son strident de sa voix ?*

Il cache quelque chose. Quelque chose qui lui est pénible.

Pénible ? Il a peur, Luke. Il pue la peur.

« Pourquoi tu me regardes comme ça ? » demande David, qui ne cesse d'agiter la main dans la poche droite de son pantalon.

Une pensée subite traverse l'esprit de Gabriel. Mauvaise conscience. Il a peur, oui, et il a aussi mauvaise conscience. Mais pourquoi ? Gabriel essaie de se débarrasser du sentiment morose qui naît en lui et hausse les épaules. L'épaule blessée se venge immédiatement avec une douleur lancinante et il grimace.

« Quoi ? » aboie David.

Gabriel halète.

« C'est à toi que je devrais demander ça. Qu'est-ce qu'il y a ? »

David glisse nerveusement ses doigts dans ses cheveux blonds.

« Qu'est-ce que tu veux qu'il y ait ? Rien n'a changé, répond David. Tu me racontes des histoires horribles, et ça me met mal à l'aise.

— Bien tenté. Mais tu as toujours été un menteur merdique. »

Silence embarrassé.

Un pigeon s'envole du rebord de la fenêtre, sa fiente blanchâtre reflète la lumière de l'appartement et luit dans l'obscurité.

« Ta mauvaise conscience pue à dix mètres contre le vent, petit frère. Alors, raconte, qu'est-ce qui s'est passé ? questionne Gabriel dont les yeux bleus prennent des reflets d'acier.

— Nom de Dieu ! qu'est-ce que tu veux qui se soit passé ? » La voix de David est stridente. « Mon frère surgit comme un revenant du fin fond du passé, m'entraîne dans des combines, la banque veut hypothéquer mon appartement, mon patron me vire tout à coup...

— Quel genre de combines ? Je ne t'ai jamais entraîné dans quoi que ce soit. Je t'ai seulement demandé de trouver dans quel hôpital était Liz.

— Je... » David se tait.

« Crache le morceau, nom de Dieu ! Je vois bien qu'il y a quelque chose là-dessous.

— J'ai eu... de la visite, avoue David, livide.

— De la visite ? » Gabriel lui lance un regard perçant. Et tout à coup, il comprend.

« Il est venu, murmure-t-il. Youri est venu *ici*. J'ai raison ? » David dévie le regard. « Youri est venu et tu lui as dit où me trouver. C'est pour ça que tu as cette mauvaise conscience de merde. »

Les mâchoires de David se dessinent nettement sous les joues, on dirait qu'il veut mordre sur une capsule de cyanure, mais que le courage lui manque.

« Nom de Dieu, comment tu as su où me trouver ?

— La clef, balbutie David, la clef est tombée de ta poche.

— Espèce de nom de Dieu de crétin ! gémit Gabriel.

— Je... Il... Il a dit que vous vous connaissiez depuis longtemps. Et que tu lui avais volé quelque chose. » Des gouttes de sueur perlent à son front. « Il voulait le récupérer, sans plus. Il a dit qu'il ne t'arriverait rien, qu'il ne te ferait rien.

— Mon Dieu, qu'est-ce que tu peux être naïf, soupire Gabriel. Et qu'est-ce qu'il t'a promis en échange ?

— En échange ?

— Oui, en échange ! Youri ne connaît que deux moyens, quand il s'agit d'obtenir quelque chose. Il te menace ou il t'achète. Alors, lequel des deux ? »

David déglutit.

« Ton... ton dossier, répond-il d'une voix rauque.

— Mon *quoi* ?

— Ton dossier, une copie de ton dossier psychiatrique.

— Merde », murmure Gabriel en regardant David.

Il voit ses yeux, verts et ternes, un lac inversé rempli d'algues vertes.

« Il fallait que je sache, tout simplement, dit David d'une voix tellement étouffée qu'on a l'impression qu'il veut se convaincre lui-même. Il a dit que tu avais tiré... Je t'ai posé la question mille fois. Et tu as toujours répondu que tu ne te souvenais pas...

— Et alors ? Tu l'as lu, ce dossier ? » demande Gabriel d'une voix éprouvée, tout en sachant que la question est bien inutile. Il y a un instant, il était encore en colère contre David. Et à présent ? À présent il ne s'attend qu'à une chose, que la colère de David éclate contre *lui*, que David crie, le frappe, que quelque chose se passe.

« Je l'ai lu », opine David.

Pourquoi se contente-t-il d'opiner ? Pourquoi ne dit-il rien de plus ?

Leurs regards se croisent. Ils sont à moins de deux mètres l'un de l'autre. Gabriel pourrait faire un pas, tendre la main, mais ça restera toujours la main qui a tiré. Depuis cette nuit-là, quelque chose s'est brisé entre eux. Ne serait-ce que parce qu'il a enfermé David à clef et que lui, Gabriel, a participé à tous les événements ou en a souffert – même s'il ne peut se souvenir de rien.

Et personne ne peut franchir un tel fossé rempli de débris de verre.

« Ce serait plus simple pour toi, non, si je me mettais à gueuler maintenant ? » fait David.

Gabriel ne dit rien. Effectivement, se dit-il. Mieux vaut se faire des reproches qu'en faire aux autres.

« Seulement je ne suis pas sûr, dit David, que tu aies vraiment… »

Il s'interrompt. Le déclic métallique de la serrure de la porte est aussi faible que le bruit d'un verre qu'on pose délicatement sur une table, mais avec les conséquences d'un bâton de dynamite qui explose.

Gabriel et David se tournent ensemble vers la porte de l'appartement.

Se détachant de l'ombre du couloir, une silhouette efflanquée pénètre dans l'appartement, une arme à la main et coiffée d'un chapeau Trilby. La lumière du salon étincelle dans les verres des lunettes de comptable, et l'espace d'un instant Gabriel peut même y reconnaître son reflet tremblotant à côté de celui de David.

« Youri, gémit Gabriel.

— *Dobri*, mon petit. Heureux de te voir. »

Le sourire de Sarkov ressemble au coup d'estoc d'un fleuret.

« Comment… comment êtes-vous entré ? » balbutie David en fixant le pistolet compact au canon vissé d'un silencieux.

Son visage a perdu ses couleurs.

« J'aurais dû m'en douter », murmure Gabriel, contrit.

Sarkov penche la tête de côté, comme s'il n'arrivait pas à se décider entre approbation et dénégation.

« Tu m'as l'air d'avoir depuis peu une faiblesse pour la famille.

— Quelles que soient tes intentions, Youri, dit un Gabriel las, laisse David en dehors de tout ça. »

Les yeux gris et froids de Sarkov étincellent derrière ses lunettes.

« Ne viens-tu pas de dire que je ne connaissais que deux moyens pour obtenir des informations : menacer ou acheter… » La commissure de ses lèvres tressaille ironiquement et il désigne la porte derrière lui. « Mauvaise isolation, pour un appartement si cher… Pour ce qui concerne les deux moyens, soit, mais ce n'est pas tout à fait exact, il existe une troisième possibilité. » Impassible, il se place à côté de David et presse le canon du pistolet directement contre sa joue livide. Ses yeux brillent d'un vif éclat de triomphe. « Où est le film ? »

Gabriel fixe le silencieux qui creuse la joue de David et lui déforme toute la moitié droite du visage. On dirait que Youri imprime un fer rouge à son point le plus sensible, au plus profond de son âme. *Où est le film ?* La phrase résonne étrangement dans la tête de Gabriel, comme s'il l'avait déjà entendue une fois.

« Quel film ? demande David, la voix tremblante.

— J'aimerais bien le savoir aussi », ajoute Gabriel.

Un camion passe dans la rue, cinq étages plus bas. Le vrombissement du moteur s'entend jusque chez David.

« Si ça peut encore t'aider à te décider, siffle Sarkov, je ne suis pas obligé de le tuer tout de suite. » Il recule d'un pas et vise les parties génitales de David. « Ça marche aussi morceau par morceau. »

David fixe l'arme, comme paralysé. La peur s'imprime littéralement dans les traits de son visage.

« Mais donne-lui ce putain de film, supplie-t-il.

— Je ne l'ai pas », dit Gabriel à voix basse. Il préférerait s'enfuir, mais ses jambes sont comme de fragiles échasses, au fond de ses orbites ses yeux le font souffrir comme s'il avait un accès de fièvre. « Je ne sais même pas de quoi tu parles, Youri. Le coffre était vide.

— Tu me fais perdre mon temps, réplique froidement Sarkov. Je sais qu'il était dans le coffre. Ça ne fait aucun doute. »

Gabriel est comme pétrifié. Il aimerait faire quelque chose, n'importe quoi, mais il ne peut que regarder fixement le doigt de Sarkov, un vieil index maigre aux tendons bandés, replié sur la détente de l'arme.

« Regarde-le bien, ce doigt, murmure Sarkov, qui a repéré le regard de Gabriel. C'est le tien. Ton doigt sur la détente. C'est *toi* qui décides si je vais tirer ou pas. »

La langue de Gabriel est une éponge sèche, ses mains sont comme ligotées, le regard attaché à l'arme. *Ton doigt sur la détente.* Comme jadis. Des images floues scintillent, comme des débris de verre dans le lit d'un fleuve.

« Je ne sais pas ce que tout cela signifie, Youri, s'entend-il murmurer. Je n'ai même pas la moindre idée de ce que ça peut être, comme film.

— Pourquoi tu es plus têtu qu'un putain d'âne », grogne Sarkov.

Son index se referme sur la détente, il vise de la hanche et tire.

Pan.

Le coup de feu mat fait un bruit de couteau qu'on plante dans un coussin. David hurle, rebondit en arrière contre le mur, et glisse à terre. Il regarde le long de son corps, horrifié, presse la main contre la blessure. Du sang coule entre ses doigts, sur l'intérieur de sa cuisse.

« Merde, nom de Dieu ! hurle David en regardant Gabriel, tu veux qu'il me tue ? »

Gabriel cligne des yeux. Il ne peut détacher son regard de la blessure, comme si c'était lui qui avait tiré. Il est pris dans un tourbillon qui le saisit et l'aspire, comme s'il remontait dans le temps, comme des feuilles qui volent à reculons et retournent à la branche d'où elles sont tombées.

Pan.

Il a encore le bruit du coup de feu dans les oreilles.

« Ça ne te suffit pas ? hurle David, d'abord les parents et maintenant ton frère ? C'est ça que tu veux ?

— Euh, je ne voulais pas ça », bredouille Gabriel, ébranlé.

Directement face à lui, il y a un trou noir, les marches de l'escalier sont des madriers de plus en plus sombres et elles mènent à la cave.

Pan.

Le coup de feu fait l'effet d'un trou dans la cervelle de Gabriel. Comme un point minuscule de la taille d'une piqûre d'épingle. Le point final d'une phrase dont les lettres forment lentement des mots puis un sens.

Où est le film ?

Le film.

Les mots résonnent dans sa tête comme un écho. *Où est le film ?* Il a déjà entendu une fois cette question. Jadis. Dans une autre vie. C'est une des dernières questions de son ancienne vie. Cette vie qui s'est terminée à l'âge de onze ans, le 13 octobre.

Le policier lui avait posé cette question.

Où est le film ?

Et il avait descendu l'escalier avec lui, dans le laboratoire.

« Gabriel, nom de Dieu », hurle David.

Gabriel ne le voit pas.

« Le laboratoire, murmure-t-il. Naturellement ! Nous sommes descendus au laboratoire. »

Soudain un grand silence.

« Tu es allé dans le laboratoire ? dit David, décontenancé. Dans le laboratoire de *notre père* ? »

Son regard se dirige vers Sarkov, qui pointe toujours l'arme sur lui mais fixe Gabriel. De grandes plaques rouges fleurissent sur ses joues.

« Moi... Non, nous ! *Nous* sommes allés *ensemble* dans le laboratoire. Il a tout retourné.

— "Il" ? Qui *il* ?

— C'était un policier, il n'était certes pas en uniforme, mais c'était un policier. Il l'a cherché, comme un fou.

— Et il l'a trouvé et est parti avec, c'est ça ? conclut Sarkov à voix basse. Il l'a emporté et l'a caché dans le coffre du Kadettenweg. Et c'est là que *tu* l'as trouvé. Il n'y avait que l'original, ou aussi des copies ? »

Le regard de David va de Gabriel à Sarkov, revient à Gabriel.

« C'est quoi, cette histoire, nom de Dieu ? Et pourquoi tu te rappelles d'un seul coup ?

— Des copies ? interroge Gabriel, agacé.

— Oui, des copies du film qu'il a emporté », presse Sarkov.

Gabriel le regarde, interloqué.

« Il n'a rien emporté.

— Qu'est-ce que ça veut dire, tout ce foutoir ? demande David en fixant Sarkov. *Qui êtes-vous ?*

– Il l'a *certainement* emporté, à coup sûr, dit Sarkov sans prêter attention à David.

— Non, insiste Gabriel, il ne l'a pas emporté. Il n'a pas pu l'emporter. Parce que je l'ai tué.

— Tu as fait *quoi* ? le fixe David comme on regarde un monstre qui sort lentement des ténèbres.

— Je l'ai enfermé dans le laboratoire », poursuit Gabriel. Il lui semble que son front va éclater, tellement l'effort pour essayer de se rappeler les détails est intense. « Il a... utilisé un quelconque produit chimique et il a mis le feu au laboratoire. Il y a eu tout d'un coup un grand jet de flammes, comme avec de l'alcool à brûler ou de l'essence, je crois qu'il ne s'y attendait pas lui-même. C'est là que je l'ai poussé. Il est tombé dans les flammes, et je me suis précipité dehors, j'ai claqué la porte et j'ai tourné la clef...

— Tu l'as laissé brûler là-dedans ? » David gémit. « Un *policier* ? »

Il tient toujours la main serrée sur la blessure. La tache de sang s'élargit sur son pantalon.

« Je... je crois, oui, confirme Gabriel à voix basse. Il a dû brûler là-dedans. Je l'ai même entendu crier, même depuis en haut, quand je suis arrivé au rez-de-chaussée. Toi aussi, tu l'as entendu, tu te rappelles ? Tu m'as raconté ça il y a peu. Il a cogné contre la porte, n'a pas arrêté de cogner et il a crié et hurlé comme une bête. »

David est assis là, et regarde dans le vide.

« Les coups contre la porte, marmonne-t-il, je me les rappelle. Moi aussi, j'ai entendu ça. Mais je ne savais pas d'où ça venait.

— Ça suffit avec ça, grogne Sarkov et il pointe l'arme sur la jambe saine de David. J'en ai assez. Il n'y a qu'une chose qui m'intéresse : où est le film maintenant ? »

Gabriel plisse les yeux et dévisage Sarkov comme s'il le voyait pour la première fois. Ses pensées cessent un temps de se bousculer dans sa tête. Elles flottent. Jusqu'à ce qu'elles s'enclenchent à nouveau lorsqu'il songe à son pyjama Luke Skywalker et à cette trace d'une main ensanglantée sur l'ourlet, dont Val a parlé. Et soudain tout est clair et net. C'est Val qui était là, jadis, dans la nuit du 13 octobre. C'est avec Val qu'il est descendu à la cave. C'est pour ça que Val connaît l'existence de cette empreinte sanglante.

C'est bien Val qui lui avait demandé : *Où est ce film ?* Le policier, c'était Val. Et lui, Gabriel, avait tué le policier.

Mais Val est vivant, pense-t-il. Pourquoi est-ce qu'il vit encore, si je l'ai tué ?

Gabriel regarde Sarkov qui sourit. Un sourire méchant, froid, ambigu, qui comme toujours tait beaucoup de choses. Et tout à coup le cœur de Gabriel bat la chamade.

« Tu le connais, pas vrai ? souffle-t-il à Sarkov. Ce policier. Tu l'as vu après qu'il a réussi à sortir de la cave. C'est pour ça que tu es tellement persuadé qu'il a emporté ce film avec lui. C'est *lui* qui te l'a dit ?

— Ça n'a plus aucune importance, sourit Sarkov. Tout ça remonte à une éternité.

— Donne-moi son nom.

— Quel nom ?

— *Val.* Son vrai nom. »

Sarkov sursaute, le fixe du regard et pâlit.

« D'où tiens-tu ce nom ?

— Val ? Il s'appelle donc vraiment comme ça ?

— D'où connais-tu ce putain de nom ?

— Parce que ce putain de mec a enlevé Liz, ma compagne », aboie Gabriel.

Et au même moment il eût aimé se mordre la langue. *Pas un mot à personne, tu entends ?* Mais c'est trop tard.

Sarkov le regarde, bouche bée. Il est plus blanc que David, et David est toujours aussi blanc que de la chaux.

« Ne fais pas ça, dit Sarkov. Ne cherche pas à m'entuber.

— J'aimerais bien le faire, contre Gabriel. Cette ordure est un psychopathe. Il m'a envoyé le portable de Liz, il y a trois semaines. Et depuis, il m'appelle. Il s'appelle Val et il veut tuer ma compagne, le 13 octobre.

— N'importe quoi ! gueule Sarkov. Tu mens. Et de quelle compagne tu parles, précisément ? »

Gabriel se tait. On entend faiblement des gouttes de pluie qui frappent le toit.

« Il ne ment pas », dit tout à coup David.

Gabriel croit avoir mal entendu.

« Tu me crois, toi ? »

David opine mollement.

« Le téléphone. Je viens juste de me rappeler le portable dans l'enveloppe et cette écriture maladroite griffonnée dessus : De Liz Anders pour Gabriel Naumann. »

Le regard de Sarkov évite David et se concentre sur le mur. Ses yeux gris vont en tous sens, comme s'il était concentré devant les pièces d'un échiquier.

« Ça remonte à quand, cette histoire ? demande-t-il enfin à voix basse.

— À l'anniversaire de Liz, le 2 septembre. »

Sarkov le fixe.

« Merde, murmure-t-il. *Merde.*

— Donne-moi son nom, Youri. Tu me dois bien ça », exige Gabriel.

Les lèvres de Sarkov ne forment plus qu'une mince fente à travers laquelle ne passe même plus d'air, pour ne rien dire d'un nom. Il se met à reculer lentement.

« Youri, donne-moi ce nom. *Qui* est ce type ? »

Le canon de l'arme de Sarkov navigue entre Gabriel et David tandis qu'il se retire à reculons dans le couloir, toujours plus loin en arrière, jusqu'à ce qu'il ait disparu derrière la porte de l'appartement. Quand elle se referme, le pêne s'enclenche dans la gâche avec un léger déclic.

43

Wassen, Suisse – 26 septembre, 21 h 46

Les mains de Liz se cramponnent au volant en cuir. *Maîtrise de soi ! Contrôler enfin de nouveau ses faits et gestes.* Son pied nu se crispe sur la pédale froide de l'accélérateur tandis que le moteur de la BMW série 3 Touring la propulse sur la route à une allure si vive qu'elle s'angoisse. L'annonce digitale du tableau de bord lui indique qu'il est 21 h 46.

Victor von Braunsfeld. Quand elle a entendu ce nom, un frisson glacé lui a parcouru l'échine. La maison où elle a été captive plusieurs semaines appartient donc à Victor von Braunsfeld ! Mais qu'est-ce que Victor a à faire avec tout ça ? Est-ce qu'il a *vraiment* un rapport avec tout ça ? Ce n'est peut-être qu'un hasard, peut-être qu'il ne se doute de rien.

À travers le pare-brise, elle regarde fixement la tache lumineuse qu'elle chasse devant le capot. Devant le break, la bande blanche médiane file comme une balle traçante. Sur le bord de la route, des rochers s'esquivent, spectres gris dans la lumière des phares. Victor von Braunsfeld. Elle se rappelle encore exactement le jour où on lui a donné le feu vert pour son reportage. Trois journées avec l'un des hommes les plus riches et les puissants du pays. Elle refait le tour de sa villa, les meubles raffinés, aux murs les tableaux hors de prix…

Soudain surgissent des maisons, l'entrée de Wassen et, tout aussitôt, un virage resserré. Elle freine brutalement pour ne pas être éjectée de sa trajectoire. Son bas-ventre est douloureux lorsque la ceinture de sécurité lui appuie sur le ventre.

Arrivée dans le village, elle prend la première bifurcation sur la gauche, fonce sur la Sustenstrasse et sort de la bourgade. La lumière des phares halogènes balaie l'accotement. Un espace s'ouvre soudain entre les arbres. Liz appuie à fond sur la pédale de frein, passe la marche arrière. Après environ soixante-dix mètres, elle a atteint l'embranchement, un chemin forestier rocailleux, et elle tourne dans la forêt obscure. Le cœur lui bat aux tempes.

Elle s'arrête, moteur en marche, allume le plafonnier et met le chauffage à fond. Surtout ne pas éteindre les phares, se dit-elle. Les broussailles luisent dans la lumière, à gauche et à droite l'obscurité est complète. Une obscurité où tout peut se cacher. Elle essaie vainement de se concentrer sur le ronronnement régulier et rassurant de la voiture, mais cela ne sert à rien. L'impression est là, tout à coup, qui lui noue la gorge : l'habitacle de la BMW est comme une petite cellule échouée sur le fond d'un océan, la nuit éventre les vitres. Elle ne désire rien plus ardemment que sortir de ce placard exigu, mais elle n'ignore pas qu'elle ne peut pas descendre de voiture, pas seule dans cette obscurité.

Fais quelque chose, pense-t-elle. *Peu importe quoi, mais fais quelque chose !* Son regard tombe sur la boîte à gants qu'elle ouvre. Elle y trouve des chewing-gums à la menthe, des quittances froissées, quelques francs suisses, puis sa main se referme sur un objet froid et lourd.

Doigts tremblants, elle retire de la boîte à gants un pistolet argenté qu'elle examine maladroitement. La crosse, dont la partie inférieure semble dépasser un peu, est d'un brun qui tire sur le rouge avec un nom gravé sur le canon : Sig Sauer. Il lui faut un certain temps pour dégager le chargeur. Pas de cartouches ! L'arme n'est pas chargée.

Liz est déçue et soulagée à la fois. En dépit de l'absence de munitions, l'arme, lourde dans sa main, lui donne tout de même un sentiment de sécurité.

Elle louche sur les chewing-gums à la menthe. Elle préférerait se les fourrer tous en même temps dans la bouche, mais elle sait que, loin de l'apaiser, ce geste augmentera sa faim. Elle respire profondément et réfléchit. Elle n'ira pas loin avec cette voiture volée, et moins encore dans ce grotesque affublement. Vêtue de cette robe noire sous laquelle elle ne porte même pas de sous-vêtements, elle se sent désarmée et vulnérable. Les dessous lui semblent soudain avoir toutes les vertus d'une armure de chevalier.

Elle se décide brusquement, passe la marche arrière, cahote sur le chemin forestier à la lueur des feux arrière, atteint la route et se dirige de nouveau vers le centre de Wassen. En cinq minutes, elle a trouvé ce qu'elle cherchait : une petite boutique dans une rue latérale déserte.

Elle se gare sur le trottoir, directement devant la porte du magasin.

Lorsqu'elle ouvre sa portière et descend de voiture, elle sent son pouls galoper tellement elle est excitée. Elle se figure être un parachutiste qui passe la porte de l'avion pour la première fois. L'air froid lui brûle la peau.

Et maintenant ?

Elle ouvre le hayon de la BMW et son cœur fait un bond. Il y a une caisse à outils dans le coffre. Même si elle ne comprend pas grand-chose aux outils, le pied-de-biche et le marteau en caoutchouc lui semblent au premier abord être le meilleur moyen pour forcer une porte.

Quand elle applique le pied-de-biche entre le montant de la porte et la serrure, elle se met à transpirer. La rue déserte lui souffle une haleine froide dans le dos, comme si Val pouvait y surgir à tout instant.

Le premier coup de marteau résonne sourdement dans la niche de l'entrée. Elle frappe rapidement les deux coups suivants, et le fer s'enfonce dans l'interstice. Elle pose délicatement le marteau sur le sol et s'arc-boute de tout son poids sur le pied-de-biche pour faire levier. Le bois se fend avec le bruit sec d'un tronc d'arbre qui éclate. Effrayée, elle s'interrompt, retient son souffle pendant une éternité, mais rien ne bouge. Puis elle pousse la porte qui s'ouvre sans bruit. Alors qu'elle pénètre dans le magasin, un pan de sa robe noire s'accroche à une écharde, et la fragile étoffe haute couture se déchire bruyamment.

Liz jure en silence et arrache le tissu du bois éclaté.

Elle ne perd pas de temps dans le magasin. Elle attrape tout ce qui est noir : sous-vêtements, chemisettes, pull-overs, jeans, chaussures et chaussettes, le tout en vrac car elle ne perd pas de temps à vérifier les tailles, puis elle jette le paquet sur la banquette arrière de la BMW. Elle agrippe encore une veste brun foncé avec l'écusson suisse cousu sur la manche ainsi qu'une casquette, quand son regard s'arrête sur le téléphone qui trône sur le comptoir.

Elle pose brusquement la veste et appelle Gabriel. Lorsque la messagerie s'enclenche, des larmes de déception jaillissent dans ses yeux.

« Hé, c'est moi, Liz. *Où es-tu, nom de Dieu !* J'ai un... elle hoquète... un putain de trip derrière moi, des choses horribles... J'ai... j'ai été enlevée et... je me suis sauvée. Je t'en prie, appelle-moi... Ah ! merde, mon portable... Je n'ai pas de téléphone. Alors, je t'en prie, laisse ton portable allumé. Il faut absolument que je puisse te joindre. Je t'en prie ! Je rappelle. »

Elle essaie encore l'appartement de Gabriel, puis le sien, tente de ne pas se laisser submerger par cet insondable sentiment de solitude.

Alors qu'elle se dirige vers la voiture, son regard tombe sur la caisse. L'espace d'un instant elle s'arrête, pétrifiée, indécise, se demandant si elle peut encore franchir un pas de plus dans l'illégalité, alors qu'elle a déjà passé tant de frontières interdites.

Il lui paraît soudain qu'il est plus logique de croire qu'il est moins grave de voler de l'argent pour acheter un billet de train pour Berlin que d'y aller en voiture volée.

Liz applique le pied-de-biche et brise le tiroir de la caisse enregistreuse. Elle y plonge les deux mains et fourre les francs suisses dans les poches de sa veste neuve, puis elle se hâte de sortir et monte dans le break. Au moment même où elle s'apprête à tourner la clef de contact, le cône cru de phares la frappe de face comme une gifle de lumière.

Val ! pense-t-elle d'abord. Il m'a trouvée. Elle est assise là, comme clouée sur son siège et cligne des yeux dans les phares halogènes. Le choc la désarme. Et c'est alors seulement qu'elle repère le gyrophare sur le toit de la voiture.

Police ! Ce sont des policiers, comprend-elle, soulagée. Mais elle se rend compte soudain aussi qu'elle est assise dans une voiture volée, devant un magasin qu'elle vient tout juste de dévaliser. À la pensée que les policiers vont l'enfermer, ici à Wassen ou à Andermatt, à portée de Val, elle est prise d'une panique incontrôlable, elle se sent comme un essaim d'abeilles dans une boule de verre.

Les portières du véhicule s'ouvrent. Deux policiers en descendent et s'approchent de la BMW. Ils se parlent à voix basse. L'un d'entre eux pointe du doigt la plaque d'immatriculation, l'autre rit et désigne Liz du menton. Ce sont manifestement des collègues des deux flics d'Andermatt.

Quasi instinctivement Liz plonge la main dans la boîte à gants. Elle est tellement paniquée qu'elle ne pense à rien d'autre qu'à se sauver au plus vite. Le métal froid de l'arme brûle dans sa main chaude. Lentement, très lentement, elle descend de la voiture, tête baissée, le pistolet dissimulé derrière la portière ouverte. Au dernier moment, elle le pointe sur eux et s'entend dire :

« Pas un pas de plus. »

La voix est ferme. Elle seule sait qu'elle tremble au tréfonds d'elle-même.

Les policiers s'arrêtent brusquement et la regardent comme une apparition. La lumière des phares la transforme en ange déchu.

« Vous sortez prudemment vos armes et vous les posez à terre. »

Le Sig Sauer tremble dans sa main, tout comme sa voix à présent. Elle se demande si les deux policiers vont profiter de cette panique ou si, précisément parce qu'elle tremble tant, ils auront d'autant plus peur. Peur d'une folle imprévisible en robe du soir noire déchirée, doigt frémissant sur la détente.

Ils obéissent sans un mot. L'un des deux, celui avec une moustache et une épaisse chevelure brune collée sur le crâne comme un bonnet de bain, regarde autour de lui comme s'il s'attendait à trouver de l'aide. Mais les fenêtres des maisons alentour restent sombres.

« Et maintenant, la clef de la voiture. »

La clef rebondit sur l'asphalte.

Elle la regarde fixement et réfléchit fiévreusement à ce qu'elle pourrait bien faire.

Les policiers sont pétrifiés devant elle, comme deux statues de sel.

Réfléchis, jeune fille, réfléchis !

Elle se rappelle subitement à quel point elle s'était sentie prisonnière dans la BMW quelques minutes auparavant, comme si l'habitacle était une cellule ! Elle retourne au break avec lenteur, ouvre le hayon, sort le pied-de-biche et le lance sur l'asphalte.

« Vous là, le moustachu. Arrachez les poignées intérieures de vos portières et la commande de verrouillage central.

— Il faut que je fasse *quoi* ?

— Portières du passager, et du conducteur..., précise Liz qui tressaille soudain. « Elle sent comme un violent coup de poignard dans le ventre... Les poignées intérieures et la commande de verrouillage central. Vite ! »

Le policier ramasse le pied-de-biche et se met au travail. Le plastique craque en éclatant et les poignées intérieures sont inutilisables.

« Et maintenant, dans la voiture, ordonne Liz dans un gémissement. Les deux mains sur le volant, tous les deux, et vous vous y attachez avec les menottes. »

Les deux policiers échangent un regard. Celui qui porte le bonnet de cheveux hausse les épaules et se rend à son destin. L'autre s'assied dans la voiture avec une ostensible lenteur, sans quitter Liz des yeux..., et se cogne la tête contre le toit du véhicule.

Tandis qu'ils s'enchaînent tous les deux au volant, d'un coup de pied Liz balance leurs armes sous la voiture et claque les portières. Quand elle appuie sur le bouton de la clef qui commande le verrouillage électronique des portes, elle manque de rire quoiqu'elle tremble de tous ses membres. Une fois de plus, elle a le sentiment d'être en chute libre. C'est comme une ivresse, et l'adrénaline et les douleurs de son ventre lui coupent le souffle.

Le policier à la moustache lui lance un regard de colère à travers le pare-brise. Il vient seulement de se rendre compte que sa voiture de police a été transformée en une cellule de prison de première classe – impossible de commander le déverrouillage central des portes depuis l'intérieur du véhicule.

Quand la BMW déboîte pour descendre la rue, une lumière crue frôle une dernière fois les fonctionnaires de police, et l'obscurité s'installe devant la boutique.

Liz a du mal à garder calmement le pied nu sur la pédale de l'accélérateur. Les douleurs dans le bas-ventre l'oppressent à intervalles réguliers. *Nom de Dieu, ce ne sont tout de même pas des contractions ? Je n'en suis même pas encore au cinquième mois !* Ses yeux s'emplissent de larmes. Elle pense brusquement à Gabriel. Elle donnerait tout pour qu'il soit là.

Elle sort instinctivement de Wassen, une fois encore en direction d'Andermatt. C'est là que la police la soupçonnera le moins. Et avec un peu de chance et dans sa nouvelle tenue vestimentaire, elle pourra prendre incognito le lendemain matin le train Matterhorn-Gotthard à la gare d'Andermatt.

Peu avant la bourgade, elle s'engage dans un étroit chemin forestier qui bute contre une muraille de rochers. Elle gare la BMW dans l'obscurité, sous les arbres, éteint les phares. Elle ne pense pas un instant qu'elle devrait normalement avoir peur, elle se sent comme complètement ivre. Quand elle descend de voiture, ses jambes se dérobent sous elle. Elle reste allongée, respirant avec difficulté, une oreille contre le sol frais couvert de mousse et d'herbe, aspirant en elle l'odeur de la terre et se tenant ce ventre qui la fait souffrir.

« Je ne sais pas si tu peux m'entendre, chuchote-t-elle, et quelle que soit ta taille, ne me laisse pas seule maintenant, je t'en prie ! »

Des larmes ruissellent sur ses joues, atteignent ses lèvres. Le goût légèrement salé lui fait un peu oublier sa situation et elle s'assied. Elle se débarrasse lentement de sa robe noire, rampe nue vers la voiture et fouille dans le tas de vêtements de la banquette arrière. L'éclairage intérieur est pitoyable, et les larmes qui lui embrument les yeux l'empêchent presque de déchiffrer les tailles. Lorsqu'elle finit par être enfin habillée, elle rampe sur le siège conducteur, verrouille la portière et incline le dossier dans une confortable position couchette.

Puis elle éteint le plafonnier.

L'obscurité lui procure un choc. Elle pense un instant qu'elle est de retour dans sa cellule, jusqu'à ce que ses yeux s'habituent et que devant elle les arbres projettent leur ombre sur le ciel bleu foncé de la nuit. Elle voit qu'un léger vent souffle et elle descend un peu la vitre. Au bruissement des feuilles, elle se sent fébrile. Elle constate que ça tire et que ça pousse dans son ventre, comme si l'enfant voulait protester contre toute cette folie.

« Reste avec moi, marmonne-t-elle en se caressant le ventre. Je t'en prie ! »

Autour d'elle, les arbres se dressent comme dans un parc au milieu duquel se trouve la vieille villa de von Braunsfeld. Elle s'imagine qu'elle entre une nouvelle fois dans la maison. Elle n'aurait jamais pensé que le lieu était aussi solitaire. Un château solitaire avec des meubles solitaires et des tableaux uniques. Le grattement de pattes de chien sur le parquet de chêne de tourbière brun foncé et les flammes du feu dans la cheminée sont les seuls signes de vie.

La cheminée.

Sa main se fige au beau milieu d'une caresse sur son ventre. Son cœur se met à battre sauvagement. Elle commence par être absolument certaine, puis les doutes l'assaillent.

Cela fait un bout de temps. Peut-être que tu te trompes…

44

Berlin – 27 septembre, 05 h 19

Gabriel est debout devant la fenêtre ouverte. Les mains sur le garde-corps froid, il contemple le ciel encore sombre de Berlin. La tour de télévision se dresse au-dessus de la ville. Des pales de rotor tournent lentement, un hélicoptère bourdonne comme un frelon en passant non loin de lui, suivant une trajectoire trop rectiligne.

Il ne comprend toujours pas ce qui s'est passé quelques heures plus tôt. Son regard se tourne vers la cuisine, où les chiffres verts de l'horloge de la cuisinière semblent flotter. 05:19.

Gabriel a l'impression que tout flotte dans une pièce sans air, les souvenirs sont comme des images sur des plaques de verre suffisamment espacées entre elles pour que toute une vie puisse s'y loger.

« Tu n'as vraiment pas dormi du tout ? »

La voix de David provient de l'entrée. Il est debout dans la porte de la chambre à coucher, visage encore gris, cheveux blonds hirsutes. Autour de la profonde blessure de sa cuisse, il y a un gros pansement sommaire.

« Une heure, deux, peut-être, répond Gabriel, qui en réalité n'a pas dormi du tout.

— Tu as l'air d'un cadavre.

— Épargne-moi ta pitié.

— C'est… c'est bon », s'empresse David.

Après que Sarkov eut quitté l'appartement, ils s'étaient sentis tellement épuisés tous les deux qu'il ne leur restait plus qu'à se reposer.

« Qu'est-ce que tu vas faire, maintenant ?

— Aucune idée », répond Gabriel, agacé.

David se tait un instant, confus.

« Tu vas te lancer à ses trousses ? finit-il par demander. Je parle de Sarkov.

— Me lancer à ses trousses, maugrée Gabriel, ça ne suffira pas. Pas avec Youri. Ce type-là, impossible de le trouver s'il ne veut pas qu'on le trouve.

— Mais tu le connais, pourtant, tu sais comment il fonctionne, où il pourrait se cacher, non ? Combien de temps tu as travaillé pour lui ?

— Presque vingt ans. C'est lui qui m'a sorti de la clinique. Et qui m'a beaucoup appris. Et pourtant je ne sais pas grand-chose de lui. Il ne laisse approcher personne, même pas moi. Et cependant je crois que j'ai été plus proche de lui que n'importe qui. »

David clopine vers le salon et s'affale sur un des divans gris.

« En tout cas, ce salaud est ta seule chance. »

Gabriel acquiesce, songeur.

« Oui, probablement. »

Son regard reste accroché à l'endroit du mur où la balle a pénétré après avoir traversé la cuisse de David.

« C'est quoi, ce film que Sarkov te réclame ?

— Je n'en sais rien, grommelle Gabriel. Et je n'ai pas la moindre idée de l'endroit où cette putain de cassette peut être.

— J'espère bien. C'est tout de même pour ça que ce cinglé a failli me tuer. »

Gabriel fait la moue.

« La seule chose que je me rappelle, c'est que Val lui aussi voulait ce film, à tout prix. Mais je n'ai aucune idée de ce qu'il y a dessus. »

David envoie un long regard à Gabriel. Dans son visage livide, les yeux verts ont l'air de fantômes assoupis.

Gabriel l'observe et sourit faiblement. L'accord qui consiste à ne pas aborder les questions qui fâchent est un fil ténu qui peut se rompre à tout instant.

« Mais alors, pourquoi Sarkov prétend que tu l'as ? »

Gabriel hausse les épaules et frotte ses paupières irritées.

« Je ne comprends pas. Manifestement, il y a un rapport avec cette villa cambriolée dans le Kadettenweg. C'est au cours de cette nuit-là que Liz a été enlevée. C'est comme ça que tout a commencé.

— Quelle villa ?

— Un vieille villa à colombages de Lichterfelde. La maison est vide depuis des décennies, comme une putain de maison hantée, et l'alarme s'est subitement activée. Youri ne voulait pas que j'y aille. Il voulait envoyer Cogan, mon collègue. D'habitude Cogan ne se déplace jamais. Il n'allait pas bien, et c'est pour ça que c'est moi qui me suis déplacé.

— À qui appartient cette villa ?

— À quelqu'un qui s'appelle Ashton, je crois, ou quelque chose comme ça. » David fronce les sourcils. « Une femme. Je ne retrouve pas le prénom. Manifestement cette villa avait été cambriolée. Il y avait un coffre-fort encastré dans la cheminée, ouvert et vide.

— Et Sarkov croit que le film était dans ce coffre et que tu l'as emporté. »

Gabriel opine, songeur.

« En tout cas, c'est ce qu'il a cru jusqu'à hier soir.

— Qu'est-ce que tu veux dire ?

— Tout à coup, quand j'ai évoqué le nom de Val et affirmé qu'il avait enlevé Liz, le film a perdu son importance. Tu as vu sa tête ?

— Il était complètement abasourdi. Reste à savoir pourquoi. »

Gabriel opine. Il a l'impression que son crâne va éclater.

« Oui, qu'est-ce qui a pu l'effrayer autant ?

— L'enlèvement ? Ou parce que ce Val menace de tuer Liz ?

— Il y a peu de chances, dit Gabriel d'une voix voilée. La pitié de Youri a des limites, et plus particulièrement quand il s'agit des femmes. Son problème, c'était que je connaisse ce nom. Manifestement, Val, c'est son vrai nom, ou une abréviation, ou un surnom. Et Youri ne veut pas que je sache qui se cache derrière. Il préférerait se couper la langue que me dire qui est ce Val.

— Il faut donc que nous trouvions Sarkov pour le convaincre de nous donner le vrai nom de ce Val, constate David.

— Il ne suffira pas de le convaincre », répond Gabriel.

Malgré ses douleurs et sa grande fatigue, il réussit un petit sourire gauche.

« Pourquoi tu souris comme ça ?

— Tu as dit *nous*.

— J'ai dit ça, vraiment ? » Gabriel opine sans un mot. « Mais je ne sais pas si c'est ce que j'ai voulu dire. En réalité, je n'ai pas envie de me lancer aux trousses de quelqu'un qui se trimballe avec un pistolet dans la poche. »

Gabriel sourit faiblement. Le monde bascule soudain devant ses yeux. Se reposer un peu, se dit-il et il glisse, exténué, sur le parquet, dos contre le mur où est plantée la balle de Sarkov.

Puis il vomit sur les lames de bois.

45

Berlin – 27 septembre, 18 h 21

Liz jure et pose la main sur le combiné du téléphone public. Les lampadaires s'allument, la lumière du jour a pâli depuis longtemps. La pluie oblique gicle contre ses jambes en passant sous le tablier en plastique de la cabine à moitié ouverte. Le pantalon est lourd et mouillé au toucher.

À travers le plexiglas éraflé, elle regarde fixement la façade éclairée d'un vert jaune criard de la gare centrale de Berlin où elle est descendue il y a un quart d'heure.

Gabriel, où es-tu ?

C'est la troisième fois qu'elle compose le numéro de son portable. Messagerie.

C'est impossible.

Elle finit par composer le numéro du poste fixe de son propre domicile. « Liz Anders. » Sa voix filtre du haut-parleur ; puis après son annonce, c'est le bip familier.

« Hé, Gabriel. Tu es là ? C'est moi. Je t'en prie, décroche si tu m'entends… *Gabriel ?* »

Rien.

Elle n'est d'ailleurs même pas certaine d'avoir branché sur haut-parleur.

Raccrocher. Jurer.

Et tout à coup, elle pense à la Python Security, l'entreprise pour laquelle Gabriel travaille.

Elle appelle les renseignements. Puis la Python.

Une voix d'homme répond :

« Python Security, Cogan. »

Cogan. Le nom ne lui est pas inconnu. Gabriel l'a déjà évoqué.

« Bonsoir, Anders à l'appareil, je cherche Gabriel Naumann. Il est là ?

— Hmm, bonsoir. Vous pouvez me redonner votre nom ?

— Anders. Liz Anders.

— Hmm, un moment, s'il vous plaît. »

Liz entend un raclement sourd, comme si l'homme avait mis la main sur le microphone. Son cœur bat plus fort. Gabriel est peut-être dans les parages immédiats.

« Frau Anders ? Mes excuses. Gabriel est bien là, mais il ne peut pas venir au téléphone pour le moment. Si vous pouviez passer ? »

Il est là. Liz est folle de joie.

« S'il vous plaît, demandez-lui de venir tout de suite au téléphone. Il faut absolument que je lui parle. C'est urgent. »

La voix hésite un instant.

« Eh bien, je... Désolé, mais ça n'est pas possible. Vous pourriez peut-être me dire où vous êtes, il pourra vous rejoindre tout de suite.

— D'accord, oui, mais il faut que je lui parle quand même maintenant, tout de suite.

— Il vous rejoint, répond l'homme, dites-moi simplement où vous êtes, et nous viendrons. »

Liz renâcle. *Nous ?* Pourquoi *nous* ?

« Écoutez, Herr Cogan, ou quel que soit votre nom, pourquoi est-ce qu'il ne me dit pas ça lui-même ? Ou est-ce que vous vivez encore au Moyen Âge, sans téléphone sans fil ? »

Silence. Puis :

« M. Naumann est en rendez-vous, je ne peux pas le déranger.

— En rendez-vous ? » demande Liz. Et soudain, toutes les sonnettes d'alarme vibrent en elle. « Avec un client ?

— Euh, oui. Avec un client important, vous savez, dont beaucoup dépend. Je ne peux donc pas le déranger. Dites-moi tout simplement où vous êtes. »

Le combiné se met à trembloter dans la main de Liz. Gabriel ne lui a pas raconté grand-chose de son travail, mais une chose est sûre : à la Python, Gabriel n'a *jamais* de rendez-vous avec des clients. Il *se déplace* au domicile de clients, par exemple quand il y a des problèmes ou pour une alarme, mais les entretiens avec les clients importants à la Python ont toujours été du ressort de son patron.

« Allô ? Frau Anders, vous êtes encore là ?

— Oui.

— On peut aussi venir vous chercher, si vous voulez. »

Liz ferme un instant les yeux puis :

« Vous ne savez absolument pas où il est, exact ? »

Silence.

Le cœur battant, Liz raccroche. Elle serre le plastique noir avec tant de force que les jointures de ses doigts blanchissent. Ses pensées traversent son esprit à tout allure. *Il a des problèmes*, pense-t-elle, stupéfaite. Mais pourquoi ? Et pourquoi ce Cogan veut-il absolument qu'elle vienne à la Python ? Qu'est-ce que c'est que cette histoire ?

Elle desserre les doigts et tente de respirer à fond.

Concentre-toi. Reste calme. Qui pourrais-tu encore appeler ?

Gabriel n'avait personne à qui téléphoner en cas d'urgence, pas d'amis, seulement quelques collègues. Des collègues avec qui il a manifestement des ennuis.

Elle pense subitement au frère de Gabriel, David Naumann. Même si Gabriel n'a jamais cherché à le rencontrer, peut-être que les choses avaient changé depuis son enlèvement.

C'est une chance infime, mais c'est *une* chance. Or elle n'a pas le numéro de téléphone de David Naumann.

Elle compose rapidement un des seuls numéros qu'elle connaisse par cœur.

« Pierra Jacobi, rédaction people. »

Enfin une voix familière.

« Pierra, c'est moi, Liz !

— Liz ! Mon Dieu, où étais-tu ? Ça fait des semaines que tu ne donnes pas de nouvelles. Pourquoi tu n'appelles pas ?

— Désolée, j'étais... j'étais sur les grands chemins. Pierra, s'il te plaît, tu peux me rendre un service ?

— Tout ce que tu voudras, chérie.

— J'ai besoin du numéro de David Naumann.

— Oups. Il est encore d'actualité, celui-là ? Je croyais qu'il était en disgrâce.

— Pierra, s'il te plaît !

— C'est bon, ça va. Tu veux quel numéro ? Portable ? Bureau ?

— Portable avant tout, mais donne-moi tout ce que tu as dans ton répertoire perso. »

Pierra Jacobi débite à toute allure deux numéros que Liz note au stylo à bille sur une feuille ondulée et humide de l'annuaire téléphonique.

« C'est tout ?

— Non, attends. Il m'en faut encore un, celui de Victor von Braunsfeld. »

Pierra siffle doucement entre ses dents.

« C'est quoi, ça, ma chérie ? Aurais-tu par hasard découvert quelque chose que je ne saurais pas ? »

Liz lève les yeux au ciel. La gare semble faire des vagues derrière les filets de pluie qui glissent le long de la cabine.

« Pierra ! S'il te plaît, donne-moi tout simplement ce numéro.

— Ben bravo ! Y a pas écrit "renseignements", là-haut ! » Liz entend que Pierra tapote sur le clavier de son ordinateur. « OK, j'ai le numéro de son secrétariat...

— Tu n'en as pas un autre ?

— C'est si urgent ?

— Assez, oui, grommelle Liz. Il faut que je le voie, c'est tout, et il n'y a certainement plus personne au secrétariat à cette heure. Tu es sûre que tu n'as pas un autre numéro ?

— T'es marrante... C'est pas un livreur de pizza, ce mec. Alors, tu veux ce numéro ou non ?

— OK, soupire Liz et elle prend rapidement en note la série de chiffres, juste à côté des deux numéros de David Naumann. Tu es de première. Merci.

— Liz ?

— Hmm !

— Écoute-moi, s'il y a *story* sous roche, tu me promets de penser à moi et à ma boîte à ragots ? »

Liz sourit, quoique sa situation ne prête absolument pas à sourire.

« Promis. »

Elle raccroche et ferme un instant les yeux. Elle se sent bien à Berlin. Comme si la cave en Suisse était dans un autre monde, un autre univers lointain comme un rêve. La voilà de nouveau ici, de retour à son ancienne vie, cette vie dans laquelle elle est une journaliste sans compromissions, qui a tout sous contrôle.

Elle sait qu'elle ne peut pas aller à la police, en tout cas pas encore. Il lui faut d'abord des preuves pour étayer son hypothèse, et elle veut les trouver avant que Val se doute qu'elle soupçonne son identité.

La main qui tient le stylo à bille repose sur l'annuaire recouvert de gribouillis. Elle met quelques pièces dans l'appareil et appelle le bureau de David. Après le premier signal, elle entend un léger déclic et l'appel est transféré. Deux autres signaux, puis la messagerie se met en route.

Zut.

Liz claque le téléphone et décide de tenter sa chance plus tard. Un coup de vent soudain s'engouffre dans les pages de l'annuaire, des gouttes de pluie mouchettent la première feuille, et les chiffres griffonnés du troisième numéro de Pierra tremblotent au courant d'air.

Appeler le secrétariat de von Braunsfeld serait idiot. La seule chance de rencontrer le vieil homme est de le prendre au débotté chez lui, quand le dernier membre du personnel a quitté la villa, et, pour autant qu'elle se le rappelle, c'est vers 23 heures. Victor a toujours exigé d'avoir la villa pour lui tout seul la nuit ; comme beaucoup de personnes âgées, il ne dort plus beaucoup, et il y a de bonnes chances qu'elle le trouve entre 23 heures et 1 heure du matin. Le hic, c'est que von Braunsfeld a pour habitude de débrancher la sonnette de la porte d'entrée à 22 heures.

Liz arrache la page avec les numéros et la fourre dans sa poche de pantalon. Elle veut atteindre le plus vite possible sous la pluie la prochaine station de taxis, mais les courbatures lui poignardent les jambes.

Elle est à peine installée dans la voiture que la pluie cesse. Le trajet à travers le centre de Berlin est court, mais elle somnole, quoiqu'elle ait dormi durant le voyage en train d'Andermatt à Berlin.

Dans son rêve, elle fonce sur un versant de montagne couvert de neige – sauf que le but de sa course reste invisible en aval –, toujours à la poursuite de Gabriel, et avec Val sur les talons. Ses skis labourent la neige tôlée en crissant.

« Bon. KaDeWe[1], nous y sommes », annonce le chauffeur de taxi à haute voix.

Liz sursaute. À travers la vitre du taxi, la façade illuminée du grand magasin la regarde d'un air radieux, comme si elle retrouvait une vieille connaissance. Liz paie le taxi et descend. Le caniveau est plein à ras bord d'eau et de boue, dans lesquelles se reflètent les lumières de la Tauenzienstrasse.

En entrant dans le magasin, elle éprouve soudain le besoin de se retourner. Son cœur bat plus fort quand elle pense à Val. Son regard effleure les caméras du plafond comme si, grâce à elles, il pouvait l'observer jusque dans les circonvolutions les plus reculées de son cerveau. Au fond, elle aimerait qu'il fasse nuit. Nuit noire. Mais les lumières du magasin brillent d'un éclat irréprochable.

Environ trois quarts d'heure plus tard, Liz quitte le KaDeWe. Elle est vêtue d'un jean noir, de brodequins aux semelles de caoutchouc, d'un pull-over à col roulé et de la veste sombre de la boutique de Wassen. De la main droite, elle tient un sac de sport dans lequel elle a fourré ses vieux habits, de la main gauche un sac de voyage solide au cuir épais avec des os à mâcher pour chiens et une paire de gants caoutchoutés. Elle achète encore six serre-joints dans une petite quincaillerie. Dans sa poche de pantalon, la liasse de billets est bien moins épaisse.

Elle jette un coup d'œil à sa nouvelle montre, une Seiko noire bon marché avec fonction réveil. Il est huit heures moins sept. Il lui reste encore trois bonnes heures.

---

1. Abréviation de Kaufhaus des Westens, grand magasin chic en haut du Kurfürstendamm.

Elle n'ose pas aller à Cotheniusstrasse. Tout comme Val, la police cantonale suisse sait trop bien où elle habite ; cela dit, elle n'a même plus de clef – le trousseau est dans son manteau d'été gris, et c'est Val qui l'a.

Dans le quartier Friedolin, elle descend dans une petite pension poussiéreuse, avec des lits malpropres et des tapis de sol à la trame usée et aux couleurs passées. Elle règle le réveil de sa montre neuve sur onze heures et quart et s'endort tout habillée sur le lit.

Lorsqu'elle est réveillée par la sonnerie, elle n'arrive presque pas à se lever. Les courbatures sont pires que jamais, et tout son corps crie après un café. Elle prépare son sac de voyage en cuir et quitte en chancelant le quartier Friedolin par la Bayreuther Strasse. À la station de métro de Wittenbergplatz elle s'achète deux cafés très forts dans des gobelets en carton, s'assied sur un banc et boit, puis, toujours aussi épuisée, elle monte dans le premier taxi venu. La ville file sous ses yeux en lanières claires et foncées interminables. Des lanières semblables à des lacets défaits.

Le chemin qui longe le Wannsee étire son reflet mat et noir sous les nuages bas. Liz fixe les gouttes de pluie éparses qui chassent dans la lumière des phares. Elle est passée d'innombrables fois en voiture sur ce chemin pour aller se baigner. Devant elle, la route fait un léger virage à gauche, puis c'est le seul passage qui mène sur l'île Schwanenwerder, un petit pont insignifiant.

« Merci. Vous pouvez me laisser là », dit Liz.

La conductrice du taxi gare la voiture sur le bas-côté.

« Ça nous f'ra vingt-sept euros cinquante. »

Liz lui met trois billets de dix dans la main et descend. Une petite rafale de vent froid caresse le toit de la voiture, la frappe au visage et se faufile à travers les mailles de son pull-over noir. Elle remonte la fermeture Éclair de sa veste sous le menton et enfonce la casquette sombre jusqu'aux sourcils. Ses doigts saisissent fermement la courroie du sac de voyage.

Le taxi fait demi-tour, ses feux arrière disparaissent derrière le virage. Tout est tranquille, excepté le murmure de la pluie clairsemée et le léger crissement de ses pas.

Elle suit les réverbères des années trente, dont la trace de lumière conduit au pont. L'île Schwanenwerder fait au maximum vingt-cinq hectares. Elle est située sur la Havel, à la sortie du grand Wannsee, et servait déjà au temps de l'empire allemand de domicile aux industriels et banquiers berlinois. Dans les années trente, les pontes nazis comme Joseph Goebbels et Albert Speer avaient été attirés par Schwanenwerder. Après la guerre, ce fut le tour des rois de la presse comme Axel Springer et Victor von Braunsfeld. Dans son reportage, Liz avait qualifié l'endroit d'« Alcatraz pour riches », allusion aux villas sur les sonnettes desquelles il n'y a pas de nom, aux murs hauts comme ceux d'une prison, aux haies épaisses et aux caméras de surveillance munies de capteurs électriques CDD.

Alors que Liz traverse le pont, le vent la frappe au visage, froid et mordant. Des petits graviers lui fouettent soudain la peau et elle les entend crépiter sur le sol. Des grêlons, se dit-elle, stupéfaite. Ce sont des grêlons. Mais quelques instants plus tard, l'averse de grêle diminue peu à peu. Elle pénètre sur l'île sous la protection des haies. Les couronnes des vieux arbres gémissent au-dessus d'elle. Elle pense au noir impénétrable de la forêt suisse et elle a la chair de poule.

Ne t'inquiète pas, calme-toi.

Au carrefour, elle se décide pour le chemin le plus long et suit la rue à sens unique qui enserre l'île comme le nœud coulant d'un bourreau. Si des voitures venaient à passer, elle veut la lumière des phares dans le dos.

Par chance, la rue est vide.

Après à peine dix minutes de marche, elle parvient à la propriété de von Braunsfeld. Parallèlement à la rue, court une clôture grillagée en fer forgé de trois mètres cinquante de hauteur, derrière laquelle une haie de thuyas protège la villa des regards indiscrets. Liz s'arrête. L'entrée se situe à environ vingt mètres plus loin, en contrebas, barrée par un monumental portail à deux battants flanqué de deux piliers de brique brune artistiquement maçonnés. Deux caméras situées à presque quatre mètres de hauteur surveillent le portail. Les diodes électroluminescentes qui rougeoient ne laissent aucun doute sur leur fiabilité.

Liz sait qu'il est inutile de sonner au portail. Victor von Braunsfeld ne supporte pas les visites tardives, et encore moins quand le visiteur ne s'est pas annoncé. C'est manifestement la raison pour laquelle la sonnette est débranchée.

Elle pose le sac de voyage et lève les yeux sur la grille de la clôture. Des barreaux de section rectangulaire de trois mètres cinquante de haut, massifs, terminés par une rangée de pointes en fer qui se détachent sur la nuit comme des hallebardes. La sensation de chute libre lui revient. Elle fend l'air, elle a sauté de l'avion depuis quelques secondes et s'étonne néanmoins de la durée de cette chute folle. Le sol semble infiniment lointain, et tirer sur la poignée d'ouverture du parachute serait capituler devant la peur. Que d'autres tirent sur la cordelette.

Liz serre les mâchoires. Elle passe une main entre les barreaux et secoue la haie, puis elle attend. *Où sont les chiens, nom de Dieu ?*

Liz ouvre le sac de voyage et lance les os à mâcher par-dessus la clôture, puis elle sort les serre-joints. Elle a des crispations dans le bas-ventre, son état physique est tout sauf bon. Même si elle avait été en aussi bonne forme qu'avant l'agression au Friedrichshain, l'entreprise eût été difficile – mais à présent ? Et de plus avec ce ventre arrondi ?

Dépêche-toi, nom de Dieu ! Une voiture peut arriver à tout instant.

Elle respire profondément, enfile ses gants, puis applique à un barreau de la clôture les mâchoires du premier serre-joint, à environ soixante-dix centimètres du sol, et elle les bloque de toutes ses forces. Pour éprouver la stabilité du serrage, elle secoue le manche du serre-joint qui résiste, puis elle épie à travers le feuillage épais de la haie pour tenter de jeter un coup d'œil sur la villa. Il lui semble reconnaître quelques taches claires derrière les feuilles d'un vert sombre.

Toujours pas de chiens. Bizarre.

Elle fixe le deuxième serre-joint à hauteur de poitrine, manche décalé par rapport au premier, puis le troisième à hauteur de la tête, les quatrième et cinquième l'un en face de l'autre, aussi loin en hauteur que ses bras le lui permettent.

Son cœur bat la chamade, et la tension est sensible dans chacun de ses muscles surmenés. Elle ramasse le sac de voyage, passe les bras dans les poignées si bien qu'il est fixé devant son ventre et la protège comme un airbag. Elle coince le dernier serre-joint entres ses dents et referme la bouche sur le métal froid.

En avant !

Liz assure un pied sur le premier serre-joint, attrape des deux mains deux barreaux de fer de la clôture, tire précautionneusement sur ses bras. Le serre-joint reste en place. Elle essaie autant que possible de ne pas trop peser dessus en se hissant, garde l'essentiel du poids de son corps à bout de bras. Puis elle pose le pied gauche sur le serre-joint placé à hauteur de poitrine. Elle se hisse de nouveau à la force des bras. Dans sa bouche, le métal du serre-joint a un répugnant goût d'huile. Elle penche la nuque en arrière, voit les pointes de fer de la crête de la grille, et tout son corps n'est que courbatures. Elle sort d'elle-même en esprit et se contemple d'en haut, suspendue à cette clôture. Des instantanés de ces derniers jours flashent dans sa tête, son évasion, la tête ensanglantée d'Yvette, la BMW volée, le cambriolage de la boutique, les deux policiers cantonaux qu'elle a menacés avec une arme à feu. Et maintenant, ça.

Respirer à fond. Continuer.

Un bref éclair sur la route en déclivité de l'île. Elle tressaille soudain. Un faible rayon de lumière frémit derrière le virage. Non, pas maintenant !

Elle se hâte de poser le pied droit sur le serre-joint suivant, et se propulse vers le haut.

On entend même le moteur à présent, le grondement retenu et puissant d'une voiture de sport. La lumière des phares apparaît. Pied gauche en haut, immédiatement suivi du droit. Elle est debout sur les deux serre-joints à deux mètres de hauteur environ, mais elle ne peut pas encore atteindre la crête de la grille. Elle se cramponne de la main gauche à un barreau, de la droite elle prend le dernier serre-joint d'entre ses dents et l'applique à hauteur de hanches. Le feulement du moteur se rapproche comme un chien qui grogne. Tant d'efforts la font haleter, tandis qu'elle essaie à la fois de se tenir au barreau et de bloquer le plus possible les mâchoires du serre-joint.

Maintenant.

Pied sur le serre-joint, tirer sur les bras. Les pointes de fer sont à hauteur des hanches à présent. Au moment où elle va se coucher sur les pointes de la grille, le ventre protégé par le sac de voyage, le serre-joint fléchit sous son pied. Il glisse et griffe le barreau de fer avec un horrible bruit de ferraille. Prise de panique, Liz cramponne désespérément les barreaux et agite les jambes. Elle est allongée sur les pointes de la grille comme sur le fil d'un rasoir. La tête et la poitrine sont au-dessus du terrain de von Braunsfeld, les jambes et le derrière gigotent côté rue. Seul le sac sur son ventre l'empêche d'être embrochée. Elle est épouvantée, elle a peur de mourir ici et maintenant, sur une clôture garnie de pointes en fer, au cours d'une tentative d'effraction maladroite et grossière où elle risque sa vie parce qu'elle perd les pédales, et cela uniquement parce qu'elle croit devoir trouver elle-même des preuves, alors que la police est là pour ça. Elle sent que la chute libre, c'est maintenant, que le sol s'est dangereusement rapproché, qu'elle va le percuter uniquement parce qu'elle n'est pas prête à transiger avec sa peur.

Comme au ralenti, elle bascule en arrière côté rue. Son visage et son cou se balancent exactement au-dessus des pointes ; si elle glisse maintenant, la grille s'enfoncera dans sa gorge, puis dans son cerveau. Dans un dernier effort désespéré, de toutes ses forces, elle lance ses jambes vers le haut. Quand elle essaie de tirer son buste au-delà du point d'équilibre, la douleur dans les bras la brûle comme un jet de flammes, son ventre lui fait horriblement mal et des larmes lui jaillissent dans les yeux.

Les phares de la voiture de sport se rapprochent inexorablement de la clôture, des gouttes de pluie brillent dans leur lumière. Comme une rangée de pointes d'épieux, la crête de la grille se plante dans l'épaisseur du cuir de son sac de voyage. La lumière halogène atteint le mur de la propriété voisine, le ronronnement de la voiture de sport devient menaçant. Liz sent la pression des pointes de fer sur sa poitrine. *Les jambes en l'air. La tête en bas. Encore quelques centimètres, quelques petits centimètres, nom de Dieu !* Et elle bascule vers l'avant, tête par-dessus les pointes de la grille, se rétablit et tombe sur le terrain de la propriété de Victor von Braunsfeld.

La haie de thuyas freine sa chute, quelques bouts de branches lui griffent le visage. Au même instant, la voiture de sport passe dans la rue, une Ferrari verte, plate comme une raie.

Liz se relève en respirant avec peine. Elle ne parvient pas à contrôler le tremblement de ses muscles. Le sol sous ses pieds lui semble irréel, comme si elle était encore en train de chuter. Elle épie l'obscurité, s'attend aux aboiements lointains des chiens ou au bruit du galop de leurs pattes, mais tout reste silencieux.

Avant de le rencontrer, elle aurait parié que Victor avait engagé une société de sécurité privée pour le protéger. Depuis sa visite à la villa, elle sait de quoi il retourne.

« J'ai dépensé une fortune pour ne pas avoir de voisins encombrants et des badauds qui épient ma propriété. Je veux avoir la paix, et basta. Qu'est-ce que ça m'apporterait d'avoir une horde de crânes de piafs pleins de muscles qui patrouillent dans mon jardin ? Des crânes de piafs pour chasser des crânes de piafs ? Les chiens me suffisent », avait-il maugréé en jetant un coup d'œil irrité sur ses deux dobermans mâles, Alister et Dexter, couchés aux pieds de Liz, Dexter sur le dos se laissant gratter le ventre par la journaliste.

Elle sourit en pensant aux deux chiens. Mais elle ne se fait pas d'illusions : les dobermans sont deux dangereuses machines de combat, et il n'y a aucune garantie qu'en l'absence de leur maître ils se conduisent de manière aussi pacifique qu'en sa présence.

Anxieuse, elle épie la berge du lac. Entre les troncs des arbres du parc, on discerne à quelque distance les fenêtres éclairées de la villa. Elle avance lentement en titubant dans la direction des lumières. Ses brodequins laissent de profondes empreintes dans le sol détrempé. La maison semble se mouvoir derrière les arbres, comme si elle cherchait à se cacher.

À la lumière du jour, la villa construite en 1918 lui avait fait l'effet d'un petit manoir belge, avec ses murs en brique brun clair ornés d'innombrables motifs, les fenêtres et les portes blanches encadrées d'une frise en grès et le toit d'ardoise qui s'élance haut vers le ciel. Le plan au sol, un quadrilatère imposant, avait été amputé pour réserver une entrée, ce qui donne à l'ensemble une forme classique en U, au centre cette entrée sous voûte en arc, couverte d'un balcon généreux soutenu par quatre colonnes torsadées de forme cylindrique. La porte se trouve derrière ces colonnes, une large porte à deux battants en chêne de tourbière.

À présent, de nuit, la villa ressemble plutôt à une forteresse sombre dont les contours massifs apparaissent dans l'obscurité.

Lorsque Liz grimpe les marches de l'imposant escalier de pierre, deux lampes sphériques s'allument et illuminent la montée. Liz plisse les yeux. Sans se laisser troubler, elle continue à monter, passe entre les colonnes. La voûte lui renvoie le crissement de petits cailloux pincés dans le relief de ses semelles. Sur chaque vantail de la porte en chêne de tourbière brun sombre resplendit une tête de lion en cuivre astiqué avec dans la gueule un marteau en forme d'anneau. A droite de la porte, une sonnette en cuivre scellée dans la maçonnerie. La plaque astiquée ne porte pas de nom. Selon elle, Victor von Braunsfeld n'existe pas.

Liz tend la main vers l'un des anneaux – elle suppose que cette sonnette aussi est débranchée –, quand la porte s'ouvre brutalement. Liz fige son geste. Elle a droit sous les yeux le double canon d'un fusil de chasse. Le propriétaire de l'arme l'a mise en joue et la crucifie dans sa ligne de mire. La manière dont il tient son fusil trahit une certaine expérience dans son maniement. Ses cheveux blancs comme neige sont hirsutes, le front est labouré de rides de colère.

« Bonsoir, Victor, dit Liz à voix basse en reculant d'un petit pas. Vous êtes seul ? »

Le vieil homme plisse les paupières, comme le font beaucoup de personnes âgées myopes. Sa main droite osseuse étreint le pontet de l'arme, doigt replié sur la détente. Un gémissement rauque attire le regard de Liz. Les deux dobermans sont debout dans la porte, à côté de leur maître. Doucement, tendrement presque, elle leur tend sa main ouverte.

« Salut Al, salut Dex. »

Le plus grand des deux chiens de garde noirs s'approche en reniflant, lui donne sur les doigts de petits coups de sa truffe brune, puis se met à lui lécher la paume sur laquelle il sent l'odeur des os à mâcher.

Le vieil homme louche sur son chien de garde, puis il lève les yeux sur la femme qu'il tient en joue.

« Os à mâcher, dit-elle avec une œillade.

— Liz », s'étonne-t-il, incrédule. Il abaisse lentement son arme. « Vous êtes folle ! Et comment avez-vous fait pour entrer ici ? » Ses yeux examinent son fin visage, égratigné par la haie. « Vous avez l'air d'un poulet déplumé. »

Liz sourit douloureusement.

« Pourquoi restez-vous là, avec cet air idiot ? soupire profondément von Braunsfeld. Et je veux une explication plausible pour ces sottises. Entrez !

— Seulement si vous êtes seul », dit calmement Liz.

Von Braunsfeld fronce les sourcils.

« Je suis toujours seul. Vous le savez bien. »

46

Berlin – 28 septembre, 00 h 36

La porte se referme derrière Liz. On entend l'écho sombre et majestueux renvoyé par le marbre rouge brun du hall d'entrée. Du centre du plafond autour duquel court une frise en stuc, pend une volumineuse lanterne à gaz du XIXe, qui projette sur le sol son ombre et celle de Victor von Braunsfeld.

Von Braunsfeld ouvre la porte du salon et appuie le canon du fusil contre le mur tendu de toile. Le premier regard de Liz est pour la cheminée, dans laquelle brûlent quelques bûches bien entamées. Sur la tablette, il y a toujours les photographies.

« Asseyez-vous. »

Von Braunsfeld désigne les trois divans, groupés au milieu de la pièce autour d'une généreuse table basse en verre.

Liz regarde ses brodequins couverts de terre.

Von Braunsfeld la tranquillise d'un geste.

« Ce genre de sol supporte ça. Chêne de tourbière. La nuit, on ne voit pas la saleté, et demain matin quelqu'un la nettoiera. »

Liz approuve de la tête. Son regard fait le tour de la pièce, s'attarde sur les tableaux, dont un Monet et deux nus de Renoir, qui resplendissent dans la lumière de spots, glisse sur les lustres noirs dentelés, les rideaux couleur gris taupe et les divans modernes recouverts de laine brun clair. Le style extravagant de l'aménagement l'avait déjà captivée lors de sa première visite. Curieusement, tout s'accorde, même si tous les styles sont représentés :

le moderne, des éléments classiques, des emprunts au Jugendstil et des pièces uniques surchargées, comme ce lustre, par exemple, qui tend vers le gothique. Lorsqu'elle avait eu l'autorisation de tourner dans ce salon l'interview avec von Braunsfeld, la diversité des styles l'avaient irritée, comme si Braunsfeld vivait entre plusieurs mondes.

« Vous vous rappelez notre accord ? » avait-il demandé quand ils s'étaient assis l'un en face de l'autre sur les divans.

La petite lumière rouge de la caméra brasillait déjà.

Liz avait approuvé d'un mouvement de tête. De toute façon, elle n'avait pas eu le choix.

« Naturellement, pas de questions sur la famille. »

Elle fixe la cheminée. Les flammes lèchent les bûches à moitié consumées.

« Cognac ? Sherry ? »

Victor von Braunsfeld est allé au bar et présente alternativement deux carafes en cristal.

« Vous m'avez l'air de quelqu'un qui a besoin d'un remontant. »

Liz secoue la tête.

« De l'eau. »

Von Braunsfeld hausse les épaules et se verse un liquide de couleur ambrée dans un verre en cristal taillé. Puis il se penche avec la gaucherie des personnes âgées et sort une bouteille d'eau minérale gazeuse d'un réfrigérateur élégamment camouflé.

Liz se rapproche de la cheminée. Son regard balaie les cadres qui décorent la tablette. La chaleur emmagasinée dans les pierres traverse ses vêtements et la fait tressaillir. Après la torture des semaines passées, c'est comme si le soleil l'enlaçait. Elle retire sa casquette. Ses cheveux roux sont hérissés en tous sens. Par pur réflexe, elle essaie de les discipliner en y glissant la main. Toute son attention est concentrée sur les photos, plus particulièrement sur la deuxième à partir de la gauche qui attire son regard, comme par magie. Malgré la chaleur, un frisson d'horreur glacé lui parcourt les veines.

« Eh bien ! » bougonne von Braunsfeld.

Liz tressaille. Les yeux de von Braunsfeld reposent sur elle, et elle se sent transparente et fragile comme un verre en cristal.

« Pour quelqu'un qui est entré ici comme une fleur, vous me semblez bien nerveuse. Vous me devez une explication. Pourquoi rappliquez-vous ici en pleine nuit ? À quoi jouez-vous ? Qu'est-ce qui se passe ? Qu'est-ce que vous avez fait comme bêtise ? »

Sans un mot, Liz s'empare de la deuxième photo à partir de la gauche, se tourne vers von Braunsfeld et la lui met sous les yeux. Ses doigts tremblent. La photographie a un simple cadre argenté et représente une femme magnifique aux longs cheveux d'un noir d'ébène, avec de profonds cernes de peine qui lui dévorent les yeux et l'allure stoïque d'une patricienne. Devant elle se tient un adolescent blond aux yeux d'un bleu translucide qui lui ressemble comme deux gouttes d'eau. Elle pose tendrement un bras sur son épaule.

Von Braunsfeld hausse un sourcil.

« C'est votre fils, non ?

— Markus, oui. Avec ma femme, Gill.

— Votre fils n'a pas un second prénom ? »

Von Braunsfeld hésite un instant.

« Markus Valerius, si. Pourquoi ? »

Valerius. Le sang se glace dans les veines de Liz.

« Depuis quand votre fils a-t-il disparu ? »

Les yeux de von Braunsfeld s'étrécissent.

« Vous vous introduisez chez moi au milieu de la nuit pour me demander ça ? Vous travaillez pour la presse people maintenant ? Ou vous avez besoin de ce détail pour compléter votre album de poésies ?

— Ni l'un ni l'autre, fait Liz à voix basse en le regardant dans les yeux. Vous voulez que je vous explique pourquoi je suis là ? » Elle agite la photo. « C'est ça, l'explication. Depuis quand votre fils a-t-il disparu ? »

Sans quitter Liz des yeux, von Braunsfeld boit une longue gorgée du verre en cristal.

« En octobre 1979, quelques jours après son dix-huitième anniversaire. »

Octobre 1979. Liz sent un frisson lui descendre jusqu'au bout des doigts.

« Cela fait une éternité. Presque trente ans. Entre-temps, je me suis résigné à ce qu'il soit certainement mort. » Il s'approche lentement de Liz, lui prend la photo des mains et la repose à sa place. « Sur la photo, il a quatorze ans. C'est la dernière image des deux. Gill est morte quelques mois plus tard.

— 1979… à dix-huit ans, fait Liz. Et on n'a jamais eu la moindre idée de ce qui a pu lui arriver ? Pas le moindre indice ? »

Von Braunsfeld la fixe d'un air soupçonneux.

« Pourquoi ?

— Parce que, dit Liz à voix basse en essayant de contrôler le tremblement de sa voix, parce que je l'ai rencontré.

— C'est impossible, dit brutalement von Braunsfeld.

— Il a changé. *Beaucoup* changé. » Elle tire un trait imaginaire de haut en bas en plein milieu de son visage. « Son visage est à moitié brûlé. Mais je suis certaine que c'est lui. »

Von Braunsfeld pâlit.

« Vous… vous devez vous tromper.

— Pourquoi ? *Pourquoi* me serais-je trompée ?

— Parce… parce qu'il… »

Von Braunsfeld se tait.

« Je suis sûre de moi, Victor, *absolument* certaine. Vous savez pourquoi ? Parce que votre fils est un sadique, un psychopathe. Parce qu'il m'a enlevée et tellement tourmentée que je ne l'oublierai jamais de toute ma vie. Je reconnaîtrai toujours son visage, je le reconnaîtrai partout. Je peux me rappeler chaque ride de son visage, j'aimerais qu'il en soit autrement, mais son visage est marqué au fer rouge dans ma mémoire. »

Von Braunsfeld est encore plus pâle, on dirait que la mort en personne lui est apparue.

« Vous savez où il m'a entraînée ? Où il m'a retenue prisonnière ? Dans une maison en Suisse, à Wassen. Une maison qui *vous* appartient.

— Non, murmure von Braunsfeld, horrifié. Non. Non. Non.

— Et durant tout ce temps, poursuit Liz, *tout* ce temps passé dans ma prison, j'aurais dû me douter que c'était lui. Car je le connaissais, son visage, je l'avais déjà vu. Mais je ne savais plus où. Ce n'est que quand je me suis échappée et que j'ai appris que j'avais été retenue prisonnière dans *votre* maison que je l'ai su ; je me suis tout à coup rappelé la photo sur la tablette de votre cheminée. »

Le regard de von Braunsfeld chavire. Le verre en cristal avec son liquide ambré lui glisse des mains et se brise sur le parquet de chêne. Il respire bruyamment et chancelle de manière inquiétante.

Liz fait deux pas rapides vers lui et essaie de le soutenir. Les jambes de Victor von Braunsfeld ploient comme deux branches de coudrier, il s'écroule dans les bras de Liz, corps sans force ni volonté qui la projette presque à terre. Elle s'efforce de le laisser glisser doucement sur le sol, tandis que son dos hurle de douleur.

« Mon Dieu…, gémit-il, mon cœur. J'ai besoin… de mes gouttes…

— Vos gouttes ? Où sont-elles ?

— Bu… bureau, premier tiroir du haut… de mon… bureau », bégaie von Braunsfeld.

Liz pirouette et ouvre en grand la porte du hall d'entrée.

« Pre… pre… mier éta… ge. »

Elle se précipite dans l'escalier qu'elle grimpe du plus vite qu'elle peut. Elle arrive dans un long corridor tendu de tissu vert Véronèse, bordé à gauche et à droite de plusieurs portes moulurées. Sans réfléchir, elle les ouvre brutalement l'une après l'autre. Dans la troisième, il y a un antique bureau de taille imposante. Elle repousse le fauteuil en cuir et ouvre vivement le tiroir du haut. Sous le choc, un flacon brunâtre vissé d'un bouchon blanc roule bruyamment et vient heurter la face avant du tiroir. Sur l'étiquette, elle lit : Effortil.

Gagné.

Elle s'empresse de rejoindre la porte quand ses yeux tombent sur une chaise longue. Elle s'arrête, médusée. Sur l'étoffe gris foncé, est à demi-allongé un homme vêtu d'un imperméable, gris lui aussi. Il a une blessure ouverte à la tête, et les bras et les jambes ligotés. Il est manifestement évanoui. Ses cils tressaillent légèrement derrière ses lunettes rondes à monture invisible. Il ne doit pas être loin de la soixantaine, le cheveu est rare, la silhouette mince, tout comme les lèvres livides. Un comptable, se dit Liz, il a l'air d'un comptable. Par terre, il y a un chapeau gris.

Les pensées se bousculent dans la tête de Liz. Elle recule lentement. La peur la saisit comme un vieil ennemi qui connaît ses points faibles et la houspille. Elle essaie de trouver une explication à tout cela, elle essaie de deviner pourquoi il y a, dans le bureau de Victor von Braunsfeld, un homme inconscient ligoté. Mais elle ne trouve aucune explication et ça l'effraie encore plus.

Quoique l'homme soit sans défense et qu'il ait les yeux fermés, elle ose à peine passer devant lui, comme s'il pouvait bondir à tout instant et lui sauter dessus. Elle compte lentement jusqu'à dix.

Puis elle ouvre les yeux et fixe le but qu'elle veut atteindre : la porte qui donne sur le couloir. Elle passe sur la pointe des pieds devant l'étranger sans connaissance, ferme lentement la porte derrière elle et se hâte vers le salon, le flacon compte-gouttes fermement serré dans la main.

Quand elle ouvre la porte du salon à la volée, elle trouve von Braunsfeld moitié couché, moitié assis sur le parquet, dos contre le siège de l'un des divans. Languissant, il tend la main vers le médicament. Il ne remarque pas que les doigts de Liz tremblent beaucoup. Il dévisse le bouchon du flacon, penche la tête loin en arrière et fait tomber des gouttes entre ses lèvres.

Quand il repose le flacon, son regard tombe sur la bouche des canons du fusil de chasse. Liz tient maladroitement l'arme en main et le fixe avec des pupilles qu'écarquille la peur.

Von Braunsfeld gémit. Épuisé, il laisse retomber la tête en arrière.

« Écoutez-moi, Liz, je... je n'y peux rien ; ce que mon fils vous a fait, que... je...

— Qui est cet homme là-haut ? » demande Liz d'une voix tremblante.

La seule raison qui fait qu'elle ne craque pas, c'est ce fusil, même si elle ne sait absolument pas s'en servir.

« L'homme... Quel homme ? Où ?

— L'homme évanoui et ligoté là-haut, dans votre bureau. Qui est-ce ?

— Je… je ne comprends pas ce que vous dites, murmure un von Braunsfeld troublé.

— Là-haut, poursuit Liz en se contenant difficilement, il y a un homme étendu sur une chaise longue ; proche de la soixantaine, lunettes, blessure ouverte à la tête et ficelé comme un paquet… »

Von Braunsfeld la regarde comme si elle avait perdu la raison. Il s'appuie des mains sur le parquet, tente de se redresser, mais il n'a pas encore assez de force.

« Liz, je ne comprends absolument rien à ce que vous dites. Mais je vous en prie, au nom du ciel, posez ce fusil. » Liz ne bouge pas d'un millimètre. « Liz, s'il vous plaît. » Il reprend lentement des couleurs. « Mes chiens vous aiment vraiment bien, mais ils possèdent un flair infaillible pour les situations menaçantes. Et je ne veux pas qu'ils vous étripent. »

Liz insiste :

« Qu'en est-il de cet homme ?

— Al ? Dex ? Ici, crie von Braunsfeld.

— Fermez-la.

— Al ! Dex ! *Iciiii !* »

Silence.

Liz retient son souffle, épie et s'attend chaque instant à entendre le grattement des pattes sur le parquet brillant comme un miroir.

Mais rien ne se passe.

« Où sont les chiens ? murmure von Braunsfeld. Qu'est-ce que vous avez fait de mes chiens ? »

Liz cille des paupières.

« *Moi ?* Rien. Je n'ai rien… »

Brusquement, elle se tait et fixe von Braunsfeld.

Cet homme inconscient, les chiens… Oh non !

Les yeux du vieil homme s'agrandissent soudain.

« L'homme du bureau est ligoté, dites-vous ? Et il saigne ? »

Liz opine.

« Il est ici, souffle von Braunsfeld. Je suis certain qu'il est ici.

— Qui est ici ?

— Valerius. » Liz baisse son arme. Les petits cheveux de sa nuque se dressent. « Cet homme, les chiens. C'est *lui*. Ça ne peut être que lui », murmure von Braunsfeld.

Le silence gagne la pièce, se répand comme des miasmes délétères.

Un petit bruit étouffé rompt le silence comme un coup de feu lointain, puis un deuxième, un autre encore, de plus en plus de petits bruits devenus secs, jusqu'à ce que les pétillements distincts se confondent en un crépitement continu de plus en plus fort.

Liz regarde autour d'elle, le cœur serré.

« Qu'est-ce que c'est ?

— De la grêle, murmure von Braunsfeld, c'est de la grêle. »

Le bruit enfle en un vacarme assourdissant, comme s'il pleuvait des graviers.

« Il faut qu'on s'en aille d'ici, tout de suite, fait von Braunsfeld. S'il est vraiment là, s'il est en liberté, il me tuera.

— Qu'est-ce que vous voulez dire ? S'il est en liberté ? Et pourquoi voudrait-il vous tuer ?

— Aidez-moi à me lever. Je vous raconterai ça plus tard. Il faut avant tout qu'on sorte d'ici. »

Liz pose le fusil, saisit von Braunsfeld sous les aisselles et l'aide à se remettre sur ses jambes.

« Vous pouvez marcher ?

— Ça ira. Les gouttes agissent. Venez. »

Il enserre le bras de Liz de sa main droite osseuse, l'entraîne vers le jardin d'hiver attenant et ouvre la porte de la véranda. La grêle fait un bruit d'avalanche de glace.

« Venez, venez.

— *Là, dehors ?*

— Il faut qu'on aille à la serre. Et c'est le chemin le plus court. »

Von Braunsfeld passe le seuil, se retrouve sous les grêlons et entraîne Liz avec lui. Des billes de glace de la taille de petits pois rebondissent sur les marches du perron qui mène au jardin. Elle a mal à la tête, comme si elle était martelée d'innombrables coups.

La tête dans les épaules, ils traversent le jardin en titubant. Le gazon est recouvert d'une mince couche de glace d'où surgissent quelques rares brins d'herbe. Un coup violent juste au-dessus du front la jette presque à genoux. Des pépites de glace lui tombent dessus, quelques-unes de la taille d'une noisette.

« Vite », hurle-t-elle dans le tumulte et elle se protège la tête avec les bras.

Elle se rappelle soudain que le fusil est resté dans la villa. Elle jure à voix basse et continue sa course derrière von Braunsfeld, qui ne souffle mot.

À quelque distance, on entend soudain du verre qui tombe et se brise. Liz lève les yeux. Une serre ! Quelques grêlons ont la taille d'un œuf de pigeon. Une autre verrière se brise, et les débris pleuvent dans la serre.

« On ne peut pas entrer là-dedans, hurle Liz.

— Venez, on va y arriver. »

Von Braunsfeld la tire par la manche, poursuit vivement sa route et tente d'ouvrir la porte de la serre, mais elle ne cède pas.

« Elle coince, aidez-moi. »

Liz pousse des deux mains sur le cadre de métal, von Braunsfeld s'arc-boute contre la vitre. La porte s'ouvre d'un seul coup. Entraîné par son élan, von Braunsfeld s'écroule sur le sol.

Il se relève avec peine, dans l'œil un étrange regard étonné.

Liz a le souffle coupé.

Victor von Braunsfeld est debout là comme une statue et il regarde fixement son ventre, hébété. Sa chemise blanche est déchirée, et une fleur rouge foncé est en train de s'y épanouir. Comme en transe, il retire de son abdomen un long tesson effilé, puis lâche le morceau de verre ensanglanté.

Figée d'horreur, Liz contemple la tache de sang qui s'agrandit. L'intervalle entre les battements de son cœur s'étire indéfiniment, même la grêle tombe plus lentement. Von Braunsfeld remue les lèvres, mais aucun mot ni aucun son ne les franchit. Une grosse pépite de glace lui heurte le front avec un bruit sourd. Le temps reprend sa course.

« Il faut… il faut… qu'on aille dans la cave. On y sera en sécurité.

— Où ?

— Au milieu, sous les planches. »

Liz traîne le vieil homme derrière elle en progressant dans la serre. Au-dessus d'eux le vacarme est épouvantable, puis il pleut des tessons. Les planches sont parsemées d'éclats plus ou moins grands. Elle se baisse et cherche, doigts tremblants, un espace entre deux madriers. Là ! Un petit carré d'environ deux centimètres. Elle y enfonce l'index et le majeur. Un éclat de verre se fiche douloureusement dans sa main alors qu'elle soulève les planches. Une grande trappe s'ouvre dans le sol et donne accès à un escalier gris en béton de trois mètres environ. Il aboutit à une porte lisse sans poignée. Dans le montant de droite est enchâssé un petit clavier numérique.

Von Braunsfeld se faufile devant elle.

« Vite », dit-il et il descend les marches en chancelant.

Sa main tremble tellement qu'il arrive à peine à appuyer sur les touches du clavier. Ce n'est qu'à la troisième tentative que la porte s'ouvre. Liz l'a suivi, le cœur battant. Elle remet la trappe en place et pénètre dans le couloir sombre qui s'ouvre derrière la porte. Une nouvelle verrière vole en éclats au-dessus d'eux et les morceaux de verre frappent les planches avec un bruit sourd.

« Fermez la porte, vite ! »

Les doigts de Liz tâtonnent vainement à la recherche d'une poignée ou d'une clenche. Elle attrape le bord de la porte et la tire vers elle d'une secousse. Au dernier moment, elle enlève la main pour ne pas se pincer les doigts. La porte s'encastre dans le châssis avec un bruit métallique et on n'entend plus aucun bruit extérieur. Il fait nuit noire. Le silence leur bruit dans les oreilles, comme si la grêle y résonnait encore. Elle entend la respiration haletante de von Braunsfeld.

« À côté de la porte, souffle-t-il, il y a un interrupteur. »

Les doigts de Liz tâtonnent comme des pattes d'araignée sur le mur nu, trouvent l'interrupteur et la lumière brille enfin. Le couloir est comme taillé dans le béton et semble mener à la villa.

« OK. Continuons », fait Braunsfeld d'une voix oppressée.

Liz contemple sa chemise trempée de sang.

« Il vous faut un médecin.

— Il faut que je me repose ; passez devant pour que je puisse m'appuyer un peu sur vous, ça ira plus vite. »

Liz se glisse devant lui, et von Braunsfeld lui pose la main sur l'épaule. Ils suivent le couloir à la queue leu leu. Ils tournent bientôt sur la gauche et descendent légèrement. Vingt mètres plus loin, le mur de béton lisse cède la place à un vieux mur de briques rejointoyées avec soin. Tous les cinq mètres, il y a une lampe fixée au mur. Un courant d'air frais vient à leur rencontre, et quinze mètres plus loin une porte en bois, vieille mais intacte, leur barre la route.

Lorsque Liz ouvre cette porte, elle a le souffle coupé. Elle se retrouve sur le seuil d'une vieille crypte, un souterrain voûté d'au moins quinze mètres de côté. Une douzaine de colonnes romanes portent le lourd plafond. Dans le coin le plus éloigné, dans une niche semi-circulaire, se dresse un vieux bloc de pierre orné d'un bas-relief. À l'instant où elle l'aperçoit, elle comprend qu'il s'agit d'un sarcophage.

Liz entre dans le hall aux colonnes et sursaute quand elle voit une silhouette se profiler derrière le cercueil de pierre. En y regardant une deuxième fois, elle se rend compte que c'est sa propre image qu'elle voit dans un grand miroir au verre dépoli placé dans la niche creusée derrière le sarcophage.

« Incroyable, chuchote-t-elle.

— Aidez-moi. »

Von Braunsfeld désigne le mur de droite. Entre les colonnes engagées dans le mur de grès, il y a de larges chaises longues tendues de tissu rouge. Le mur est orné de tapisseries aux motifs bizarres, qui ressemblent aux tableaux du peintre néerlandais Jérôme Bosch.

Liz prend von Braunsfeld sous les bras et le traîne sur l'une des chaises longues. Il s'y affale avec un gémissement de douleur.

« Est-ce qu'il y a un téléphone ici ? demande Liz. Il faut que nous appelions la police. Et une ambulance. »

Von Braunsfeld secoue la tête. Sa main droite est crispée sur son ventre. Un liquide rouge luit entre ses doigts.

« Et une seconde issue ?

— Aucune que nous puissions utiliser.

— Où mène la seconde issue ?

— Dans la cave de la villa », murmure von Braunsfeld.

Liz hausse les sourcils.

« Pourquoi ne l'a-t-on pas prise pour descendre ici ?

— J'avais peur de le rencontrer.

— Votre fils ? »

Von Braunsfeld opine.

« Markus, oui.

— Vous êtes sûr qu'il est dans la maison ?

— Cet homme ligoté dans le bureau, les chiens, et ce qu'il vous a fait… C'est bien lui ! »

Von Braunsfeld se tord de douleur.

« Vous allez vous vider de votre sang, dit Liz à voix basse.

— Je n'aurais pas dû prendre les gouttes, elles aggravent les choses. »

Liz se tait, consternée.

« Vous avez dit tout à l'heure : "S'il est en liberté." Qu'est-ce que vous entendez par là ?

— Markus, dit avec peine von Braunsfeld entre les dents, est un… un…

— Psychopathe, complète Liz.

— Déjà enfant, il était imprévisible, impossible à dompter. Gill ne pouvait pas se mesurer à lui. Il avait à peine dix ans quand je l'ai découvert par hasard la nuit sur la plage, cigarettes, bière, les autres avaient tous seize ou dix-huit ans. Il passait toutes les nuits par la fenêtre des combles quand Gill dormait ou qu'elle était ivre. Elle ne se rendait compte de rien quand au petit matin il passait en douce sous son nez ses habits empuantis pour les remettre à la gouvernante. J'ai essayé, j'ai tiré sur la bride, j'ai vraiment essayé… » Il gémit, tente de baisser la tête pour observer sa blessure, mais constate que cela lui coûte trop de forces. « Quand Gill est morte, tout a été fichu. Comme une planète à laquelle manquerait le soleil. Plus de gravitation. Paf ! déviée de la trajectoire. Sortie de l'orbite. Je n'avais pas d'autre issue, il fallait que je fasse quelque chose. Son comportement était trop perturbé. La situation n'était plus gérable. *Il* n'était plus gérable.

— Que voulez-vous dire par : faire quelque chose ?

— Je l'ai fait interner en psychiatrie pour avoir la paix et pour qu'il recouvre la raison. »

Liz le fixe des yeux.

« Vous l'avez collé en psychiatrie ? Je croyais qu'il avait disparu ?

— En quelque sorte, oui. Je ne voulais pas que cela soit public. Je l'ai mis… dans une clinique suisse. »

Liz ouvre la bouche, choquée.

« Vous l'avez… pendant *trente* ans fait enfermer dans une clinique suisse ? » Von Braunsfeld hausse les épaules. « Tout simplement parce qu'il n'était plus "gérable" ?

— Vous n'avez aucune idée…

— Je comprends maintenant pourquoi il veut vous tuer », dit Liz, écœurée. Von Braunsfeld évite son regard. « Mais vous ne me dites pas tout, si ?

— Qu'est-ce que vous entendez par là ?

— Que ce n'est pas toute la vérité.

— Vérité ! » Von Braunsfeld crache pour ainsi dire le mot. « Vous les journalistes, avec votre éternelle vérité ! »

Ses yeux se révulsent de douleur, il bat des cils.

« La nuit du 13 octobre 1979, qu'est-ce qui s'est passé ?

— Je ne comprends pas exactement ce que vous voulez dire.

— Vous m'avez parfaitement compris, murmure Liz. C'est juste après qu'il a "disparu" comme vous dites. C'est exact ? »

La bouche de von Braunsfeld n'est plus qu'une entaille tremblante.

« Quelque chose s'est passé cette nuit-là. Je ne sais pas quoi, mais cette nuit est capitale, c'est la clef du reste.

— Vous… vous vous imaginez des choses… vous délirez…

— Moi ? *Je* délire ? Votre fils voulait me tuer. Et le plus important pour lui, c'est que ça devait se faire le 13 octobre. Parce qu'il voulait se venger de Gabriel, mon compagnon. Gabriel Naumann. Ce nom vous dit quelque chose ?

— Non, ça ne me dit rien. Mais vous devriez demander à votre ami. Il doit bien savoir de quoi il retourne.

— Mais c'est à *vous* que je pose la question. » Von Braunsfeld hoche la tête. « Nom de Dieu, Victor ! Qu'est-ce que vous avez encore à perdre ? »

Le vieil homme ferme les paupières. Sa tête ressemble à une tête de mort, sa peau se tend sur les os comme un parchemin translucide et jaunâtre. Lorsqu'il rouvre les yeux, un voile recouvre ses pupilles, elles semblent regarder vers l'intérieur.

« *Quoi*, Victor, qu'est-ce qui s'est passé cette nuit-là ? »

Von Braunsfeld a les yeux perdus dans le vide, toute force, toute résistance ont disparu de son regard.

« Markus a tué une femme.

— Il a… *quoi* ?

— Cette nuit-là, grommelle von Braunsfeld, il a tué une femme. Une fille assez jeune, dans les vingt ans. Ici, en bas dans la crypte. Il a… il a complètement pété les plombs et avec un couteau, il l'a… il l'a éventrée vivante, depuis le bas-ventre…

— Quelle horreur ! » souffle Liz.

Elle lève le regard sur la tapisserie suspendue au-dessus de la chaise longue. Un homme à la longue barbe blanche qui pourrait être Dieu est assiégé par des figures grimaçantes et des monstres. Une main noueuse tire sur sa chevelure blanche, un reptile lui donne des coups de son bec d'oiseau sur les doigts, et un aigle gigantesque le frappe violemment avec un bâton. Tout au bord, un grand crapaud est couché sur le dos, ventre gonflé, pattes écartées. Un homme nu comme un ver, de la taille du crapaud, est assis à califourchon sur ses hanches et l'assomme avec un gourdin.

Un lugubre présage germe en elle.

« Il l'a tuée ici, en bas ? Pourquoi ici ? demande-t-elle à voix basse. Qu'est-ce que c'est, ça ? »

Von Braunsfeld suit la direction de son regard et sourit faiblement.

« Ah ! oui, la tentation de saint Antoine. Le retable d'Issenheim, 1512, un authentique chef-d'œuvre… Fantastique, tout simplement. J'aurais bien aimé avoir l'original, en vain… » Il tend la main vers la tenture et se met tout à coup à rire, un rire qui ressemble à un aboiement rauque. « Vous voyez cette feuille de papier, là, en bas, dans le coin ? »

Liz regarde le coin droit en bas de la tapisserie, un cartouche avec des lettres manuscrites.

« Du latin, grommelle von Braunsfeld en ricanant. Vous savez ce qui est écrit là ?

Liz hoche la tête. Rien ne l'intéresse moins.

« *Où étais-tu, doux Jésus ?* traduit von Braunsfeld. *Que n'étais-tu présent pour guérir mes blessures ?* » Son ricanement se transforme en une quinte de toux. « C'est de circonstance, vous ne trouvez pas ?

— Pourquoi il l'a assassinée, Victor ? Qu'est-ce qui s'est passé ici ? »

Von Braunsfeld secoue la tête et tousse du sang entre ses lèvres serrées. Des larmes lui embuent les yeux, un violent tremblement lui traverse tout le corps.

« Je n'aurais pas dû... pas dû accepter ça. Je ne pouvais rien... lui faire... c'est tout de même... mon... »

Le regard de von Braunsfeld devient vitreux, ses pupilles vacillent et cherchent un point indéterminé au-delà de la voûte. Un léger souffle sort de sa gorge avec un bruit de crécelle, un dernier nuage qui crève dans le néant.

Liz retient son souffle et se passe la main sur le visage. Subitement, toutes ses douleurs se manifestent à nouveau, le bas-ventre, le dos, ses muscles cuisants, l'éclat de verre sur sa main.

Elle contemple le cadavre de von Braunsfeld. Et elle comprend tout à coup qu'elle est coincée dans cette cave. Le couloir par lequel elle est entrée dans la crypte est fermé par une porte sans clenche ni poignée, actionnée par un verrouillage électronique que protège un code qu'elle ne connaît pas.

Et la seconde issue ?

Victor von Braunsfeld n'avait pas soufflé un mot de l'endroit où elle se trouvait et même si elle le savait – cette issue aboutit dans la villa, là où *il* est.

Elle balaie les colonnes d'un regard désespéré, jusqu'à ce qu'elle remarque soudain qu'autour du chapiteau de chacune d'entre elles, on a gravé dans la pierre des mots en latin :

CARPE NOCTEM – Cueille la nuit.

Un frisson lui parcourt l'échine. Elle pense à ce coup de téléphone entre Bug et von Braunsfeld, qu'elle a écouté dans les toilettes du Linus. *Carpe noctem*, avait dit Bug.

Et subitement, tout est clair à ses yeux, et elle se doute de ce qui s'est passé ici, dans la crypte.

47

Berlin – 28 septembre, 06 h 11

L'eau froide cascade sur la tête de Gabriel et ruisselle dans sa nuque et son cou. Il penche un peu la tête en arrière, sent que l'eau glacée atteint ses paupières closes. Il ne réussit pourtant pas à se laver de son épuisement.

Quand il s'est réveillé une demi-heure auparavant, il était couché sur un divan, couverture au menton. Il entendait la respiration de David, inquiète mais fluide, et il avait eu un instant l'impression d'être à la maison, sous le plafond mansardé de leur chambre d'enfants, sous une couverture qui ressemble exactement à celle de David. Luke et Luke. Deux fois Skywalker.

Jusqu'à ce qu'il comprenne qu'il était allongé sur l'un des deux divans de l'appartement de David et que David était couché sur l'autre, comme s'il avait décidé de veiller sur lui. Lorsque Gabriel reprit ses sens, David se réveilla en sursaut. Il lui fallut un moment pour être tout à fait présent, puis il se leva et fit du café – noir pour Gabriel et, comme il n'y avait plus de lait, noir pour lui aussi.

« La police te recherche toujours, non ? » demanda David, tandis que Gabriel se penchait sur la tasse fumante.

Gabriel opina et aspira une prudente gorgée de café pour éviter de se brûler. David reprit :

« Pour meurtre, prise d'otage et évasion, exact ? »

Gabriel opina une fois encore.

« Mais c'est des conneries.

— Quelles conneries ?

— Le meurtre.

— Et Dressler ? Tu l'as vraiment envoyé promener à poil dans le centre ? »

Gabriel tord la bouche en un rictus.

David ne put s'empêcher de rire lui aussi.

« Ce salopard l'a bien mérité. Il y a encore autre chose que je devrais savoir ? » demanda-t-il en clopinant vers la cuisine ouverte pour remplir de grappa un verre à eau.

Gabriel secoua la tête.

Peu de temps après, il s'était dirigé en titubant vers la douche sous laquelle il tremble à présent, les doigts peu à peu engourdis par l'eau froide. Il tâtonne à la recherche du mitigeur et tourne le bouton dans l'autre sens. Instantanément, l'eau est plus chaude.

La douche écossaise lui fouette le sang, c'est comme s'il était piqué par des milliers d'épingles. Puis la chair de poule s'empare de son corps, les douleurs de l'épaule et du bras semblent dégoutter de lui. Si seulement il pouvait en faire autant avec son cerveau ! Tout laver et être propre. Sous ses pieds, l'écoulement renvoie un gargouillement répugnant, comme s'il ne pouvait pas supporter autant de saleté.

Sans ouvrir les yeux, Gabriel tourne le thermostat dans l'autre sens. Il ne *veut* pas ouvrir les yeux. Le monde derrière ses paupières lui a donné plus d'une claque. Il se sent impuissant, inutile et idiot.

Il lui semble s'être foré des trous dans la cervelle avec une perceuse, dans ses souvenirs, lointains et douloureux, et pourtant il n'a pas avancé d'un pas – Liz est toujours aux mains de Val. Et Val se tait. Pour on ne sait quelle raison, il n'appelle pas, tout simplement.

Gabriel tourne le thermostat vers le bleu, et aussitôt les mille aiguilles sont à l'œuvre. C'est à ce moment qu'il perçoit une sonnerie.

Il ouvre brusquement les yeux. *Val !* Il titube en hâte hors de la cabine de douche et attrape son portable posé sur le lavabo. Il appuie sur la touche verte avec son doigt mouillé.

« Allô ? fait-il à bout de souffle.

— Liz ? questionne une voix féminine. C'est moi. S'cuse-moi, je sais qu'il est tôt. Mais je suis contente de t'avoir jointe, jacasse la femme, impatiente. Écoute-moi, c'est à cause du numéro de téléphone, hier, j'ai pen…

— Je ne sais pas qui vous êtes, l'interrompt Gabriel, désappointé, mais vous ne pouvez plus joindre Liz sous ce numéro.

— Mais… Pouvez-vous lui faire une commission, de la part de Pierra, c'est…

— Oubliez », la coupe de nouveau Gabriel.

Une flaque d'eau s'est formée à ses pieds. Il préférerait jeter le portable dans la cuvette des W.-C.

« Zut ! Vous n'avez aucune idée de comment je pourrais la joindre ? Vous savez, Liz m'a dit hier qu'elle voulait absolument…

— *Hier ?* » Le cœur de Gabriel s'arrête un instant de battre.

On n'entend que le puissant ruissellement de l'eau de la douche.

« C'est une habitude chez vous de couper les gens qui vous parlent, insinue la femme, fâchée, ou vous vous êtes levé du pied gauche, spécialement aujourd'hui ?

— J'ai bien entendu ce que vous venez de dire ? » Tout à coup Gabriel est tout à fait réveillé. « Vous avez parlé avec Liz *hier* ?

— Oui, naturellement, j'ai été très heureuse qu'elle m'ait enfin appelée. Ce n'est pas évident pour elle. Bon, je ferme aussi les yeux de temps en temps quand elle me prend pour la demoiselle des renseignements. »

Gabriel a le vertige et s'effondre sur la lunette des W.-C.

« Vous êtes *certaine* que c'était Liz ?

— Mon Dieu, *oui*. Qu'est-ce que vous avez ? Vous êtes son compagnon ? Elle vous a chargé de vous en occuper ?

— Non, non, c'est pas ça, contre précipitamment Gabriel. Écoutez, Liz court un grand danger. Je vous en prie, faites-moi confiance, dites-moi tout ce que vous vous êtes dit hier. »

Silence.

« Dites-moi, c'est quoi, ce bruit chez vous ? »

Gabriel roule les yeux, clopine vers la cabine de douche et manque glisser dans sa flaque d'eau.

« C'est de l'eau, attendez, je vais la fermer. Voilà.

— Qu'est-ce qui me dit, se méfie la femme, que vous n'êtes pas un de ces cinglés de *stalkers* qui a piqué le portable de Liz et qui la harcèle ?

— Je vous en prie ! insiste Gabriel, je suis son compagnon. Elle est enceinte et elle court un grand danger. Je ne peux pas en dire plus maintenant…

— Elle est *enceinte* ? Liz ? Oh mon Dieu !

— Oui, elle est enceinte. Et il est d'autant plus important que vous me disiez maintenant ce que vous savez. Il faut absolument que je la retrouve. »

La femme se tait. Gabriel l'entend littéralement réfléchir.

« Elle m'a appelée. Hier, finit-elle par confier. Elle n'a pas fait de grands discours. Elle n'en fait d'ailleurs jamais. Et elle avait l'air stressée.

— Il y avait quelqu'un avec elle ? Vous avez l'impression qu'elle était menacée ?

— Non. Non, à dire vrai. »

Dieu soit loué ! Elle est peut-être libre !

« Qu'est-ce qu'elle a dit ?

— Elle voulait des numéros de téléphone, ça m'a étonnée, mais comme c'est vous qui avez son portable…

— Quels numéros de téléphone ?

— De David Naumann. Et de Victor von Braunsfeld. C'est d'ailleurs pour ça que j'appelle. Elle voulait absolument parler à Victor von Braunsfeld. Liz tout craché ! Quand elle a quelque chose dans la tête, il faut que ce soit fait tout de suite… Elle a eu l'air un peu fâchée que je n'aie pu lui donner que le numéro de son secrétariat. Mais ce matin, une collègue m'a donné le numéro du fixe de sa villa…

— Est-ce qu'elle a dit pourquoi elle voulait parler à ce von Braunsfeld ?

— Malheureusement, non. Elle a joué les mystérieuses, une fois de plus. Si vous voulez mon avis, elle est sur un énorme coup, quelque chose sur le monde de la télé.

— Et qui est ce von Braunsfeld ? »

La femme marque un temps.

« Vous ne connaissez pas von Braunsfeld ? Vous parlez sérieusement ?

— La télé, c'est pas mon truc.

— Pour le connaître, celui-là, pas besoin de regarder la télé. Cherchez-le sur Google, et vous comprendrez ce que je veux dire.

— Et qu'est-ce qu'elle a encore dit ?

— Rien. C'est tout. Elle a raccroché. Mais si vous voulez mon avis : je parierais qu'elle s'est déjà pointée chez von Braunsfeld hier.

— Et vous pouvez encore vous rappeler autre chose ? Elle a appelé d'où ? Des bruits de fond durant l'appel… ?

— À dire vrai, non… Si, attendez. Il y avait comme un bruit, comme s'il pleuvait, presque comme chez vous tout à l'heure. Je crois qu'elle devait être dehors, dans une cabine ou quelque chose comme ça. »

Dehors ! Cabine téléphonique ! C'est formidable.

« Vous m'avez beaucoup aidé, vous savez ! Merci », dit Gabriel d'une voix cassée par l'émotion.

Il a du mal à se maîtriser. Il éprouve un énorme sentiment d'espoir et de soulagement. Il raccroche, fixe le portable des yeux. Puis il arrache une serviette de la tringle, la noue autour des hanches, se précipite hors de la salle de bains, fonce dans le salon.

David est assis sur le divan, tête sur la poitrine. Il s'est rendormi, un doigt dans l'anse de sa tasse à café. Gabriel lui secoue rudement l'épaule.

« Aïe ! Merde ! » jure-t-il en se redressant brusquement. Du café gicle sur le tapis. « Fais gaffe, merde. Ça fait un mal de chien. On m'a tiré une balle dans la jambe, je te rappelle. »

Tout en hochant la tête, il dépose la tasse sur la table basse à côté des boîtes d'analgésiques et se laisse lentement aller en arrière dans les coussins.

« C'est bon, c'est bon, fait Gabriel précipitamment. On vient juste de m'appeler. »

David est soudain tout à fait réveillé.

« Val ?

— Non, répond Gabriel d'une voix voilée. Mais je crois que je sais maintenant où je peux trouver Liz.

— Où ?

— Que sais-tu sur Victor von Braunsfeld ? »

David le fixe, étonné.

« Tout dépend de ce que tu veux savoir, répond-il avec lenteur. Qu'est-ce que tu veux, comme histoire ? Celle où il me vire de TV2, ou une autre parmi des milliers d'autres ?

— Le plus simple est de commencer par son adresse. Tu pourras me raconter le reste en route. »

David devient blanc comme un linge et déglutit.

« Je ne sais pas ce que tu as l'intention de faire, mais je… je ne suis pas comme toi, je ne peux pas faire ça.

— Je veux tout simplement retrouver Liz. »

David hésite.

« Et pourquoi elle serait chez von Braunsfeld ?

— Je vais te l'expliquer. Allons-y. »

David opine lentement, fourre une boîte de Novalgine dans sa poche de jeans et se lève.

« Au fait, tu sais ce qu'il y a de drôle ? »

Gabriel secoue la tête.

« Il se peut que ce soit un hasard, dit David songeur, mais cette villa dont tu m'as parlé, au Lichterfelde, tu ne m'as pas dit que la propriétaire s'appelait Ashton ?

— Si, pourquoi ?

— Gill Ashton ?

— Oui, exactement. Gill Ashton. C'était écrit sur la plaque. »

David lève un sourcil.

« Ashton est le nom de jeune fille de la femme de von Braunsfeld. Gill Ashton. Elle est morte il y a plus de trente ans dans un accident de voiture, peu de temps après avoir quitté le domicile conjugal. Ils voulaient divorcer. »

Gabriel le regarde, incrédule.

« Comme je te l'ai dit, c'est peut-être un hasard, mais…

— Il ne peut pas y avoir autant de hasards. Tu as une voiture ? Ou elle est déjà vendue, elle aussi ? »

48

Berlin – 28 septembre, 06 h 18

Liz resta assise de longues minutes sur le sol de pierre froid, adossée à une colonne, à côté de la dépouille de von Braunsfeld. Avec cette curieuse tache de sang rouge sombre sur la chemise blanche, on se serait cru dans un film d'horreur.

Elle pensait à Markus, ou pour mieux dire *Valerius*, à son visage démoniaque coupé en deux, et la peur l'oppressa comme un nuage noir. Il était ici, quelque part, dehors ! Elle était tombée dans l'antre du lion et était coincée dans cette crypte, à l'endroit précis où Valerius avait déjà tué une femme.

Elle se rendit brusquement compte qu'il devait donc connaître les passages qui mènent à la crypte. Ou bien n'en connaissait-il qu'un ? Et le code d'accès ? Manifestement Victor von Braunsfeld l'avait changé, sinon il ne se serait certainement pas réfugié ici avec elle.

Elle sentit que son pouls s'accélérait et que la peur prenait définitivement possession d'elle.

Fais quelque chose ! se dit-elle. Pense à autre chose.

Liz se leva. À la suite de ces efforts intenses, ses jambes lui faisaient mal, mais de toute évidence mieux valaient les douleurs que l'inaction. Elle poussa la porte du couloir et retourna à l'entrée située sous la serre. Face à la serrure électronique, elle s'emporta contre elle-même et se blâma parce qu'elle n'avait pas observé les doigts de von Braunsfeld quand il avait tapé le code. Elle s'arc-bouta contre la porte et poussa, puis elle passa les doigts sur les bords du panneau à la recherche de la moindre imperfection. Les murs étaient humides, voire friables par endroit, mais il n'y avait rien à faire à mains nues.

Elle retourna donc dans la crypte et se mit à l'explorer, palpa les murs à la recherche de la moindre fissure, de traces de portes, d'ouvertures ou autres indices qui pourraient laisser deviner un passage. Même si la seconde sortie lui rendait toute fuite impossible, puisqu'elle menait à la villa, et ainsi directement dans *ses* bras, il lui sembla tout de même important de repérer son emplacement.

Mais il n'y avait pas d'autre issue. En tout cas aucune qu'elle eût trouvée. Une tristesse de plomb s'abattit sur elle. Elle s'assit sur une chaise longue rouge, le plus loin possible de la dépouille de Victor von Braunsfeld.

Quand elle sursaute un moment plus tard, elle est désorientée, ne sait pas si elle a dormi ni combien de temps. Des heures ou seulement quelques minutes ?

Comme elle a de nouveau peur, elle décide de reprendre ses recherches dans la crypte. Elle se lève en geignant et regarde le sarcophage à travers l'alignement des colonnes. Elle se dirige avec lenteur vers la niche, ses pas retentissent sous la voûte de manière troublante, comme s'ils la précédaient d'abord pour la talonner ensuite.

Le miroir de la niche située derrière le tombeau mesure environ deux mètres de haut. Le cadre est d'un bois noir fendillé, la surface à moitié aveugle est maculée de taches argentées. Le bas-relief qui court autour du tombeau s'anime dans le jeu d'ombre et de lumière. D'innombrables figures humaines s'entrelacent et semblent vouloir s'extraire de la pierre. La plupart d'entre elles sont casquées et portent des armes qu'elles plantent dans le ventre des autres, certaines ont l'air de démons ou de dieux de la guerre, d'autres de guerriers ordinaires, d'autres encore de candides paysans ou de femmes prisonniers d'une bataille meurtrière.

Les doigts de Liz touchent la pierre taillée sans y rencontrer aucune faille. En revanche, la lourde pierre tombale est lisse, presque immaculée. Sa partie frontale paraît cependant avoir été brunie sur un tiers de sa longueur. Des traces noires sillonnent la surface comme des larmes. Liz frissonne.

À cet instant, la lumière s'éteint subitement, comme si on avait sectionné le câble électrique. Tout à coup, tout est noir autour d'elle, comme à l'intérieur d'un cercueil qui gît loin sous terre. Liz laisse échapper un cri étouffé que le plafond voûté lui renvoie en écho.

« Il n'est pas merveilleux ? » susurre une voix, si proche qu'elle semble surgir directement à côté d'elle.

Liz reconnaît tout de suite cette voix. C'est Val. Le choc la fait trembler.

Ça ne peut pas être vrai.

Il y a un instant encore, elle était seule dans la crypte... et à présent ?

« Comme un autel », lui souffle Valerius à l'oreille.

Elle envoie instinctivement une main dans la direction de la voix. Elle heurte douloureusement la pierre. Elle pousse un nouveau cri.

« Quelle impression ça fait, d'être toute seule ici, dans le noir ? »

Liz ne répond pas. Ses lèvres tremblent, et elle explore à tâtons la pierre à côté d'elle. Elle est incurvée et lisse au toucher. Une colonne.

« Tu es forte », chuchote Valerius. Sa voix semble sortir directement de la colonne. « Je l'ai su depuis le début. Tu as failli tuer Yvette. Mais ici, rien ni personne ne peut te sauver. »

La voix semble tout à coup éloignée de quelques mètres, comme si Valerius avait fait un bond.

Il n'est pas là. C'est une hallucination.

« Au fait, tu sais que je suis très en colère ? » murmure de nouveau la voix, directement à côté d'elle.

Liz essaie de respirer plus calmement et serre les mâchoires.

« Tu sais *pourquoi* je suis si en colère ? »

Silence.

Une main brutale se pose soudain sur le cou de Liz et la pousse contre la colonne.

« Réponds, quand je te parle », hurle Valerius.

Elle sent des postillons sur sa figure. Pour la première fois, il semble complètement perturbé.

Et tu sais pourquoi je suis tellement en colère ?

« Non », répond Liz qui étouffe.

Valerius la lâche aussi brusquement qu'il l'avait étranglée et elle a de la peine à tenir sur ses jambes.

« Est-ce que tu sais tout le mal que je me suis donné ? Combien de temps j'ai dû attendre pour enfin saisir ma chance ? Ma chance de me libérer, jadis comme maintenant ? »

Maintenant... maintenant... maintenant. L'écho roule lentement sous la voûte de pierre.

« *Tu sais combien de temps ?* ne cesse-t-il de hurler.

— N... non », bégaie Liz qui happe l'air.

Nouveau silence.

Un silence qui dure et torture.

« Il est mort ? » demande-t-il soudain froidement.

Sa voix a l'air étonnamment lointaine.

« Oui, répond Liz d'une voix neutre, et elle déglutit.

— Depuis combien de temps ?

— Un... un moment.

— Pourquoi a-t-il fallu que tu te mêles de ça ? » La question hante la crypte, comme si Valerius changeait de place, une fois ici, une fois là. « C'est moi qui avais droit de mort sur lui. *Un droit, nom de Dieu. C'était ma mort* ! *Je* voulais le voir mourir. Son regard arrogant, ses façons mondaines, son amour pour toutes ses peintures, toutes ces grandes signatures. Tentation, enfer, paradis – rien qu'une façade de merde, du bavardage creux. Qu'est-ce que tu peux comprendre de la tentation quand tu t'appelles von Braunsfeld, que tu chies de l'argent comme si tu avais la chiasse. Quand tu peux te payer ton paradis toi-même. Quand tu es trop lâche pour oser satisfaire les tentations que tu ne peux te payer pour tout l'or du monde. L'enfer, Liz, n'est un lieu fascinant que vu de l'extérieur. C'est moi qui l'y aurais précipité, en enfer, qui lui aurais appris l'humilité. Je voulais qu'il voie *mes* yeux pendant qu'il crève. Et *toi*, toi tu bouleverses tout, tout bêtement, tu te mets entre sa mort et moi.

— Je… je suis désolée, fait Liz d'une voix tremblotante. Je peux comprendre que…

— Tu ne comprends rien. Rien ! Que du bavardage minable.

— Si mon père m'avait collée en psychiatrie pendant trente ans…

— Psychiatrie, siffle Val. Je n'ai pas été en psychiatrie. Oh ! non ! » Liz se tait. « C'est *lui* qui t'a raconté ça, non ? Je me trompe ? »

Liz opine instinctivement, puis elle se rend compte qu'il ne peut la voir dans l'obscurité.

« Je le savais », murmure Valerius.

Manifestement il n'a pas eu besoin de la réponse. Une idée traverse l'esprit de Liz : *Ou est-ce qu'il peut quand même me voir ?*

« Tu le laisses te bourrer le mou, comme tous les autres. Pour ça, il a toujours été très fort.

— Qu'est-ce que ça veut dire ?

— En psychiatrie ! Il aurait fallu qu'il donne trop d'explications. Il aurait fallu qu'il avoue que je suis son *fils*. Il aurait fallu qu'il signe des documents, avec son nom. Il aurait fallu qu'il soit à mes côtés, qu'il me soutienne, murmure Valerius, et les mots semblent tomber de la voûte comme des gouttes, directement dans l'oreille de Liz. Non, Liz. *Il* m'a construit une prison, une cellule, pour moi tout seul. Et il m'y a enfermé, seul, pendant presque trente ans.

— Mon Dieu ! » souffle Liz.

Valerius rit mollement.

« Même que tu la connais, cette prison. Je me suis arrangé pour que tu la connaisses. Une cave, taillée dans la roche, en plein centre de la Suisse. »

Liz a la gorge nouée. *La maison près de Wassen.* Von Braunsfeld a retenu son fils prisonnier pendant trente ans dans un chalet suisse construit pour ce seul usage, sans que personne en sache rien.

« Il aurait pu tout aussi bien m'enterrer vivant. Il aurait mieux fait de me tuer, mais il était trop lâche pour ça. Il a simplement fait comme si j'étais mort. Une fois la maison achevée, il n'y a plus jamais remis les pieds. Tu sais ce qu'il a fait ? Avec son fric de merde, il m'a acheté une infirmière ; elle s'appelait Bernadette, une vieille rombière frustrée qui m'apportait à manger et du papier toilette, à la rigueur quelques livres, des romans de quatre sous ou de la littérature spécialisée en médecine – c'était toujours ça. C'est le seul sujet dont je pouvais parler avec elle, la médecine. Et pourquoi elle n'avait pas réussi à finir ses études de merde. Et un jour, elle est morte, comme ça. Boum ! Fini. Et personne ne s'en est rendu compte. Et comment aurait-il pu en être autrement ? Il n'y avait personne. J'ai donc crevé de faim. La seule chose que j'avais, c'était de l'eau courante. Pendant quarante-trois jours. Tu sais ce que ça veut dire, ça ? Puis Yvette est arrivée. L'infirmière suivante, ou pour mieux dire peut-être : la gardienne de prison. Elle n'a pas ouvert une seule fois cette putain de grille. Et crois-moi, j'ai toujours été à l'affût, toujours !

— Comment… comment êtes-vous sorti de là ? balbutie Liz, décontenancée.

— Je savais qu'Yvette était tout aussi seule que moi. Elle était plus jeune que Bernadette. Il a fait une erreur, le vieux, il aurait dû me racheter une vieille carne. Quand on est jeune, on ne peut pas garder un être humain prisonnier pendant des décennies dans une cellule et mener une vie insouciante. Nous nous sommes donc parlé ; c'était devenu presque comme dans un couple, sauf que les barreaux étaient toujours là. Et jamais elle ne s'approchait trop près de la grille. Jamais. Excepté cette unique fois, très brièvement l'an dernier, en octobre. J'ai réussi à l'attraper, l'intervalle entre les barreaux était assez grand pour que je puisse passer le bras. Et cette conne avait eu l'imprudence de garder la clef accrochée à son trousseau, avec toutes celles de la maison. Quand je l'ai enfoncée dans la serrure rouillée, j'ai failli la casser, tellement j'ai eu du mal à la tourner.

— Et Yvette ? Qu'est-ce que vous…

— J'aurais pu la tuer. J'en ai eu vraiment très envie. Mais c'était… c'était impossible. Je l'ai enfermée à ma place dans ma cellule. Et je n'ai pu que m'en réjouir plus tard. J'ai pu me servir d'elle ; quand tu es arrivée, j'ai même eu quelqu'un pour s'occuper de toi. »

Liz est prise de vertige. Elle fait avec lenteur le tour de la colonne en tâtonnant des deux mains, l'essentiel est de s'éloigner de sa voix.

« Qu'est-ce que vous voulez de moi ? murmure-t-elle d'une voix éraillée.

— Tu le sais bien, chuchote Valerius. Je veux que tu meures pour moi. »

La peur se diffuse dans les veines de Liz comme de l'acide chlorhydrique.

« Pourquoi ?

— Je te l'ai déjà dit.

— À cause du 13 octobre ?

— Oui. Mais il faut que j'agisse avant cette date. Par ta faute. Tout ça, c'est de ta faute.

— Qu'est-ce qui s'est passé le 13 octobre ?

— Il ne t'en a jamais rien dit ?

— Non. »

Silence.

Soudain, la lumière crue s'allume dans la crypte, et Liz plisse les yeux.

« Regarde-moi », ordonne Valerius.

Liz cille des paupières, son regard glisse sur la colonne et rencontre sa silhouette, son double visage.

« C'est à cause de ton Gabriel que je suis devenu ce monstre. Et c'est par sa faute que mon père m'a enfermé. Au moment où j'étais justement prêt à quitter le nid, j'avais à peine commencé à savoir voler de mes propres ailes. J'étais prêt. Prêt à entrer dans *son* monde. J'aurais volé plus haut que lui, bien plus haut. Je venais juste de commencer. Jusqu'à ce qu'*il* arrive, ton Gabriel. Rien que ce prénom ! J'aurais dû le savoir. Un archange de merde tout pourri. »

49

Berlin – 28 septembre, 06 h 57

« Et ce von Braunsfeld, demande Gabriel, qu'est-ce que c'est que…

— Stop, doucement, par là ! »

David bat du bras et indique un chemin sur la gauche. Gabriel tourne le volant, quitte à angle droit le Kronprinzessinnenweg et s'engage sur le Wannseebadweg. Les pneus usés de la Saab 900 patinent sur le bitume encore mouillé.

« Merde, tu pourrais pas rouler plus doucement, s'il te plaît ! Faut que je rende cette voiture en bon état.

— Hmmm. Bon, qui c'est ce type, ce von Braunsfeld ? Pourquoi Liz l'a-t-elle interviewé ? » reprend Gabriel en appuyant à fond sur la pédale d'accélérateur.

David se cramponne à la poignée de la porte et fixe le tableau de bord où l'aiguille du compteur accélère inexorablement sa course.

« Il fait partie des dix Allemands les plus riches, l'homme est milliardaire.

— Et avec quel genre d'affaires il s'est fait ces milliards ?

— Difficile de savoir précisément, mais ça a commencé dans l'édition, dans les années soixante-dix et quatre-vingt, plus tard sur le marché des télés privées, et, en plus, il détient des parts à la DEW.

— La multinationale de l'énergie ?

— Exactement. »

Gabriel se tait, prend un virage sur la droite et va cogner l'accotement en pierre. On entend un bruit de frottement, et la Saab fait un bond sur la gauche comme un cheval de labour farouche. David se mord la lèvre.

« Tu ne m'as pas dit qu'il t'avait viré ? C'était donc aussi ton patron ?

— Comme Liz, j'ai travaillé pour TV2 ; la chaîne appartient à son groupe de médias, mais Liz a toujours été *free-lance*, moi j'étais employé.

— Grandiose ! murmure Gabriel entre les dents, et tu sais qui travaille aussi pour TV2 ?

— Qui ?

— Youri Sarkov. Python s'occupe de la sécurité de toute la chaîne, du siège, des bâtiments, des tournages. »

David le regarde en coin.

« Tu veux dire que Sarkov et von Braunsfeld se connaissent ? Mais quelle importance ?

— Je n'en sais rien, mais je suis certain que tout ça est lié. Cette maison, Kadettenweg 107, celle qui a appartenu à l'ex-femme de von Braunsfeld, elle est vide depuis plus de trente ans. Youri a toujours tout fait pour m'en tenir éloigné. Et puis tout ce cirque avec cette histoire de film que j'aurais volé dans le coffre du Kadettenweg ! Pourquoi Youri cherche-t-il une bande vidéo qui aurait été dans le coffre-fort de l'ex-femme de von Braunsfeld ? Ça doit être le même film que celui que Val avait cherché dans le laboratoire de père. Qu'est-ce qu'il peut bien y avoir dessus ? Et avant tout : qu'est-ce que Liz a à faire chez Braunsfeld – et pourquoi est-elle libre, tout à coup ?

— Je ne comprends pas. Et je ne comprends pas non plus que, si Liz a réellement été enlevée, elle ne t'appelle pas, puisqu'elle est libre maintenant. C'est la première chose que j'aurais faite. »

Gabriel fait la moue.

« Parce que je n'ai plus mon portable. Depuis un certain temps, je me trimballe avec le *sien*, mais ça, elle ne peut pas le savoir. Elle a certainement dû essayer de m'appeler depuis longtemps, elle a demandé aussi ton numéro à cette Pierra...

— Mais qu'est-ce qu'elle veut de von Braunsfeld ? Tu crois que von Braunsfeld et Val sont une seule et même personne ? C'est peut-être pour ça que Sarkov ne voulait pas donner ce nom. »

Gabriel hoche la tête.

« Je ne crois pas. Von Braunsfeld est trop vieux pour ça. »

La Saab vole vers le pont qui mène sur l'île de Schwanenwerder et Gabriel lève le pied.

« Et maintenant, c'est par où ?

— Tout droit, tout simplement, on traverse le pont. Et tu tombes automatiquement sur Inselstrasse. »

Ils traversent bruyamment une flaque à toute allure et l'eau gicle à un mètre de hauteur.

« Qu'est-ce qui s'est passé, au fait, avec la femme de von Braunsfeld ? demande Gabriel.

— Une tragique histoire. Gill, sa femme, est ou plutôt était canadienne d'origine, une vraie beauté. Ils formaient un couple de rêve, la presse people les a littéralement assiégés. Elle jouait le jeu et assistait à toutes les soirées et galas de bienfaisance. Et puis, ces apparitions officielles sont devenues de plus en plus rares, elle s'est littéralement claquemurée. Dans la presse, on a parlé de séparation et de divorce, c'était dans les années soixante-dix. Juste au moment où ça devenait de plus en plus vilain entre eux, elle a quitté la route avec son cabriolet Mercedes et elle a fait plusieurs tonneaux. Elle est morte sur le coup. À l'autopsie, on lui a trouvé deux milligrammes d'alcool dans le sang. Tout ça a été étouffé par le légiste. Elle avait manifestement des problèmes d'alcool depuis longtemps. Fin des années soixante-dix, son fils a disparu lui aussi.

— Ils avaient des enfants ? s'étonne Gabriel.

— Un fils, oui. Attends, il s'appelait comment, déjà... ? »

Gabriel lève inconsciemment le pied. Il a sous les yeux la tablette de la cheminée du Kadettenweg, cette femme si séduisante aux cheveux noirs avec de profonds cernes sous les yeux et ce jeune homme blond.

« Le fils a disparu ? Et comment ?

— Aucune idée. Comme on disparaît, quoi ! C'est arrivé juste après son dix-huitième anniversaire. Merde alors, comment il s'appelait déjà ? » David fronce les sourcils. « Bah ! peu importe. En tout cas, il a certainement fait la fête quelque part, et il a disparu sur le chemin du retour à la maison. Il lui est certainement arrivé quelque chose, et il est sans doute mort depuis longtemps. Mais on n'a jamais retrouvé le corps. »

Gabriel opine, l'air songeur, tout en s'aventurant lentement sur le petit pont étroit. Le seuil de métal claque quand les roues le franchissent en cahotant.

« Ah ! nom de Dieu, ma mémoire... ! fulmine David. Ce jeune s'appelle... attends, ça sonne romain, Mark... *Markus*, exactement. Markus Valerius von Brauns... »

Gabriel freine si brutalement qu'ils sont propulsés en avant et bloqués par la ceinture de sécurité. La voiture s'est arrêtée en plein milieu de la chaussée. Des petits filets de nuages gris clair s'échappent du pot d'échappement.

« *Valerius ?* chuchote Gabriel.

— Mon Dieu, Val ! naturellement... »

Gabriel se gare au bord du chemin et coupe le moteur.

« Quel numéro ? demande-t-il d'une voix voilée.

— Je ne sais pas, le 14, je crois. Un portail à deux battants, en fer forgé. La maison est en brique brun clair. »

Gabriel ouvre sa portière à la volée et se précipite à pied dans Inselstrasse.

« Hé ! attends, crie David. Il descend de voiture à son tour, claque sa portière, puis celle de Gabriel, et clopine à sa poursuite. Pourquoi on n'y va pas en voiture ?

— Tu veux te garer devant la porte et klaxonner ?

— Tu veux vraiment rentrer là-dedans ? »

Gabriel ne répond pas, ne se retourne même pas.

David s'arrête.

« Gabriel, je ne sais pas...

— Reste là, alors, et garde ta Saab.

— C'est pas *ma* Saab, crie-t-il en regardant Gabriel qui s'éloigne. Et merde ! » gémit-il, puis il se remet en route en claudiquant.

Peu de temps après, Gabriel s'arrête devant un portail entrouvert. Il lève le regard. En haut de chacun des deux piliers maçonnés, il y a une caméra de forme oblongue. Il pousse un vantail qui pivote sans bruit, et David le voit se glisser par l'étroite ouverture.

50

Berlin – 28 septembre, 07 h 24

Au sud-est, le soleil se faufile un instant entre les nuages et rayonne sur la villa. Les ombres des arbres alentour se lancent à l'assaut de la bâtisse en brique, des feuilles tourbillonnent au sol comme des confettis d'argent.

David se hâte de suivre Gabriel. Il sent le pansement comprimer la blessure de sa jambe, mais le médicament calme les douleurs. Ils font un grand détour et s'approchent de la villa par l'arrière.

David a les mains froides, moites et collantes de transpiration. *Nom de Dieu, qu'est-ce que je fous là ?* Il pense à Sarkov et à ses dernières paroles. *Pitoyable lâche.* Son ton méprisant lui colle à l'âme comme de la morve.

« Tu vois ça ? » murmure Gabriel.

David tressaute.

« Quoi ?

— La porte. »

Gabriel désigne la porte de la terrasse sur la façade arrière de la villa.

David plisse les paupières.

« Elle est ouverte, murmure-t-il, stupéfait.

— Et qu'est-ce que tu en penses ?

— Ça ne me plaît pas. Pas du tout. Ou bien von Braunsfeld est assis tranquillement là-dedans, en toute innocence, il prend son petit déjeuner et a ouvert la porte pour aérer, ou bien c'est un piège. Mais si on entre, on aura un problème, de toute façon. »

Gabriel fixe la porte ouverte et acquiesce avec gravité.

David respire plus légèrement. Malgré toute cette folie, visiblement Gabriel se contrôle et, contrairement à jadis, il est capable d'une estimation avisée du danger, même venant de son petit frère. *Et maintenant ? Qu'est-ce que tu vas lui conseiller de faire ? D'aller à la police ?*

« Est-ce que ce von Braunsfeld a du personnel ? » demande Gabriel d'une voix feutrée.

David hausse les épaules.

« Sans personnel, ce serait certainement impossible, avec cette énorme baraque. Mais je n'ai aucune idée de l'heure à laquelle ils arrivent. Pour autant que je sache, le vieux tient énormément à sa vie privée. Mais je ne...

— On tente le coup ? » murmure Gabriel, tout en hâtant déjà le pas vers la villa, courbé en deux.

L'herbe coupée ras chuchote sous ses pas. Il a dû pleuvoir beaucoup durant la nuit.

« Hé ! attends », fait David.

Mais il n'y a plus moyen de l'arrêter, et Gabriel a depuis longtemps atteint la villa. Il se glisse sans bruit vers le perron, à l'abri du sous-sol sans fenêtre et en rasant le mur de brique.

« Nom de Dieu de merde ! » siffle David entre ses dents.

Il serre les poings et boitille derrière Gabriel, monte les marches du perron jusqu'à la porte ouverte. Dans le silence du matin, le bruissement des rideaux a quelque chose de fantomatique.

« Personne en vue », chuchote Gabriel, et il pénètre dans le salon.

Lorsque David passe le seuil à son tour, il a l'impression de franchir une frontière sans retour.

Il marche à la suite de Gabriel, traverse le salon tandis que son regard erre sur les tableaux. Monet, Renoir et, dans une niche, sans confusion possible, un Picasso. Toutes ses sonnettes d'alarme retentissent dans sa tête. Avec de si précieux tableaux aux murs, personne ne laisserait aussi étourdiment la porte ouverte ! Et en plus, il fait aussi froid dans la pièce que dehors.

Gabriel ouvre sans bruit la porte qui donne sur le vestibule en marbre. Au plafond du grand hall, une valeureuse flamme de gaz vacille dans une suspension ancienne, une rampe en fer forgé suit la courbe de l'escalier lui aussi en marbre. Un second escalier, bien plus petit, mène en bas, dans la cave. Gabriel se fige comme s'il avait pris racine, chope David par le bras qu'il serre fort et désigne le second escalier, celui de la cave.

Au pied des marches, il y a deux grands cadavres d'animaux, manifestement des chiens, qui gisent au milieu d'une flaque d'un noir saturé.

La prise de Gabriel autour de l'avant-bras de David est serrée comme les mâchoires d'un étau et l'empêche de se sauver.

Tout en restant impassible, Gabriel pose l'index sur ses lèvres, désigne sa poitrine du pouce, indique de nouveau la direction de la cave et enfin pointe le doigt sur David pour lui signifier de rester là où il est.

David opine. Il a du mal à déglutir, sa gorge est asséchée. Il suit Gabriel du regard, le voit qui enjambe les chiens sans le moindre bruit. Lorsqu'il disparaît par la porte de la cave. Gabriel est pâle, ses traits sont tendus. Comme s'il avait aussi peur que moi, se dit David. Avec un léger déclic qui fait écho, la porte de la cave se referme, et le silence retombe sur David.

Pitoyable lâche, murmure Sarkov dans sa tête.

Il lève les yeux, son regard suit la rampe de l'escalier qui mène aux étages. Il se met en mouvement à contre-cœur, tout en essayant de dompter ce monstre laid qui l'habite et proteste de toutes ses fibres et qu'il cherche à contrôler de toutes ses forces.

Chaque marche qu'il gravit est un coup de feu qu'il tire sur ce monstre, et chaque marche un coup de dents du monstre.

David s'arrête sur le palier du premier étage et regarde autour de lui. Comme si quelqu'un était venu, la lumière est allumée dans le couloir bordé de huit portes, quatre de chaque côté.

Tout lui crie de s'enfuir !

La porte ouverte, les chiens morts, ce silence oppressant.

Mais il ne peut s'empêcher de river les yeux sur les portes. La clenche à sa droite étincelle comme du laiton, maculée de quelques taches sombres, peut-être une empreinte graisseuse.

David l'actionne timidement, et la porte s'ouvre en grand. La pièce est illuminée, un lourd bureau ancien trône en son centre. Comme attiré par un aimant, David entre, balaie les lieux du regard et s'immobilise.

Sur une chaise longue à côté de la porte, bâillonné, saucissonné, les yeux écarquillés, est étendu Youri Sarkov. Et ses yeux sont dirigés sur lui.

Ce regard déclenche d'abord un réflexe de fuite dans la cervelle de David.

Reprends-toi ! Il est attaché !

David terrasse son envie de filer et ferme doucement la porte. Ses genoux tremblent et un sentiment le submerge, entre triomphe et insécurité. Il retire avec précaution le bâillon de Sarkov.

« C'est bon de vous voir, David, halète Sarkov.

— Vraiment ?

— Écoutez, David, peu importe que vous soyez en colère – et vous êtes bien en colère, non ? je le vois à votre tête –, il faut qu'on sorte d'ici. Sinon nous ne survivrons pas, ni vous ni moi.

— À vrai dire, franchement, votre sort ne m'intéresse vraiment que très peu.

— Ne soyez pas idiot, David. Croyez-moi, toute cette histoire vous dépasse. Gabriel est là, dans la maison ? »

David le regarde entre ses paupières plissées.

« Il est en bas, il cherche Liz.

— Délivrez-moi ; à deux, nous avons plus de chances de sortir d'ici sains et saufs. Il faut qu'on le prévienne.

— Le prévenir ? De quoi ? Mais qu'est-ce qui se passe ?

— Ne soyez pas idiot, bordel ! jure Sarkov. Il nous aura tués avant même que j'aie eu le temps de vous expliquer tout ça. »

David se fige.

« Qui ? Valerius ? Il est là ?

— Vous avez donc compris tout seuls ? Bien, mais quelle importance maintenant ! » Sarkov lui tend ses mains liées. « Allez, vas-y. »

David se tourne vers la porte, revient à Sarkov.

« Il est question de sauver ta peau, espèce d'idiot, il faut qu'on se tire d'ici, et sans moi tu n'iras pas loin. La cave est un labyrinthe, et si tu veux retrouver Gabriel, tu auras besoin de mon aide.

— Bon, mais les pieds seulement. Pas plus. »

Et David dénoue maladroitement les liens serrés autour des chevilles de Sarkov. La cordelette défaite, Sarkov fait jouer ses articulations engourdies et désigne du menton ses mains toujours ligotées.

« Aide-moi à me lever, j'ai encore les jambes en coton. »

David se penche sur lui de mauvaise grâce. Au même moment, les deux poings de Sarkov cognent sur le côté gauche de sa mâchoire et il s'effondre sur le sol. L'odeur désagréable d'encaustique fraîche lui monte au nez. Tout tourne autour de lui, l'horizon se limite à une plinthe, et même celle-ci vacille de manière inquiétante.

« Stupide crétin », grogne Sarkov. Puis il pivote sur le côté, s'agenouille et tend ses mains liées à David.

« Ouvrir », commande-t-il en pressant un genou sur la blessure de la cuisse de David.

La douleur est foudroyante, comme une décharge électrique qui mobilise toutes ses réserves.

Ses mains se lancent brusquement vers Sarkov qui le surplombe, se cramponnent à son mince cou ridé et le serrent avec l'énergie du désespoir.

Pris au dépourvu, Sarkov veut happer de l'air et perd un instant le contrôle des événements. Mu par une colère titanesque, David se redresse, se débarrasse de Sarkov qui roule sur le dos et il lui cogne l'arrière de la tête contre le parquet ; puis il balance maladroitement son poing droit contre la joue de Sarkov, dont les lunettes ripent sur le sol.

Tel un sauvage, David se lève d'un bond, attrape sur le bureau le premier objet qui lui semble convenir – un coupe-papier transparent en verre – et l'applique sur la gorge de Sarkov.

« Ne m'obligez pas à vous tuer », fait-il, à bout de souffle.

Sarkov le fixe, encore étourdi par le coup, puis un rictus ironique déforme lentement son visage.

« Avec un coupe-papier ?

— Vous me devez quelques explications », dit David, la respiration haletante de son effort.

Sarkov éclate de rire.

« Toujours aussi formaliste avec ce vouvoiement ? Tu menaces de me tuer, et tu n'arrives même pas à te débarrasser de ta putain de politesse ? »

David vrille le regard dans les yeux gris et froids de Sarkov.

« Je veux savoir ce qui se passe. Pourquoi vous êtes là ; que savez-vous de von Braunsfeld et de son fils ? »

Sarkov lui lance un regard foudroyant.

« Tu n'as qu'à trouver tout seul. Ou tu crois sérieusement que je vais tout te raconter, uniquement parce que tu me menaces avec un coupe-papier ? Mais regarde-toi donc ! Tu n'es qu'un putain de lâche, quelqu'un du genre à se cacher dans les jupes de sa mère. Tu ne prends aucune initiative. Tu ne l'as jamais fait et tu ne le feras jamais. Tu as bien trop peur pour ça. Ça se sent, mon petit ! »

La main de David tremble sur le coupe-papier, le petit manche en verre est humide et glissant.

« Possible, dit David, la voix chevrotante. Possible, tout ça. Mais qu'est-ce qui se passera si tu me mets tellement en rogne avec tes discours que je te plante ce truc dans la jambe, comme tu as tiré dans la mienne ? Peut-être que je vais perdre les pédales, va savoir, et que je vais t'enfoncer ça plusieurs fois dans les jambes. Et qu'est-ce qui se passera si pour finir j'ai peur, puisque je suis tellement lâche ? Peur de toi, Youri Sarkov, peur que tu me poursuives toute ma vie durant pour assouvir ta vengeance. Je pourrais avoir tellement peur de toi que je me décide à te tuer malgré tout. Pour ça, il suffit que j'aie assez peur. Parce que la peur, faut que tu le saches, est l'un des mobiles de meurtre les plus fréquents. Pas le sang-froid, la *peur*. Et tu crois que j'ai peur à quel point en ce moment ? » Sarkov regarde David, bouche bée. Il a effacé son rictus ironique. « Alors, je vais les avoir, mes réponses ? »

Les lèvres pâles de Sarkov s'entrouvrent avec lenteur comme si elles étaient collées entre elles.

« Tout cela n'a aucune importance », répond-il. Et tout à coup sa voix s'est voilée. « Un type comme moi a plus à perdre que tu ne crois. Laisse-moi partir, et je te promets que je te laisserai tranquille. Mais n'attends pas de moi que je te donne des réponses plus dangereuses pour moi que ce coupe-papier.

— De qui tu as peur ? De Valerius ? Ou de son père ? »

Sarkov serre les lèvres et se tait.

« Et *Treasure Castle* ? Tu as bien prétendu que tu me récupérerais les droits, non ? Qu'est-ce que tu sais là-dessus ? Ou tu as tout simplement bluffé ?

— Si je réponds à *cette* question, tu me laisseras partir ? »

David le regarde, méfiant, cherche dans ses yeux une preuve de sa bonne foi, mais ne repère qu'une lueur indéfinie.

« D'accord, oui. »

Sarkov, sourit, content de lui.

« Tu devrais faire des recherches pour savoir qui sont les propriétaires de l'entreprise qui a gagné tes droits.

— Je connais le nom des propriétaires, ils sont dans le registre du commerce. C'est tout ?

— Je ne te parle pas des personnes dont le nom est répertorié. Tu n'as jamais appris à écarter le rideau pour regarder derrière...

— Derrière le rideau ? Les propriétaires ne seraient donc que des hommes de paille ?

— Les propriétaires sont les propriétaires. Mais dans le bilan apparaît un bureau de consultants qui empoche des sommes étonnantes. La question est de savoir pourquoi. Et tu sais à qui il appartient, ce bureau ?

— À qui ? demande David, le souffle court.

— Il a toujours été assis en face de toi, sous ton nez, répond Sarkov. C'est Bug. Le bureau de consultants appartient à Robert Bug. »

David fixe Sarkov, bouche bée. Le coupe-papier tombe. Il a le vertige, ses joues empourprées brûlent de colère et de honte à la fois.

« Bug, halète-t-il doucement. Cette ordure.

— Maintenant tu le sais, fait Sarkov, un sourire ironique sur les lèvres. Laisse-moi m'en aller à présent. »

David le regarde, songeur.

« Une chose encore, dit-il en pressant de nouveau le coupe-papier contre la gorge de Sarkov. J'ai encore une question. » Sarkov serre les mâchoires. « Tu as dit que la cave était un labyrinthe. Qu'est-ce qui m'attend si j'y descends ? »

Sarkov regarde David entre ses paupières mi-closes, comme s'il devait réviser le jugement qu'il portait sur ce jeune homme blond aux articulations fines à genoux sur lui.

« Je ne peux pas t'en dire grand-chose », commence-t-il.

La main de David tremble tandis que Sarkov parle.

Quand il a terminé, David acquiesce, l'air absent.

« Et maintenant, exige Sarkov, retire-moi ce putain de truc de la gorge et laisse-moi partir. »

David s'assied à califourchon sur Sarkov et ne bouge pas. S'il se lève, que va faire Sarkov ? Partir, tout simplement ? L'assommer ?

« Allez, vas-y, merde ! »

David secoue la tête.

« Je ne peux pas te faire confiance.

— Tu n'es qu'un imbécile. Il faut qu'on se tire d'ici, tu ne comprends pas ça ? »

David ne bouge toujours pas.

« Attention, là ! » crie Sarkov, la mine épouvantée, en levant subitement les yeux vers la porte, dans le dos de David qui se retourne instinctivement, mais ne voit rien.

Au même moment, Sarkov lui frappe sur le poignet avec le tranchant de la main, puis il éloigne le coupe-papier de sa gorge. Celui-ci tombe sur le parquet avec un cliquetis de verre, et Sarkov enfonce brutalement ses poings dans le pansement de la cuisse de David.

David hurle, voit que Sarkov s'étire de tout son long pour tenter de s'emparer du coupe-papier. La douleur de sa jambe le rend fou. Il attrape la tête de Sarkov à deux mains et lui cogne violemment l'arrière du crâne contre le parquet. *Une fois.* Sarkov écarquille les yeux de surprise. *Deux fois.* David ferme les yeux. Il n'entend que le bruit sourd et les gémissements qui s'échappent des lèvres de Sarkov. Il s'imagine que c'est Bug qu'il a entre les mains. *Trois fois.* Il entend un craquement, mais qui n'est plus suivi d'aucun gémissement. Il faut qu'il reprenne cette tête mieux en main parce qu'elle lui glisse des doigts. *Quatre fois !* Une douleur brûlante lui transperce les doigts de la main gauche, qu'il a malencontreusement prise entre la tête de Sarkov et le parquet, mais c'est une bonne douleur, excellente même, parce qu'il sent la violence de sa colère – pour une fois, enfin –, sinon il ne pourrait croire à ce qu'il est en train de faire.

Lorsqu'il rouvre les yeux, il voit le visage de Sarkov et prend peur. Les paupières clignent sur le blanc des yeux. Les pupilles flottent avant de perdre complètement leur éclat. Sarkov sombre dans un état dont David espère que ce n'est qu'une profonde perte de connaissance. Puis il pense soudain que ce pourrait être plus qu'un évanouissement.

Il se relève lentement et s'effondre quasi aussitôt. La blessure de la cuisse lui fait un mal épouvantable. Et il n'arrive pas à comprendre ce qu'il vient de faire, et encore moins son peu d'émotion.

51

Berlin – 28 septembre, 07 h 46

Rien. Gabriel est arrivé au fond de la cave et se hâte de retourner à la porte qui donne sur l'escalier. *Pas une putain de trace, rien dans toute la cave.* Le couloir l'oppresse comme un tunnel trop étroit, les murs de briques, les portes, le sol bétonné, tout semble se rétrécir et s'effondrer sur lui. Il a l'impression que son taux d'adrénaline atteint des sommets, et son corps pompe de plus en plus d'hormones de stress dans un organisme déjà surchargé.

Liz ! Où es-tu ?

Il préférerait hurler, mais il sait que c'est très dangereux. Du moins ne ressent-il plus de douleurs. Morsure du chien et blessure à l'épaule ont disparu dans le feu de l'action.

Au pied de l'escalier, il manque trébucher sur les cadavres des chiens. Les deux dobermans sont couchés l'un sur l'autre comme des cochons étripés. Il les enjambe, atterrit sur la première marche de l'escalier qu'il grimpe pour aboutir dans le hall d'entrée en marbre.

Où peut bien être David ?

L'éclairage au gaz vacille ironiquement dans sa prison de verre. Tout tourne dans sa tête. Non, pas David ! Il se précipite à travers le salon et se retrouve sur la terrasse. Il balaie le jardin du regard. Là non plus : rien. *Espèce de nom de Dieu de crétin ! Où t'es-tu fourré ?*

Peut-être est-il reparti ?

Je ne te l'ai pas toujours dit, Luke ? C'est un lâche, il l'a toujours été.

Gabriel sursaute.

Étonné ?

Plutôt, oui… Eh bien… Je croyais que tu avais…

Quoi ? Disparu ? Moi, jamais. Je ne voudrais pas te décevoir. Jamais.

Décevoir ?

Tu es exaspéré. Tu devrais te calmer, Luke. Regarde-toi, tes mains tremblent.

Gabriel regarde ses mains et décide d'ignorer ce tremblement.

Son regard fait encore une fois le tour du jardin. Soudain, il hésite, plisse les yeux pour mieux voir. Derrière, à gauche, loin dans le fond, il y a un bâtiment endommagé. Le cœur de Gabriel reprend sa course.

Attends, Luke ! Réfléchis !

Gabriel n'hésite pas une seconde et se met à courir.

Une serre, se dit-il en s'approchant, une serre dévastée.

Il frissonne lorsqu'il se retrouve devant le squelette de métal et fixe les débris de verre qui recouvrent les plantes, les plates-bandes et les allées en bois. Quelques rayons de soleil percent le feuillage des grands arbres du parc, et les éclats de verre ont de vilains reflets. Il ne réfléchit pas longtemps à ce qui a bien pu se passer, mais aperçoit une forme carrée au centre du sol : sur une surface aux bords réguliers d'environ deux mètres de côté, il n'y a presque pas de débris de verre. En revanche, sur la longueur du côté opposé à celui où il se tient, ils sont amoncelés en un long tas.

Une trappe dans le sol. Et quelqu'un l'a utilisée il y a peu ! Son pouls cogne quand il la soulève et repère une porte fermée au bas d'un escalier.

Il dévale les quelques marches, comme en transe, et palpe les bords de la porte. Pas de poignée, pas d'ouverture pour une quelconque commande. Le clavier numérique de la serrure codée affleure le crépi. Mais quand de l'index replié il tapote le ciment, ça sonne creux.

Il fonce en haut des marches et son regard fouille les monceaux d'éclats de verre et les bacs à fleurs. Puis il trouve ce qu'il cherchait : une petite pelle US repliable.

Comme l'acier d'une pioche, le fer éventre le crépi autour du clavier. Le ciment humidifié par les ans se détache par morceau. Lorsque le trou est assez grand, Gabriel fait levier et dégage le clavier. Le reste est routine, grâce aux années passées chez Python.

Quand il met les fils en court-circuit, la serrure cède avec un léger déclic, et Gabriel ouvre la porte.

Une porte qui conduit à une cave secrète, cette pensée lui traverse l'esprit.

Par précaution, il bloque le pêne de la serrure et épie dans la semi-obscurité. Les murs lisses de béton brut et fin se perdent au loin dans les ténèbres. Le couloir semble effectivement mener à la villa. Il sent un tiraillement inexplicable dans l'estomac. *La peur*, se dit-il, étonné. Pas cette peur qu'il éprouve pour Liz. Pas cette peur qu'il a quand un rottweiler essaie de le choper à la gorge ou qu'on essaie de l'étrangler. Le tiraillement de son estomac est une peur plus profonde, plus primitive, plus fondamentale, lovée au tréfonds de lui-même. Il fixe les profondes ténèbres du couloir. Il en émane une étonnante force d'attraction et il se met en mouvement.

Après dix mètres, il est arrivé à l'endroit où les murs sont noyés dans l'obscurité. Il peut encore voir un peu plus loin, à présent que ses yeux se sont habitués aux ténèbres. Quelques mètres encore et le béton est remplacé par des murs de briques nues. Un fort courant d'air lui caresse la nuque et ses cheveux se dressent comme ceux d'un jeune chien.

Il jette un regard en arrière. Un rayon de lumière matinale étincelante, fraîche et bleu pâle, filtre par la porte qu'il a laissée derrière lui. Un courant d'air le frappe au visage, et soudain le rayon de lumière s'amincit, devient encore plus étroit, de l'épaisseur d'une fente – et la porte se rabat sans bruit contre le chambranle, mais aux oreilles de Gabriel, c'est avec le vacarme de deux trains de marchandises qui se télescopent à pleine vitesse.

Un étrange silence l'enveloppe.

Un silence de mort.

Le seul bruit qu'il entend, c'est celui de sa respiration.

Et de nouveau, il ressent ce tiraillement dans l'estomac. Il sait qu'il l'a ressenti souvent, quand il était enfant.

Ses mains touchent les briques rugueuses légèrement humides, et il avance en les palpant comme si c'étaient des pieds nus qui le mènent en bas d'un escalier. Plus loin, toujours plus loin vers le centre.

Maîtrise-toi, Luke, maîtrise-toi. Un type comme toi n'a pas peur !

Je ne suis pas Luke, je suis Gabriel.

Et alors, murmure la voix sardonique, *tu crois que tu y arriveras sans moi ?*

Je ne sais pas ce que je crois, murmure Gabriel.

Alors, s'il te plaît, arrête de jouer les gros bras. Ce que tu vois ici te dépasse. Tu ne devrais pas refuser un petit peu d'aide. Luke non plus ne l'aurait pas refusée.

Le tiraillement prend le dessus, c'est tout son corps qui semble rapetisser. Je ne suis pas Luke, je suis Gabriel, souffle-t-il entre ses mâchoires serrées. Ses mots résonnent dans le couloir, démultipliés, puis l'écho diminue peu à peu. Ses pas hésitants raclent le sol en légère déclivité.

C'est plus par instinct qu'il tend le bras gauche devant lui, selon l'évidence que tout couloir a une fin et qu'on ne veut pas s'y cogner.

Quand la pointe de ses doigts sent une porte en bois, il s'arrête brusquement. Il palpe le panneau jusqu'à hauteur des hanches et accroche le métal froid d'une poignée.

Son cœur galope. Bien trop vite, bien trop bruyamment. Comme s'il était devant le laboratoire de son père.

Il sait qu'il *faut* qu'il ouvre cette porte. Qu'il faut qu'il sache ce qu'il y a derrière. Mais il sait aussi qu'il ne pourra plus jamais refermer cette porte. Le tiraillement semble lui déchirer les entrailles.

Et il appuie sur la poignée.

Ouvre la porte.

Quoique la voûte à croisée d'ogives ne soit pas particulièrement éclairée, la brutalité de la lumière l'éblouit. Au fond pourtant, directement entre les colonnes, il y a un endroit plongé dans une lumière bien plus intense.

Gabriel a le souffle coupé.

Une silhouette d'un noir de poix se dresse là-bas, dos tourné vers lui. Elle se tient devant un autel gris en pierre. Et sur cet autel quelqu'un est allongé – une femme ; une femme dont le corps est à moitié dissimulé par le large dos de la silhouette noire. La femme a les bras et les jambes fermement ligotés. Elle est couchée sur le dos, comme le corps d'une mariée qu'on exposerait, vêtue d'une robe blanche d'une beauté fascinante et cependant étrange.

Liz !

En un instant, Gabriel n'a plus que cette idée en tête :

Liz !

Son regard tombe sur le vieux miroir de taille démesurée placé derrière l'autel. Dans sa partie inférieure, Liz se reflète dans sa robe blanche, grotesquement entaillée sur son ventre arrondi, comme si l'on se préparait à une césarienne imminente. Le miroir dévoile ses jambes nues, repliées en angle, comme si elle était installée sur un fauteuil gynécologique. La silhouette noire est debout entre ses cuisses.

Horrifié, Gabriel fixe le miroir, en plein milieu du visage de la silhouette vêtue de noir.

C'est un visage tel qu'il n'en a jamais vu. Le visage d'un démon, un masque tout droit sorti d'un film d'horreur, partagé en deux, une moitié qu'on aurait aspergée de vitriol, semblable à la figure grossière d'un diable, l'autre moitié, belle, fine, pour ainsi dire immaculée, arrogante dans son expression. Cette brutale proximité de la beauté et de la monstruosité paralyse Gabriel. Comme au ralenti, le visage se tourne vers son reflet dans le miroir, les yeux le voient, Olympe et Hadès, et dans l'œil sain qui le regarde là, depuis le miroir, flamboie une lumière, comme l'œil d'un monstre qui vient juste de surgir de l'enfer.

Cet œil *unique*, et ce rougeoiement qui ressemble à la lumière rouge du judas de la porte du laboratoire de son père qui l'a fasciné si longtemps, ouvre la voie à la reconnaissance du passé. Comme une supernova qui plonge l'univers dans un brasier destructeur, ce regard efface de la mémoire de Gabriel tous les obstacles, toutes les frontières, toutes les blessures, si cruelles et profondes soient-elles ; tout s'engouffre dans sa tête, y déferle comme un métal en fusion, y coule et s'y étale en un vaste souvenir où chaque chose reprend sa place, souvenir total, douloureux, qui lui fait revivre cet événement traumatique.

La porte est ouverte. Impossible de la refermer.

En une seule seconde, toute la violence d'une nuit le secoue, une nuit qui n'aurait jamais dû être. Une nuit dont il avait toujours désiré qu'elle n'eût jamais existé.

Devant lui se dresse cet homme dont il avait refoulé l'existence. L'homme que plus tard il a cru avoir tué ; c'est l'homme qui a brûlé dans le laboratoire de son père.

Devant lui, se dresse le policier.

52

Intrusion

Onze. Onze ans. Personne ne l'a préparé. Personne ne lui a dit qu'il y a des portes qu'il vaut mieux laisser fermées, comme la porte du laboratoire.

Le labo de *père*.

Son index s'approcha machinalement des touches du magnétoscope et il en enfonça une. Quand il entendit un claquement sec dans les entrailles de l'appareil, il tressaillit. Deux fois, trois fois, suivis du bourdonnement d'un moteur. *Une cassette !* Il y avait une cassette dans l'appareil ! Il avait le front brûlant. Il poussa fébrilement un autre bouton, un autre encore. Le JVC répondit par une succession rapide de bruits secs. Des traits parallèles blancs, horizontaux et scintillants troublèrent la surface du moniteur placé auprès des magnétoscopes. L'image tressauta encore un moment, puis se stabilisa. Diffusément, avec des couleurs scintillantes, irréelles, comme une fenêtre ouverte sur un autre monde.

Il s'était involontairement penché en avant – et se rejeta brusquement en arrière. Il eut la bouche complètement asséchée. La même image que sur la photo. Sauf qu'ici tout bougeait. Il voulut détourner le regard, mais ce fut impossible. Bouche grande ouverte, il happa l'air étouffant et retint son souffle sans même s'en rendre compte.

Les hommes, les femmes… et celle-ci, tout près de la caméra placée en léger surplomb…. Il avait déjà vu sa mère nue, mais d'autres femmes ou d'autres filles… Il voulut détourner le regard, mais ce fut impossible. Sa respiration se faufilait entre ses lèvres ouvertes. Une jeune, très jeune femme était allongée sur le dos, la tête très près de la caméra, sur une table ou un autel en pierre. Elle portait une robe noire, incisée de haut en bas. Autour d'elle, avec toutes ces colonnes et toutes ces arches, le décor ressemblait à celui d'une église souterraine. Les hommes et les femmes quant à eux avaient l'air de corbeaux avec leurs capes et leurs chapeaux noirs, leurs masques baroques aux becs recourbés, et partout luisaient des peaux nues.

Entre les cuisses de la jeune femme de l'autel se tenait un homme, directement face à son sexe. La base du triangle velu pointait vers lui, vers son membre plutôt, qui dépassait des bords de la cape comme une saucisse flasque.

La femme – ou la jeune fille ? – riait, et elle fléchit le dos de telle sorte que sa main se saisit du sexe de l'homme. La bouche de l'homme tressaillit sous le masque qui ne dissimulait que le haut de son visage. Quelque chose ne lui plut pas. Il écarta d'un coup la main de la femme, puis – très rapidement – la frappa deux fois d'un aller et retour au visage. Des gifles. Il savait ce que c'était, son père lui en avait collé plusieurs déjà, mais pas comme *ça* !

Cela sembla plaire davantage à l'homme.

Il arracha le masque du visage de la femme. Eut un rire sarcastique. Lui serra la gorge de la main droite et de la gauche lui fouetta brusquement les seins de toutes ses forces.

Elle avait mal, Gabriel s'en rendit compte aussitôt. Tout cela lui faisait mal, et l'air lui manqua. Les couleurs de la vidéo vibraient, délavées, mais pourtant le visage de la femme sembla se congestionner, rouge d'abord – elle avait commencé à crier –, puis bleuâtre. Elle battait des bras, ne tenait plus le sexe de l'homme en main, mais en revanche – Gabriel fixa le membre de l'homme – ce membre était désormais long et raide, et il l'enfonçait en elle, le ressortait, l'enfonçait…

Subitement la jeune fille se redressa d'un bond. Elle moulina des bras, lui attrapa le visage et lui arracha le masque.

L'homme avait l'air d'une pop star. Ou d'un acteur. Jeune, très jeune, et beau, comme ces posters dans le magazine *Bravo*. Et l'homme, le souffle court, avait un rire hautain comme les stars sur le tapis rouge ou sur scène.

Il ne vit ce visage que durant une ou deux secondes, un peu plus longtemps qu'un éclair, puis l'une des autres silhouettes masquées saisit le jeune homme et le repoussa comme un jeune chien mouillé.

Il se défendit de toutes ses forces et arracha aussi le masque de quelques autres participants. Ils réagissaient avec une panique étrange, se cachaient le visage derrière les mains ou se couvraient de leur cape. Ils ressemblaient à une bande d'enfants sans défense. Leurs corps nus luisaient grotesquement, leurs sexes flasques se balançaient frénétiquement en tous sens.

Le jeune homme n'était pas assez fort. L'un des participants lui envoya un coup de pied dans les parties et il se tordit de douleur. Deux autres s'emparèrent de lui et l'immobilisèrent. Il se rendit, manifestement épuisé.

Toute animation cessa dans la pièce, quand tout à coup l'adolescent se libéra, se saisit d'un objet sur une table pleine d'assiettes, de plats et de nourriture. Il se précipita à travers la pièce en direction de la jeune fille, tout en fouettant du bras avec les mouvements d'un serpent, et lui planta quelque chose de brillant entre les jambes.

Gabriel n'avait encore jamais vu un visage comme celui de la jeune femme à cet instant. Et jamais une mimique semblable à celle du jeune homme. Il était certain de ne jamais oublier ces deux visages. Ni cette incision.

Car le jeune homme poussa cette chose étincelante qu'il avait plantée en elle ; elle traversa son triangle noir, remonta le long de son bas-ventre et aboutit entre ses seins. Ce faisant, le couteau heurtait des obstacles comme le soc d'une charrue contre des pierres dans un sol aride.

Les images martelaient dans la tête de Gabriel comme les flashs d'une lumière stroboscopique et il ne pouvait détacher son regard de la scène, le souffle coupé.

L'incision se transmit directement à ses propres entrailles.

Tout tourna, dans sa tête et autour de lui. Les quatre fenêtres ventrues des moniteurs le regardaient d'un air mauvais. Les doigts tremblants, il finit par trouver le bouton.

Arrêt. Terminé.

L'image implosa avec un bruit sourd, comme s'il y avait un trou noir dans le moniteur. Le son semblait terrible et rassurant à la fois. Il fixa le sombre verre dépoli, et rencontra le reflet de son propre visage. Un fantôme le fixait en retour avec des yeux que la terreur écarquillait.

Ne pas y penser ! Surtout ne pas y penser… Il détourna le regard de ces photos, de tout ce chaos, surtout éviter l'écran du moniteur.

Ce que tu ne vois pas n'existe pas !

Mais cela existait. Quelque part dans le trou noir. Un léger bruissement, un chuintement sourdait du magnétoscope. Il voulut plisser les yeux et se réveiller ailleurs. N'importe où. Surtout pas ici. Il était toujours accroupi devant les écrans, face à son reflet fantomatique.

Il eut soudain l'envie désespérée de voir quelque chose de beau, peut-être *Star Wars*. Comme mus par une volonté propre, ses doigts se dirigèrent vers les autres moniteurs.

Deux images vidéo de faible intensité se cristallisèrent avec un éclat bleu acier dans la lumière rouge du laboratoire. Sur la première image, on voyait l'entrée de la maison et la porte ouverte de la cave. L'escalier était avalé par l'obscurité. La seconde montrait la cuisine. La cuisine et ses parents. Leurs voix sortaient du haut-parleur.

« Tu me dégoûtes, balbutiait sa mère.

— Merde, ne joues pas les héros ! Tu te conduis comme si c'était moi qui avais fait ça.

— Non, tu es… tu es encore pire, murmura-t-elle. Tu assistes à ça et tu ne fais rien. À travers l'œilleton de ta putain de caméra, comme si ça ne te concernait pas. Ou si. Car ça te concerne bien, en fait. On te paie ce que tu demandes. Comment tu te sens ? Tu as chanté victoire quand cette belle gosse a clamsé ? Travail accompli ? L'argent est en route ?

— Oh ! mon Dieu ! Je t'en prie. Tu ne sais pas comment c'est. Je… je ne peux plus me sortir de là. Je suis tout autant victime que…

— Ah ! non. Ne dis pas ça. Ne dis *surtout* pas ça. » La voix de sa mère devint hystérique. « Tu es répugnant. Un monstre. Je ne reste pas une seconde de plus ici, ni moi, ni les enfants. Je fais les valises et demain je vais à la police.

— Tu ne peux pas faire ça. Tu ne te rends pas compte.

— Et comment, que je peux. Ne cherche surtout pas à me retenir. Je...

— Il n'en est pas question. Plutôt te tuer. »

Silence de mort.

Gabriel se planta ses ongles dans la paume de la main. *Plutôt te tuer.* La phrase resta suspendue dans la pièce comme l'écho d'un coup de feu.

Sa mère, stupéfaite, fixa son père.

« Tu ne te rends pas compte, répéta-t-il. Tu sais à qui tu as affaire ? Ces gens-là préféreraient nous tuer tous plutôt que d'accepter ça.

— Ils ne peuvent pas faire... ça, balbutia-t-elle. Tu as peur qu'ils *te* tuent. C'est ça ?

— Ils n'ont même pas besoin de le faire eux-mêmes. Ils ont du personnel pour ce genre de besogne. Ils ont tellement d'argent qu'ils trouveront toujours quelqu'un. Et si nécessaire, ils nous tueront tous. Toi en premier, pour que j'aie peur, moi ensuite. Tu comprends ça, nom de Dieu ?

— Tu es fou.

— De nous deux, c'est *toi* la folle. Mais pourquoi es-tu si naïvement conne ?

— Naïve, tu appelles ça naïve ? J'en ai assez. Je m'en vais. »

Elle voulut passer, mais il la repoussa, ouvrit brutalement un tiroir, et il eut soudain un grand tranchoir en main.

« Tu... vas... rester là.

— Tu... tu n'oseras pas faire ça. »

Jusqu'à cet instant, Gabriel avait cru que ce film effroyable était ce qu'il verrait de pire de toute sa vie. Il était assis devant les moniteurs, et il n'arrivait pas à croire ce qu'il entendait. Il avait les yeux grands ouverts. Il pressait ses mains sur sa bouche pour ne pas crier, fixait l'image vidéo, sa mère et son père, et souhaita être aveugle. Aveugle et sourd.

Des larmes lui montèrent aux yeux ; tout fut noyé dans une bouillie rouge. L'odeur des produits chimiques, mélangée à celle du vomi devant la porte, lui révulsa l'estomac.

Il essaya de penser, mais son crâne menaçait d'éclater. Il souhaita que quelqu'un vienne, le prenne dans ses bras, lui parle jusqu'à ce qu'il oublie.

Mais personne ne viendrait. Il était seul.

L'évidence le frappa, comme un coup de massue. Il sentit ses membres se glacer. Il se leva, jambes écartées, bien plantées sur le sol. Il fallait qu'il fasse quelque chose. Il était le seul à pouvoir encore faire quelque chose.

Mais quoi ?

Que ferait Luke ?

À pas feutrés, sur ses pieds nus qui ne sentaient plus le sol froid de la cave, il se glissa en haut de l'escalier. Dans son dos, le local rouge brasillait comme l'enfer.

Si seulement il avait un sabre laser !

C'est alors qu'il pensa au téléphone. Au téléphone dans l'entrée. Il fallait qu'il appelle la police.

Et c'est exactement ce qu'il fit. Il appela la police. Quand il raccrocha, il ferma les yeux et pria pour qu'ils viennent à temps. À temps pour éviter qu'il arrive quelque chose.

Si seulement il n'arrivait rien à sa mère. Si seulement son père ne lui faisait rien ! Il avait eu l'air d'un monstre. Est-ce que la police allait tirer ? Certainement, s'il y avait urgence.

Sans bruit, la clef de la porte d'entrée dans la main, il sortit dans le jardin et s'accroupit à côté de la porte. Le sol était froid, mais il ne sentait rien. Finalement, tout était si froid et si chaud en lui qu'il lui semblait geler et brûler à la fois.

Quand il entendit un crissement et des pas, son cœur fit un bond. Un bond de joie.

« Eh bien, qui es-tu ? »

La voix était étonnamment jeune. Pourtant l'homme avait l'air costaud. Mais pourquoi ne portait-il pas d'uniforme ?

« Je suis Gabriel… je… je viens de vous appeler. Vous êtes de la police ? » sanglota-t-il.

L'homme plissa les paupières. Dans la lumière du lampadaire de la rue, il avait l'air d'un héros, un de ces super-flics en civil.

« Ne te fais pas de souci, petit. Je suis là, maintenant.

— Vous avez un pistolet ? » demanda Gabriel, méfiant et plein d'espoir à la fois.

L'homme sourit de nouveau et tira de sa veste un pistolet noir et luisant.

Gabriel se sentit mal. Mal de joie. *Enfin.*

« Vite. Il faut que vous aidiez ma mère, mon père est là-dedans et veut la tuer, à cause d'une espèce d'histoire... avec la vidéo. »

L'homme plissa de nouveau les yeux, sa bouche ne fut plus qu'un mince trait rectiligne.

Décidé. Il est en colère et décidé, se dit Gabriel. Comme les policiers dans les films.

Il ouvrit la porte, aussi doucement qu'il le put, pénétra dans l'entrée avec le policier. Tout était étrangement silencieux.

« Ils... ils sont dans la cuisine, murmura-t-il d'une voix voilée. S'il vous plaît, faites... »

Il ne put aller plus loin. Son père sortait comme un fou de la cuisine et il se jeta sur le policier. La force du choc les fit tituber vers le salon. On entendit un grand bruit quand les deux hommes tombèrent ; l'arme du policier lui échappa, pirouetta en l'air et atterrit sur le sol aux pieds de Gabriel.

Il fixa son père, ou plutôt le monstre qui avait été son père et qui était à présent assis à califourchon sur le policier. Il fixa les mains de son père qui étranglait le policier et qui n'arrêtait pas de cogner sa tête contre le sol. Il fixa la bouche de son père ; elle bougeait, criait quelque chose que son oreille ne voulait pas comprendre.

« Noooon, hurla Gabriel, arrête ! »

Père continuait à serrer la gorge du policier. Où était sa mère ? Pourquoi ne venait-elle pas ?

Elle a peur, se dit Gabriel. Peut-être avait-elle raison de rester dans la cuisine.

Père étranglait toujours le policier dont le visage bleuissait. Cela voulait-il dire qu'il mourait ?

Il ne fallait pas qu'il meure. Pas le policier.

Son regard tomba sur l'arme à ses pieds. Elle était gigantesque. Plus grande qu'au cinéma.

Peut-être parce qu'il était si petit ?

Il saisit la crosse rugueuse entre ses doigts. Le pistolet était plus lourd qu'au cinéma. Bien plus lourd. Il sentait le métal, l'huile. L'odeur d'une mécanique de caméra. De l'huile lubrifiante pour armes, se dit-il. Père graissait toujours ses caméras avec de l'huile pour armes.

Il leva le pistolet. Pas le policier ! pensa-t-il. Surtout pas toucher le policier. L'arme vacillait devant ses yeux. Cran de mire et guidon, il le savait. Mais c'était où, ça ?

La tête du policier percuta de nouveau le sol. Il ne se défendait plus qu'à grand-peine.

Viser par-dessus le canon. Regarder au-dessus du canon. Son index était à peine assez long pour atteindre la détente. Il prit les deux doigts. Des larmes ruisselèrent sur ses joues quand son père apparut dans la ligne de mire. Il avait déjà tiré une fois, à la foire. Le propriétaire de la baraque de tir lui avait tendu une carabine, vieille comme Mathusalem, usée jusqu'à la corde, et il avait tiré sur des lièvres en tôle, tandis que père était debout derrière lui et le surveillait. Ici, tout était différent.

Les larmes dans ses yeux noyaient tout, le pistolet tressaillait dans ses mains. Son père avait l'air de trembler au-dessus du canon de l'arme, tout en étranglant le policier avec ses deux mains.

Pas mère ! Pas le policier ! Pas mère ! Pas le policier ! martelait-on dans sa tête.

Ses deux index se recourbèrent dans un commun effort. Il ferma les yeux. Fort. Convulsivement.

Et appuya sur la détente.

Le coup le renversa.

Il lâcha l'arme. Elle tomba bruyamment. Il entendit le bruit d'un sac de ciment qui tombe sur le sol. Ne pas ouvrir les yeux. *Non !*

Il ouvrit les yeux.

Le policier haletait, happait l'air dans ses poumons. Puis il lui sourit, à bout de souffle. Se leva. Lui caressa la joue.

Gabriel sursauta instinctivement. Il détestait qu'on lui caresse la joue. Père n'avait jamais compris ça.

Le policier se pencha vers l'arme et sourit à nouveau. Il se dressa comme une ombre au-dessus de son père étendu sur le sol, qui gémissait et se tenait le ventre.

Toujours avec le sourire, le policier lui tira une balle en plein cœur.

Gabriel ouvrit la bouche, fixa le policier. Non, pas un héros. Il avait plutôt la tête d'une pop star ou d'un acteur. Beau comme un poster de *Bravo*...

Son cœur chavira.

C'est... c'est l'homme du film !

Tout se mit à tourner dans sa tête, il eut de la peine à respirer. Sa raison ne lui suffit pas pour comprendre ce qui était en train de se passer. Son âme encore moins.

Il vit sa mère sortir de la cuisine d'une démarche raide. Elle regarda son père, puis le regarda, lui, décontenancée.

Non, cria-t-on en lui. *Mon Dieu, non !*

Et le policier tira sur sa mère. À deux reprises. Deux coups au but. Un des impacts en plein dans l'œil.

« Et maintenant, mon petit, dit l'homme du film en dirigeant le pistolet sur lui, montre-moi où ton père garde cette putain de vidéo, celle dont tu as parlé tout à l'heure. »

53

Berlin – 28 septembre, 7 h 59

Gabriel fixe l'œil rougeoyant de Valerius dans le miroir. Il est toujours dirigé sur lui. Il a ouvert la porte de la crypte il y a à peine deux ou trois secondes. Mais dans cet intervalle s'étend toute une nuit, non, toute une vie qui a déraillé.

« Bienvenue », siffle Valerius entre les dents.

La voûte joue avec sa voix. Son visage dans le miroir est un horrible masque de triomphe, de colère sauvage, d'inquiétude aussi.

« Valerius », dit Gabriel d'une voix voilée.

C'est seulement maintenant qu'il prononce ce nom, à présent qu'il sait qu'il est vraiment là, les deux pieds dans la réalité et non la tête dans un de ses cauchemars. Il tremble encore et il a l'impression d'avoir fait un violent aller et retour entre le corps d'un homme de quarante ans et celui d'un enfant de onze ans.

« J'aurais dû m'en douter, dit Valerius, j'aurais dû savoir que tu viendrais trop tôt. Mais *si* tôt ? Tu brises chacune de ces putains de règles ! » Sa voix tremble de fureur. « *Le 13*, hurle-t-il soudain. *Je voulais que tu sois là le 13 !* »

La voûte gronde aux oreilles de Gabriel.

« Tu n'aurais pas pu attendre l'invitation ? hurle Valerius, puis il reprend son chuchotement. Manifestement, il ne te suffit pas de sauter à pieds joints dans la merde. Il faut en plus que tu farfouilles dedans et que tu n'arrêtes pas de la remuer. »

Les doigts de Gabriel craquent lorsqu'il serre les poings. Ses yeux tombent sur Liz qui essaie de relever la tête pour le regarder, les yeux rougis, et la peur qu'il lit dans son regard se vrille dans son cœur. Elle entrouvre ses lèvres asséchées.

« Aide-moi, Gab...

— Et TOI, l'apostrophe Valerius, ta gueule, tu entends ? Tu ne bouges pas ! »

Gabriel sent son sang cascader dans ses veines. Il reconnaît en lui une flamme de haine qui le pousse instinctivement en avant, vers la sombre silhouette.

Valerius repère cette haine dans les yeux de Gabriel, et son regard vacille.

« Reste où tu es », hurle-t-il.

Ses pupilles clignent vers l'entrejambe de Liz.

Gabriel suit son regard... et est figé par l'horreur.

La violence de l'impression de déjà-vu manque le renverser. Une fois encore, il a onze ans, il est dans la cave, dans le laboratoire, il voudrait sangloter, crier, s'enfuir. Quelque chose de plus grand que lui l'arrache à ses chaussures d'enfant.

Quarante ans, adulte, et néanmoins perdu comme un enfant. Gabriel fixe Valerius ne peut détacher ses yeux du poing d'où dépasse la lame d'un couteau.

Un couteau étonnamment mince semblable à un scalpel, sauf qu'il a l'air bien plus grand. La lame de métal étincelante disparaît dans les poils du pubis de Liz.

« Ne fais surtout pas ça, menace Gabriel.

— Encore un tout petit peu plus loin... Il suffit que je pousse la lame un tout petit peu plus loin, chuchote Valerius, et son sang coulera sur la pierre. Et alors... alors un peu plus loin encore, juste un *tout petit peu* plus loin et j'irai chatouiller ton petit garçon, Gabriel. Où est-ce que c'est une fille ? »

Gabriel se mord la langue jusqu'à ce qu'il sente le goût du sang. Le liquide, chaud et poisseux dans sa bouche, et le goût métallique embarrassent ses pensées. L'épouvante le paralyse ; il ne peut détacher le regard ni de la lame entre les jambes de Liz, ni de son ventre arrondi qui dépasse de la robe blanche grotesquement ouverte en deux. Il voit exactement la ligne que suivra le couteau quand Valerius le poussera, comme il l'a déjà fait dans cette même crypte il y a presque trente ans, sur la vidéo, et comme il l'a fait avec la mère de Jonas.

« Tiens, tiens, murmure Valerius, le regard collé au visage de Gabriel. Tu te rappelles maintenant, n'est-ce pas ? Je vois ça à tes yeux… » Un rire brutal passe sur son visage défiguré de Janus. « Ça te fait peur ? C'est fait exprès. Tu t'es déjà rendu compte de quoi j'étais capable, non ? »

Gabriel décolle sa langue du palais et avale le sang qui lui encombre les dents. Le goût métallique lui remplit toute la bouche. Il se demande combien de pas le séparent de Valerius. Huit mètres, au plus. *Donne-moi un instant, un seul !* Son cœur hurle. Il reproduit chaque pas dans sa tête, chaque coup qu'il lui portera, il lui brise tous les os, lui brise la nuque, le poignarde… Mais, quel que soit le scénario qu'il imagine, il arrive toujours trop tard.

Valerius le fixe dans le miroir, comme s'il pouvait lire dans ses pensées. Alors qu'il se tourne vers Gabriel, ses yeux quittent un instant le miroir. Gabriel fait un petit pas glissé en avant et, quand leurs regards se croisent de nouveau, il semble n'avoir pas bougé. Valerius est de profil, le poing qui serre le couteau toujours entre les cuisses de Liz ; sa tête est tournée vers Gabriel qu'il regarde droit dans les yeux. Le point rouge qui brillait dans son œil a disparu : il est resté suspendu sur le miroir et flamboie comme un troisième œil dans la nuque de Valerius.

Derrière le miroir, pense Gabriel, stupéfié. *La lumière rouge est derrière le miroir.*

Le visage partagé de Valerius miroite, sa bouche n'est qu'une fente hideuse. Dans la moitié défigurée de son visage, l'œil se rive sur Gabriel avec une étrange indifférence.

« Enlève ce couteau », grogne Gabriel.

Valerius se met à rire, puis s'esclaffe sans retenue et se tourne de nouveau vers Liz. Gabriel en profite pour faire un autre petit pas en avant.

« Et pourquoi le ferais-je ? répond Valerius en baissant le regard sur Liz qui ne bouge pas par crainte du couteau, alors que ses liens auraient pourtant suffisamment de jeu pour qu'elle puisse se mouvoir.

— Je te tuerai s'il lui arrive quelque chose.

— Tuer ? » Le mot résonne entre les murs de la crypte. « Tu crois que j'ai encore peur de *ça* ? On a déjà fait le tour de la question, non ? Pour commencer, tu tues ton père et tu me sauves la vie. Et puis, tu me pousses dans le feu et tu fais de moi un infirme. Tu as déjà pensé que la mort peut aussi être une délivrance ?

— Crois-moi, dit Gabriel, quand on en sera là, il n'y aura pas de délivrance, il n'y aura plus que cette putain de peur. »

Valerius plisse les yeux.

« C'est comme ça ? Quelqu'un comme toi a peur de la mort ? » Il penche la tête, puis se remet à rire, d'un rire froid, sans âme. « Non, Gabriel. Après la putain de peur, il y a *toujours* la délivrance. Je le sais. Mais la plupart des gens ont tellement peur, et pendant si longtemps, qu'ensuite il est trop tard. C'est pourquoi la délivrance n'y trouve pas son compte. Mais crois-moi, elle est là quand même, ça se voit dans leurs yeux, tout à la fin. Ça a été comme ça pour toutes. Il y a longtemps, cette petite conne de merde dans la crypte, puis les autres, et puis cette Kristen, ce mannequin, et – elle s'appelait comment déjà ? – la grosse. La mère de Jonas. Mais nous deux, Gabriel, on a déjà bouffé trop de merde et on a déjà eu trop peur. Pour des hommes comme toi et moi, il reste à peine de la place pour la peur. Mourir, c'est peut-être laid, mais la mort n'a aucune importance. Pour *nous*, il ne reste que la *délivrance.*

— Qu'est-ce que tu veux faire de moi ? Me tuer ?

— Je ne te ferai pas cette joie ! Ne va surtout pas penser que je vais te délivrer, justement toi...

— J'emmerde ta délivrance », dit Gabriel.

Délivrance... livrance... vrance..., murmure la crypte.

Le regard de Gabriel erre dans la pièce, il cherche quelque chose, n'importe quoi, qui l'aiderait à détourner l'attention de Valerius, quelque chose qui lui donnerait ces quelques secondes décisives.

David ! Nom de Dieu, où peut-il bien être, celui-là ? se demande-t-il. Pour la première fois de sa vie, il attend désespérément son aide. Mais pas comme à Conradshöhe, quand il lui a mis le couteau sous la gorge et qu'il s'est tout simplement servi de lui ; à présent il a besoin de lui uniquement pour qu'il fasse encore une fois ce qu'il a toujours fait, la boucler, et pour qu'une fois sa lâcheté ait enfin un sens.

Tout est différent à présent.

Fais quelque chose, petit frère. Je t'en prie.

Son regard reste subitement accroché au mur latéral de la crypte. Un homme est allongé sur une chaise longue. Sa chemise blanche est pleine de sang, et ses yeux vides sont figés sur une petite inscription à droite d'une tapisserie peuplée de figures grotesques, des figures qui ne naissent que dans les cauchemars. Ses yeux fixent le cartouche où est écrit dans une langue étrangère à Gabriel :

Où étais-tu, doux Jésus, où étais-tu ?

54

Berlin – 28 septembre, 08 h 09

Moitié sautillant, moitié boitillant, David descend le large escalier de marbre, le son de la voix de Youri Sarkov encore dans les oreilles. Ses mains tremblent, mais c'est un bon tremblement, comme quand on frémit d'excitation. Il regarde nerveusement l'heure. Huit heures dix. Dans peu de temps, le personnel de von Braunsfeld va débarquer, s'il n'y a pas déjà quelqu'un dans la maison. *Mais où peut bien être Gabriel, nom de Dieu ? Et où est Valerius ?*

David jette un coup d'œil dans le salon par la double porte.

Rien. Seule la porte de la véranda est ouverte.

David se hâte vers l'escalier de la cave et descend à grand peine les marches jusqu'aux corps des deux dobermans. En posant le pied sur le dernier degré, il hésite. Les yeux morts des chiens fixent le vide. La porte est entrebâillée. *C'est quelque part par là, derrière, que ça se passe.*

David tente un pas de plus et veut enjamber les cadavres des chiens, mais il pose le pied dans la flaque de sang et manque perdre l'équilibre.

Il pousse la porte de la cave en jurant à voix basse et distingue devant lui un couloir flanqué de nombreuses portes. Il essaie de s'orienter. Sarkov lui a décrit le chemin à suivre, mais tout lui semble tout à coup irréel. Il se demande un bref instant si Sarkov ne l'a pas mené en bateau.

Sa respiration s'apparente à celle d'un soufflet, bien trop forte. Il retient son souffle et épie.

Mais il n'y a rien. Ou bien ?

David fixe la cave.

Au sentiment de griserie s'est substituée une peur sourde qui accélère son pouls, et il espère ardemment que Sarkov a dit la vérité. Il se force à pénétrer dans le couloir où il progresse mètre par mètre en clopinant.

Sa semelle gauche laisse des empreintes rouge sombre sur le sol.

55

Berlin – 28 septembre, 08 h 09

Gabriel observe le cadavre étendu sous la tapisserie. Le vieil homme ne peut pas être là depuis très longtemps, ça ne sent pas encore la mort dans la crypte.

Les regards de Valerius sont comme des piqûres d'épingle. Gabriel se détourne de la dépouille et regarde de nouveau dans le miroir, où les yeux dépareillés de Valerius le fixent. Le point rouge brille à présent sur le côté mutilé de son front.

« Qui est-ce ? » demande Gabriel en désignant le cadavre.

Valerius cille péniblement des paupières et ferme un instant son œil abîmé, tandis que l'autre palpite brièvement et continue à le regarder. *Il est aveugle d'un œil,* comprend soudain Gabriel. *Ce qui signifie qu'il a du mal à évaluer les distances.*

« Permets-moi de te présenter mon très honoré père. Un fumier de cachottier, exactement comme le tien », annonce Valerius, puis il reporte le regard sur Liz.

Maintenant ! Gabriel fait un nouveau petit pas glissé. Ses semelles effleurent le sol de pierre.

Le regard de Valerius vole vers Gabriel.

« Reste où tu es ! » hurle-t-il. Sa main valide rapproche un peu plus le couteau de la chair de Liz. « Pour chaque pas que tu feras vers moi, je le lui planterai plus profondément. »

Liz gémit à fendre l'âme.

Gabriel serre les mâchoires. Ses poings tremblent de colère et d'impuissance. *Détourne son attention ! Parle-lui*, se dit Gabriel.

« Cachottier ? Exactement comme mon père ? Ça veut dire quoi ? »

Valerius respire bruyamment, avec mépris.

« Quand est-ce que tu as découvert le sale petit secret de ton père ? À onze ans seulement ? Ou avant ? Moi, j'en avais dix. Mon Dieu, merde ! Il était *si* prudent. Toujours tard dans la nuit. Les limousines ne se garaient jamais devant la maison ; sur le terrain, oui, mais à bonne distance. Et après, hop ! dans la crypte pour baiser. Et moi, j'étais toujours tapi là, dit-il en désignant le bord de la tapisserie, j'avais bricolé un trou dans le ciment et je me tenais accroupi là, de l'autre côté du mur. À dix ans, j'avais vu plus de chattes, de culs et de queues que d'autres durant toute leur vie.

— Quelle excuse de merde.

— *Excuse ?* » hurle Valerius.

Gabriel profite de cet accès de colère pour avancer de quelques centimètres. *C'est trop lent*, martèle-t-on dans sa tête. *Bien trop lent.*

« Je n'ai pas souffert, hurle Valerius. Je *voulais* participer ! En être, et plus que tous les autres réunis. *Tu* ne voulais pas en être, toi aussi ? Dans la cave, avec ton père ? Qu'est-ce que tu aurais donné pour ça ? Tu as demandé ? Tu as supplié ? Non ? Moi, oui. Et lui ? Lui prétend que je mens et m'enferme dans ma chambre. Enfermer. Il a toujours particulièrement bien su faire ça. Mais à cette époque, il n'était pas encore minutieux au point que je ne puisse sortir sans qu'il s'en rende compte… »

Centimètre après centimètre Gabriel se glisse en avant. *Où est David, nom de Dieu !*

« Jusqu'à ce que ma mère comprenne. C'est toujours les mères qui comprennent. Toujours. Imagine que ta mère ait découvert que son mari idéal disparaît tous les mois dans sa cave, se colle un masque sur le visage et qu'avec quelques autres hauts personnages il baise à fond des minettes, pendant que toi, tu regardes. Ça a l'air d'un mauvais film, non ? Et c'en est un, effectivement. Qu'est-ce tu crois que ta mère aurait fait ? »

Gabriel a la gorge nouée et il est incapable de répondre.

Valerius respire bruyamment, avec mépris.

« Naturellement ! Qu'est-ce tu veux qu'une mère fasse ? Elle crie d'une voix stridente : "Espèce de porc, de pervers !" et "Il n'a que quatorze ans !", comme si c'était important ! Et elle le quitterait, elle déménagerait et t'emmènerait. Comment tu te sentirais ? Dis-le-moi, Gabriel. Comment te sentirais-tu ?

— Soulagé, répond Gabriel à voix basse.

— *Soulagé ?* Tu es resté pendant quatre ans à la porte, tu as tout maté, et ton cœur t'a battu aux tempes, tu as déjà pris de la coke, mais à côté de ça, c'était de la merde. Rien ne t'a fait autant d'effet ! Tu avais la bouche sèche et ton pantalon n'était plus qu'une bosse. Et tu t'es imaginé mille fois que c'est toi qui étais là, dans la crypte, et pas ton putain de père ! Et à ma place, *tu* serais *soulagé* ? »

Gabriel ne dit pas un mot ; il fixe Valerius, s'ingénie à inspecter ses yeux, dans le but de se rapprocher encore sans être remarqué, toujours plus près, centimètre après centimètre.

« Tu sais ce que mon père disait toujours ? murmure Valerius. "Tout désir que nous cherchons à étouffer couve en notre esprit et nous empoisonne." C'était sa citation préférée. Oscar Wilde, *Le Portrait de Dorian Gray*. Empoisonné, tu comprends ? C'est comme ça que tu te serais senti ! Infecté, mais pas soulagé. »

Gabriel est envahi d'un frisson glacé.

Tout désir que nous cherchons à étouffer couve en notre esprit et nous empoisonne.

Un soupçon subit lui vient à l'esprit.

« Tu n'as donc absolument pas voulu rester avec ta mère, tu voulais revenir ici, murmure-t-il. Qu'est-ce que tu as fait pour ça ? »

Les yeux de Valerius étincellent comme des jets de gaz enflammés.

« Je n'ai pas eu grand-chose à faire. Jamais je n'aurais pensé que ce serait aussi simple. Un claquement de doigts, pas plus. Juste trafiquer les freins de sa voiture. Et paf ! Elle est morte. Le même jour, j'étais sur le paillasson de mon père et je lui ai dit : "Me revoilà." Et il a compris. Rien qu'en me regardant.

— On n'a pas prétendu qu'elle était ivre ? »

Valerius dodeline de la tête.

« Non, non. Mieux que ça. On a dit qu'elle buvait, mais cette histoire a été étouffée… Grâce à lui ! Et à Sarkov, naturellement… »

À Sarkov…

À Sarkov…, résonne la voix dans le silence.

« Sarkov ? *Youri* Sarkov ? »

Valerius sourit amèrement.

« Un Victor von Braunsfeld ne se salit pas les mains. Pour ce qui concerne le cul, peut-être, sinon, jamais. Pour ça, il avait Sarkov. C'est Sarkov qui allait au charbon, et en échange mon père lui a trouvé du boulot. »

Youri. Pour Gabriel, c'est comme un voile qui lui tombe des yeux et pourtant il ne comprend pas tout ce qui se cache derrière.

« Mon Dieu ! murmure-t-il.

— Dieu ? glousse Valerius. Non ! mon père. » Dans la seconde, son visage est de nouveau sérieux. » Mon père était Dieu, et Dieu m'a puni. Au lieu d'être heureux d'être débarrassé de sa femme, il m'a puni. Elle l'a insulté, méprisé, elle l'a abandonné et lui a pris son fils. Et pourtant il l'aimait encore, à sa façon, s'entend. Il m'a enfermé dans ma chambre pendant quatre ans, j'avais juste le droit d'aller à l'école. Et uniquement avec des gardiens pour me surveiller. Quand on lui demandait pourquoi des gardes du corps, il répondait qu'il avait peur qu'on me kidnappe. Après l'école, j'allais dans ma chambre, toujours avec un homme de Sarkov devant ma porte.

— Qu'est-ce qui s'est passé le 13 ?

— Tu veux savoir ce qui s'est passé le 13 ? J'en avais plein le dos. Vraiment plein le dos. Je venais juste d'avoir dix-huit ans, et devant ma porte, il y avait toute la putain de journée un putain de garde du corps. Je n'étais pas descendu dans ma cave depuis quatre ans, dans *sa* crypte. Une fois par mois, j'entendais les limousines arriver et je savais que je ne pouvais pas être de la partie. Quatre années de sevrage, le corps et l'esprit empoisonnés. J'ai donc rassemblé tout mon courage et je l'ai menacé : Ou j'en suis aujourd'hui, ou demain tu liras tout dans le journal. Et tes amis aussi. « Les yeux de Valerius étincellent, il est en rage, il s'emporte, tremble de tout son corps. « Et ça a suffi ! C'était incroyable ! Il a cédé. »

Gabriel regarde Liz, qui, lèvres serrées et les yeux baignés de larmes, fixe le bras de Valerius, celui qui tient le couteau qui frémit au rythme de ses paroles. Avec lenteur, Gabriel gagne quelques centimètres.

« J'avais atteint mon but, tu comprends ? Tu peux imaginer mon excitation ? La nuit du 13 octobre, c'était *ma* nuit. Tu l'as vue ? La vidéo ? Gabriel opine. Tout ? Tu as *tout* vu ?

— Oui, siffle Gabriel entre les dents.

— Je le savais. J'aurais dû te tuer tout de suite. Il ne fallait pas de témoins. Pas un ! » Valerius se tait un instant. « Et les autres bandes, finit-il par demander, tu les as vues aussi ?

— Les autres bandes ? »

Valerius le fixe, amusé presque.

« Tu crois vraiment, murmure-t-il ironiquement, que c'est le seul film que ton père a tourné ici ? »

La phrase résonne sous la voûte et atteint Gabriel au plus profond de lui-même. Il se retrouve instantanément dans le laboratoire, au milieu de photos, de rouleaux de films, de cassettes vidéo et de caméras. *Naturellement !* Comment a-t-il pu être aussi stupide ?

Le rire de Valerius gronde douloureusement à ses oreilles.

« Pour ça, mon père était conservateur jusqu'à la moelle. Celui qui avait montré ses capacités à faire du sale boulot, il ne le lâchait plus. Et c'est aussi ce qu'il a fait avec ton père. Wolf Naumann ! Avec quel argent crois-tu que ton père a payé votre petite maison de petits bourgeois ? Il s'est tout simplement servi de ton père pour immortaliser ses insatiables appétits sur quelques bandes de celluloïd ou quelques bandes magnétiques. Tu penses qu'il est resté caché là combien de fois ? » Valerius désigne du menton le grand miroir derrière Liz. « Et combien de fois il a filmé à travers la plaque de verre ? »

Gabriel fixe le miroir, y rencontre le visage déchiqueté de Valerius et se voit lui-même, en train de regarder par-dessus l'épaule de Valerius – si petit, si démesurément loin et si pâle, avec dans le visage une expression qu'il n'y avait jamais vue.

« Il y a eu des dizaines de films, mon père n'arrêtait pas de les visionner. Et nul n'en savait rien. Personne ! Pas même moi. Je ne l'ai appris que trop tard. Même ses amis si distingués ne savaient pas qu'ils étaient filmés. S'ils l'avaient su, ils se seraient vraisemblablement chié dessus de peur, ces messieurs les avocats, ces juges, ces politiciens ! *Ils ont d'ailleurs fini par le faire…* »

Il tord la bouche en un sourire horrifiant et porte son regard sur Liz, sur la lame entre ses cuisses.

Le pouls de Gabriel bat la chamade. Son corps se couvre d'une sueur froide. Il essaie de toutes ses forces de tenir à distance les images effroyables du film qui font retour.

« "L'ordinaire donne au monde sa substance, murmure Valerius, l'extraordinaire lui donne sa valeur" ! Oscar Wilde, encore. Mon père aimait ces conneries. Mais il ne les a pas mises en pratique. Alors que *moi*, je les ai vécues. Moi ! » hurle-t-il.

Moi…

Moi…

Moi…, répond l'écho de la voûte.

« Quand j'ai planté le couteau dans le con de la petite, j'y étais arrivé, tu comprends ? Son regard, quand j'ai poussé la lame et qu'elle a pu voir en elle-même, *ça*, c'était extraordinaire ! Plus extraordinaire que tout ce qu'avait jamais fait mon très saint père… »

Le dernier mot résonne dans la crypte. Puis le léger cliquetis des chaînes troue le silence.

Gabriel n'ose pas regarder Liz. Il veut fermer les yeux, il souhaite être ailleurs, comme il l'avait souhaité jadis quand il était dans le laboratoire et qu'il avait onze ans, et en même temps il sait qu'il ne doit même pas ciller des yeux, parce que les images de la jeune fille en train de mourir le guettent dans l'obscurité derrière ses paupières fermées.

« Je m'imagine ton père, reprend Valerius, derrière le miroir, avec sa caméra, en train de chier dans son froc, comme tous ceux qui étaient là, dans la crypte. Tous ces salopards de lâches n'étaient bons à rien. Et sais-tu ce qui s'est passé quand ils sont tous partis ? Je le vois encore devant moi, mon père, qui n'en finit pas de s'agiter sans cesse autour du cadavre. Et je l'entends parler, répéter toujours la même chose, comme s'il priait : "Tu vas mettre bon ordre à ça", disait-il. "À quoi tu veux que je mette bon ordre ?" je lui demande tout en pensant : Quelle idée ! Elle est morte. Il n'y a plus rien à faire. Et il ajoute : "Cette histoire de film. Il me faut ce putain de film." "Quel film ? Qu'est-ce que tu veux dire ?"

« Et il fixe le miroir et me parle de ton père et de sa caméra de merde, et qu'il a toujours tout filmé, et donc moi aussi, avec la fille. Et qu'on peut tous nous voir sur ce film. Sans masque. Alors j'ai compris ce qu'il voulait dire !

« Tu as déjà entendu ton cœur battre fort, fort et vite, tellement fort que ça t'a coupé la parole ? Et puis ton cœur ralentit, tu peux l'entendre se calmer, battement après battement.

« C'était un moment comme ça. Le moment qui précède l'action, une action dont on sait qu'elle donnera un sens à toute sa vie. Je savais que ce moment était venu pour *moi*.

« Je suis donc parti en campagne pour mettre les choses en ordre. Pour aller récupérer le film et rechercher ton père. Cela aurait dû être ma nuit. *Ma* nuit. Et c'est devenu ta nuit. »

Gabriel fixe Valerius, bouche bée. *Ma* nuit ? pense-t-il. Mes parents sont morts, ma maison a brûlé, et ce serait ma nuit ? Il est pris d'une colère si violente qu'il lui semble qu'elle va le dévorer.

« Tu as cru que j'étais mort, n'est-ce pas ? Brûlé. Carbonisé. C'est ce qui aurait effectivement pu m'arriver de mieux », ajoute Valerius perdu dans ses pensées, mais sans quitter Liz des yeux.

Le point rouge s'est arrêté sur le reflet de son front dans le miroir. Puis il lève le regard.

« Je sais, je sais. Je devrais remercier le ciel de m'en être sorti… Il y avait encore un petit cagibi dans le laboratoire, derrière un rideau, avec un W.-C. Tu savais ça ? J'ai mouillé des serviettes dans la cuvette, je me suis aspergé d'eau et j'ai arrosé la porte, tiré la chasse et arrosé, entre-temps j'ai même pissé contre la porte pour qu'elle reste humide et j'ai respiré par l'aération. »

Le regard de Gabriel est rivé sur le visage de Valerius tandis que ses pieds avancent centimètre après centimètre, profitant de chaque instant d'inattention de Valerius.

« Quand j'ai réussi à ramper dehors, la maison n'était plus que cendres. Il faisait encore nuit et il y avait des pompiers et des policiers partout. J'ai eu de la chance, je me suis enfui par le jardin sans me faire repérer. Et je suis rentré ici, à la maison, avec tout ça. » Valerius désigne son visage et sa prothèse. « Mon père m'a calmé comme on fait avec un chaton, m'a donné des somnifères, quelque chose contre la douleur et tout le nécessaire. L'un de ses amis très convenables est arrivé, un médecin. Il m'a fait des pansements, a fait tout son possible, vu la situation. Dieu, que j'ai été naïf. Je lui ai été tellement reconnaissant. Quand je me suis réveillé, j'étais ici, en bas. Enfermé et étroitement enchaîné. Et le voilà devant moi qui dit : "Où est le film ?" Tu as le film ?

Je ne suis même pas encore en état de lui répondre, mais je me dis : Regarde-moi, mais regarde-moi donc, tu ne vois pas combien je souffre ? Mon visage, ma peau… et tu demandes après ce putain de film ? Et lui continue tout bêtement à hurler : "Où est le film ?" Toujours : "Où est le film ?"

« C'est là que j'ai su qu'il était comme tous les autres. Il avait peur. Peur, tout simplement peur. Pas pour moi, uniquement pour lui, pour lui tout seul.

« Et voici le meilleur de l'histoire. J'ai fini par lui accorder ce qu'il n'arrêtait pas de me demander. Tu sais ce que je lui ai dit ? Je lui ai dit : "Tu peux te le mettre où je pense ton film, je ne te le donnerai pas. Je l'ai caché, dans la maison de mère, au Kadettenweg." Je ne l'avais jamais eu, naturellement : cette putain de cassette a fondu à la chaleur, comme tout ce qu'il y avait dans le laboratoire, d'ailleurs. Mais je lui ai dit que je l'avais cachée, et il l'a cru.

« Ça l'a rendu fou. Complètement fou. Et aussi quand j'ai ajouté qu'ils étaient tous morts dans la maison, sauf toi. "Il a quel âge, ce gamin ? Qu'est-ce qu'il a vu ?"

« Mais pour lui, le pire a été de penser que ce film était caché quelque part et qu'on pouvait le reconnaître dessus. C'est ça qui l'a rendu fou furieux. Quand il s'est rendu compte qu'il ne tirerait rien de moi, il a fouillé tout le 107 à la recherche du film. Il n'a rien trouvé. Normal : il n'y avait rien à trouver. »

Valerius a un rire amer. La main qui tient le couteau frémit. Liz se mord les lèvres et tente frénétiquement d'accorder les soubresauts de ses hanches à celui de la lame.

« Il a fini par abandonner. Il a probablement tout bêtement verrouillé la porte d'entrée, donné la clef à Sarkov, et il a laissé pourrir la villa. Peut-être aussi qu'il a pensé que je le lui dirais s'il attendait suffisamment longtemps. Après cela, il m'a emmené en Suisse, ou plutôt Sarkov m'a emmené en Suisse pour m'y enterrer vivant. Pendant plus de vingt-huit ans, sous un chalet suisse de merde, dans un trou de cave, taillé dans la roche exprès pour moi. »

Gabriel a le souffle coupé. Un court instant, le temps d'un éclat de lampe de poche dans une galerie enténébrée, il comprend que Valerius a dû se sentir affreusement perdu.

« J'ai mis vingt-huit ans pour me libérer. » Il pose le regard sur Liz. « Et ta petite sorcière, là, elle y est arrivée en quelques semaines. Mais tu n'es pas allée bien loin, hein ? »

Liz répond par un léger gémissement.

Maintenant, se dit Gabriel, *encore un petit pas.*

« Reste surtout où tu es », hurle Valerius d'une voix stridente en avançant la lame.

Liz laisse échapper un cri de douleur et fait une crise d'hyperventilation. Ses genoux, relevés à gauche et à droite de Valerius, se mettent à trembler violemment.

Gabriel sent son sang se figer dans ses veines.

Combien encore ? Six mètres ? Six mètres cinquante ?

Même si Valerius a dû mal à évaluer les distances et qu'il ne remarque manifestement pas que Gabriel s'est rapproché de quelques pas, il garde encore l'avantage.

Six mètres, c'est trop.

« Qu'est-ce que tu as l'intention de faire, maintenant, nom de Dieu ? Qu'est-ce que tu veux de moi ? »

Valerius le regarde, l'œil narquois.

« De toi ? Je veux simplement que tu regardes. Comme ton père. Tu comprends ? Je veux quelque chose de ta petite Liz.

— Et quoi, bordel ?

— Je veux qu'elle meure. *Encore* et *encore.* »

Le cœur de Gabriel cesse un instant de battre.

« Encore et encore ?

— Le 13 octobre, selon le plan initial. Je voulais te donner un peu de temps. Et je voulais que tu te doutes de quoi il était question. D'où la robe du Kadettenweg et la photo du mannequin. Je voulais que tu te souviennes et que tu aies peur. Bien. Le plan a changé. C'est comme ça, c'est aussi bien. Finalement, ça ne fait pas de différence.

— Encore et encore ? Qu'est-ce que ça veut dire ? demande Gabriel d'une voix voilée.

— Tu cherches à gagner du temps ? Ou tu n'as vraiment pas encore deviné ? »

Gabriel se tait.

« Les cendres aux cendres, la poussière à la poussière. Tu sais ce que ça signifie, Gabriel ? Le début et la fin sont toujours identiques. *Toujours.* Et pour nous deux, tout a commencé avec un film. Avec un film où une jeune fille meurt. » Le regard de Valerius vacille, la moitié brûlée de son visage ressemble à un morceau de chair crue. Il désigne le miroir avec sa prothèse. « Tu vois ce point rouge là-bas ? Qui brille tout le temps ? C'est une caméra. Elle est derrière le miroir, comme jadis. On peut voir à travers depuis l'autre côté. Ce point rouge t'indique qu'elle filme, depuis le début, chaque minute de notre conversation inutile. Chaque pas inutile que tu fais dans ma direction. Et plus longtemps nous discuterons, plus long et plus atroce il sera pour toi, ton film.

« Car ce film est *mon* cadeau pour toi, Gabriel. Je ne veux pas te tuer, je ne te ferai pas ce plaisir. Je veux te faire cadeau de quelque chose : d'un film dans lequel une femme meurt. *Ta* femme. Et *ton* enfant.

« Plus tard, tu n'arrêteras pas de le regarder. Tu te demanderas quelle erreur tu as faite. Si tu n'aurais pas mieux fait de dire autre chose que tout ce que tu m'as dit ; si tu aurais mieux fait de ne pas essayer de te rapprocher ; si tu n'aurais pas mieux fait de t'excuser auprès de moi, ou de me supplier à genoux, ou encore si tu n'aurais pas mieux fait de me sauter dessus tout de suite. *Encore* et *encore.*

Encore...

Encore...

Encore..., répond l'écho de la voûte.

Le temps retient son souffle.

Gabriel ouvre la bouche, hésite, ne trouve pas les mots qu'il faudrait. Tout espoir s'évanouit, même le plus ténu. L'inévitable grandit sous ses yeux, dans le miroir, dans cet unique putain de point rougeoyant.

Valerius ricane.

« Et de quoi allons-nous encore parler ?

— Tu fais une belle espèce de salaud, répugnant, malfaisant et malade.

— Mon Dieu, que de morale ! Je ne suis pas malfaisant. Je ne suis qu'intelligent. Et je ne fais que ce que je dois faire.

— Appelle ça comme tu voudras.

— Et toi, tu as été malfaisant, siffle Valerius entre les dents, quand, pour t'évader de la psychiatrie, tu as mis le couteau sur la gorge de ton frère, David ? »

Gabriel sursaute, comme s'il avait reçu un coup.

« Et quand tu m'as poussé dans les flammes. Quand tu as tué ton père ? C'était de la malfaisance, ça ?

— D'où tu connais cette histoire avec David ?

— Tu étais malfaisant quand tu as travaillé pour la Python ? Pour Youri, cette crevure ? Sois sincère, y a-t-il quelque chose qu'il ne t'aurait pas demandé de faire ? Certainement un peu plus que contrôler tel ou tel système d'alarme. Et quand tu as tué Jonas ? »

Les yeux de Valerius brasillent. Sa poitrine pompe de l'air, et il a du mal à respirer. Gabriel fixe la lumière rouge du miroir. C'est à présent seulement que tous les éléments s'emboîtent en un tout cohérent dans sa tête et qu'il comprend avec quel soin Valerius a tout combiné depuis le début.

« L'alarme du Kadettenweg, c'était toi ?

— Naturellement. Je savais que tu étais de service. Et je savais que tu irais sur les lieux. Je me suis chopé ta petite au moment même où tu tenais probablement la robe entre les mains. Malheureusement, ces deux débiles s'en sont mêlés...

— Pit et Jonas.

— J'aurais dû être plus conséquent, j'aurais mieux fait de les tuer tout de suite, peut-être qu'il aurait d'ailleurs suffi que je leur fasse peur, et Liz n'aurait pas pu téléphoner... » La commissure de ses lèvres tressaille. « Ironie du sort. Et aussi que tu n'aies pas pu voir la photo. Et que tu ne puisses plus te souvenir de rien, de rien du tout... Je ne pouvais pas y croire. Ou mieux : je ne pouvais absolument pas imaginer ça. Il doit y avoir quelque chose, je me suis dit. Je me rappelle bien, *moi*. Tu sais, j'ai découvert des tas de choses sur toi, mais je ne pouvais pas voir ce qui se passait dans ta tête. Toutefois comme je l'ai déjà dit, finalement, ça ne fait aucune différence. Les choses s'emboîtent d'elles-mêmes. »

Gabriel a l'impression que le sol se dérobe sous ses pieds. *Du temps !* pense-t-il désespérément. *Il faut que je gagne du temps.* Il fixe le couteau entre les jambes de Liz, voit son regard suppliant.

« Ton film devient de plus en plus long, fait laconiquement Valerius.

— Comment en sais-tu autant sur moi ? Comment m'as-tu trouvé ? »

La commissure des lèvres de Valerius s'incurve vers le haut.

« Tu veux gagner du temps, c'est ça ? Non ? Tu dois bien te douter de comment je t'ai trouvé. Mais soit, je vais te faire ce plaisir.

« Pendant des décennies, dans mon caveau, j'ai forgé des plans pour me venger. Quand j'ai réussi à me libérer il y a environ un an, tu avais disparu de la circulation. Comme volatilisé. Je suis donc parti à la recherche de Sarkov et j'ai épié mon père. Et puis je t'ai vu, toi, avec Sarkov. Tu imagines ce que j'ai pu ressentir ? Comme quand tu sens ton cœur battre, vite d'abord, puis plus lentement, comme si après une longue course tu retirais brutalement ton fusil de l'épaule, que tu mettais en joue et que tu attendais que ta respiration se calme.

« Quelque temps après, j'ai découvert Conradshöhe et je me suis procuré ton dossier. Que Sarkov soit devenu ton tuteur est typique des agissements de mon vieux. Il fallait qu'il contrôle tout. »

Gabriel a du mal à supporter ce qu'il apprend et regarde Liz. Il perçoit sa respiration sans relief. Des larmes lui coulent au coin des yeux. Ses lèvres pâles sont entrouvertes.

Valerius a un rire de triomphe.

« Et maintenant nous voici réunis ici, et tu vas avoir ton film, un film rien que pour toi. »

Six putains de mètres, martèle-t-on dans la tête de Gabriel. Un instant, un *unique* instant d'inattention…

« Oublie ça, fait Valerius, un seul pas vers moi, et j'aurai poussé la lame quatre ou cinq fois, et je l'aurai éventrée.

— Je te tuerai, murmure Gabriel d'une voix rauque. Quoi qu'il arrive, je te tuerai.

— Apporte-moi la délivrance, si tu peux. N'hésite pas ! Mais tu auras tout devant les yeux pour le restant de ta vie. Tu verras toujours que tu t'es rué sur moi et que tu es quand même arrivé trop tard. Tu pourras vivre avec ça ? Avoir sur la conscience la mort de tes parents et en plus, maintenant, de ta femme et de ton enfant ? »

Gabriel serre les poings.

« Quelle différence ? fait-il entre ses dents. Je peux même me jeter sur toi tout de suite pour te tuer.

— Mais ce qui est intéressant, c'est que tu ne le fais pas, n'est-ce pas ? murmure Valerius, les sourcils levés. Au contraire. Tu vas attendre un miracle, tu vas essayer de gagner du temps. Chaque seconde compte pour toi, pour *elle* ! Et tu sais quoi ? Je veux bien vous faire ce plaisir. À toi et à elle. J'aime parler. J'aime beaucoup parler ! Pendant presque trente ans, je ne me suis parlé qu'à moi-même. J'étais seul avec ma haine. Et maintenant, je peux enfin la décharger sur toi. Et quel délice si tu supplies carrément, en mendiant… » Un sourire se joue sur les lèvres de Valerius, un sourire fin comme une lame de rasoir. « Mais maintenant, sincèrement, il faut que j'arrête avec mes bavardages. »

La panique s'empare de Gabriel et lui coupe le souffle. La colère lui brûle les muscles.

Jette-toi sur lui !

Non, attends encore !

Décide-toi, à la fin !

« Nous y sommes, Gabriel, murmure Valerius. Nous sommes arrivés au zénith, au comble de ce film d'horreur qui n'appartient vraiment qu'à toi seul. »

La petite lampe rouge témoin d'enregistrement fore presque un trou dans le miroir. Impuissant, Gabriel fixe le point rougeoyant. Un instant, il a de nouveau onze ans, il a l'arme en main et doit décider s'il va tirer.

Vas-y, nom de Dieu !

Mais tu la tueras.

Si tu ne *le fais* pas, *tu la tueras aussi.*

Le cœur de Gabriel bat à tout rompre. Le point rouge vacille devant ses yeux, puis, tout à coup, il s'éteint.

Gabriel rive le regard sur l'endroit où la petite lampe flamboyait encore un instant auparavant.

Les yeux de Valerius se sont plantés dans le visage de Gabriel, il voit son étonnement à sa moue, essaie de comprendre sans toutefois y parvenir.

« La caméra », chuchote Gabriel.

Valerius fronce les sourcils. Ses pupilles balaient la surface du miroir, et il est stupéfait, consterné.

Frénétiquement, il tâtonne gauchement avec sa prothèse sur la table de pierre à côté de Liz. La pointe du couteau tressaute à l'entrée du vagin de Liz. Elle se mord les lèvres et gémit.

« Reste où tu es », menace Valerius.

Il lève le bras avec la prothèse, et Gabriel voit qu'il s'efforce de tenir entre ses doigts artificiels une télécommande de la taille d'une boîte d'allumettes. Valerius ne cesse d'appuyer convulsivement sur les boutons, mais en vain.

La lumière rouge reste aveugle.

Tout en jurant, il change de main pour manœuvrer la télécommande de sa main valide. C'est alors que le couteau glisse des doigts raides de la prothèse qui tentent de s'en saisir et qu'il tombe sur la pierre avec un cliquetis métallique.

« *Maintenant* », hurle Liz.

Gabriel se rue en avant comme un animal sauvage déchaîné.

Liz avance le bassin par à-coups sur la pierre, aussi loin que le permettent ses chaînes, puis plaque ses fesses sur le couteau.

Un instant stupéfait de ce qui arrive, Valerius s'est soudain figé, un doigt sur la télécommande, le regard sur l'emplacement où le couteau se trouvait encore quelques instants auparavant.

Puis il pirouette brusquement, lève le bras avec la prothèse qu'il cogne contre le menton de Gabriel en train de se précipiter sur lui.

Gabriel chancelle, ses genoux le trahissent un instant, et il s'écroule sur Valerius, qui peine à ne pas se laisser entraîner.

Liz tire désespérément sur ses liens. Avec de petits mouvements de hanche, elle tente de rapprocher ses mains du couteau.

Valerius repousse d'une main un Gabriel toujours étourdi par le coup sur le menton et qui va valdinguer contre une des colonnes. Valerius se jette sur lui avec un cri de rage, bras de la prothèse levé comme une masse.

« Attention ! » crie Liz.

Gabriel voit le coup arriver. Il est comme paralysé. Ses muscles refusent de réagir. La prothèse fonce en direction de sa tête. Instinctivement, il se laisse tomber sur le côté, de telle sorte qu'elle ne frappe pas son crâne, mais cogne son épaule – celle qui est déjà blessée. C'est comme si une pointe de fer de la taille d'un doigt s'y enfonçait. La douleur manque l'achever, et il s'effondre sur le sol.

Valerius respire avec un bruit de crécelle.

« Tout ça ne te servira de rien. Tu la perdras, lance-t-il méchamment entre ses dents, tout en se dirigeant vers Liz.

— Gabriel, lève-toi ! »

Prise de panique, Liz presse son corps sur le couteau, contre la froide table de pierre. Le sourire de Valerius n'est plus qu'une grimace de rage grotesque. La moitié brûlée de son visage rougeoie dans le miroir comme une flamme. Il se tient debout devant Liz qui tire sur ses liens. Il lève le bras, lentement, comme s'il voulait jouir de chaque centimètre. Il a les yeux rivés sur Liz, mais le regard de la femme glisse sur lui, se porte dans son dos.

Il comprend, se retourne soudainement, juste à temps pour que Gabriel, qui se ruait sur lui, titube dans le vide. Lorsque sa poitrine heurte la table de pierre, il a le souffle coupé et se plie en deux.

Valerius profite de cet instant pour passer la prothèse autour du cou de son adversaire.

Un étranglement, se dit rapidement Gabriel. Il trouve particulièrement ridicule de finir ainsi. La prothèse écrase sa trachée comme une presse à ferraille. Le manque d'oxygène l'affaiblit, et ses mouvements ressemblent à ceux d'un enfant de onze ans abandonné, moulinant des bras, battant des mains et tremblant. Il entend vaguement les chaînes qui cliquettent autour des chevilles et des mains de Liz, et il entend aussi qu'elle l'appelle, encore et encore. Il a le vertige, son champ de vision s'amoindrit, devient de plus en plus sombre et étroit, comme s'il tombait au fond d'un puits.

Il sait qu'il ne lui reste plus que quelques secondes avant de perdre connaissance. D'un ultime effort, quasi surhumain, il se jette en avant contre le sarcophage de pierre ; ce faisant, il chasse la jambe d'appui de Valerius qui fait un demi-tour sur lui-même, trébuche, chute et, tout en entraînant Gabriel avec lui, tombe la tête la première sur Liz.

Au même instant, Gabriel sent que la pression sur son cou se relâche, que la prise de la prothèse se desserre et que Valerius est agité de légers frissons. Il dégage sa tête de l'étreinte et tombe sur le sol en happant l'air.

Au-dessus de lui, Valerius pousse de longs gémissements, comme victime d'un horrible rêve.

Gabriel s'aide des bras pour se relever. Son cerveau flotte comme une goutte d'eau sous sa boîte crânienne et il voit double. Valerius est en train de se redresser en poussant un profond cri guttural. À demi allongé sur Liz, il lui saisit la main et lui tord le poignet. Elle hurle de douleur. Du ventre de Valerius, de gros filets rouges ruissellent sur le sol. C'est alors seulement que Gabriel reconnaît l'objet que Valerius veut retirer de la main de Liz – c'est le couteau sur lequel il est tombé, ventre en avant.

Les chaînes tintent doucement quand Liz lâche le couteau tellement elle souffre.

« Le couteau, Gabriel ! » hurle-t-elle.

Gabriel réussit à se remettre sur ses jambes en vacillant, voit que Valerius tend la main vers le couteau, voit ses doigts se refermer sur le manche et son bras se lever pour planter l'arme dans le corps de Liz.

S'aidant des deux mains, il retient la main de Valerius, qui hurle de rage, mouline sauvagement des bras, tente de se libérer tout en envoyant des coups de couteau à l'aveuglette autour de lui. Avec un bruit ignoble, la lame frappe la pierre près de Liz, pour fendre l'air de nouveau. D'une main, Gabriel empoigne Valerius par les cheveux, tandis que de l'autre il essaie toujours de retenir le bras armé. Alors qu'il cherche un appui solide, il pose le pied dans une flaque sombre. Il dérape, la main agrippant toujours les cheveux de Valerius. Dans sa chute, il perçoit un impact sourd et entend un craquement très sec – comme quand on écrase une noix – lorsque le crâne de Valerius heurte le bord du cercueil de pierre.

À l'instant, toute tension a disparu du corps de Valerius qui s'effondre sur le sol. Le couteau tombe sur les vieux carreaux de pierre. Ses entrailles s'échappent de son ventre, et tout autour du corps se forme une mare de sang qui s'agrandit vite.

« Mon Dieu, halète Liz, il est… il est mort ? »

Gabriel se relève en prenant appui sur le sarcophage. Il respire difficilement, par à-coups. Il la regarde, et c'est à ce moment précis qu'il remarque pour la première fois que ses yeux ont la même couleur que ceux de sa mère.

« Oui, je crois. »

Liz soupire, elle veut respirer à pleins poumons, s'étrangle et tousse. Les chaînes cliquettent à ses articulations. Puis elle se met à sangloter sans fin.

Gabriel est incapable d'articuler un mot. Il pose délicatement sa main sur le ventre arrondi de Liz, comme s'il pouvait sentir que tout est encore en ordre là-dessous. Il la libère rapidement des manchettes de métal, puis il se penche sur elle et l'enlace. Il sent son haleine dans son cou, sa poitrine se lève et s'abaisse en rythme, ses sanglots lui froissent le tympan, et l'odeur de sa transpiration froide lui chatouille les narines, l'enveloppe comme un parfum enivrant, meilleur qu'il n'en a jamais senti.

On crie victoire dans sa tête. *Je t'ai trouvée.* Sa poitrine et son âme menacent d'éclater. *Je t'ai trouvée !* C'est tout ce qu'il est capable de penser.

Comme un mantra, encore et encore.

56

Berlin – 28 septembre, 08 h 29

David est incapable de bouger dans ce cagibi étroit où il lutte pour garder son calme. Il fixe Liz et son frère, qui s'enlacent sous ses yeux. *Gabriel dans les bras d'une femme !* Il comprend à présent seulement combien Gabriel doit l'aimer et sent un picotement désagréable dans la poitrine. Néanmoins, l'idée que son frère aime vraiment quelqu'un le tranquillise profondément – et l'étonne à la fois.

Il entend le souffle de sa propre respiration dans cet espace restreint. La caméra a beau encore tourner, elle n'enregistre plus.

Plus de lumière rouge.

Sur le petit écran en couleur escamotable de la caméra, Gabriel et Liz sont enlacés, Liz vêtue de sa luxueuse robe blanche où l'on ne remarque pas tout de suite la grotesque entaille. L'image est presque irréelle, avec ce côté kitsch de cliché de happy end, excepté le cadavre de Valerius à leur côté, bien réel celui-là, laid et bien trop proche d'eux, avec ce ventre ouvert et ces entrailles qui se sont répandues. La flaque de sang a cessé de s'agrandir et ressemble à un imposant néant noir et poisseux.

David regarde ses mains. Elles tremblent.

Il respire profondément pour se calmer, entend son cœur qui reprend un rythme normal. Puis il essaie de faire glisser le lourd miroir, délicatement d'abord, puis de toutes ses forces. Mais il ne bouge pas d'un millimètre.

Il saisit le seul objet robuste du local, la caméra, replie les pattes encombrantes du trépied sur laquelle elle est fixée et la cogne dans le dos du miroir à la façon d'un swing de golf. Le bruit de l'éclatement de la vieille vitre au revêtement argenté est assourdissant. Les grands morceaux de verre acérés pleuvent en cliquetant sur le sol de la crypte.

Liz et Gabriel sursautent, effrayés.

Gabriel se redresse d'un seul effort et fixe, hébété, l'étroit cagibi derrière le miroir brisé.

« Mon Dieu, *toi !* »

David opine sans un mot. Sa poitrine se soulève régulièrement, son souffle est court. Le visage gris comme de la cendre, il serre encore dans ses mains le trépied en aluminium noir avec la caméra.

« Où étais-tu fourré ? Comment t'es-tu retrouvé là-dedans ?

— Sarkov, répond David.

— Quoi ? Youri est *là* ? »

David fit un petit signe approbateur.

« Après ton départ, j'ai couru pour inspecter la maison... Je l'ai trouvé là-haut, dans le bureau. Valerius l'avait ligoté. Je te raconterai le reste plus tard, dit-il, blême. Je... Il savait que derrière le miroir il y avait ce cagibi, c'est pour ça...

— Depuis combien de temps tu es là ?

— Je ne sais pas. Je crois que je suis arrivé peu de temps après toi.

— Tu as tout vu ? Tout le temps ? s'étonne Gabriel.

— Tout. Tout ce cauchemar. Je ne savais pas quoi faire. Je me suis dit que si je brisais le miroir, il... il l'éventrerait... » Il s'interrompt, son regard va de Gabriel à Liz. « J'ai vu où le couteau... je veux dire, il aurait tout simplement suffi qu'il soit effrayé... »

Gabriel le regarde, puis il commence à comprendre.

« La caméra ! C'était toi. C'est *toi* qui as éteint la caméra. »

David tord la bouche en un sourire.

Liz lui envoie un long regard de reconnaissance.

« J'aurais dû faire ça bien plus tôt. Mais je ne savais pas qu'on voyait le point rouge de l'autre côté du miroir. Ce n'est que quand il a montré la lumière du doigt et qu'il t'a demandé si tu voyais la lampe rouge que j'ai eu l'idée d'éteindre ce truc. Je me suis dit que c'était la seule chose qui pourrait le déranger, et que tu aurais ta chance. »

Gabriel le fixe, décontenancé.

« C'est… c'était… Merci », balbutie-t-il.

Puis il enlace son frère si soudainement et avec tant de force que David étouffe.

Gabriel sent les joues de David, mouillées de larmes, et ses yeux s'embuent aussi. Il lève la tête vers le plafond de pierre et pense à un ciel bleu.

Bleu clair.

Sans nuages, comme dans notre ancienne chambre en soupente.

Il ne sait que trop bien que le ciel est couvert. Mais il s'en moque.

Il regarde Liz, son ventre rond et ses yeux qui, malgré tout, brillent encore d'un vert profond, et il souhaite pour la première fois qu'il y ait pour lui quelque chose comme un avenir.

57

Berlin – 28 septembre, 08 h 47

Le moteur démarre avec un grondement pénétrant, puis la coque en bois se projette en avant, sort du hangar à bateaux ouvert sur le Wannsee. Une pluie glaciale frappe de plein fouet le visage de Gabriel. David, debout à la console de pilotage, prend un virage à 90° qui l'éloigne de l'île Schwanenwerder. L'étrave cogne durement contre la houle poussée par le vent.

Gabriel se laisse tomber sur le fond du bateau et serre Liz contre lui. Elle est accroupie sous la barre, enveloppée dans une couverture. Elle claque des dents et ses lèvres ont bleui, elle porte encore sa robe.

Personne ne parle.

Une fois Valerius et son père étendus morts dans la crypte, il ne leur était plus resté beaucoup de temps pour prendre une décision.

« Je… je veux sortir d'ici, balbutia Liz. S'il vous plaît.

— Et qu'est-ce qu'on fait de la police ? demanda David, inquiet.

— La police ? » Gabriel regarda Liz.

« Sors-moi de là, tout simplement. Aussi vite que possible », répéta Liz.

David opina. Il se leva sans mot dire et éjecta une minicassette HD du magnétoscope.

« On ne peut pas sortir par la maison. Si on joue de malchance, les premiers domestiques sont déjà là, en train de se demander où est passé von Braunsfeld. Et il ne leur faudra pas longtemps pour découvrir les chiens morts et alerter la police.

— Sur la rive du lac, il y a un hangar à bateaux avec un appontement flottant privé. » La voix de Liz tremblait, mais paraissait ferme. « Von Braunsfeld me l'a montré quand nous avons tourné ici. Mais la porte sur la serre est fermée...

— Le mécanisme de fermeture est abîmé. J'ai bloqué le pêne quand je suis passé », dit Gabriel.

Dans le tunnel qui mène à la serre, les genoux de Liz défaillirent. Gabriel la souleva et la porta en marchant en crabe pour franchir le reste du corridor resserré. De longs filets de pluie tombèrent sur eux dès qu'ils sortirent par la trappe. Après cent cinquante mètres de course, ils atteignirent le hangar. Gabriel força la porte, court-circuita l'allumage du moteur, et, quelques secondes plus tard, ils étaient sur l'eau du lac qui frappe à présent contre la coque du bateau.

Sans échanger un mot, diesel ronflant, ils foncent dans le canal qui conduit au Pichelsee, traversent le petit port et poursuivent leur route sur la Spree qui serpente dans Berlin. David diminue la vitesse, et soudain la pluie ne tombe plus que mollement sur leur visage.

Ils accostent sous le pont de la S-Bahn près du Helgoländer Ufer, montent dans un taxi devant la station du métro et arrivent à l'appartement de David. Ils sont silencieux. Tout est irréel, si étrangement paisible, si tranquille, comme le calme avant la tempête.

Mais rien ne se passe.

La nuit, ils dorment d'un sommeil semblable à la mort.

58

Berlin – 29 septembre, 09 h 56

La journée suivante commence comme celle de la veille s'est terminée. Avec une pluie incessante, avec ce calme étrange et la crainte qu'à chaque instant la police sonne à la porte de David. Personne n'allume la télévision. Personne n'allume la radio. Le téléphone est débranché, et l'appartement est comme une bulle de verre en pleine tempête.

Peu après neuf heures, Gabriel était descendu à la boulangerie du coin pour acheter quelques sandwichs et des croissants. La une du *Berliner Zeitung* lui a sauté aux yeux. « *Victor von Braunsfeld décédé. Mystérieux drame dans la villa du milliardaire.* »

Tandis que Gabriel attend qu'on lui prépare ses sandwichs, il parcourt l'article. Manifestement, Youri avait été découvert par une femme de ménage dans le bureau de von Braunsfeld et avait été transporté à l'hôpital où il se trouvait à présent. Les chiens morts, la crypte, le cadavre de von Braunsfeld et celui de son fils à côté d'un sarcophage avec des chaînes en fer forgé laissaient tant de place aux spéculations que les quelques faits avérés y étaient noyés. Quand il récupéra les sandwichs, il laissa le journal. Il ne voulait pas colporter l'histoire à la maison.

Liz est assise sur un des divans gris, enveloppée dans une couverture, et elle fixe le mur où manque le Dalí.

« Tu devrais aller chez le médecin », suggère David.

Elle hoche la tête, couvre mieux ses jambes et place ses mains autour d'un mug de thé rouge pour se réchauffer. Elle préférerait retourner dans la baignoire, mais elle ne veut plus être nue. Et même l'eau chaude d'un bain ne peut rien contre les frissons qui lui traversent le corps.

Gabriel est assis à côté d'elle. Devant eux, sur la table basse, il y a la copie de son dossier psychiatrique, des cauchemars bien empilés sous forme de comptes rendus.

Liz boit une gorgée de thé et s'éclaircit la voix.

« Pourquoi tu ne m'as jamais dit que tu avais été en psychiatrie ? »

Gabriel hausse les épaules.

« Certainement pour la même raison que j'ai oublié ce qui s'est passé cette nuit-là.

— Occulté, corrige David à voix basse, pas oublié. »

Gabriel fixe les yeux sur le sol, se tait et David poursuit :

« Hé ! tu as réellement *tiré*, mais tu ne l'as pas *tué*. C'est Valerius qui l'a tué. Tu avais onze ans. Et tu étais dans une situation de merde.

— J'aurais pu tout aussi bien le tuer. C'est un coup de chance que je ne l'aie touché qu'au côté.

— Dans cette situation, il n'y avait ni bien ni mal. Pas à ce moment-là, commente Liz. Ce qui n'arrange pas les choses, mais les rend peut-être plus faciles à digérer. »

Gabriel opine, même s'il ne voit absolument pas ce qu'il y aurait de simple à digérer dans tout ça.

Un lourd silence pèse sur eux quelques courts instants.

« Au fait, pourquoi Sarkov t'a fait sortir de la clinique ? Je croyais qu'il était complice de von Braunsfeld, finit par s'inquiéter David. Aussi longtemps que tu étais en psychiatrie, tu ne représentais aucun danger pour eux.

— Mais finalement, qu'est-ce qui te rendait dangereux ? demande Liz.

— J'étais le seul témoin de toute cette folie. Von Braunsfeld savait par Valerius que j'avais vu son fils tuer mes parents. Et il craignait aussi que je n'aie vu le film. Il a sans doute très vite su que j'étais incapable de me rappeler, mais il ne pouvait absolument pas être certain que je ne devienne pas un jour ou l'autre un problème pour lui. »

David hoche la tête.

« Qu'est-ce que tu aurais dû faire ? Aller à la police ? Cette histoire est si monstrueuse que personne n'y aurait cru, de toute façon. Et il ne restait plus aucune preuve.

— Sincèrement, j'avais un tas d'autres raisons pour ne pas aller à la police, mais ça n'a sans doute pas suffi à von Braunsfeld. »

Liz dodeline de la tête.

« Ouais, tel que je connais von Braunsfeld, l'homme était un stratège et s'est protégé tant qu'il a pu contre toutes les éventualités. Il avait beaucoup à perdre. Et quand on commence vraiment à flairer quelque chose de louche chez un grand manitou, la presse campe sur le paillasson, tout s'affole et devient incontrôlable. Et pour lui, ça aurait été la fin.

— Il y a de ça, acquiesce David. Mais si ton idée est juste, cette histoire avec Sarkov est encore plus insensée. Pourquoi sort-il Gabriel de Conradshöhe ?

— Probablement à cause de Dressler, avance Gabriel. Dans mon dossier, il est mentionné, juste avant ma libération, que le docteur Wagner est mon nouveau psychiatre. À partir de cette date, tous les comptes rendus sont signés de sa main. Je me rappelle encore bien que Dressler a eu des problèmes à cause de ses méthodes de traitement.

— Tu veux parler des électrochocs ? » intervient David.

Liz écarquille les yeux.

« Merde alors, ils t'ont fait des électrochocs ? »

Gabriel opine. Il se lève, va à la fenêtre et contemple la tour de télévision dont les faces flottent dans la pluie comme un poisson-ballon argenté.

« On a découvert ces agissements fin des années quatre-vingt, ça a fait un énorme scandale, et Dressler s'est fait virer.

— Et quel rapport avec Sarkov et von Braunsfeld ?

— J'ai encore jeté un coup d'œil au dossier tout à l'heure. Le docteur Wagner a changé de méthode de traitement. Apparemment, avec lui, j'avais commencé à me rappeler.

— Tu crois que von Braunsfeld a envoyé Sarkov pour empêcher que le docteur Wagner traite correctement ton traumatisme ? demande David.

— Il en est capable, dit Liz. Il est vraisemblable que von Braunsfeld s'était mis Dressler dans la poche. Mais quand il a été licencié et que Wagner a commencé à fouiller dans ta mémoire, c'est devenu trop risqué pour lui.

— Au fond, il a joué une très bonne carte, conclut Gabriel, amer. Dès que j'ai été sorti de Conradshöhe, Youri est devenu mon tuteur. Il m'avait donc parfaitement sous contrôle. J'aurais tout fait pour lui, ne serait-ce que parce qu'il m'avait arraché à cet enfer. Et il m'a tellement fait travailler que je n'ai pas eu beaucoup de temps pour me poser des questions.

— Je me demande ce que ces deux-là auraient fait si tu avais subitement commencé à en poser, des questions, et à t'inquiéter de ton passé, dit Liz.

— Ouais, en fait c'est exactement ce qui s'est passé, mais presque trente ans plus tard, années durant lesquelles il n'y a pas eu de problèmes ; pour eux, l'affaire était probablement réglée. C'est pourquoi Youri a réagi d'une manière si curieuse.

— Qu'est-ce que tu veux dire ?

— Tout a commencé quand Valerius a activé l'alarme au Kadettenweg. Youri n'avait pas la moindre idée de ce qui se passait, mais il s'y est pris bizarrement pour me tenir à l'écart de cette maison. Et plus tard, quand je lui ai posé des questions sur mon dossier, il a pété les plombs. Qu'il m'ait viré ce jour-là pour me faire rechercher le lendemain montre bien que c'était une action plutôt irréfléchie.

— Exact, marmonne David. Et peu de temps après, il était devant ma porte et voulait absolument te mettre la main dessus.

— Mais, pourquoi ? demande Liz.

— Parce qu'il voulait ce film, explique Gabriel. Je suppose que von Braunsfeld l'a mis sous pression. On avait cambriolé le 107 Kadettenweg, et quand il a appris qu'il y avait un coffre dissimulé dans la cheminée, il s'est instantanément rappelé cette histoire de film. Valerius l'avait bien menacé en lui disant qu'il l'avait caché dans un lieu sûr. Et von Braunsfeld et Youri ont aussitôt cru que j'avais trouvé le film et que je l'avais emporté avec moi.

— Mais pourquoi, demande David, personne ne s'est-il douté qu'il pouvait y avoir un rapport avec Valerius ? Ils ont tout de même dû s'apercevoir qu'il avait disparu du chalet !

— Justement, non, intervient Liz en pinçant d'une main sa couverture. Valerius était un salaud aussi retors que son père. Il avait tout simplement enfermé Yvette, sa gardienne, à sa place et l'avait soumise. Yvette avait terriblement peur de lui. Et quand von Braunsfeld téléphonait au chalet, ce qui arrivait peu souvent, Yvette avait ordre de lui faire croire que tout allait parfaitement bien. Au demeurant, von Braunsfeld évitait les lieux comme la peste.

— Qu'en est-il de ces femmes dont Valerius a parlé ? Celles qu'il a assassinées ? demande David.

— Il devait y avoir un mannequin parmi elles. Yvette m'a raconté qu'avant moi d'autres femmes avaient été prisonnières dans la cellule. Valerius a réussi à se libérer il y a un an déjà, il a simplement repris ses crimes là où il les avait laissés.

— Un mannequin ? demande David et il fixe Liz. Pas la Kristen, tout de même ? Elle a disparu sans laisser de trace avec un sac bourré de robes haute couture. »

Liz blêmit.

« Mon Dieu, les robes… Naturellement, gémit-elle. Chiara Kristen. Ça aussi, j'aurais dû le comprendre plus tôt.

— Il faudrait peut-être qu'on aille à la police, suggère David.

— Oublie, pare Gabriel. Ils ne croiront pas un traître mot. Ils me renverront en psychiatrie en quatrième vitesse.

— Oui. Mais cette fois, tu as quelques témoins, dit David en souriant. Et puis, il y a aussi ce film. »

Gabriel hésite.

« Tu as raison, naturellement. Ça devrait suffire. Il n'y a pas mieux comme aveux. »

David tord la bouche en un sourire, et un court instant Gabriel se reconnaît en lui.

« Quelle ironie du sort : Valerius laisse tourner la caméra pour se venger de toi, et c'est ce film qui va te sauver les miches. »

Gabriel regarde de nouveau par la fenêtre.

« Hum ! Oui et non. Après tout, j'ai pris quelqu'un en otage et je me suis évadé d'un commissariat de police. Et j'ai peine à croire que Dressler me pardonnera de l'avoir ligoté et lâché nu en pleine zone piétonne. »

Liz pouffe et renverse quelques gouttes de thé sur son menton.

« Tu as fait *quoi* ? » Incrédule, elle fixe Gabriel. Puis elle se met à rire, pour la première fois depuis des semaines, et c'est un énorme soulagement. « Formidable ! glousse-t-elle. Un merci à retardement pour les électrochocs. »

David a un grand sourire.

« Le meilleur est à venir. Mon cher frère a aussi collé, au sens littéral du terme, un pistolet entre les mains de ce bon psychiatre. C'est passé aux infos. La police est intervenue à grand renfort de sirènes et de commandos spéciaux pour arrêter le "terroriste nu". Ça a pris un bout de temps avant qu'ils se rendent compte qu'ils n'avaient pas devant eux un fou évadé, mais un psychiatre kidnappé, ricane-t-il.

— Bon, ça va pas être simple, si on va à la police. »

Gabriel rit aussi, et, même si ce n'est pas un rire libérateur, il lui fait du bien. Il retrouve vite son sérieux et se tourne vers David.

« Dis-moi, qu'est-ce qui s'est passé, au fait, avec Youri ?

— J'ai... j'ai eu une petite altercation avec lui, avoue David en hésitant.

— Toi, une altercation avec Youri ? Et tu as survécu ?

— Pour parler franchement, jusqu'à maintenant je n'étais même pas certain que *lui* ait survécu, répond un David gêné aux entournures. Je lui ai cogné la tête contre le sol, plusieurs fois. »

Gabriel regarde son frère, stupéfait.

« J'étais assez furieux », ajoute-t-il comme pour s'excuser.

Gabriel opine et l'observe longtemps.

« Pourquoi tu me regardes comme ça ? Il est à l'hôpital, c'est toi qui l'as dit. »

Gabriel sourit.

« Je regarde mon frère, tout simplement. Et son nouveau visage.

— Euh ! fait David.

— Et cette… cette jeune fille ?

— Shona ? Cette *jeune* fille a passé les trente ans. »

Gabriel lève au ciel des yeux fatigués.

« C'est bon. Je l'appellerai pour prendre rendez-vous avec elle, propose David. Mais seulement quand tu… » Et il désigne du doigt Gabriel. « … ne seras *pas* dans les parages ! Il faut de toute façon que je tire quelques affaires au clair, au sujet de Bug aussi.

— Je n'y comprends rien, murmure Liz. Qu'est-ce que Bug a à voir là-dedans ? »

David écarte sa question d'un revers de main.

« C'est mes oignons. Je réglerai ça tout seul.

— Mes oignons ! Ah, bravo ! Je les connais, ces réponses. Pas étonnant que vous soyez frères. » Liz bâille et renverse la tête en arrière. Puis elle regarde Gabriel. « Réfléchis-y, s'il te plaît, dit-elle doucement en se caressant le ventre.

— À quoi ?

— À cette histoire d'aller à la police. Je ne veux pas que tu sois pour des années sur la liste des personnes recherchées. Et, ajoute-t-elle, l'index sur le ventre, elle certainement pas non plus.

— *Elle ?* » demande Gabriel.

Liz sourit.

« J'ai comme l'impression.

— Et si c'était un *il* ? »

Elle hausse les épaules, un sourire béat et fatigué sur les lèvres.

David se lève, va à son armoire et fouille dans les poches de sa veste. Lorsqu'il revient, il tient en main une petite cassette vidéo HD gris foncé, environ de la taille d'une boîte d'allumettes. Il la dépose dans la main de Gabriel.

« À toi de décider. »

Gabriel contemple la fragile et banale minicassette dans la paume de sa main. Elle ne pèse pas plus qu'un paquet de cigarettes. Et à un cheveu près, le film serait devenu son ascenseur pour l'enfer.

Composition PCA

Achevé d'imprimer en France
par CPI Bussière
à Saint-Amand-Montrond (Cher)
en avril 2014

N° d'édition : 01. — N° d'impression : 2009172.
Dépôt légal : mai 2014.